9787807187134
U0716938

金陵全書

甲編・方志類・府志

康熙江寧府志（四）

（清）于成龍 纂修

南京出版社

江寧府志卷之二十九

游寓

金陵地廣而人稠稽其籍客實倍於主焉就其中貿遷者置勿論轉徙者置勿論游食奔走者置勿論第舉夫文章德業彪炳古今者常赫赫此土亦何盛歟蓋自典午南渡衣冠萃止六代相承常爲都會而山川之勝又足以稅高賢之駕宜其嗌肯適我多聞人也或樂而居或暫而游或題詠所經或事功所届其流風餘韻班班在八邑矣志游寓

吳張昭字子布其先彭城人好學善隸書漢末避亂渡江居秦淮孫策命爲長史文武之事一以委之

策亡昭率郡僚立策弟權而輔之魏使者邢貞拜權爲吳王入門不下車昭謂貞曰夫禮無不敬法無不行而君敢自尊大豈以江南寡弱無方寸之刃乎貞遽下車吳主既稱尊號昭以老病上還官位更拜輔吳將軍改封婁侯食邑萬戸在里宅無事乃著春秋左氏傳解及論語注後公孫淵稱藩吳主欲遣使昭與相反覆吳主怒不聽卒遣張彌許晏往昭稱疾不朝淵果殺彌晏吳主數慰謝昭昭因出過其門呼昭載以還宮深自克責昭不得已然後朝會昭容貌矜嚴吳主憚之常曰孤與張公言不敢妄也年八十一卒遺令幅巾素棺斂以時服

周瑜字公瑾廬江舒人也初孫堅興義兵討董卓徙家於舒堅子策與瑜同年獨相友善瑜推道南大宅以舍策策升堂拜母有無通共瑜從父尚爲丹楊太守瑜往省之會策將東渡到歷陽馳書報瑜瑜將兵迎策策大喜曰吾得卿諧也遂從攻橫江當利皆拔之乃渡擊秣陵破笮融薛禮轉下湖孰江乘進入曲阿劉繇奔走而策之衆已數萬矣因謂瑜曰吾以此衆取吳會平山越已足卿還鎮丹楊瑜還頃之袁

術遣從弟某代尚爲太守而瑜與尚俱還壽春術欲以瑜爲將瑜觀術終無所成故求爲居巢長欲假塗東歸術聽之遂自居巢還吳是歲建安三年也策親自迎瑜授建威中郎將卽與兵二千人騎五十匹瑜時年二十四吳中皆呼爲周郎以瑜恩信著於廬江出備牛渚後領春穀長頃之策欲取荆州以瑜爲中護軍領江夏太守從攻皖拔之復進尋陽破劉勳討江夏還定豫章廬陵留鎮巴丘五年策薨權統事瑜將兵赴喪遂留吳以中護軍與長史張昭共掌衆事權討江夏瑜爲首部大督其年九月曹公入荆州時劉備爲曹公所破欲引南渡江與魯肅遇於當陽遂共圖計因進住夏口遣諸葛亮詣權權遂遣瑜及程普等與備并力逆曹公遇於赤壁操兵大敗退還保南郡備與瑜等復共追操操留曹仁等守江陵城徑自北歸瑜與程普又進南郡與仁相等各隔大江兵未交鋒瑜卽遣甘寧前據夷陵仁分兵騎別攻圍寧寧告急於瑜瑜用呂蒙計留凌統以守其後身與蒙上救寧寧圍既解乃渡屯北岸克期大戰瑜親督陣會流矢中右脅瘡甚便還後仁聞瑜臥未起勒兵就陣瑜乃自興案行軍營激揚吏士仁由是遂退權拜

瑜偏將軍領南郡太守屯據江陵道於巴丘病卒時
年三十六權素服舉哀感動左右喪當還吳又迎之
蕪湖衆事費
度一爲供給

諸葛瑾字子瑜其先瑯琊陽都人漢末避亂江東孫
權用爲長史轉中司馬權遣瑾使漢通好與
其弟亮俱公會退無私面與權談說諫喻未嘗切愕
微見風采粗陳指歸徐復託事造端以物類相求於
是權意往往而釋封宣城侯代呂蒙領南郡太守後
遷左將軍督公安假節封卒遺命素棺以時服斂子
恪才俊
有盛名

嚴畯字曼才彭城人也少耽學善詩書三禮又好說
文避亂居江東與諸葛瑾步騭齊名友善張昭
進之於孫權權以爲騎都尉從事中郎及横江將軍
魯肅卒權以畯代肅督兵萬人鎮據陸口畯前後固
辭權乃聽焉世嘉其能以實讓權爲吳王及稱尊號
畯嘗爲衛尉使至蜀蜀相諸葛亮深善之不畜祿賜
皆散之親戚知故家常不充
久之以畯爲尚書令後卒

步騭字子山臨淮淮陰人也世亂避難江東單身窮困與廣陵衛旌同年相善俱以種瓜自給晝勤四體夜誦經傳孫權爲討虜將軍召騭爲主記建安十五年領鄱陽太守明年追拜使持節征南中郎將劉表所置蒼梧太守吳巨陰懷異心外附內違騭降意懷誘請與相見因斬徇之威聲大震由是加拜平戎將軍封廣信侯延康元年權遣呂岱代騭騭將交州義士萬人出長沙會劉備東下武陵蠻夷蠢動權逆命騭上益陽備既敗績而零桂諸郡猶相驚擾處處阻兵騭周旋征討皆平之黃武二年遷右將軍左護軍改封臨湘侯權稱尊號拜驃騎將軍領冀州牧赤烏九年代陸遜爲丞相猶誨育門生手不釋書被服居處有如儒生在西陵二十年鄰敵敬其威信性寬弘得衆喜怒不形於聲色而外內肅然十一年卒子協嗣

胡綜字偉則汝南固始人也少孤母將避難居江東孫策領會稽太守綜年十四爲門下循行留吳與孫權共讀書策薨權爲討虜將軍以綜爲金曹從事與是儀徐詳俱典軍國密事蜀聞權踐祚遣使重

申前好綜爲盟文文義甚美權都建業詳綜並爲侍中進封鄉侯兼左右領軍輔吳將軍張昭以諫權言辭切至權亦大怒其和協彼此使之無隙綜有力焉性嗜酒酒後歡呼極意或推引杯觴搏擊左右權愛其才弗之責也凡自權統事諸文誥策命鄰國書符皆綜之所造也赤烏六年卒

是儀字子羽北海營陵人依劉繇避亂江東繇軍敗儀從會稽吳主權優文徵儀專典機密拜騎都尉旣定荊州都武昌拜裨將軍守侍中黃武中遣儀之皖就將軍劉邵欲誘致曹休休至大破之遷偏將軍入闕省尚書事又令教諸公子書吳主遷秣陵太子登留鎮武昌使儀輔太子太子敬之事先諮詢然後行後從太子遷建業復拜侍中中執法漢相諸葛亮卒吳主垂心西州遣儀使漢稱意後拜尚書僕射南魯二宮初立儀以本職領魯王傳儀嫌二宮相切近乃上疏言二宮宜有降殺正上下之序明教化之本書三四上爲傳盡忠動輒規諫不治產業爲屋舍材足自容拯贍貧困家無儲畜吳主聞之幸儀舍求視蔬飯親嘗之對之歎息卽增俸賜益田宅儀累辭讓事國數十年未嘗有過吳主數曰使人盡如是儀

當安用科法爲

陳武字子烈廬江松滋人孫策在壽春武往修謁時年十八長七尺七寸因從渡江東征討有功拜別部司馬策破劉勳多得廬江人料其精鋭乃以武爲督所向無前及權統事轉督五校仁厚好施鄉里遠方客多依託之尤爲權所親愛數至其家累有功勞進位偏將軍建安二十年從擊合肥奮命戰死權哀之自臨其葬

石偉字公操本南郡人好學秉節仕吳爲光祿大夫因家金陵吳亡晉太康二年詔偉秉志清白皓首不渝加二千石以終厥世偉佯狂不受

晉賀循字彥先其先山陰人徵辟皆不就元帝遷鎮東大將軍引爲軍司敦逼不得已乃轝疾至建業時江東草創盜賊多發元帝思所以防之問循循勸明部分設亭儌峻其綱目嚴其刑賞勤則有殊榮之報墮則有一身之罪以時番休役不至困若寇多不能獨制者可指其蹤跡言所在都督尋當致討帝從

之及愍帝卽位又表爲侍中道險不行以討華軼功封鄉侯循自以臥疾私門不受建武初爲中令加散騎常侍又以老疾固辭改拜太常時朝廷新建凡有疑滯皆諮於循循輒依經禮以對爲當世儒宗及踐位以循行太子太傅太常如故累表固讓元帝以循體德率物有不言之益命皇太子親往拜焉疾漸篤元帝親臨執手流涕太子問疾者三往還皆拜儒者以爲榮

衛玠字叔寶年五歲風神秀異祖父瓘曰此兒有異於衆顧吾年老不見其長成耳總角乘羊車入市見者皆以爲玉人觀之者傾都及長好言元理琅琊王登有高名少所推服每聞玠言輒嘆息絶倒故時人爲之語曰衛玠談道平子絶倒辟命屢至皆不就久之爲太傅西閤祭酒拜太子洗馬玠以天下大亂乃扶輿母轉至江夏玠妻先亡征南將軍山簡以女妻焉是時大將軍王敦鎭豫章長史謝鯤先雅重玠相見欣然言論彌日以王敦豪爽不羣而好居物上恐非國之忠臣求向建鄴京師人士聞其姿容觀者如堵玠勞疾遂甚永嘉六年卒時年二十七時人謂玠被看殺謝鯤哭之慟人問曰子有何恤而致斯

哀答曰棟梁折矣不覺哀耳咸和中改塋於江寧

諸葛恢字道明祖誕瑯琊陽都人魏司空以起義被殺父靚奔吳爲大司馬吳平逃竄不出恢弱冠知名試守即丘長轉臨沂令爲政和平値天下大亂避地江左名亞王導庾亮元帝爲安東將軍以恢爲主簿再遷江寧令討周馥有功封博陵亭侯遷從事中郎兼統記室時四方多務牋疏殷積恢斟酌酬答咸稱折中于時王氏爲將軍而恢兄弟及顏含並居顯要劉超以忠謹掌書命時人以帝善任一國之才愍帝即位徵用四方賢儁召恢爲尚書郎元帝以經緯須才上疏留之承制調爲會稽太守太興初以政績第一詔增秩中二千石頃之以母憂去官服闋拜中書令王敦上恢爲丹陽尹以久疾免明帝征敦以恢爲侍中加奉車都尉討王舍有功進封建安伯

孔衍字舒元魯國人孔子二十二世孫也少好學年十二能通詩書弱冠公府辟本州舉異行不就避地江東元帝引爲安東參軍專掌記室書令殷積而衍每以稱職見知中興初與庾亮俱補中書郎明

帝在東宮領太子中庶子于時庶事草創衍經學深博又練識舊典朝儀軌制多取正焉由是元明二帝並親愛之王敦專權衍私於太子曰殿下宜博延朝彥搜揚才俊詢謀時政以廣聖聰敦聞而惡之乃啓出衍爲廣陵郡石勒常騎至山陽勅其黨以衍儒雅之士不得妄入郡境視職朞月以大典三年卒於官年五十三

謝鯤字幼輿本陽夏人通簡有高識好老易爲王敦長史雖自處若穢而動不累高敦有不臣之迹鯤知不可以道匡弼乃優游寄遇不屑政事從容諷議卒歲而已及敦將爲逆至石頭嘆曰吾不復得爲盛德事矣鯤曰何爲其然但使自今以往日忘日去耳及至都復曰近來人心何如鯤對曰明公之擧雖欲大存社稷然悠悠之言實未達高義周顗戴若思南北人士之望明公擧而用之群情帖然矣是日敦遣兵收周戴而鯤弗知敦旣害忠賢稱疾不朝將還武昌鯤喻敦曰公若能朝天子使君臣釋然萬物之心于是乃服仗衆望以順群情盡冲退以奉主上如斯勳侔一匡名垂千載矣敦不從竟不朝而去鯤尋

卒年四十三

王嶠字開山先世晉陽人司徒渾之族永嘉末攜二弟避亂渡江時元帝鎮建鄴教曰王祜三息始至名德之冑並有操行宜蒙飾叙王敦請爲參軍爵九原縣公敦將殺周顗戴淵嶠於坐諫曰濟濟多士文王以寧安可戮諸名士以自全生敦大怒欲斬嶠賴謝鯤以免敦猶銜之出爲領軍長史敦平後除中書侍郎咸和初朝議欲以嶠爲丹陽尹嶠以京尹望重不宜以疾居之求補廬陵郡乃拜廬陵太守卒謚穆

范甯字武子其先南陽人少篤學多所通覽時浮虛相扇儒雅日替甯著論以王弼何晏之罪深於桀紂解褐爲餘杭令在縣興學校養生徒絜巳修禮朞年化行遷臨淮太守頃之徵拜中書侍郎在職多所獻替孝武帝雅好文學甚被親愛朝廷疑議輒諮訪之出爲豫章太守在郡大設庠序遠近至者千餘人資給衆費一出私錄并取郡四姓子弟皆充學生課讀五經又起學臺功用彌廣江州刺史王凝之上

言孝武以甯所務惟學事久不判會赦免既免官家於丹陽猶勤經學終年不輟年六十三卒於家初甯以春秋穀梁氏未有善釋沉思積年爲之集解其義精審爲世所重

周處字子隱義興人膂力絶人不修細行州里患之自知爲人所惡慨然有改勵之志謂父老曰今時稔歲豐何苦不樂父老曰三害未除何樂之有南山白額虎長橋下蛟并子爲三害處曰吾能除之乃入山射殺虎没水搏殺蛟遂厲志好學心存義烈克已期年州府交辟仕吳爲東觀左丞築臺城東隅爲退食讀書處吳平入洛累遷爲御史中丞凡所糾劾不避寵戚朝臣惡其强直及氐人齊萬年反因共舉之乃使隸夏侯駿西征時賊衆七萬駿逼處以五千兵擊之遂力戰而没

陸機字士衡吳郡人祖遜吳丞相父抗吳大司馬機少有異才文章冠世服膺儒術非禮不動抗卒領父兵爲牙門將居金陵年二十而吳滅閉門勤學積有十年太康末與弟雲俱入洛造太常張華華素重其名如舊相識曰伐吳之役利獲二陸成都王穎假機後將軍河北大都督率諸軍二十餘萬討長沙

王乂戰敗宦人孟玖譖之穎怒收機遂遇害臨刑歎曰華亭鶴唳可復聞乎機天才秀逸辭藻宏麗張華嘗謂之曰人之爲文常恨才少而子更患其多弟雲嘗與書曰君苗見兄文輙欲燒其筆研其爲人所推服如此雲字士龍六歲能屬文與兄機齊名雖文章不及機而持論過之號曰二陸爲成都王穎右司馬與機同遇害

郭璞字景純河間聞喜人好經術博學有高才而訥於言論詞賦爲中興之冠好古文奇字妙於陰陽筭歷雖京房管輅不能過也王導引參已軍事帝與導令璞筮皆有奇應帝深重之璞因天人休咎之徵輙上疏論時政遷尚書郎數言便宜多所匡益明帝在東宮與溫嶠庾亮有布衣之好璞亦以才學見重埒於嶠亮後王敦起璞爲記室參軍敦之謀逆也嶠亮使璞筮之璞對不決嶠亮復令占已之吉凶璞曰大吉嶠等退相謂曰璞對不了是不敢有言或天奪敦魄今吾等與國家共舉大事而璞云大吉是爲舉事必有成也於是勸帝討敦敦將舉兵使璞筮璞曰無成敦固疑璞之勸嶠亮又聞卦凶乃問璞曰卿

更筮吾壽幾何答曰思向卦明公起事禍必不久若住武昌壽不可測敦大怒曰卿壽幾何曰命盡今日日中敦怒遂斬之年四十九

郭文字文舉河内軹人少愛山水尚嘉遯嘗遊名山入吳興餘杭山中居焉時猛獸爲暴文獨宿十餘年竟無患曾爲猛獸去骨鯁王導爲相使迎至京師於西園築臺置之朝士咸共往觀文頹然箕踞旁若無人溫嶠嘗問之曰先生安獨無情乎文曰情由憶生不憶則無情居冶城七年一旦忽求還山導不聽乃逃歸臨安及蘇峻之亂而臨安獨全人以爲先見

南北朝雷次宗字仲倫其先南昌人少慕棲逸不關榮利元嘉十五年徵至建康開館於雞籠山聚徒教授置生徒百餘人時四學並建文帝數幸次宗館資給甚厚又除給事中不就久之還廬山後又徵詣建康爲築室於鍾山西巖下謂之招隱館使爲太子諸王講喪服禮經次宗不入公門乃使自華林東門入延賢堂就業二十五年卒於鍾山

伏曼容字公儀安丘人少篤學善老易聚徒教授以自業爲驃騎行參軍宋明帝好周易集朝臣于清暑殿講詔曼容執經曼容素美風采帝以方稽叔夜使陸探微畫叔夜像賜之袁粲爲丹陽尹請爲江寧令入拜尚書郎入齊爲太子率更令與王儉深相交好建武中拜中散大夫曼容宅在瓦官寺東施高座于聽事每升坐講說生徒常數十百人梁臺建以舊儒臣召拜司徒有周易毛詩喪服集解老莊論語義行于世

明僧紹字休烈平原人明經有儒術宋元嘉中再舉秀才永光中鎮北府辟功曹並不就隱長廣郡勞山聚徒立學魏尅淮南乃渡江齊高帝爲太傅徵爲記室參軍不至住攝山聞沙門釋僧遠夙德往候於定林寺帝欲出寺見之僧遠問曰天子若來居士若何相對僧紹曰山藪之人政當鑿坯以遯若辭不獲命便當依戴公故事旣而遯還攝山建棲霞寺而居之帝甚以爲恨昔戴顒高臥牖下以山人之服加其身故云後高帝仍賜竹根如意筍籜冠

司馬暠字文昇河內溫人也父子產梁武帝外兄爲岳陽太守暠幼聰警有至性年十二丁內艱哀慕過禮水漿不入口殆經一旬每號慟必至悶絕殷瘠骨立後累遷正員郎丁父艱哀毀逾甚廬于墓側墓在新林連接山阜舊多猛獸暠結廬數載豺狼絕迹常有兩鳩棲宿廬所馴狎異常承聖中除太子庶子魏克江陵隨例入長安而梁宗屠戮太子殯瘞失所及周受禪暠以宮臣乃抗表求還江陵改葬辭甚酸切周朝優詔答之即勅荊州以禮安厝陳太建八年自周還宣帝特降殊禮歷位通直散騎常侍太中大夫卒有集十卷子延義字希忠少沈敏好學初隨父入關丁母憂喪過于禮及暠還都延義乃躬負靈櫬晝伏宵行冒履氷霜手足皸瘃至都遂致攣癈數年乃愈位司徒從事中郎

傅昭字茂遠其先靈州人六歲而孤哀毀如成人宗黨異之太原王延秀薦昭於丹陽尹袁粲深爲所禮辟爲郡主簿使諸子從昭每經昭戶輒嘆曰經其戶寂若無人披其帷其人斯在豈得非名賢齊明帝踐阼引昭爲中書通事舍人時居此職皆勢傾天下昭獨無所干預器服率陋身安麤糲常插燭於版

牀明帝聞之賜漆合燭盤等勑曰卿有古人之風故賜卿古人之器出爲臨海太守縣令餉粟置絹於薄下昭笑而還之昭爲政不尚嚴肅居朝廷無所請謁不畜門生不交私利終日端居以書記爲樂雖老不衰博極古今尤善人物魏晉以來官宦簿閥姻通内外舉而論之無所遺失性尤篤慎終于建康

蕭眎素 蘭陵人思話孫也天監中丹陽丞初拜武帝賜錢八萬眎素一朝散之親友性静退少嗜欲好學能清言榮利不關于口喜怒不形於色任情通率不自矜高天然簡素士人以此咸敬之久居建康有終焉之志乃於攝山築室徵爲中書侍郎不就獨居屏事非親戚不得至其籬門謚曰貞文先生

袁淑 字陽源陽夏人少有風氣年數歲伯父湛謂人曰此非凡兒元嘉中累遷尚書吏部郎太子左衛率元凶劭將爲逆其夜淑在直呼淑及蕭斌等告以明旦將行大事望相與戮力淑斌並曰自古無此願加善思劭怒斌懼曰謹奉令淑叱之曰卿便謂殿下眞有是邪殿下幼時嘗患風或是疾動耳劭愈怒因問曰事當尅否淑曰居不疑之地何患不尅但旣尅之後爲天地所不容大禍亦旋至耳淑出還省繞

牀至四更乃寢劭將出已與蕭斌同載呼淑甚急淑眠不起劭停車奉化門催之相續徐起至車後劭使登車辭不上劭殺之武帝即位贈侍中大尉謚曰忠獻兄子顗齊前廢帝時爲吏部尚書出爲雍州刺史明帝定大事顗舉兵討之衆潰而死

柳世隆字彥緒河東解人元景弟子也幼挺然自立及長好讀書涉獵文史元景愛賞異於諸子言於宋孝武得召見帝謂元景曰此兒將來復是三公一人累官尚書左僕射世隆少立功名晚專以談義自業善彈琴世稱柳公雙瑣爲士品第一兼曉術數於倪塘創墓與賓客踐履每往長坐一處及葬正其坐處

沈約字休文吳興武康人幼孤貧篤志好學晝夜不釋卷博通羣籍善屬文梁武在西邸與約游舊後佐命爲尚書僕射立宅東田矚望郊阜嘗爲郊居賦以敘其事約左目重瞳子腰有紫痣聰明過人好墳典聚書至二萬卷都下無比歷事三代該悉舊章博物洽聞當世取則謝元暉善爲詩任彥昇工於筆

約兼而有之不能過也著宋書一百卷齊紀二十卷梁武紀十四卷又撰四聲譜卒謚隱侯

唐李白 字太白蜀郡人白之生母夢長庚星因以命之十歲通詩書喜縱横術擊劍爲任俠輕財重施天寶初至長安賀知章見其文嘆曰子謫仙人也言於元宗召見金鑾殿帝賜食親爲調羹有詔供奉翰林白猶與飲徒醉于市帝坐沉香亭意有所感欲得白爲樂章召入而白已醉左右以水頮面稍解援筆成文婉麗精切無留意帝愛其才數燕見白常侍帝醉使高力士脱靴力士素貴耻之擿其詩以激楊貴妃帝欲官白妃輒沮止白自知不爲親近所容懇求還山帝賜金放還白浮遊四方嘗乘月與崔宗之自采石至金陵著宫錦袍坐舟中傍若無人居金陵上秋浦多所題咏

南唐李建勲 字致尭官至司徒致仕居金陵號鍾山公臨卒戒家人曰時事如此吾得良死幸矣勿封土立碑聽人耕種於上免爲他日開發之標及江南亡諸貴人冢無不發者惟建勲冢莫知其處

孫晟 一名忌又一名鳳密州人好學有文辭工詩少爲道士居廬山後易儒服謁唐莊宗于鎮州用

爲著作郎天成中奔吳烈祖得晟甚悅爲尚書郎賜宅在鳳臺山西岡隴間徙居日羣公萃止韓熙載見其門卑巷陋謂晟曰此豈稱爲相第耶明年拜御史大夫已而爲右僕射周世宗征淮元宗懼遣禮部尚書王崇質副晟奉表入周世宗待晟甚厚召見飲之醇酒問以唐事晟第云唐主畏陛下神武事陛下無二心而已已而周得唐主蠟書誘邊將李重進皆謗毁反間之詞世宗大怒責晟以所對不實晟正色抗辭復問唐虛實又不對命送軍巡院使曹翰從容問之終不言翰乃曰有勑賜相公死晟神色怡然索袍笏整衣冠南向拜曰臣謹以死報國耳乃就刑

徐鉉字鼎臣廣陵人十歲能屬文與韓熙載齊名江南謂之韓徐仕南唐爲翰林學士御史大夫吏部尚書宋師圍金陵唐主煜遣鉉朝京師太祖責之鉉對曰臣事江南國亡不能死臣之罪也不當問其他太祖歎曰忠臣也以爲太子率更令太平興國初直學士院從征太原加給事中出爲左散騎常侍坐事貶黜李穆嘗使江南見鉉及其弟鍇文章歎曰二陸不能及也鍇事江南爲內史舍人而卒鉉好李斯

小篆尤得其妙隸書亦工尺牘爲士大夫所得皆珍藏之有集三十卷又有質疑論稽神錄於世

宋王安石 字介甫其先撫州臨川人父益通判江寧府卒於官因家金陵安石第進士累遷知制誥夫人吳爲買一妾用錢九萬安石見之曰何物女子曰夫人令執事左右曰汝誰氏曰妾之夫爲軍大將部米運失舟家貲盡沒猶不足又賣妾以償安石愀然還其夫盡以錢賜之相神宗雖誤行新法而文章節義頗謂過人但執拗耳後以使相判江寧府居近謝公墩每日跨驢遊鍾山或不至而還自號半山居士卒謚曰文自益

以下並葬建康

王安禮 安石之弟早登科以呂公弼薦得召對知潤州判開封府尹入奏對帝甚嘉納而安禮以兄秉國慊慊自退元豐中王珪蔡確爲政安禮以中書舍人知制誥應詔言人事失于下則天變見于上陛下有仁民愛物之心而澤不下究意者左右大臣不平不直是非好惡不遵諸道用財委諸溝壑取利究于園夫干陰陽之和願幸深省帝覽疏嘉歎進知開封淹滯立決未三月三獄院及十九邑囚皆空遼

使嘆異升一階臺史欲遷民間塚墓以利皇子安禮極諫帝惻然罷行時伐夏無功李憲請再舉王珪陰主之言捐五百萬鈔供軍食有餘可必克安禮曰鈔不可啖必變而爲錢錢又變而爲粟今距師期甫兩月何以集事帝曰唐以一裴度平淮南今憲以閹寺猶能自任西事卿等獨無意乎安禮進曰淮蔡三州爾有裴度之謀有李光顏李愬之勇然猶竭盡兵力數歲而後克今夏氏非淮蔡比憲才非度匹謀將非光顏愬比臣懼其無以副上意也後果敗沒徐禧城永樂安禮又諫不聽又敗沒帝太息曰安禮每勸朕勿用兵勿興獄有以也安禮弟安國以教授秩滿赴京師帝以安石故召對問漢文帝何如主對曰三代以後未有也帝曰恨其才不能立法制興治耳對曰文帝自代來定變俄頃恐無才不能至用賈誼言待羣下有節務以德化幾至刑措則加于有才一等矣帝曰王猛佐符堅以蕞爾國令能必行今朕以天下之大顧不能何也對曰猛教符堅峻刑法致祚不永願陛下專以堯舜三代爲法又問卿兄秉政外議云何對曰恨知人不明聚斂太急耳帝默然屢以新法諫安石而惡呂惠卿曾布誤其兄惠卿深銜之以

鄭俠獄
奪官

鄭俠字介夫福清人治平初隨父翬赴江寧府監稅得清凉寺一小室閉戶讀書府王安石以中書舍人持服寓金陵俠携所業往見安石稱許之擢進士甲科調光州司法以歸相見愈厚及俠赴光州安石入叅大政俠數言新法之害不聽後監在京上東門屢上書言事被謫及還鄉所餘惟一拂而已因自號一拂居士後人爲祠于清凉寺以祀之即公讀書處

阮思聰字仲謀固始人膂力絶人善騎射喜讀左氏春秋及兵家書積戰功累官吉州團練使知黄州事來居建康歷官所至有聲曾遣人詣賈似道欲重兵守鹿門山又言當由海道以擣青齊則襄圍自解皆不見聽師潰聰歸建康權馬司徐王榮都統翁福等觧制置司以下印鑰來告曰大兵且至趙制置巳去城中唯節使官高望救一城之命聰曰我宋臣子也不敢以城獻榮等知不可强乃止至元十八年病亟家人見神人長丈餘被甲立廳事前聰遂卒聰初受知呂文德趙蔡王鑑皆加器重慷慨有大志

治軍二十餘年未嘗戮一人爲郡處事務在平恕所至民皆德之篤於親義嫁孤女十餘人素有知人之鑒薦李珏於朝牛臯其部將也張世傑之初歸久未知名聽召與語奇之薦於文德後竟著忠節云

文復之 字廷實合州人登甲榜第三名授閬州掌書記累官至湖北提刑以起居舍人召每切齒丁大全所爲與人言我見上必極言其奸邪大全覺之止不得見乞祠祿授朝散大夫主管成都府玉局觀欲還蜀道經建康時邊事亟馬光祖守郡留不聽行遂居郡之修文坊元廉希愿宣撫江東欽其名待如師友欲以故官薦之仕力辭不應以經史自娛終其身子掞嘗爲工部架閣遵父志亦不仕元云

陳鉞 字宜之太平當塗人宋咸淳辛未第三人廷對鯁直切中時弊賈似道當國欲其依附百計牢籠舊例登科上表謝恩作啓見宰執狀元張鎮孫請公同作啓毅然不從曰天子親擢上第宰臣何以謝爲賈聞之不說授鎮巢軍判官辟建康閫幕因家焉至元乙亥丁內艱因無降名元帥唆都令有司根捕甚急鉞衰服詣轅門長揖不拜陳忠孝大義元帥嘉歎許從便居住後攝府學教授不受月俸託疾以歸

所作詩文書甲子稱慈湖民牧菴姚公持憲江東聞其以道自守屏車騎詣門因請寓宿公優於禮學事繼母至孝學者稱爲慈湖先生年五十四有文集藏于家其子孫附儒學籍

朱遵度 青州書生也好藏書不仕高尚其事避耶律德光之召挈妻孥雜商賈奔楚楚王待之甚薄杜門却掃諸學士每爲文章先問古今首末于遵度時號幕府書廚云後居金陵著鴻漸學記一千卷羣書麗藻一千卷漆書數卷皆行于世今湮沒矣

元

梁棟 字隆吉其先相州人弱冠領漕薦登第選寶應簿再調錢塘仁和尉辟入幕府一時聲名籍甚宋亡與弟柱入茅山後卜居建康時往來山中江東人士從學甚衆一日無疾坐逝壽六十四葬城南鳳臺西金華胡廼裒其詩若干首刻之

張𩓐 導江人僑寓江寧學于金華王柏之門自六經而下至關閩濂洛諸微言靡不究心至元中行臺中丞吳景慶延至江寧學宫遠近翕然尊師之稱曰導江先生有經說及文集行于世

明史謹字公謹本崑山人洪武中謫居雲南與王學士景善用景薦爲應天府推官未幾左遷湘陰縣丞尋罷僑居金陵性高潔多才躭吟咏工繪事搆獨醉亭賣藥自給以詩畫終其身

周瑄字廷玉山西陽曲人以舉人卒業國子監授刑部主事聽斷精勤遇獄有疑輒微服廉其實嘗盛暑會解囚徒八百人至瑄恐羣處致病枉死亡辜三日訊鞫畢時稱其才正統己巳諸司直扈蹕北征往往托疾瑄毅然請行回晉郎中已晉右侍郎時三輔大饑奉命賑濟陳八事再疏得請乃已會亢旱至武清禱于山川是夕大雨至滄川又雨所至霑足時稱爲侍郎雨也晉右都御史督儲南京尋晉南京刑部尚書諭羣屬事非須勘者毋得逾五日獄無留滯人自謂不冤云瑄久任南京樂其風土遂寄籍江寧因家焉

陳壽遼東人十歲能屬文家無儋石儲意廓然自豪舉也嘗游市得遺金候其人歸之爲諸生屢不第乃遍遊宣大關西諸鎮欲持戈建功名久之無所遇仗劍歸故鄉習舊業舉成化丙戌進士第累官大

理寺丞弘治十四年北帥火篩數寇邊壽以薦爲右僉都御史巡撫延綏聞命馳而至軍中首卹陣亡官兵已更置諸路將領分布兵馬爲十路屯要害地令緩急相應援時時用間諜遠斥堠軍大振敵入躬擐甲冑爲士卒先凡三十餘戰擒斬首敵以百計亡何火篩脫羅干諸口糾鐵騎大舉而以百餘騎嘗我諸將請赴之壽曰敵衆未可當也自出帳前擁左右數十騎坐床指麾飲食若無事敵望見疑之引去已而諸路將領以壽方略邀擊之皆有功敵遂渡河遁事聞上手勅勞之初延綏守臣以敵勢張鎮兵不能支請出京兵比壽三捷而王師已出總制議請擣巢未得命駐延綏久之戰馬三萬日費不貲壽議出境揚兵即採草紓急衆恐墮敵計壽請以身先之迄無事省費若干萬正德六年召還爲南京刑部尚書尋致仕壽立朝四十年其功伐較然而廉名尤著居常布衣蔬食如寒士解官不能歸旅寓留都環堵蕭然迨卒無以殯諸子因籍京師云

蕭春 字秉常其先夏人寓居金陵性至孝父政病痢春衣不解帶者逾月每夕沐浴仰叩北辰及病

劇痢忽變紫臭穢狼藉春泣曰吾父不復生矣兩手劇床一吸殆盡其母往見相抱悲苦遂絕良久乃甦父既卒哀毀幾不能生廬墓側者期年

徐震字廷威其先吳郡人寓居金陵以節行自高錦衣指揮呂貴嘗以白金十二斤寄託以遺少子貴死詔其子還之其子啓封疑焉震不與辯後數日召數故人并其子出貴手帖示之其子愧謝博士沈立者善數學推其子後當貧嘗託以白金三斤後訪其子果貧亦召而與之其不負然諾如此

黃居中字明立一字海鶴先閩人官金陵樂秦淮之風土家焉少穎異十歲能文萬曆乙酉舉禮經魁授上海教諭不受生徒私贄教養士子同於子弟嚴立課程繙經較藝多售去者邑爲立德教碑陞南國子助教遷監丞訓士一如教庠之法暇則與六館僚友講究典籍大肆力於文章名噪甚轉貴州黃平知州投檄不赴歸老青溪之上購書數萬卷諷咏達旦爲李宗伯維楨焦修撰竑所重生平介持不苟族人爲南大司馬有營弁以千金請託者居中曰奈何以此失吾生平麾之不顧甲申闖變居中年八十

有三聞之北向號痛哀絰食粥首累月未幾卒遺命幅巾以斂葬清化鄉插花廟丁未修郡乘得居中藏書及其仲子虞稷搜輯之功爲多伯子虞龍先卒亦負異才以舉子業受知於何司空喬遠黄學憲汝亨錢宗伯採其詩入歷朝詩選中

唐時 字宜之本烏程人資禀高潔飄舉世味之外自楚藩長史棄官歸臨烏龍潭築室每於風清月皎魚龍夜嘯唄梵相答翛然自得也終身無疾言遽色興至則行書數幅高唫遠眺往來僧舍間與丁雄飛戴萁等結社放生嘗作蓮花世界書以寄懷人傳其孤猿學定前山夕白藕花開峰頂秋三更掣斷烟霞鎖翠蕚芙蓉噴古香之句以爲不減香山逸韻

杜祝進 字蜕斯湖廣黄岡人中萬曆壬子鄉試由廣文遷南監丞遂家焉繼遷北雍歷刑部員外郎恤刑南畿丁内艱起復未幾遂不仕其詩賦與同里樊長卿齊名孝廉時王天庚袖其文示祠部湯公顯祖祠部欲延爲公子開遠師以書招不往官北雍倪文正欲作華山賦壽韓蒲城屢難其文後以相屬

甫脫稾亟取讀之大加歎服遂登軸漳海黃公寓靜海寺講學首詢之以不見爲憾書法追韓柳懸腕中鋒多爲門人及金陵衲子所藏卒年八十有三所著楚卜居集上下卷未刊子濬紹凱海內所稱茶村些山也孫琰餼于上元庠

其詩古文辭克世家學

國朝王弘祚號玉銘先世陝西三原人明端毅公恕裔也後以從戎赴滇之永昌遂家焉公生而穎異超卓讀書十行俱下爲時名諸生舉庚午賢書丁丑中副車筮仕廉惠所至俱祀名宦歷官戶部郎中

本朝定鼎仍以原官督大同餉尋擢兵憲會督府吳公孳昌特疏請留報可轉餉雲中功最　特召至京晉冏少纂修賦役全書公殫心稽考綱舉目張再晉正卿仍理部事陞本部右侍轉左公以水旱災傷望恩甚切行查始報轉死已多具奏一面報災一面催查分數奏

旨允行至今爲法公留心經濟知無不言所奏皆切機要如疏滇黔事宜招土司撫舊將積芻茭諸議皆飭經略酌行又上欲安民生首嚴私派欲講强兵首覈

冒餉二疏名臣碩畫傳誦不衰乙未充　殿試讀卷
官鼎元史公大成則公所薦士也會全書告竣　温
綸褒諭　特頒御製載在編首又以公勤慎練達特
陞尚書再加宮保
上御瓊臺傳公至備詢天下地丁漕白鹽榷細數及
歲用兵餉若干公條對詳明畧無遺漏又勸
上以節儉足國計不宜裁滿官俸
上令學士諭旨此真司農也十六年奉
旨同閣臣冢宰修較律書一代刑名國計大典皆出公
手　經筵講讀啓沃良多遭母艱請回籍守制屢疏
陳情不獲所請時滇南初定大兵駐牧米貴如珠同
事者欲援明末例加練餉公力排羣議惟主撤兵及
改白糧以濟軍需時賴以濟公屢請假葬親築廬墓
側哀禮備至奉
旨促公供職補大司寇復調司徒陳勸輸備荒之法私
派害民之苦剴切詳明如宣公奏疏時主計者裁汰
過當又欲更軍運爲民運公力持不可遂改任旋奉
旨留用補大司馬中樞事宜究心區畫歷事　兩朝屢
叨異數具疏辭任馳驛以歸仍給俸祿示恩眷焉歸
老江寧讀書考道深入名理卒賜諭祭葬卹廕諡端

簡子瑜任刑郎瑄知和州皆以清惠見稱

黃文煥號坤五天啓乙丑進士初授海陽縣令驅除奸猾民賴以安丁卯分房取士號稱得人調繁令番禺又令山陽所在著績父老爲立生祠後行取召對授翰林庶吉士晉編修陞左春坊中允鼎革後屢奉薦舉俱以疾辭著述甚富以貧約不能盡刊清風高節人多重之有楚辭聽直陶詩析義行于世

曹臺望字肅應原籍太平鼎革時遷金陵遂家焉臺望天資英邁弱冠食餼于庠試輙高等每値父光祿病寢食于側家事皆置不問崇禎乙亥流賊陷和州大肆焚殺烽火燭天江水爲赤太平去和僅江面十里巡按檄郡修城垣時倉卒無應者臺望獨捐千金爲先巡按具題特授恩貢考授兵部司務甲申闖陷北京懷宗凶問至郡臺望率其家人縞素哭臨三日不絕聲後福王立南京姻戚欲特薦爲臺垣堅謝不應命倘佯傲岸自號湖山野客終其身不仕晩年惟好程朱語錄銓解最精易簀時取經書授諸子曰我無他物遺汝惟有此書耳我生平不敢負此書汝輩珍之言訖正衣冠端坐而逝時年七十子五

人鳳禎新里等成名海內三中鄉試兩舉明經皆教以義方世其家學焉

徐起元號望仁原籍合肥祖宦遼陽遂家焉登壬子順天賢書司鐸菑川閿鄉皆以身率教擢令保康以丁艱歸補知應山時流氛起秦隴寇楚豫應山適當其衝公募戰士繕器械爲死守計獻賊百計攻城相持四載終不能破遂遁去兩臺交薦擢鄖陽同知管鄖鎮餉時鄖兵萬餘屯竹山左帥兵三萬亦移竹山就餉公轉運不絶士馬飽騰晉知鄖陽府事辛巳八月獻賊衆數萬攻城公發火器中其左臂賊踉蹌去壬午闖賊攻陷襄陽湖北州郡望風瓦解惟鄖巋然獨存賊忿甚遣數萬騎來攻公親冒矢石殺獲首級三千餘賊宵遁癸未二月賊將劉宗敏復犯鄖公迎戰七十餘日賊死傷過半竄歸襄陽四月復來攻用麥稈雜土築臺四十五座爲攻計公發火器燔其臺頃刻立燼李自成來援見火器精利遂回襄渡河入豫廷議嘉公績晉臬副旋晉鄖撫時糧苦不足公偵知賊糧船屯河下募死士夜出奪之賊護糧甚堅公遣人火焚其船賊令驍將路應標武寅臺苦攻四十七晝夜公督將士奮擊馘斬無算賊將僅以

身遁賊遣人說降公寸磔之城下又出奇兵襲其營
賊帥路應標殲焉郎方賀戰勝而郡城陷矣
世祖章皇帝御極嘉其全城之功仍令撫鄖擢左副都旋
晉總憲加太子太保公正直和易終始不渝以葬親
乞假起攝廷尉公引年致仕　溫綸封廕隆禮有加
卒年七十有四　諭賜祭葬諡僖靖子祚煥起家台
州郡丞時海逆陷城抗節不屈護
印歸省祚焜任平樂知府有惠聲

佟國器

號滙白三韓甲族世篤忠貞明季以黨人搆
難宗族多被冤僇父觀瀾公起家進士監軍
山左亦以瘐死公時方弱冠奉兩世孀慈播遷流離
未嘗少渝色養幼有德量究心問學以明經高第考
授司李未任移家浙西
國朝鼎建叔父盛年以元戎定兩浙訪求得之即日題
授憲副屢平寇亂綏輯軍民全活生靈以千萬計洊
陟開府所至皆有惠政平生廉介囊無長物歸老秣
陵惇篤故舊爲人完婚嫁卹凶喪不遺餘力杜門二
十餘載不以隻字干請天性至孝愴懷先世之變每
歲時伏臘輒嗚咽流涕不能自已享年八十無疾而
終子五人孫六人俱有美才能世其業論者謂爲盛

德之報云所著有楚
吟茇亭草行于世

鄧旭字元昭原籍洞庭西山家壽春登順治丁亥進士由庶常陞檢討辛卯典試江西公愼自矢所拔士號稱得人乙未奉
上傳有品行淸端才猷擅裕克弘任使之言後外陞陝西洮岷道副使中道以疾乞歸築園青溪讀書敎子汲引後進凡賑荒濟困設獄田修學校救沉溺贖難婦養鰥獨育棄嬰諸善無不力行又築壽州二里壩以免廬汝車道運鹽迂道之苦居林下數十年戶外屨常滿年七十有五易簀猶握管作答故人書歛襟而逝子六人燉煒烺熯煊爌克世家學孫十三人

朱文鼎字九鼎江都人爲文奇放試輙冠軍兩淮巡鹽龍建書院遴諸生四十人讀書文鼎居第一與同里王觀壽倡明理學舉戊午鄉試第四己未已冠本房以策論神廟痿痺之弊置副車授南克令廉惠並敦撫按交薦時邑人甘學濶官臺中亦特疏薦之遷南正兵馬歲大饑建議設廠賑粥巡城詹考績疏稱留都淸官第一擢刑曹　鼎革後
內院洪舉授監司力辭解任卒年七十

劉餘謨字濳柱安慶懷寧人生而穎異事繼母徐氏以孝聞弱冠成進士由庶常授禮科給事復補刑給極言當世要務封事前後數十上皆切時要免歸卜居白下益濳心理學旁通二氏食貧力學洎如也常以慈濟爲願皖江石城皆稱爲仁厚君子云

羅憲汶號篁庵江南南昌人歷任少詹兼侍讀學士乙酉　龍飛首科主試順天所拔士多歷三事得人最盛戊子江西遭金聲桓殘破母老在家請假迎養行至石頭以高年憚于跋涉遂卜居焉年甫五十遂致政歸築舍山中討論今古日以詩文自娛卒于家

丁巽號寓公初名尚賢浙之西陵人六歲而孤事孀母篤孝年十五補郡學讀書强記擅古文詞與張石宗沈大匡齊名爲一時名公巨卿所推重受知於大司馬張公國維撫軍張公鳳翔初授監紀同知尋改參戎歷著軍績甲申之變絶志仕進放情山水因改名巽從家石城大司馬郎公廷佐知其賢延之幕府軍國重務悉以諮之凡章疏著作多出其手然性恬淡語不及私以此益見親禮巳亥夏海寇入犯

巽匡賛郎公先事綢繆心力交瘁遂有白土山之捷冦退郎謝病去家徒壁立著述自娛年七十三卒臨川太史李來泰爲之傳生子三長壽昌戊子武魁次灝國學生考授縣尹次灝邑增生皆有克家之志焉

楊彭齡 字商賢順天人父維垣南都察院殉節彭齡隨任寓居金陵青溪旁棄舉子業究心經史所著詩歌古文施閏章爲之較刊生平廉介不苟晩年至不能舉火云

胥時英 原籍四川明崇禎間任句容丞後遂家江寧英初至句容適値土寇倡亂英固守城垣克全無害居官清愼惠愛及民職雖微有古循吏風焉子遇任湖廣荊州府知府

方文 字爾止少負時譽與從子以智齊名避亂久居江寧氣節自許晩益自力于詩貧窶益甚苦吟不輟其詩古淡眞朴時謂得香山之奥云治盋山草堂于青溪之堧其所著有盋山詩文集六書貫杜詩舉隅若干卷卒無子其壻王槩能藏其書以傳于世

王道隆 字從隆順天大興人中順治辛卯鄉試簡選推官改授江西樂平令絶請託禁耗羨清詞

訟課士勸農民風丕變値饒寇犯邑道隆隨征恢復饒郡等處積勞成疾具請休致樂江寧風土遂入籍焉子維世讀書力學游于成均

徐必遠字致公號寧庵貴陽人始祖思從征入黔以軍功世其爵遂家焉大父以上兩登賢書父鄉伯萬曆癸丑進士由行人歷侍御官終少參寓金陵有子七人必遠其仲嗣也母劉早卒公甫七齡哭泣擗踊如成人且天資高邁克守庭訓書卷之外一無所好癸酉中黔省鄉試執父喪哀痛塋葬情文備至存心施濟値明季旱蝗見道旁委瘠設法收瘞不爲憚煩甲申年江左秉政者黔人托所親諭意强公仕屢辭不赴乃就教宣城爲避地計適庠生某以人命羅法出厚賂請解公峻拒之順治己丑中會試考選庶常進檢討疏請翻譯大學衍義并陳聖學淵源俱荷嘉納乙未同考謝絶包苴多得眞才外遷河南管河道查盤羡餘絲毫不取當事服其清操其於河務身任勞瘁先事預防故費省而功倍上臺深相倚重轉桂平道參政以忤勢宦更與直指不合被彈辭歸旋邀河撫兩臺合詞申雪得還原職復以奏銷受

累公亦置不辯家居却掃觴詠自娛丁巳年壽終遺誡子姪務讀書爲善益綿祖宗之澤弟必遴丙辰進士見任儀曹振起家聲方未艾云

句容

晉馬樞本扶風人博洽經史爲當世宗邵陵王綸鎮徐州引爲學士甚被知賞太清之難避居茅山以文籍自娛陳文帝徵爲度支尚書辭不赴樞少屬離亂行義人所欽仰凡所居處盜賊輙不犯人爭附之依止常數百家有白燕一雙巢于庭樹甚馴狎春去秋來幾三十年時人以爲異

唐顔真卿字清臣秘書監師古五世從孫杲卿從弟本山東兗州府人博學工書事親孝開元中舉進士擢制科調醴泉尉再遷監察御史使河隴時五原有寃獄久不决天且旱真卿辨獄而雨郡人呼御史雨累官平原太守後因祿山煽禍起兵討賊有功元宗曰朕不識真卿何如人所爲乃若此累遷尚書右丞立朝正色剛而有禮非公言直道不萌於心天下不以姓名稱而獨曰魯公德宗時爲李希烈所殺年七十六曹王皋聞之泣下三軍皆慟上廢朝五日贈司徒謚文忠賻布泉米粟加等詔子頵碩護喪還至句容葬于來蘇鄉虎耳山子孫迄今成族有顔魯公祠墓其村曰後顔村

宋呂祖回本河南鄭州人文穆公蒙正之後文靖公彝簡之四世孫今從祀孔子廟庭封開封伯祖謙之從兄弟慶曆年厥祖希道判揚州總領建康子孫因家句容祖回於乾道戊子寄居本縣之東崇明寺文殊院南端平甲午卒葬于句容縣蕭亭崗其子賢年景定壬戌卒墓營與祖回同

劉光世本陝西保安縣人討賊有功拜鎮海軍節度使後從高宗南渡爲江東宣撫使置司建康累立戰功封楊國公卒謚武僖後追封鄜王子博爲句容主簿至今子孫占籍句容之坊郭鄜王遺像并
追封誥
敕俱存

張詠字復之其先世濮州人太平興國五年登進士乙科授大理評事知崇易縣再遷著作佐郎太子中允賜緋魚用李沆寇準薦爲荆襄北路轉運使
太宗召還爲虞部郎中賜金紫擢樞密直學士同知銀臺通進封駁掌三班院出知益州丁母艱起復改兵部郎中真宗即位加左諫議大夫拜給事中御史中丞二年以工部侍郎出知杭州五年馬知節自益徙延州真宗擇可代者以詠前在蜀治行優異復命

知益州降詔褒美曰卿在蜀朕無西顧憂歸朝復掌三班領登聞檢院中歲腦瘍求知頴州上以詠有時望不宜蒞小郡令中書召問將委以青社或真定令自擇辭不就遂命知昇州加左丞三年民以秋滿借留遷工部尚書再任是歲遍遊華陽諸洞天養病句容因家焉復以江左旱歉就命充昇宣等十州安撫使進禮部卒之日贈左僕射謚忠定

趙子褫宋太祖子德昭五世孫高祖惟吉封冀王謚曰康曾祖守節封丹陽王謚曰僖祖世永封南康王謚曰修父令郢封河東郡王世居涿州子褫以宗子從高宗南渡授朝散大夫論扈蹕功賜田二百頃中有二十頃在句容愛其地僻風淳倦于北還占籍於邑之移風鄉四圖而以趙文得名其户子孫蕃衍

溧陽

漢陶謙字恭祖家世潤州以封溧陽侯遷此今之陶莊相傳其故居也

史崇　字伯勤其先杜陵人建武中累官青冀二州刺史封溧陽縣侯天下既平詔公侯皆就封因家焉崇治尚寬簡不威而化卒謚壯侯子顯孫茅世其爵茅除尚書遷侍中轉鎮西將軍雍州牧宰治寬猛適宜府人德之謚曰頃曆晉唐世有封爵至今爲邑巨族

蔡邕　字伯喈陳留人指斥宦官遁跡吳會亡命一十二年董卓辟之三日之間周歷三臺非其志也

按顧雍傳云蔡邕建臺讀書於此今址在縣西泰虛觀東北抱朴子曰伯喈到江東得王充論衡中國諸儒覺其譚論更遠疑得異書搜其帳中果得之

晉馬訓　扶風人晉元帝時南海太守隨駕北征居西莊前城覽橋子孫蕃衍

唐李白　晚歲遊於江東與溧陽令鄭晏有舊因寓此登高覽古感懷昔賢登北湖亭及酒樓諸詩貞義女碑俱載

藝文志

倪筠　錢塘人唐長慶初爲金吾衛長史寓居溧陽城東後舍宅爲寺賜額資福院今之東寺其基也

宋陸龜蒙字魯望自稱江湖散人嘗書李賀傳後云兒時在溧陽聞白頭書佐說孟東野爲尉時事爲記其畧致慨息云

米友仁字元輝襄陽米芾之子工詩畫世稱小米嘗寓居溧陽有長者稱解衣輟食以恤孤窮官至朝散大夫今溧之書學猶有米家遺意云

劉岑字季高吳興人先世居杼山岑徙溧陽建道勝堂博學愛士有古君子風與高僧大慧爲方外交累官戶部侍郎以徽猷閣待制致仕

潘彙征字泰初寓居溧陽記問該博宗濂洛諸儒之學登嘉定甲戌進士廷對侃直劉漫塘稱其志行兼備薦于朝尹崑山繁昌俱有治績

楊時字中立學者稱龜山先生僑寓毘陵溧陽亦嘗家焉當世得伊雒之傳以南時也

秦梓自江寧徙溧水之上店子焴燧燧子城俱仕至大夫十代孫分徙宜興

崔敦禮字仲由弟敦詩字大雅家世通州之靜海同登紹興庚戌進士愛溧陽山水置田卜築於此兄官止宣教郎弟官至侍講直學士院贈中奉大夫

王端朝澶州人宋建炎中過江曾寧溧陽因家焉少以該洽聞舉建康鄉試第一再中博學弘詞科官祕書省正字復知永州乾道間卒

狄英字天秀天水人隨高宗南渡任江浙行省副使開府溧陽致仕遂居溧之胥渚里今狄氏祖也

楊昭文溧陽令邦乂之子邦乂繼判建康兀朮攻城急以昭文屬姪孺文奔溧邦乂死事遂世居於此

陸立基山陰人溧陽令子適之次子放翁孫也寓於溧水陸笪里世族繁衍

彭顯字克明清江人寓居奉安里避元不仕隱於石門山再徙黃山今彭氏其後也

元**馬忠勝**字質甫世爲扶風人元至元間以武功仕銅陵尉卜築溧上因名馬公圩按此與晉南海

太守之遷溧者實同祖而異宗則馬氏當有二族也

周南溪 字源清宋益公必大之後舉進士授溧陽學正父居敬以寶祐進士隨任卒於官不克歸葬廬陵遂卜地於下橋東北隅南溪教授自給娶鼈溪虞氏女居北門瑞蓮坊子孫世家焉

明劉麟 字元瑞長興人正德丙辰進士官工部尚書僑居溧城上水關與顧東橋璘朱升之應登號江東三才子四壁蕭然別無長物性愛樓居力不能作文徵明寫層樓圖遺之常懸壁上命曰神樓謚清惠

溧水

周左伯桃 羊角哀二人戰國時燕人也平生爲死友聞楚王賢善待士乃同入楚經溧水值雨雪糧少伯桃乃併糧與哀令入事楚自餓死于空樹下哀至楚爲上大夫乃言于楚王備禮以葬伯桃今孔鎮有墓在焉

伍員 字子胥楚人也父奢爲楚平王殺員奔吳流連于瀨上乞食有史氏女以壺漿食之後員投金

瀨渚以爲報

漢嚴光 今東南指爲嚴陵釣處者北北焉在溧水則邑之東有盧山者相傳以嚴陵結廬於此而名果有之必其在始變姓名時也蓋從此轉而入齊國矣

南唐韓熙載 舊志溧水南僻壤中爲熙載讀書處其址尚有可考者

宋施鉅 山東曲阜縣人登宣和壬戌進士高宗南渡偕次子泰隨駕詣建康累官參知政事陳固守之策不報遂以疾辭卜居溧水清約自持無聲色之好壽終九十一今溧水施爲著姓

姚古 字季嬰其先山西太原人少有勇畧長善騎射靖康間金人圍汴古率熙河師入援子平仲亦領步騎七千勤王拜爲督統制與宣撫使种師道合力捍金平仲夜斫敵營奪康王不獲力盡而敗入青城山思再舉及高宗南渡古護駕建康卜居溧水遂爲溧人今子孫繁衍溧稱姚氏云

茅壽 字惟厚汴人也官提舉建炎元年與李綱等力主征討之謀爲黃潛善汪伯彥所譖被黜從高

宗南渡家溧水終身不仕後裔甚繁至明初因遣戍分爲茆毛二姓至今稱著族云

明吳甡字鹿友別號柴菴揚州興化縣人官大學士以閣部督師道出江南突遇北變至止溧水遂卜邑城大中街居焉顏其堂曰嘉遯邑有改折之事公首倡議阻于時世事雖未就溧民感之遊東廬山壽國寺作記勒石邑中忠孝節義公多贊傳以表章之載藝文志

高淳

宋劉宰號漫塘其先金壇人紹興中爲江寧尉時巫風煽惑宰下令保伍互相糾察皆改業農歲旱賑荒多所全活去官住溧水又遷茅城即今高淳地遂家焉茅城劉姓皆其裔也所著有漫塘賦漫塘全集二十餘卷行於世

元孔文昱至聖五十四世孫宋德祐末兵阻建康兄文昇卜居溧陽福賢鄉昱居溧水遊山鄉今高淳地大德間允西臺請覃恩聖裔辟爲浙西廉訪使主釆石書院與兄同纂曲阜平陽江南宗譜載闕里

志今遊山鄉孔氏其雲仍也

江浦

宋孫覺字莘老高郵人胡安定高弟也舉進士直集賢院熙寧中知諫院同修起居注以議新法不合解官與秦觀遊湯泉歷龍洞館惠濟院愛其地勝遂築寄老庵居焉觀爲賦其居游無適非道欲負杖屨而從後起官至御史中丞以疾請罷哲宗遣使存勞年六十有三卒多著述行於世史稱其德量云

明李侃字希正順天東安人父東任江浦學諭爲侃娶而無資邑人張俊器之以女贅焉因寓浦與俊子瑄同師學侃舉順天戊午鄉試俟瑄舉始同赴南宮並登壬戌進士侃拜給事中

吳嘉禎字源長先世吳人父宗周賈於浦子口因家焉禎性篤孝母病劇刲股和藥而母愈登崇禎丁丑進士授戶部郎莞通州倉搜剔隱弊條請淸除倉中陳米腐朽積久無用禎令民役之有罪者量其輕重罰令簸揚得糧近七萬奉旨紀錄念徵輸困民因覆省臣疏議捐崇禎十三年以上舊逋凡一千

一百三十萬有奇開復降華守令千餘人大農疏上皆得請陞閩泉州叅議有豪貴子謀占人產繫之獄禎重懲其僕而釋繫者勢宦立私稅于洛陽橋禎白兩臺華之追贓立碑商賈誦德時境內多盜禎撫勦並用殲渠散黨歸農者三千七百有奇會遷粵西以病請歸囊槖蕭然往來洞庭匡廬之間漁樵爲侶詩酒自娛不問戶外事病痿二載手不釋書臨革命子曰石火電光萬事無久常者謹遵祖訓勿妄勿欺勞謙貞吉一語終身誦之可也踰日瞑目端坐而逝年纔五十七

國朝鮑虎號雲樓山西應州人居浦子口効力從龍屢樹奇績蒙　賜宴并蟒服鞍馬等物由副將晉黃巖總兵康熙丙辰年恢復閩浙砥柱兩省積勞病卒贈榮祿大夫左都督長子輔仁特加擢用見任春江副將次子志仁亦蔭五品京官

六合

明方錦字公襲江西貴溪人歲貢嘉靖中任六合教諭敎士有賢聲在任三年半攝邑篆亦以能著稱

陞襄陽教授卒於官其子澄徹卜居六合亦以六合貢歷任溫州府通判時稱爲廉吏從祀溫之名宦

戴愬字遠之鳳陽府天長縣人由丁未進士歷任雲南楚雄府知府以能詩稱年未四十而致政歸乃卜居六合

論曰自古賢才之生豈一地哉凡德合一鄉行比一國者勿論矣至於奇偉卓犖之彥其聲光踪跡不以一方自處則必訪山川于南朔通姓字于遐陬隨其所至若吾素然豈若宋之斤魯之削遷乎其地而弗能爲良哉金陵文物之盛甲于天下然溯之周秦之間僅偏隅耳無何而爲東吳無何而爲六代又無何而爲今日鐘鼎之區節鉞之輳其間雲蒸霞蔚鵲起

星羅固不必盡出此土也傳曰惟楚有才晉實用之蓋自列服稱雄巳不能舉杞梓楩柟私之一室矣而况車書一統之會乎故志人物者必志游寓非借才也正以見才之不擇地而生不擇地而成不擇地而顯也且百年以後枝葉扶疎其光遠而自他有耀者又不得以寓乎斯者盡乎斯矣豈不偉哉

卷三〇至卷三十三原闕

江寧府志卷之三十四

藝文一

論　露布　表　奏議　省劄　文　序
考　傳　題　詞　跋　教　條　條議　疏　引

漢班固博綜羣書作藝文志別以九流至於農圃醫卜之書亦所畢載識者謂其贍而不精今之藝文使捃摭汎濫無裨世教君子又奚取焉金陵舊志不列藝文僅臚篇目令人有有獻無文之嘆茲從昭代上溯六朝凡論關世運議切民瘼者爰付剞劂以埀典型至歷朝詩賦有文以人傳或人以文傳者聊存什一於千百備他日太史輶軒之採云志藝文

論

宋呂祖謙十論　吳論

孫權起於江東拓境荆楚北圖襄陽西圖巴蜀而不得北敵曹操西敵劉備二人皆天下英雄所用將帥亦一時之傑權左右勝之而後能定其國及權國旣定曹公已死丕睿繼世中原有可圖之釁權之名將死喪且盡權亦老矣世人謂權之所以爲固者東南之地所以爲强者東南之兵此大不然夫東南之地天下至弱而孫氏之地又爲六朝最弱獨權守之而固東南之兵天下至弱而孫氏之兵又爲六朝最弱獨權用之而强長江而上達於江陵轉江陵之南阨於巫峽上下千里可航而渡者凡幾可扼而守者凡幾道路坦然非有潼關劍門之阻也自廣陵而渡京口自歷陽而渡釆石自邾城而渡武昌易若反手江陵破則上流無結草之固濡須破則江上不知所以爲計地之形勢可謂弱矣權之兵衆皆江南舟子綿力薄材之人區區捃拾盜賊驅獵山越以實行伍兵亦可謂弱矣然權用之如此之固且强何也蓋權之所以自立者有謀而已不獨用其臣之謀而又自出其謀內以謀用衆外以謀應敵所以地狹兵少處天下之至弱而抗衡中原成三分之勢者數始權之初立曹操下

荆州移書吳會舉國震駭權聞魯肅之言翻然而悟聞周瑜之議奮然而起一舉而走曹操存劉備基王伯之業此用周瑜魯肅之謀也及劉備借荆州而不反關羽頡頏於上流權謂養關羽使北吞許洛全有江漢回舟東下誰能禦之欲圖之懼曹操之乘其弊也乘羽北逼許洛曹公以朝命見招權乃上牋擊羽以自効使呂蒙陸遜一襲而得之全有荆楚西閉劉備於三峽北釋曹公之患以安江東此用呂蒙陸遜之謀也方曹丕已禪漢天下憤怒切齒之時權知劉備必報關羽恐曹氏之犄其後也乃於是時釋其憤切之心而稱臣於魏受其爵封擊備而走之此權之謀也及魏責任子而權不遣西患未解而北患復起權之計宜乎窮也權知劉備以復漢爲名而曹操篡位之罪甚於殺關羽備亦欲結巳爲與國而專意北圖於是遣使講和以中備之欲遂得息肩於西而專意於北拒魏而退之此權之謀也方曹操之反自烏林憤權而東征謂權恃水以自固故以舟師下合肥權若拒之於江南則曹公水軍入江權軍不戰自潰矣故逆拒之於濡須使操雖有水軍無所施步騎雖多瀕阻江泖春水方生義無所用操嘆息而退此又

權之謀也操之既還自他入觀之大則追軍逐北小則自足稱雄今權不然反請降於操蓋權料操之內憂尚多北有未定之河北西有未復之關中操欲伐之而慮東南之變非大定不往也故稱降以少厭其意而安之使操不復虞東南而盡力西北已得於其間益繕戰守之備以待其再來此權之謀也方曹丕之責任子不得而南征也權見丕之用兵不如其父而老臣宿將亦不盡力如操之時始却之於濡須而再來權之意以謂丕不知兵非使之深入疲竭上下之力則不止非使之臨江而反則丕必不休故開而致之瀕江而不與之戰挑之而又不應使之力盡而自還又小發以警之魏自是不復敢南出此又權之謀也權又以爲兵久不用則士氣鈍疆埸久安則入心逸且使敵人晏然積以歲月坐以成資非計之得也故兩譎淮南之將致而擊之所賊獲足以自資而敵人之資又爲之破壞此亦權之謀也權又以謂所用多南兵便於舟楫短於陸戰故用兵未嘗一日捨舟楫而乘勝逐北亦不肯遠水以逐利雖有大舉長驅之計亦不敢行以僥一時之幸故曹休敗而不敢追殷札獻言而不敢用此亦權之謀也權之受封吳

王也盡恭以受其爵命使其國中知已爲百姓屈也與邢貞爲盟陰以怒其羣下方且爲進取之計而自卑屈如此此亦權之謀也故權之爲國自奮亦用謀自屈亦用謀勝亦用謀危亦用謀動無非謀也故能以一江爲阻而與曹劉爲敵然權起非仗義徒知以割據爲雄不能與漢室以傾天下之心使當漢末大亂權能招徠中原之士廣募西北之兵緝馬步之銳挾舟楫而用之鼓行北出水陸並進孰能當之哉當曹丕之立也權又能求漢室子孫而輔之出師問罪劉備必亦連衡而犄角中原之士挾思漢之民必有起而應我者矣權不知出此徒自尊於崎嶇蠻夷山海之間故雖力爲計謀詭詐然基業僅足以終其身而無足以遺子孫僅足以保其國而不足以爭衡天下惜哉然使權不爲計謀以自立則雖其身不能終也況子孫乎其國不能保也況天下乎何以言之權没未幾諸葛恪一用之而僅勝再用之而大敗孫綝用之又敗江淮之間惴惴而已上流藉陸抗之賢挾以重兵僅能支襄陽一面抗死則亦惴惴然矣藉使孫皓不爲暴虐亦豈能久存也哉後世不察權以計謀自立而區區欲效權之畫江爲守是不察夫形勢

甲兵之最弱也古人鳴陸抗知此此抗言於孫晧曰長江峻川限帝封域乃守國之常事非智者之所先審抗此言則當時之形勢爲不足言而所謂智者所先則有道也抗可謂善論孫氏形勢者矣

晉論上 東晉之始形勢與吳相若然吳北不能過淮而東晉時得中原之地吳旋爲晉滅而晉更石勒符堅之强終不能破其君臣人材去吳遠甚而其國如此者晉以中原正統所繫天下以爲共主故也以正統所係天下共主而百餘年不能平天下雪雠耻恢復舊物晉之君臣斯可罪矣詩美宣王曰內修政事外攘强敵齊威公晉文公越王勾踐皆國中已治然後征伐今夫晉室南遷士大夫襲中朝之舊賢者以遊談自逸而下者以放誕爲娛庶政陵遲風俗大壞故威權兵柄奸人得竊而取之小則跋扈大則簒奪士大夫雖有以事業自任者亦以政事不修財匱力乏而不得盡其志可勝惜哉易曰君子藏器於身待時而動何不利之有夫政事已修任屬賢將而待可爲之時時而進焉則無不成矣晉既內無政事外無任屬又非其人雖有中原可乘之時而我無以赴之雖赴之而敗矣故褚裒北伐蔡謨曰今日之

事必非時賢所辦殷浩之再舉北伐王羲之曰區區江左固已寒心力爭武功非所當作又曰雖有可喜之會內求諸已而所憂乃重於所喜由是觀之晉之政事不修任屬非其人雖有中原可乘之時亦無能爲也然謨之言大抵謂任屬非其人故曰非上聖與英雄其餘莫若度德量力羲之之言大抵謂根本不固故曰保淮非復所及長江以外羈縻而已二君雖相當時之失然盡如二君所言則東晉未有復中原雪讎恥之期端坐江左以待衰弱滅亡而已此知其一而不知其二也夫東晉之初其强弱何如三國之吳蜀當時有志之士尚能欲自强而不肯休諸葛亮諸葛恪之語最著然亦知其一而不知其二也亮之言曰先帝知臣伐賊材弱敵强然不伐賊王業亦亡惟坐而待亡孰與伐之孔明之治蜀可謂有政蜀之任孔明可謂得人然未有可乘之時恪之言曰今所以敵曹氏者以操兵衆於今適盡司馬懿已死其子幼弱未能用智計之士今伐之是其厄會恪之言知可乘之時而不知所脩之政而自量其材與夫所用之人也是故孔明無成而恪卒以敗觀蔡謨王羲之與諸葛亮恪之論正相反而各得一偏世之人好與

作者必以孔明元遜之言爲先而安偷惰者必以蔡謨王羲之之言爲是酌厥中而論之藏器於身待時而動內脩政而外攘彝敵聖經之言不可易也後世亦曰事貴乘釁又曰上策莫如自治蓋急急自治政事既修恢復之備已具事會之來不患無也一旦觀釁而動將無往而不利矣若內雖有自治之名而無自治之實徒爲空言玩日引歲端坐而守而待賊人之自滅非愚之所敢知也苟不相時先事妄發小者無功大者覆敗一旦機會之來事力已竭不能復應東晉之事如此者多矣

晉論中

孟子曰入無法家拂士出無敵國外患者國常亡夫無敵國外患者謂國安可也乃曰常亡何哉蓋既無法家拂士又敵患不至則君驕臣縱入於危亡而不自知東晉之末是也晉之始也敵國雲擾强臣專制上下惴恐如處積薪之上而火將燃者故君無驕泰之失而臣下自以危亡爲憂是以內雖王敦蘇峻反叛相尋亘温擅權廢立外則石氏之兵三至江上苻堅淝水之役江東幾至不保然當時人主恐懼於上而王導温嶠陶侃謝安謝元之徒足以盡其力故至危而復安將亡而復存也及亘温既

死苻堅復亡上流諸鎮皆受朝廷號令非有間者跋扈之人也姚氏自守於關西慕容相踐於河北非有向日邊境之憂也君臣上下自以江東之業爲萬世之安心滿意足武孝漸生奢侈於上道子之徒竊威柄於下謝安謝元至以功名自疑矣安元既死其政愈壞甚於巳危將亡之時泯泯靡靡不自知也已而君臣兄弟之間爭權植黨上流之患復開不待外敵之强而國遂亡矣聖人於無事之時而爲持盈守成之戒可不信夫况東晉雖恥未復遠以無事自處不其愚哉

晉論下

杜牧謂宋武不得河北故隋爲王宋爲伯愚謂不然幷吞海内之形勢關中爲重河北次之關中者周秦漢用之河北者光武用之皆用之以取天下也曹操石勒以河北取關中苻堅以關中取河北三人者皆呑海内十有八九而不能幷東晉之後元魏以河北取關中後周以關中取河北隋唐以關中取天下以此論之用關中幷天下者五而不得者二用河北幷天下者一而不能者三則關中爲重河北次之顧不信乎宋武帝非獨不得河北暫有關中而已何嘗得之哉宋武起於布衣身經百戰戰勝

攻取髣髴曹操司馬懿而下不可北也舉東南至弱之兵練而用之踐西北至强之敵前無横陣旁無堅敵逆河而上開關而入之用之如建瓴破竹之易可謂奇矣然得關中而不守翻然東歸失百二之地於反掌暮年慷慨登壽陽城樓北望流涕而已可不悲哉愚謂宋武之失關中其罪有三一則好殺伐而不得中原之心二則急窺神器而不能快中原之憤三則倚南兵而不能用中原之人夫宋武下廣固欲盡坑其父老韓範力諫猶誅王公以下三千人没入其孥前賢論之以謂舉事曾苻姚之不如有智勇而無仁義豈不當哉其一失也宋武帝之不爲晉室藩輔天下所知也然輔晉而行能仗大義使中原知爲晉雪百年之憤天下其孰能議之其子亦不失天下今急爲篡奪大業不終曹操猶能曰天命有在吾爲周文王終身輔漢而不取宋武識慮不及操遠矣其失二也宋武之北伐魏主以問崔浩浩嘗策之以爲必克而不能久裕之取燕取秦西北之人未聞據連城舉大衆來附之者裕獨用南人轉戰山河之間往返萬里使裕收燕之後選用燕之豪傑廣募壯勇以傾三秦得秦之後選用秦之賢傑廣募壯勇以傾河北

分爵裂土以功名與衆共之東伐元魏非元嗣所能抗也與元魏則中原盡得矣東掃慕容之餘燼西剪赫連之遺種以裕之智勇王鎭惡檀傳朱沈之徒爲爪牙而謝晦之徒主謀議何爲而不成裕之施爲旣已不能選用燕秦賢傑廣募壯勇而區區用遠客之南兵縱無所練之士卒南兵獨用已敗不可支其失三也蓋南北異宜攻守異便南兵不可專用有三雖勇而輕一也利險不利易困難久二也易亂難整三也項羽之破趙一以當百高祖征黥布張良戒毋與楚人爭鋒然羽布皆爲高祖以持重困之此雖勇而輕也吳王濞之反有田將軍者請急據洛陽曰漢車騎入梁楚之郊則事敗此利險而不利易也吳楚屯聚數月無食而潰裕軍至長安已謳歌思歸此易困而難久也裕軍至長安日暴市肆此易亂而難整也裕旣無中原之衆欲以南兵守關中人無智愚皆知不可也裕之東歸世以謂劉穆之死急於篡取愚以謂正以南兵不能守關耳裕見已所行事已失中原之情欲全軍共歸則惜關中不忍棄之欲不歸而守則南人思歸旣甚將潰而歸矣裕之首領未可保也况關中乎數十年之得一朝失之古今所惜然則

後之欲恢復者得中原之郡縣可不以裕爲深戒哉

宋論

宋文帝以河南之地爲宋武帝舊物故竭國家之力埽國家之兵而取之卒無尺寸之功史稱文帝之敗坐以中旨指授方略而江南白丁輕進易退以愚言論之文帝不用老將舊人而多用少年新進使專任屬尤恐不免於敗況從中以制之乎鋒鏑交於原野而決機於九重之中機會乘於斯須而定計於千里之外使到彥之輩御精兵亦不能成功況江南白丁乎然江南之兵亦非弱也武帝破燕破秦破魏則皆南兵也何武帝用之而强文帝用之而弱也南兵不可專用豈無北方之人可號召而用之乎蓋武帝失之於前而文帝失之於後也自古東南北伐者有二道東則水路由淮而泗由泗而河西則陸路越漢而洛由洛而秦自晉氏南遷褚裒殷浩亘溫謝元皆獨由一道以進至於武帝則水陸齊舉故能成功今文帝專獨用南兵而專恃水戰舟楫之利雖嘗使薛安都等盡力於關陝而孤軍無援形勢不接此三者文帝之所以敗也使文帝得賢將而任之也於淮外委以經略不獨用南兵而號召中原之衆不

獨恃舟楫而修車馬之利則雖未能堅守河南亦不至於一敗而失千里之地再敗而敵馬飲江也文帝修政事爲六朝之賢主而措置之謬如此可不戒哉

齊論上

天下之情艱難則勤承平則惰勤者雖弱小而奮惰者雖盛大而衰夫元以强悍之衆據中原之地士馬精健上下習兵而喜戰道武以來戰勝攻取未嘗少挫幾幷天下然至孝文之時議舉兵伐齊而在廷之臣皆以爲不可雖驅之以威莫肯行也與間者習戰之俗何其相反哉蓋自道武沒更以毋后幼主持政羣臣皆生長安佚非復昔日馬上之士也稍備朝廷宫室之美非復昔日穹廬遷徙之俗也金錢玉帛府庫充滿非復昔日計牛馬錐刀之利也美衣甘食冬温夏凉非復昔日習饑餓之勞也高談徐步可以致大官取卿相非復昔日競戰國攻取之動也故雖元魏而流爲承平無事矣夫以中國禮義維持而承平無事日久猶且以驕淫致亂況元魏上下無禮義之維持稍稍無事則志氣滿矣制度侈矣子女盛矣土木興矣此蓋以天資驕淫之性而入中國紛華之域必至於此此慕容苻姚所以不能久

也元魏居於雲中未甚變其俗習然猶上下厭兵畏戰國主親在行間而不肯前至於遷洛之後其國衰矣竊譬之元魏鷙鳥也去其利爪而傅以鳳鳥之羽則無德可昭無威可畏取死於虞羅必矣然元魏既衰之後宋氏多事齊氏享國日淺梁武謬於攻取待元魏至於國分爲二然後自斃若使南朝有英武之主智謀之士蓄開拓之備而伺其隙則元魏豈能據有中原如是之久哉

齊論下

齊氏享國日淺雖無境外之功而疆埸之間亦無失矣太祖初立魏以劉昶爲主入寇高宗之篡魏又入寇皆有以爲辭矣然是時魏之入寇無他奇策而齊禦之者亦無高計勝負相當魏不能渡淮南定漢沔齊之大鎮無傷焉齊亦不能追擊魏全軍而反然魏得沔北數城齊不能復取也齊之君臣度未足以開拓故亦不敢深爲報復之計待其通使於我然後歸其俘而納之亦計之是者也然敵性無常和好不久高祖與之講和五年而以明帝篡立爲辭分道入寇夫魏孝齊豈專爲名義者哉求土地之獲而已使齊氏自通好以來邊備不修一旦變起國中未靖外難又至豈不殆哉敵國和好之不可恃

自兩漢以來然矣

梁論上

陳慶之以東南之兵數千入中原元魏強盛之地大小數十戰未嘗少挫遂入洛陽六朝征伐之功未有若是之快者也然卒以敗歸理亦宜然何以言之夫孤軍獨進不能成功自古已然當時梁武使諸道並進乘魏人上下崩離之際分收郡縣河南之地必可取也慶之旣至洛陽縱士卒暴橫市里此豈弔伐之師乎當時能整軍陣宣布梁德取不樂爾朱氏之人而用之改立魏主則河南之地雖不叛圖必當爲附庸之國矣南人善戰步而少馬慶之能鏖北兵於平原曠野使挾戰而用胡可敵哉自入敵地務廣騎兵使不樂南之人與南人善射參用之縱不能守洛陽之地多得騎軍猶足以歸壯國勢且安得有嵩陽之敗哉然慶之與元顥更相猜忌則廣丘之計顥必不行以此觀之慶之進退專之可也顥之成敗不可任也恤顥之成敗而不恤軍旅之衆寡非計之善者也夫慶之固奇才未易議也著其所不及以俟有慶之之才者觀焉

梁論下

梁之亡也以侯景武帝納景得禍也速受禍也重元帝僅能滅景而卒不能振其國家悲夫昔馮亭以上黨輸趙平原欲受之趙豹曰聖人甚禍無故之利太史公曰利令智昏武帝之納侯景是也夫景自以猜疑不容於高氏反覆南來旣非吾兵威之所加又非吾馳說之所下忽以三十州數千里之地來歸斯可謂無故之利矣武帝思慮朝臣諫說非不詳矣始疑而卒納之可謂利令智昏矣趙之與梁得地各異而受禍相似趙致長平之師幾至國亡梁致臺城之陷亦至於亡國是禍又甚於趙也趙有强秦之敵推之以致禍梁氏旣無强秦之敵而獨一侯景已足以致亂是又出於趙之下也然則在武帝勿受可乎曰方高氏宇文制東西魏與鼎立三分地廣兵强者勝如之何勿受受之有道乎曰景之初叛先降西魏二人已覺其詐于謹則請加爵位而勿遣兵王思政則請因而進取乃使思政與李綽彌等赴之故已制其肘腋矣已而思政入潁川逐景出之則已傾其巢穴矣而又召景入朝則伐其姦謀矣景旣不入朝思政遂據景七州十二鎭之地是魏因納景不血刃而取千里之地武帝施設羅網略無西魏之

一二何爲而可納武帝既信其姦詐而以羊鴉仁應接鴉仁非景敵也不足以制景一失也又信朱异捨鄱陽王範而以淵明爲帥卒有寒山之敗致軍折於外景益無所憚二失也景之地不得尺寸既失景地何用於景不殺則廢之可也反豢養於邊陲三失也方景之未來而貳於宇文說辭自辯不能逆折其情則曲意爲詔以安之既而奔亡入境不能制畜遂捨鈐鍵而縱之盜據邊疆則又從而與之跋扈不遜則又虛辭而說之高氏以淵明爲間則又不能推大信於景而欺之謀反已露則又不能逆擊而討之梁之失也如此其所施之方略所用之將帥與西魏何相萬萬也故非獨不得景尺寸之地而又不得景絲毫之力而受缶山之禍由梁武所用非其人而制置失其宜故也夫無故之利無時無之方略制置尚鑒茲哉

陳論

陳之形勢不足道也視吳又無江陵自峽口至海盡江而已使孫權復生且不能守況叔寶之涯昏乎蓋自晉已來習於水戰以江自恃初不知我能渡敵亦能渡何足恃哉以愚觀之江若大河之北

而大河猶有悍湍之虞若江則順風登舟一瞬可濟雖有京口采石潯陽武昌巴陵號爲扼豈秦關劍閣之比哉守江之計必得淮南以爲戰地荆楚控扼上流又有舟師戰於江中然後可以粗安孫權之拒曹操東晉之拒苻堅宋之拒魏太武齊之拒魏孝文是也若曰亡淮南荆襄而獨憑恃洪流以爲大險豈不可笑也今陳既失淮南又失江陵吳阻長江又有南郡一旦王渾之師入自淮南杜預之師入自襄陽王濬之師從江而下沿江鎮戍不能禦也陳阻長江又失荆州一旦賀若弼出淮南秦王俊出荆襄楊素之師泛江而下沿江鎮戍能禦而不能破也蓋無淮南襄陽則自廣陵至於峽口皆可渡也吳陳三世之後亡國已幸矣唐末楊行密據有江淮既死而李昪取之建都金陵以孫權自處方其有淮南諸郡則闊步高視東攻二浙西取湖南南取閩越南方莫强焉及淮南爲周世宗所取則自窘以至於亡亦失淮南則不能守江南之明驗也王羲之云保淮非所及不如保江蓋見吳之能守而未見若陳與南唐不可守者也後之智計君子既有見焉謹勿割棄荆淮而爲守江之論也

朱敬則晉高祖論 王業不同其來尚矣若乃待辛癸之禪湯武不得稱仁要西伯之資高光無由濟世或寧亂以得志或與禍以取威遭遇雖殊天命一也宣帝聰豪明允博學洽聞斂而好謀寬而能斷其未得志也服勤王事夙夜在公知無不爲翕翕收必履取信嚴主所謂能臣也及勳德日隆雄材漸著權略不世合變如神受命崇華竭股肱於明帝恐死嘉福遂無君於冲人所謂姦臣也及內難旣平外寇斯殄威力翕赫指麾風飛遂乃臨神器以徘徊猶公侯以顧望雖大業初稱人望斯存若格以名神請罪不服歸諸天命則前代有辭美哉未盡善也且成湯之在夏世行仁以動諸侯文王之處殷朝好讓以懷鄰國高祖以豁達容物光武以長者得人未有專伏陰謀每行詭計寄何晏以鞠獄示李勝以謬言請戰以見威指水以表信乞禱不與懼有陳恒之譏封墓釋囚不慊武王之事媿情負理掩耳避聲狼顧以噬魏人狐媚以取天下亦前史所醜也

宋武帝論 蓋聖人不能爲時亦不能失時歷觀帝王之祚未有不因人墜塗炭而得志或天下

嗷嗷新王之資也是知秦有閻趙之隳漢羅莽卓之災晉由曹氏之專宋實桓玄之篡始得奮其智力救此倒懸陳浞羿之辜問滔天之罪況劉裕天錫神勇雄略命世不得思漢之謳未暇假從可之會同盟二十七願從一百人雷動朱分風發竹里龍驤虎步獨決神襟長劍一呼義聲四合蕩亡楚已成之業復遺晉久絶之基祀夏配天不失舊物雖古人用兵不足加也至乃網羅俊異待物知人動必應時役無再舉西盡庸蜀北劃大河自漢末三分東晉拓境未能至也或問前史云克敵得雋奇迹多於魏武此確論乎君子曰得雋雖多前非大敵若乃黃帝斬蚩尤高祖制項籍光武抗尋邑曹公挫本初此是奇迹也至若慕容超政不在躬奴僕下品姚泓宗枝猜貳借手於人盧循敗衂之餘譙縱新造之國因釁取亂何足可稱至乃潛筭樽俎之間明見千里之外揣機料日不爽錙銖亦古之智士何以加焉但禮樂文明日不暇給垂風邁德誠所未能人望不逮於建安天命乃光於魏武又問曰棄德非道捨舊無親有宋功臣多不及嗣豈理須然乎請聞其要君子曰且夫奸雄者非淳德之稱謀勇者乃果決之辭故昔之同盟擬覆前

敵故無材不露無心不披譬若同舟遇風寧有隱哉及高鳥盡狡兎死其材能我之儔也我非積行累能彼之知也思已之所行恐彼之已叛是以雄猜内發釁兆易萌韓彭以之葅醢劉葛由之覆亡然則高談堯舜之道不忍論桀紂之行思燕齊之血食見漢宋之不仁故尉繚畏秦王之屈節范蠡識勾踐之忍人綺季不出於商山嫌漢王之侮慢嚴光潛形於草澤知劉秀之未弘有旨哉又問曰宋祖入關老相駕爲赫連畏逼姚氏淫昏中原士庶耻爲臣妾王師衆整頗有禮焉所以扣馬攀車請住關右宫室陵寢是大漢之遺蹤關山重復乃有周之長世人與不取違衆獨歸昔項籍見哂於韓生宋高又失於父老其旨可得聞乎君子曰論項卽非在劉爲是以項王之材天下可以力制人心可以勢奪因宫室之嚴守山河之固此九州之上腴何彭城之足筭劉裕家本江南全軍遠克未能制命夏䰳施號秦凉雖曰關中實是邊地鞭長不及馬腹風末不闕王買德曰貪歸受禪所留不過愛 待歸一舉而可取卒如其策智士哉

梁武帝論

梁高祖聰明文思寬厚通博生而神異動多奇恠此天表也永元之初羣賢受命竭懷輔正盡力康衢細隟未開纖塵不動而雄圖英筭孤識獨見審長河之將決知崑山之必焚理欲先天未遑後舉叶嘯龍虎合集風雲馳兩函以取荆州連五都以震都邑長流遠邁獨決方寸霜風飛掃雲雨霑沐白旄一麾頑童授首乃弔寃魂而謝牛酒昭筐篚而軾善人師不疲勞人無怨讟謳歌是逼獄訟攸歸代德立成眷命斯在然躬覽載籍備睹興亡留心求瘼勵精納善雖化未大道時亦小康也若尋其德音討其風俗尚根淺易拔源涸難流禍亂相仍蓋其宜矣且兵號義旗戰稱伐罪勝非巳利功豈私成湯有慚德去道近也武無愧容其私厚也昔魏太祖兵鋒無敵神機獨行大戰五十六九州靜七八百姓與能天下慕德猶且翼戴弱主尊奬漢室降及宋高剪平僞孽安復王家義聲薄天高誠動日然更懸兵四嶽決勝于湖北靜燕塵西淸秦霧宏動不讓成德見推備物蒲庭猶非望故晉帝今日之所事本所甘心義士猶或非之通人尚爲薄德况梁取天下又甚於斯南康主盟實稱齊帝奉之以成大順承之而動義

兵國步旣寧家怨又雪君稱主祭臣復何猜借入之名而不復命者也尋其錫文考其謙讓事同對面理非餙詞寧知悠悠江山相去千里矯情僞迹頓至於斯示人此心豈躬行事欲令節義行於比屋其可得乎夫君人者日月齊其明陰陽資其信江海同其量天地偕其容未有餙智驚愚衒材惑衆較武力於羊侃示腰腹於賀琛商略儒宗取異於章句變置官品無求於典實每事皆欲先入所唱復須稱贊父作子述君制臣歌受佞無厭進諂不倦浮華道長輕薄路開以天譴爲嘉祥用妖怪爲休祉聚斂俱極賞罰無章有識爲之寒心羣寮曾不先覺若言位是神物何須下殿走乎若言負重願休何勞受贖歸乎若言息人是務何須納叛臣乎若言吞伐有時何須中許和乎利器不藏奸夫得志然則侯景之兵我人也仗我器也驅我人揭我器而取僞者豈異術哉由上之失教也君父幽辱宗廟傾危帝子王孫跨州連郡未有晉鄭齊心年虛合契五侯九伯列海分山牢聞申包胥之頓哭秦庭茅燮鴻之幣謁吳國戸口徒衆不覩死戰之人寵遇雖多寧有報恩之士江淮無波瀾之阻城闕絕藩籬之固長州杜若一旦凋零稽山竹箭

忽然催折可不甚歟或問曰梁主不以黃屋爲尊紫宸爲貴離欲絶愛遺色歸空有湯武之憂勞君堯舜之懼腊享國五十若登春臺忽爲羈旅叛臣鳴吠逋醜長戟指闕强弩臨城兵折意窮忿毒而沒善不可恃岐路何歸君子曰梁主之美誠如子言神無與善未敢聞命何者武帝暮年荒誕實甚殫守縣之力不充自縱之資盡丁口之租纔足緇衣之費昔夏桀以九州之富秦皇以六合之尊造瓊室而天下土崩作阿房而寰中瓦解况地比一郡國乃三分外有征戍之勤內有雕靡之弊加以金刹寶柱爛熳雲霞至於銀榜朱簾的皪星月神怒人怨禍積患生過往必來何足疑也且夫惡於齊而保於我何補也得一夫而亡一國非智也昔趙納馮亭有長平之禍梁受侯景成永福之災金甌忽傷悔之何及

陳武帝論

孔子曰夏道不亡商德不作商道不亡周道不作梁自侯景入寇蕭詧外奔西鄰責言南風不競墓殺三帝覆沒兩都可謂亡矣但人痛旣深天道亦悔是以大命集於有陳也武帝身長七尺垂手過膝蓋姚襄劉備之儔也惟寬以容物明以知人曠蕩不羈雄勇蓋世聲振嶺表功濟日南屬王

室不綱大難未已江湖羣盜日尋戈戎是以投袂而呼夕不待旦以渠大寶三年二月會王僧辯於白茅灣齊小白之合諸侯以謀王室臧子源之要天地惟討賊臣故戮力盡心有死無二義聲一發其從如雲端居不言神光滿室建牙將指飛龍上天其所志也叛而伐之伏而舍之伐叛刑也柔伏德也德刑旣舉人知其心旦爲仇讎暮爲賓友文公指白水蕭王推赤心不足加也若乃侯瑱賊將也降無季布之疑安都敗師也歸受孟明之任重孝穆之義待之如賓釋歐陽之囚惟賢是用故得羣材畢用衆勇合威盪徧地之橫流廓溥天之巨祲鬱侯景於竹町執王偉於草間爰其息歸鷦烏遂止仍以新不間舊疏不間親高讓近臣方求別統昔魏推袁紹漢謝項王道貴能伸理不嫌屈及江陵不守喪君有君疆場無虞羣臣輯祖足以攄三瞳之遺憤歇萬國之夙悲旣上宰變圖假立非次晉出子圉秦納貞陽陵谷遷移對之長歎君臣易位但覺悲哉況乃居氾不歸馬用方伯在鄭未納誰曰勤王於是潛謀腹心陰召武旅四杜陵於別室告文帝於臨時舟乘旦潮旗寢夜月掃重氛於絳闕反宸極於紫微役不浹辰區宇大定加以北

挫蕭軌西拒王琳聖德日新元勳漸茂然後繼宋齊之丕業承舜禹之大名昇壇而告上依分珪以揖郡后大哉美哉人無間焉但雲雷尚屯邊塵未弭翌日告漸綴衣在庭楚之王孫歎布衣之未返燕之太子踐機橋而不歸悲夫

陳後主論

長城公器識古人承平嗣主觀其求忠讜之士禁左道之人淫祀妖書鏤薄假物卽古明哲何以加焉但强寇臨邊南國斯蹙禮義不舉苛刻日滋鄰好不敦驕傲是務嬖妾五十盡有珥貂之容麗服一千咸取夭桃之色加以貴妃夾坐狎客承筵玉貌絳脣咀嚼宮徵花牋綵筆吟詠烟波長夜不疲略無醒日於時也隋德甫隆南被江漢厚待間諜羊叔子之傾敵人不伐有喪楚恭王之結鄰好加以賀若謀勇應變如神擒虎雄風臨機若電莫不迎刃自裂聽鼓爭奔斬張悌之守迷降薛瑩之知命紫殿正色不用袁憲之言白刃文前但爲無社之計嗟乎龍盤虎踞之地露草霑衣千門雙闕之間風烟歇絕臨江離別之感赴洛嗚咽之悲五百里之俘四纍纍不絕三百年之王氣寂寂長空一國爲一人與前

賢以後愚滅其來尚矣或問曰安樂公劉禪歸命侯孫皓溫國公高緯長城公陳叔寶並稱域中之大據天下之尊或啣璧送降或逃竄就繫必不得巳何者爲先君子曰客所問者具在方册請爲吾子陳之任自擇焉若乃投井求生横奔畏死面縛請罪膝行待刑是其謀也馬上唱無愁之歌侍宴索達摩之曲劉禪不思隴蜀叔寶絶無心肝對賈充以不忠之詞和晉帝以鄰國之詠是其才也縱黄皓嬖岑昏寵高壤狎江揔是任也剥面鑿眼孫皓之刑棄親即讎高緯之志其餘細故不可殫論聽吾子之懸衡任夫人之明鏡客曰入井下策也

明張溥吳主孫權亮休皓論

漢後主建興七年孫權始稱帝蓋吳之黄龍元年也

然自是衰德見矣發兵浮海求宜洲亶洲無功而還誅衛溫諸葛直等病黷武也隱蕃降鹵寵爲廷尉監繼謀作亂郝普朱據俱連坐譏召叛也虞潘直諫徙于蒼梧吕壹深巧典校文書舉錯爽也魯王霸與太子和寵秩如一是儀陸孫數諫不聽顧吾粲正言竄死本教弗也至寵潘夫人欲立少子亮乃廢和殺霸

陳正陳象朱據屈晃楊竺全寄諸臣或誅或族雖晉獻惑驪姬漢武信江充不若是昏矣矣子亮繼立孫峻用事諸葛恪與南陽王和齊王奮朱公主等以無罪被殺峻峻死而綝代輔政其惡尤恣始族滕胤殺呂據王惇未幾廢亮爲會稽王迎瑯琊王休立之亮尋自殺休立七年而殂子霣幼少萬彧與濮陽興張布贊立烏程侯皓在位十七年淫虐不道晉師至石頭面縛出降吳遂以亡夫孫權屈身忍辱任才尚計史稱其有勾踐之奇英人之傑然徘徊江表未敢遽自即位改元在昭烈崩曹丕死之後蓋深知天命不假易大位難妄干故久而僴然也尊號甫定而人紀不修後昆之亂皆權開之何向者愼守之艱他日危覆之暴哉論者謂漢後主炎與時魏遣鄧艾鍾會寇蜀漢告急於吳吳使丁奉丁封孫異往援遲留壽春沔中坐視蜀亡猶之虞公假晉伐虢其愚已甚然是時孫休守國才非救亂與布侫巧昧於大計欲恤患分災以衛社稷無論智不及此即及此勢不克舉也吳所失者在昭烈已取漢中關羽已下襄陽曹操欲遷許都避銳權不思魯肅同仇之言輔漢滅操而輕聽呂蒙掩襲江陵使漢吳之讎不共反兵而曹氏父子

雍容中原日見強大此儒者所以致恨孫權謂其亡漢之罪大於曹操又哀吴不助蜀適以自斃禍同噬臍也且蜀未亡之時魏吴皆亂孫琳廢亮司馬昭弑髦下之篡均也孫休爲琳所立曹奂爲昭所立上之弱均也使蜀奮師聲罪恭行天討亂臣受縛孱主袒迎吴魏之地可取而有而不能者時無孔明也孔明卒蜀不能取吴魏與布用吴不能助蜀滅魏當日之勢司馬獨強豈特魏主拱手吴蜀之命咸見制矣自古國家存亡君爲政者視其君之強弱臣爲政者視其臣之強弱田和篡齊齊國不知有君而止知有田氏三卿分晉晉國不知有君而止知有趙籍韓虔魏斯曹操於漢司馬氏於魏猶是也司馬氏不先滅蜀不敢篡魏恐蜀之議其後也司馬氏既滅蜀即篡魏既篡魏吴必不得獨存秦始皇日夜攻三晉楚燕五國各自救齊東邊海上獨不被兵王建苟幸無事不修戰備秦兵入臨淄建遽出降餓死共松栢之間司馬氏以其術愚吴而休與皓皆不覺得亡於晉太康之初猶謂晚矣孫權初立時曹操盛師東伐羣臣勸迎權拔刀斫案遂破曹於赤壁其英雄自命豈特羞牛後耻帝秦哉江陵之役昭烈問罪即懼而降丕孫

皓效之甘心臣晉以歸命侯老祖宗無帝王之志而子孫卽爲僕妾之行乎是以始終惡權也

晉惠帝論

齊王攸之賢文王嘗欲立之而山濤賈充何曾裴秀諸臣不之與及武帝時羣臣欲立之而帝以荀勗馮紞之言而不之與要其旣也文王從立長之文武帝守傳子之義夫武之立惠猶文之立武正也晉立武而興立惠而廢其廢興者天也攸固無與焉雖然武旣逆天下之心以與其子矣知子之愚而不爲之所則何也父母之道莫大於教子教子之道莫先於擇婦賈公女有不可者五帝已言之矣及爲太子妃擲戟之妬帝又將廢之矣皆惑於楊后之言遂長其亂夫開國之主尚不能察嬖后之蔽又何以責惠之制賈哉且和嶠言太子不了武帝聞之不悅荀勗稱其明識雅度張泓代具對草卽忻然信之則帝之喜於譽子而惡聞其過亦已甚矣疾篤之時帝召汝南王亮屬以太子楊后不受其命至賈氏殺三楊廢太后亮始輔政遽被刑戮使齊王尚在汝南之禍不首蹈之乎則攸先惠帝之卽位而卒者幸也或者賈氏之不可爲后其將立謝玖乎夫玖固武帝之才人也帝慮太子不近房帷使之侍寢而

生子遹父子之間同於鳥獸之聚若使玖立亦一賈也或者又曰武不廢太子以太孫遹之智也令不立惠帝而立遹遹晉之天下其長無事乎而又非也遹長不好學賈后復使黄門誘爲奢虐觀其置針杜錫之氈沈飲陳舞之酒設爲人君豈有所加於惠帝乎夫以皇子之幼有令名賈后能變易其性使習市行而不顧則惠帝之不慧其所以反覆揉曲之者又何言哉追賈死而羊繼之一帝之身而有二后而皆非其人帝於夫婦之間不亦傷乎

晉成帝論

蘇峻之亂論者謂庾亮有四失焉峻討周撫破沈充錢鳳擊走石聰有大功而輕徵入朝其失者一既知峻叛而止温嶠之入衛三吳之起兵其失者二孔坦陶回請斷阜陵守當利諸口亮不從而韓晃陷姑孰其失者三峻走小丹陽南道伏兵可邀失此不擊師屻西陵其失者四抑又有甚焉難始自亮共國存亡敗奔尋陽是何爲乎峻亂既平朝廷論羣臣功罪卞敦以緩賊憂死亮獨受豫州不少作廉耻道喪矣然有王導在未可遽罪亮也王敦造逆導不義止贊殺周戴峻入石頭使導爲司徒坦

然安之責以二罪當極官刑而重荷上爵義則何居予觀晉自永昌以來王綱解紐臣節隳滅皆自導一人始也周札開廷敵錫以贈謚卞敦擁兵不赴移鎮廣州路永匡術賈寧國之賊也爲之請賞郭默殺劉徹不問其罪而江州命馬凡導之汲汲於獎亂皆以外給人情內蓋已恥尤而效之亮亦何心復執劉超鍾雅之節乎且亮殺南頓王宗降封西陽王羕帝年僅六歲嘗泣而責之庾懌欲害王允之帝震怒馬懌飲酖死庾氏之不滅帝所知也獨導依違三朝受帝崇禮至詔稱皇恐幸府下拜而患難之際不聞大節此論王庾者所以尤惡導哉晉咸康間亮與郗鑒書欲起兵廢導其言曰主上入在宮人手出惟武官小人導不稽手歸政欲愚其主當時皆謂其不然自今思之亮雖不可問導若言導罪亦未之過也

晉孝武帝論 江左以來時事之可爲未有如孝武之世也立未一年桓溫遂殁謝安爲政彪之坦之匡輔於內桓沖謝玄勤勞於外若襄陽之伐管城筑陽之拔當秦未大舉時國威已立矣及肥水一戰符融旣斬譙城魏興上庸新城滎陽弘農以次進拔河南青州舉足而定壘龔張五虎韋謙符宏之

屬咸率奔命是時使太保無出鎮廣陵都督無退屯淮陰則晉復有中原蓋可俟也不意道子國寶相倚爲亂趙牙茹千秋之倫以賤臣而竊國權飾精舍立於殿內而兗州孔廟不修其他秕政皆猶是矣然國寶諷八座啟加道子殊禮亂稱疾不署帝嘉其有守袁悅之因尼支妙音致書陳淑媛以國寶爲託則託他事斬之孝武爲君未全乎不明也身罹蒙被之弒則何居焉蓋君子之在人國有大功而不見而小人之在人國亦有大亂而不知當其亂之不可知也常惑其君以傷其國之大臣及人既知其亂也君與國之大臣并其力以止之亦復不可制也已試觀會稽用事之始謝安有破秦功不能窒其讒間之隙其後孝武惡之用王恭仲堪恂雅諸臣內外防之無以過其亂而反錮其黨且許營聞人奭疏道子等過惡帝雖是之而不能行徐邈以私貸骨肉爲言即忻然聽納而委任復專小人一用而難退不已甚哉若孝武勸長星之酒猶秦生麟太白之渴而張貴人之逆反甚於賈南風之禍然後知司馬昌明其前之不爲秦尚書僕射者亦幸也

宋武帝文帝論

劉下邳始逐孫恩勇武見矣滅元之後乘釁反正南燕之慕容超廣川之盧循成都之譙縱關洛之姚泓次就底定高世之勳雖晉之君臣皆以爲無二矣然倉卒東還以關中委之孺子遂爲夏王勃勃所陷抑何計詘哉宜都王承榮陽盧陵既廢之後悲哉就位密詔檀道濟入朝立誅三叛英仁之資又孰過焉然輕舉伐魏六州被殘裁子失謀身殞合殿何其憊也夫下邳之謚武宜都之謚文其稱近質而跡其終事皆與之戾則八者之要行三十年之晏然亦徒名而已或曰宋之天下定矣文帝不量其力橫挑強胡使師徒殲于河南戎馬飲於江津其言若深有望於文者抑知養寇撥患罪不自文始也晉宋之際中原求主亟矣文帝北伐河洛之民出租賦來歸者日以千數與當日三秦父老詣門流涕勸留武帝者其情無以異也因其情而用之唱義更始沛若順流碻磝滑臺虎牢洛陽安在非我有乎惟帝任好殺之王元謨一敗不振而封狼居胥之言遂爲當世所訾笑若武帝則異是三大國既滅威震天下經畧西北在其掌中而亟於内禪遽開汴渠以歸鎮惡田子之倫互相賊殺而赫連氏乘釁

而有之是故中原之不復在文當罪其任使非人而在武當誅其立心不順彼褚炤不云乎惡其兄淵之附蕭道成以篡宋也歎曰彦回少立名行何意披猖至此使作中書郎而死不當爲一名士耶假令下邳當時勿發長安戡定西北東身歸朝上功於主而身荷王爵以終則造夏之功真與周召比烈矣及乎後世必有明德之報焉而一念之私遽成南北不可復一之勢是以亡國之形卽見於興事之始則二子之不得其死六王之不以壽終非帝爲之乎予閒讀横尸國門之語未嘗不歎下邳爲忠誦司徒周公之書未嘗不歎宜都爲友而傾回若斯嗟乎爲武帝者亦何慕乎三年之帝位而蒙萬世之首惡乎

齊高祖論

齊高之篡宋梁武之篡齊論者謂其勢出相激非心乎篡也齊高祖久在軍中功名震主宋明帝徵之入朝欲賜之死帝崩而不果蒼梧王元徽初桂陽王休範反齊高討斬之戰功最多蒼梧忌其威名嘗磨鋋欲相加陳太妃勸之乃止齊高懼不自全始令王敬則結楊王夫楊萬年等弑蒼梧於仁壽殿齊東昏後無道崔慧景奉江夏王寶元舉兵向建康蕭懿自采濟江入援慧景走死未幾聽譖

殺懿梁武痛兄之死舉事襄陽而齊人弒東昏出降
蓋勢不兩立者身不並存齊高不弒蒼梧必殺齊高
梁武不叛東昏東昏必殺梁武兩人之篡直欲免死
非求帝也然宋順齊和其君何罪必廢且弒之何也
夫君臣之義委贄而定君有道則奉之君無道則廢
之其廢之者非爲於已有利不利也痛絶祖宗配天
之業墮萬世不遷之廟無可如何而計始出此也成
湯放桀非惡夏臺之纍囚武王伐紂非怨羑里之辱
父直以上帝鑒臨四海告虐桀放則神禹復祀紂誅
而元鳥不衰一家之德非所圖也蒼梧東昏罪在社
稷不聞齊高發玉門之泣梁武懷祭器之憂徒喜聞
君過與爲身幸天下未亂之前兩人之禍心已積邀
隊投變惟曰利已而已且安成王準文帝第三子非
若蒼梧之出於李道兒也南康王寶融爲蕭穎胄所
奉起義江陵梁武藉其勢取建康與師之日君位已
定又非若安成之立於齊高也大分既而弒逆橫起
名之爲賊其何辭焉宋武討桓元滅盧循殺譙縱縛
姚泓再造晉室功過桓文而零陵之弒逆節不恕况
齊梁之主哉宋武弒晉恭帝於秣陵其罪創齊高弒
汝陰梁武弒巴陵其罪因弒逆之事創不可爲也因

亦不可爲也甚而齊盡殺宋宗室梁亦殺齊湘東王等世以爲誅鋤之報然罪造於一人不中其身而必使子孫償之豈人心天道之平哉是故報施君子所不忍言也

項維聰高淳建城論

易稱設險守國重門禦暴則建侯啓宇豈惟德教蓋亦有城郭之固焉然或制於地扼於時卽欲峻防飾備勢無繇也高淳以鎮爲縣計縣治之北以至南僅一里東西僅半里環西南一帶臨湖住民居邑中者茅屋落落耳數十年內始就湖濵培築構室邑凡數百家而沿湖者踰半東北一帶多岡阜民負邑坦而棲者或斷或續餘丘則塚墓相次式廓蓋若斯矣如建城必須盡毀臨湖之家不獨民不堪命卽能遷徙安所得隙壖乎矧城中區境愈陿僅長若帶何以爲邑規也將闢左方恢之無論民居亦不免蕩析殃且及枯骨矣如欲建基湖灘則懸岸丈餘塡壑爲址工須百倍東北舍居墓而環其外勢甚遼遠費更不貲且自田沒於湖境釐民逃棄之水旱滂臻科賦日增十室九空卽徵輸正額尚多逋欠乃以一旦興重大之役財力焉辦萬曆初夏令大動申請建城欲將馬田及水陽

倉演武場地鬻價佐以民力一時洶洶事竟沮格頃二十六年復圖此舉士衆倉皇驚懼奔訴當道議亦隨寢此高淳必不可城之明驗也然竊邇金陵地非不重吳楚接壤又當往來孔道方今海內承平固萬萬無慮乃籌久安金石之策謂永遠無虞果何恃也矧萑苻潢池之警亦時有乎嘉靖乙卯倭寇大平趨南都都城且爲戒嚴已而犯溧水城幾陷設鄉導而稍南淳無噍類矣卽有城不過數雉猶然難支况無數雉乎聞有思及於遷者此無可奈何之說其事尤大於城則須廟堂之碩畫定裁孰請而孰肩之譚何容易如暫圖目前之計惟有固縣署之防以衛獄藏則爲今日之最要者昔劉令啓東時盜瞰其公出以雪夜劫官帑緣此始於署之四圍築土以垣之歲久漸圮謂當甃以磚石庶可垂遠費不甚繁而所關甚切欲貽茲邑以少安舍是無他謀矣

露布

宋曹彬平李煜露布

行營馬步軍戰棹都總管宣徽南院使義成軍節度使臣曹彬等上

尚書兵部臣等聞天道之生成庶類不無雷電之威
聖君之統制萬邦須有干戈之役所以表陰慘陽舒之義彰弔民伐罪之功我國家開萬世之基應千年之運四海盡歸於臨照八紘皆入於提封西定巴邛復五千里昇平之地南收嶺表除七十年僭僞之邦巍巍而帝道彌光赫赫而皇威遠被頃者縁喪亂分裂土疆累朝皆遇於暗君莫能開拓中夏今逢於英主無不掃除惟彼江南言修臣禮外示恭勤之貌内懷姦詐之謀況李煜比是騃童固無遠略負君親之煦育信左右之姦邪曾乖量力之心但貯欺天之意修葺城壘欲爲固守之謀招納叛亡潜萌抵拒之計我皇帝義深含垢志在包荒輟青瑣之近臣降紫泥之丹詔曲示推恩之道俾修入覲之儀期暫詣於闕庭庶盡銷於疑間示信特開於生路執迷自履於危途託疾不朝堅心背順士庶咸懷於憤激君親曲爲於優容但矜孤孽之愚蒙慮陷人民於塗炭累宣明

旨庶俾自親略無悛悟之心轉恣陸梁之性事不獲已至於用兵大江特刱於長橋觀旅尋圍於逆壘皇
帝陛下尚垂恩宥終欲保全遣親弟從鎰歸回降天
書委曲撫諭務從庇護無所闕焉終懷蛇豕之心不
體乾坤之造送蠟書則勾連逆寇肆兇徒則刦掠王
民勞我大軍駐踰周歲既人神之共怒復飛走以無
門貔貅竟効其先登蟻虱自悲於相弔臣等於十一
月二十七日齊驅戰士直取孤城姦臣無漏於網中
李煜生擒於麾下千里之氛霾頓息萬家之生聚尋
安其在城官吏僧道軍人百姓等久在偏方困於虐
政喜逢盪定皆遂舒蘇望天朝而無不涕洟樂皇化
而惟知鼓舞有以見穹旻助順海嶽知歸當聖朝臨
御之期是文軌混同之日卷甲而兵鋒永戢垂衣而
帝祚無窮臣等俱乏將材謬司戎律遂禀一人之睿
略幸成九伐之微勞其江南國主煜幷偽命臣僚既
就生擒合將獻捷臣等無任謌時樂聖慶快懽呼之
至謹奉露
布以聞

表

宋張詠到任謝表

臣詠言伏奉六月二十七日勑差臣知昇州軍州兼提舉江南東路兵馬巡檢捉賊公事已於八月二十二日到州署事訖恭以道有所存物無不遂臣縈宿疢分合退身皇情重惜其辭榮大鎮許從於卧理感深出涕恩極難言臣聞昔者聖君之御人也博愛溥施包荒濟美九有仰大中之化羣倫無不達之情伏惟皇帝陛下恭己臨朝推誠接下英斷比於太祖寬仁類於太宗謂選能爲共治之資則躬行採録謂節用爲恤民之本愼乃盤遊加不忘功兼之念舊有若陳緯苦戰田錫直言越次褒延驚駭視聽梁周翰前朝名輩邢昺望苑元勳俱及耄年不許去位非常禮遇優與俸錢四海之人聚首而議以爲陛下之德有以繼舜齊堯輝宗映祖若周文之兢持未足多也書美昌言禮貴養老未爲奇也雖聖政無涯不可妄紀而生民受賜抑又何名切念臣本族無稱學文自任爰從中第洎至登朝徒切礪精少防於責實絕無朋比曲借於餘光凡四轉官便忝樞要復三數歲已忝丞郎信明時驟進之

身過往哲九遷之遇退量淺劣不稱明揚止在捐軀聊以報國重念臣少因酒過晚覺病多仰天眷以撫安頻國醫之診護其如氣候漸劣根本難瘳旣乖侍從之儀實玷衣冠之列豈敢便謀致政堅請分司重闇輒拜於封章小郡覬全於頤養不謂睿慈惻愍兌澤霑濡作藩更委於兵權赴任仍兼於水路而復中官賜藥內府支金謂九轉之靈丹可延性命謂三錢之秘寶足了生涯天意所鍾愚臣備識必將垂世流爲美談知微臣遇主之榮比肩舊老廣陛下愛人之旨接武前皇臣雖事上之少勞陛下待臣之已甚而況江山秀絶民物駢繁獄訟簡清事務整集上仗神砂之力下因僚吏之勤望保殘年再覩雙闕此愚臣之願陛下之恩也旣感陛下憂臣之身臣敢不憂陛下之事一欲宣導風化惠綏黎元兼令兇忮之人漸識淳和之理憑茲懇

欵上荅恩休云云

張詠謝撫問狀 右臣四月日侍御史趙湘到州奉傳

聖旨撫問臣治郡不易頭上瘡子痊否祗荷寵靈不任感懼竊念臣素昧攝生早疎戒酒因成癖飮薄在中膲撩之雖得暫通食後依然復故

引不歸胃傳之入頭積鬱既多瘡痛斯見醫工切脉惟云五臟以皆安瘍人傳膏未覩一毫之爲減盖由臣光陰遲暮氣血衰微諒難盡保於痊平止可更堅於調護而幸官曹知勸黎庶輕徭兼緣靜治之時希有撓心之事覬延筭數上奉君親伏蒙皇帝陛下曲賜軫憐遠加安撫手舞足蹈似非多病之身寵異榮深不類具員之列得不恭遵善訓懇守冲和勵益壯之筋骸了旋生之公事少分憂寄以報鴻私云云

曾肇到任謝表

臣肇言伏奉勑命差知江寧軍府充江南東路兵馬鈐轄臣已於今月二十四日到任訖七旬魏闕未償去國之思五月彭門曾乏近民之政忽奉除書之賜更叨易地之優莅事云初省躬知幸竊念臣學術不足知古而蚤塵侍從之班治行亡以過人而屢忝藩宣之寄矧六朝都邑之舊有四面山川之雄舟楫往來幾半天下師屯節制實總江東屛蔽上都控帶南國折衝禦侮自昔固難其材宣化承流於今尤遴其選豈伊疲懦可副咨求此盖伏遇皇帝陛下禮遇臣鄰惠綏黎庶謂臣偶綴朝廷之近職是宜假寵於名臣以臣粗知仁聖之用心因使分憂於遠服謹當夙夜匪懈奉行寬大之

書悃愊無華希慕循良之迹庶收絲髮之効少
稱丘山之恩臣無任感天荷聖激切屏營之至

汪藻到任謝表

戎車未殄方勤旰食之憂將鉞分臨
誤忝方維之寄任非所可媿莫獲辭
伏念臣頃緣病衰自投閑散田廬退屏歲月再更當
踐土之未還念朔方之猶熾既不能負羈紲以從奔
走之役又不獲執干戈以宣屏衛之勞誰意眷慈猶
叨奇省惟六朝之舊國控三路之津敵馬飲江已兆
佛貍之死秦兵出項難逃肥水之誅但愧尫殘知難
勉强恭惟皇帝陛下志存宗社德冒華夷憤醜類之
腥聞憫多方之横潰櫛風沐雨跋履山川推食解衣
招徠將士將回鑾而北指用推轂以先驅但臣筋力
已疲智謀何有周旋一壑已慙祖逖起舞之言顧視
四方安取元龍上牀之意敢不作與士氣申固疆圻
陳力不能雖精神之未効
見危致命尚宿志之猶存

高宗幸建康府李綱起居表

臣某言伏覩都進奏院
報車駕以二月二十七
日進發臨幸建康府者乾旋坤轉共知天意之回雷
動風行頓覺皇威之暢御六龍以于邁屯萬乘於要

區三靈歡四海呼舞申賀竊以江左之形勝莫如建鄴之雄渾自昔稱帝王之州於今爲東南之會控引淮海襟帶江湖豈惟民物之阜蕃實乃舟車之輻湊玉麟神璽晋以中興虎踞龍盤吳資用武兵戈之後王氣方隆皇帝陛下慨國步之多難憫帝都之未復因之天險濟以人謀高祖之固關中戰必勝而攻必取光武之保河內利則伸而鈍則蟠赤縣神州行遂定都於河洛靈川沃野聊兹臨幸於江山方將張皇六師震疊中土駕馭貔虎翦屠鯨鯢掃陵寢之塵埃葺宗廟之鍾虡恢復故境再臻太平而臣誤被宸恩濫當閫寄雖長隄新廐竊慕於韋丹顧重鎮上流有慙於温嶠心馳魏闕莫參鴛鷺之行地近日畿益傾葵藿之志

高宗駐蹕建康府綦宗禮起居表

地鍾王氣兆夙見於前朝名協藩封祥實開於上聖仰鑾輿之再駕知寰宇之將同中謝恭惟皇帝陛下德邁宣光孝如舜禹勵枕戈之志勤萬乘以親行均挾纊之恩撫六師而爭奮遂臨江次以定域中神靈所扶華夏咸聳臣昔從清蹕叨侍禁

墀夢越秦淮已遠同朝之侶
功成京邑庶陪復會之期

葉夢得到任謝表

分東道之封圻再臨江國守北門之管籥密護宸居任非所堪辭不獲命臣某申謝伏念臣去違軒陛俯仰十年退伏丘園棲遲一壑念多壘尚難則懷捐軀盡瘁之義思大恩未報則有畢念靡它之言敢擇所安自求遠屛喟年齡之浸晚迫疾恙之交攻惟聖主曲亮此心故遇臣得安其分豈期人乏復誤詔除力殫懇款之誠莫動高明之聽勉交印綬實愧吏民茲蓋伏遇皇帝陛下惠顧臣鄰憂勤土宇撫萬邦巡侯甸何止臨踐土之宮會諸侯選車徒是將復東都之業責其來効付以舊邦斗運天旋已振荆吳之勝氣風驅電掃行銷河岱之妖氛但臣陳力不能强顏何補欽承威旨蹔假歲時疆埸無虞儻苟逃於譴累冕旒甚邇尚終冀於慈憐

辭免資政殿大學士

竊惟幸不可數常情所畏老而戒得前訓甚明非至愚迷孰不知警而況身忝近臣職當劇任方陛下信賞勸功之日而羣臣忘身爲國之時此而不思曷逃大戾伏念

臣出入侍從殆涉三紀中間坐閑幾過其半固未嘗有一言一事見稱於世可報廪食之責而叨名厚祿每以冐居退自省量常若芒刺在己今者待罪近藩甫踰二年雖簿書米鹽躬督僚吏夙夜盡瘁乃其職事所當爲至於陛下愛恤疲民欲其蕃庶整齊軍旅欲其安疆則無豪髮之效而進官未幾加職繼下況資政殿設大學士乃真宗皇帝特創以爲近弼非常之寵累朝不輕與人臣獨何心乃敢貪取欲望聖慈察其危情出於懇迫不敢但同常禮屢勤詔旨許令特賜罷免使臣垂白之年粗免淸議得竊知耻止足之名陛下所賜已多雖一日九遷何以復加

謝資政殿大學士表

一字之褒仰勤明訓十旬之內再沐誤恩懇辭莫効於精誠祗命惟增於戰慄中謝伏念臣逢時過幸受寵居多積丘山未報之私無豪髮可論之效豈不曰知難而退悼此志之未伸固嘗懷見義必爲曾餘生之何有矧玆黠敵方正嚴誅驅太原北伐之師雖即於殄滅保洛邑東郊之衆可無待於撫綏自省何勞能當異數玆蓋伏遇皇帝陛下矜存舊物駕御羣材視臣鄰於

股肱蓋欲奔趨而承事以爵祿爲砥石又將磨厲以勸功重假褒殘申加獎飾佩景德升班之意敢陪近弼之殊榮追修文創始之名尤愧諸儒之極選雖期隕首莫稱所天

賀大朝會表

宸心抑畏曠盛典而弗居羣議載揚幸戎兵之始間是爲周禮豈惟漢儀臣某中賀恭惟皇帝陛下基命昊天紹休文祖惟聰明叡智而不殺故能服天下無所用威旣艱難險阻之備嘗則必履帝位以大居正路車在列鍾虡畢陳湛露惟晞共仰朝陽之盛横流式遏敢忘巨海之歸臣假守外藩獲逢熙事五侯奉幣濫居邦甸之先萬壽稱觴莫預公王之末

明朱廷佐謝雨表

維隆慶六年五月乙酉朔越七日具官李箴節蒙上帝靈雨下施謹奉表稱謝者伏以天道顯彰鼓太和以成化帝心簡在孚至敬以爲親灑恩波於眞宰轉軗均霑瀉靈液於明河覆奮廣霈十端秘澤九野神機臣上言竊惟心極陰陽通諸六氣範書休咎徵自一身言之從乂時暘若而無恒暘貌之肅恭時雨若而無恒雨昭格上下先民有言嚮應天人於今爲烈顧涼德不足以感召

使甘霖未及於滿盈祇戒洗心精修合屬始以三日積敬而各申於疆境之中繼以三日竭誠而畢展於廟堂之上雖晦明以神其應而士庶來慰其心復分簪剃於兩壇獨倡吏民於一敬夏節惟五乃初以告虔七日惟三遂終以申謝仰澍淋之普至感霄霈之時歆茲蓋伏覩昊天上帝大生溥物知始矜民御神龍驤首而出噓靈雨幕山而來沸川燎石一時之頃滂朗清滴溜衝嵐百穀之焦枯潤澤自東西二里等而上之七里同樂於一阡自南北二里推而下之十里交驩於一陌慶害金之無慝期澌玉之有霆穜禾稑種胥暢後先萊畮露田頻盈磽瘠綠野詠銀洣之滑舟楹快玉宇之澄聞祁祁之雨與洩洩之聲而實歡於牙礦覩薿薿之禾與欣欣之色而猶捷於丙夔雖不能縱陰闢陽徒自以昭事感假非于公恩深於東海豈孟氏德高於會稽天監儼其在茲人力應不至此伏願火雲散水雲收三時不害炎海清陸海富萬寶告成謝寒之文喜蘇之記舉六合而沛帝恩就堯之日作傳之霖衍萬年而施天澤惟神其相之

國朝總制麻勒吉滅蝗蝻表文

伏以災祥有兆應人事而顯徵否泰相承恃　天心

之降鑒臣等恭承　明命忝職大邦思仰報於　國
恩惟敬求於民瘼不意頻年水旱遍地流離安知江
左繁華但見小東困瘁所幸蠲租緩賦屢軫　皇衷
發帑留漕涣頒　恩典自此溝中之遺瘠得循陌上
以重耕方錫雙穗於來年正望千倉於稌黍忽遇蝥
螟餘孽蝝蠕繁生俄而飛羽蔽天羣聲如雨驚呼動
市搶首載途臣等蒿目傷心撫躬思咎上念　九重
仁愛久應以德勝妖下憫萬姓顛連亦當自剝而復
災沴未息召致有由徒煩　聖主之焦勞皆是臣工
之禍謫民其何罪歲不可移用是各竭丹誠同申虔
禱悚惶待命刻責陳詞人窮呼　天經能懺罪涓卜
五月二十四日爲始今月二十四日終期日命本宮
道士虔頌　皇經祈禳災祲伏蒙　昊天上帝大造
行施鴻鈞旋運疾風振地掃醜類於洪波霖雨連旬
殄惡種於深谷良苗遍植陂澤皆盈感　上帝之降
康慶下民之樂業誠　朝廷太平有象宜慰　宵衣
旰食之心而草野屯難當平亦享力田供賦之報臣
等負愆失職幸賚　天威備位臨民竊叨福祐敢謂
微誠可格固知顯道惟彰惟萬口以稱功謹百叩而
酬賜伏願庶徵咸若萬物資生甘露祥風洋溢太和

之氣嘉禾瑞穀咏歌大有之年
臣等無任瞻仰懽忭之至云云

又表

臣某謹率在省文武各官昭告於 昊天上帝
竊惟江南連歲饑荒流亭載路幸蒙 朝廷屢
蠲屢賑僅獲生全 聖主深仁厚澤自當仰合 天
心立致嘉應而豐亨未兆災沴薦臻則皆守土者之
罪也初夏二麥甫登蝗蝻復發臣等警心惕慮齋沐
虔禱今月初吉甘霖普降頂祝懽呼是誠 皇天后
土哀此下民而賜之生也不意雨勢乍歇虫孽羣飛
仰首呼號心胆爲裂伏念民困極矣蠲恤之典無以
復加勸助之方無以復繼今歲若再罹災則逃亡之
衆不可復歸饑饉之餘不可復存矣竊思 天道仁
慈豈獨困此一方凡厥咎徵盡由人事臣與大小各
官皆承 天子明命牧養斯民德薄僭多屢逢災眚
不能胥匡以生何敢立視其死況臣以一介微末受
先帝作養隆恩今蒙 皇上畀此重任誓竭畢生心力
勉圖報稱倘有營私便己不思仰副 國恩一念稍
渝 神明立殛但待罪茲土已將四載水旱荐臻仳
離滿目臣何顏以對吏民何詞以謝 君父總由秉
質最劣賦命偏窮本非佐時之才安有回 天之力

謹齋心肅志再歷丹誠仰瀆 天聽如以臣愆尤叢積不可栽培願即賜滅其身以塞其咎無使移歲移民致蒙折足覆餗之罪以傷 先帝知人之明伏惟昊天上帝俯鑒江南百姓財盡力窮再遇凶荒必填溝壑亟施 大造救此孑遺鴻鈞一轉蝗螣潛消百萬生靈來蘇有慶臣雖蒙禍譴甘之如飴激切上陳仰祈昭察不勝悚惕待命之至謹疏

又表

臣某敢昭告於 昊天上帝竊惟江南財賦重地 國家實賴轉輸臣以下劣匪才叨任此職已歷四載地方日見凋獘民生日見窮蹙臣奉職無狀之所致也伏念臣受 兩朝知遇捐軀思報但艱逢屢歲災荒左支右絀方憂 補苴無策近因蝗蝻生發率同在省文武各官瀝陳微誠虔告幸蒙 上帝好生有感必應即賜大風甘霖洗除蝗蝻臣與衆官喜溢望外萬姓歡聲動地正期秋收可望不意連日蝗孽又飛屯聚近城臣見之五內爲碎悲傷啼泣求退無路求生無門自思憂焦毀滅坐以待斃何若披血抒誠再請命於 上蒼江南之治與否係於臣身臣之身命亦係於江南百姓之休戚如使饑寒所

廹地方多事上無以慰　皇上南顧之憂下無以救
赤子啼號之苦臣之犬豕微軀更何足惜與其苦厄
萬姓之後凶讁微臣不若先極臣一命以安天下根
本如蒙　上帝垂憫蒼生殲除蝗蝻孽使地方安寧
臣幸得以保全軀命自當益勉職業以報　朝廷之
厚恩即所以酬　天地之大德如有自食斯言不克
其終永墮地獄臣謹披瀝哀陳不勝激切待命之至
謹疏

奏議

明操院丁賓徵錢催募總甲以甦軍民重困疏 題爲地方總甲

未經官催積害多年懇乞比例條編徵錢募役以甦軍民重困以了衙門未完事臣於萬曆三十四年間奉命蒞任操江兼署堂印隨據南京五城居民李自新劉鳴曉等將前事呈稱地方編派總甲火夫等役勢所不免但留都地廣人多編派淸查更難向來優免房號雖以萬曆十四年海都御史題請簡可照繁冊爲準其衙門差役雖以萬曆十六年兵部都察院題請地方夫差冊爲準總屬兵馬衙門人役在於民間私自科派私催總甲非當官催募也乃行法既久諸弊叢生其私催總甲本身旣已冒濫工食且又通同吏胥員緣爲奸諸凡賣富差貧改移定限兼之飛差四出虛增卯酉又或遇火盜人命等事乃私催總甲仍報排門正身總甲出官無論正身家道或貧與富輒使一澗牽累拘縻歲月破家亡身而正身總甲受禍慘毒不可勝言矣先年居民張文學等呈請舉行徵錢催募之法蒙海都御史劄付巡視王御史等

查議彼時下情未能一一上達而海都御史止將五城濫差夫役題請禁革其徵錢僱募事體尚在中止後蒙都察院辛都御史奉俞旨題覆内云南京王御史等比例徵銀僱募似應依擬乃稱查審衆情一時尚未徧協合候移咨南京都察院再行五城御史虚心酌議如果召募可行人心共願則將徵收優免及一切應行事宜議處停當具題等因到院奈向來猶未行城覆查以致大小軍民受害日甚一日如在湯火之中仰望救援莫如僱募伏乞早賜舉行恩德無量上呈等語臣等以爲事干通都未可輕舉至三十五六七等年除各縉紳屢次具揭請行僱募外其五城居民又屢次連名纍牘訴告往往有泣下者且云僱募之事問之富人則富人願做問之貧人則貧人願做通都大小軍民人等無不稱便何不舉行臣又謂外府州縣舉行條編尚有田地山塘男丁女口冊籍可查若南京十三門内外人家幾十餘萬臣等雖曾效法先臣王守仁編派十家排門牌冊以爲防守地方之計其中間門面似無滲漏然而竟無各家貧富等第冊籍則官府何從憑據議編僱募乃有居民劉鳴曉李自新康恩等稟稱身等向來私僱總甲原

有出錢數目今既恐無憑據身等願將三十六年分一年之內各城各鋪大小貧富人家各出錢數公同會衆各鋪寫冊一本名爲五城鋪冊送官以備查考夫公同寫冊既不敢減少又誰肯寫多官府得此實有憑據庶幾可以行事蓋身等所慮不在出錢特以錢不經官收支難免飛差橫禍大小人家日夕憂惶故欲將額定錢數納之官府以期杜絕諸累耳不幾日五城鋪冊約千餘本居民劉鳴曉李自新等公同各本城大小貧富人家一齊送至臣處又各鋪冊一本分頭呈送五城御史乃五城御史曾陳易蔣貴傅宗皐王霖王萬祚公同到於臣處稱說通都百姓纔說鋪冊遂翕然抄寫一齊送至公庭且求早賜行事則往歲所云半願身當半願雇募之說必爲從中陰欲阻撓者所誤斷非出於小民之口矣假令不與舉行召募非但先臣海瑞題覆內云再行南京虛心酌議一節終屬未完而大小百姓屢屢成羣泣訴度量事勢畢竟不肯停止所當亟爲俯從臣乃將各城所遞鋪冊分開日子每鋪點出公正人役并貧人富人共三四人先期約定某鋪某日到於都察院當臣之面稽查鋪冊內人戶有無房屋門面隱漏并相應優

免人數及細問三十六年分冊上所開出錢之數虛實又將三等九則規條每鋪較量時爲增減停妥似此稽查甫畢隨將各城原遞鋪冊并臣面審情節一併書寫在冊劄付各城御史令各到於會同館覆查前項有無隱漏濫免併出錢不均併不合等則并有不願出錢各情臣又先期徧出告示曉諭五城貧富百姓內云民間所遞鋪冊本院雖已面審一番仍恐中間尚有未盡事宜復令五城御史在於會同館復審你們大小百姓如有不願納者許到會同館當官告明本院卽爲俯從免派役錢乃五城御史復查完日並無有隱漏濫免併出錢不均併不合等則并不願納錢者臣等猶不敢自信乃復會同大小九卿六科在於會同館號集遠近人民千餘人惟時九卿及科臣親問納錢雇募之法便民與否乃合口稱便又將百姓之中最貧者直令上前問其納錢雇募便民與否亦合口稱便諸臣又各各細問爾等窮人原無身家之累何必要行雇募又回云身等雖無重大家私平素亦在排門之列未免輪當正身總甲與富家一同受累且身等受累之日光身到官旣已無錢使用而妻兒在家飯食缺少又無人照管其情更苦以

故情願額定納錢用昌安靜等語臣又對五城御史
云雇募之事從來未曾舉行且南都地廣人衆中間
容有咨訪不到未可信爲停妥乃各御史又將會同
館各所查各舖內有貧窮孤寡者各自躬親至於其
家細訪端的因而沿途徧問民情稍覺可憐者無不
從寛派錢臣乃收取各御史審定各錢數舖冊復令
書筭手會集一處督令細算五城見該出錢總數隨
即模倣前任題准簡可照繁冊併地方夫差冊細查
五城今日各用總甲火夫併當更夫活潑上陵等項
燈夫併各公用家伙器皿各該出錢總數較之前項
所定舖錢尚有盈餘隨即會同五城御史將前各舖
所派各家錢數各行儘錢照減務使今日所派錢數
與今日所用錢數一一相同乗此杜絶衙門多取以
防嫌弊隨照各花名所減錢數各舖寫長單一張徧
示大小人民臣又喚集五城原呈父老諸人到院問
云徵錢雇募一節應否舉行各對云但得官府徵錢
雇募則衙門人役旣不得重科妄派且一切在官事
體俱是雇募總甲自行承當別無正身總甲名色民
間何等安靜當此之際卽使比照三十六年分私雇
等項錢數編派身等亦自甘心況今蒙將三十六年

分私雇錢數內家家戶戶查據餘錢盡行照減尚有
何處不便於民懇乞蚤賜舉行等語臣於是乃喚集
書筭手到於公衙將各舖減錢長單照數塡寫細戶
繇票分定日期令各細戶到於都察院將繇票親領
完畢遂於五月初一日各城御史曾陳易蔣貴傅宗
皐王萬祚容大德相約開櫃各收夏季銅錢小民各
遵日期各照繇票踴躍爭先納錢如市絕無拖欠隨
經該城御史給發各甲夫工食等項種種支銷明立
文案用備稽查自後各季收錢支錢俱係一體行事
其每歲或有新增優免與事故之家相爲伸縮或將
房屋折卸與新增之房相爲伸縮中間一切查覈事
情五城御史時時會同嚴加覺察務須通融計算登
時聲說明白不得少容欺隱卽前原呈內所稱人命
貽害地方最苦一節已今嚴革夥詐牽累捉詞代告
各衙門諸弊臣猶設處於三山門神策門鳳臺門外
各建造檢驗廳一所庶幾事有歸宿民間愈無騷擾
云爲照爲政固在於安民而安民莫要於除害先年
兵部都察院所定簡可照繁冊并地方夫差冊向雖
遵奉通行但屬兵馬衙門人役私派私雇况有地方
人民寬廣縱有飛差賣放連累正身等害其何能除

乃今額徵房錢在官雇募併人命不許騙詐頓使前害一朝革去則既可以下慰通都仰望素心而先年都察院移咨南京都察院轉行五城御史將召募事宜再行議處停當具題公案從此可以歸結矣 附記查得房號之設始於明萬曆二十四年間因坊廂之患初除城中差役繁重而條編額設不足應副蠹書乘機立有挨門總甲之名各家輸流書則苔應上官夜則支更巡警一遇地方火盜人命必至傾家蕩產撫江都院丁賓府尹陸長庚深恤民隱延請鄉紳姚履素等從長商確因地方之繁簡分爲五百六十餘鋪編稅房號各科則不等勸民輸納置櫃按季征收以民間樂輸之脂膏還民間身家之衛護雇覓總甲火夫將房號銀兩派給工食凡上司差設民間火盜一鋪有一鋪之應承一鋪有一鋪之稟報總甲雖甚低微實得民間提綱挈領之意而小民乃得各安其業

與朝鼎新此項奉裁改爲正餉總甲火夫既無工食卽議退役然稽查逃人盤結奸宄確不可少萬不得已復沿門增添總甲工食是一役而兩征也然户口日繁房號日益若將增益之房號通盤打算均攤爲總

甲之工食免百姓重征之困亦仁政之一端也姚若觀記

大清總制馬國柱請改學疏

竊惟我

皇上設科取士搜羅英儒尊崇　聖教作養人材更始爲新莫不禮陶樂淑查江寧舊爲陪京有國學而無府學今改爲省城學官生員俱備惟無學宮今鼎建肇興國學之名所當更易且日久傾圮基址徒存臣與戶部侍郎馬鳴佩操江臣李日芃按臣陳顯忠前任學臣魏琯同藩臬二司道府諸臣商酌僉謂京既改省國學宜可改府學也修理舊址不煩新創所有春秋二祀每年即於學房田租以供春秋祭祀之用從此首郡庠序煥然更新千古人文一時蔚起仰

贊

聖朝德化亦爲當務之急也禮戶二部具覆奉

旨依議

總制郎廷佐請舒江南三大困疏

爲請舒江南三大困以奏治平之實效事竊臣以駑下之材謬膺重寄懼深蚊負寢食靡寧臣到任三月餘調濟兵民清理錢穀痛禁夙弊振

飭紀綱凡係有害於地方者無一不與撫按諸臣同心釐剔期爲我皇上安此一方民然治國如養身必使元氣充足血脉貫通而後百骸無恙可臻上壽倘或諱其積疢而弗肯明言狃於暫安而不請醫藥必至元氣漸傷疾病大作雖有盧扁莫可收拾治國亦然也夫惟江南一省乃數省咽喉水陸通衢不知者見其車塵馬迹民物熙融以爲太平世界殊不知官困於考成民困於徵逋商困於封船似此三者是爲目前極難治理之事若憚於難治坐待其敝而不自難治之中求一變通之法雖欲守法度遵 功令不致滯礙而不可得官吏非不遵 功令百姓非不守法度實勢理始然也臣係江南長吏明知地方之疾苦不設法變通備告於我皇上是臣溺職臣咎何辭臣謹陳三事於後伏乞採擇如法調劑事事安妥不數年間民自含哺鼓腹不知帝力之何有也封疆幸甚軍民幸甚

一舒官吏考成之困今江南官吏多以降調爲幸爲錢糧積欠多而考成嚴也夫以數年之積逋追徵於一時且有見年

之錢糧併督完納未完一二分即有一二分之考成未完六七分即有六七分之考成輕則罰俸住俸重則降調而去如上年考成十二年錢糧各衛守千降革殆盡無官委署又不容不暫留理事及覺未便再如府縣降調更換者難以枚舉夫以數年積逋催徵一時官知考成之不能免盡力捶敲已有必去之念民知官長之必去視爲電泡絕無懾服之心若勤於催科便拙於撫字尚能出其餘力宣布

皇仁教民爲善耶臣恐政事日壞民心日偷所關地方之治化匪淺尠也臣愚請將考成規則去其降調一節至重不過革職帶罪仍令在任課其成功既已革罰帶罪又不能遂其去志勢必安心治理勉力前圖庶政事不致於廢弛人才亦得以展布或有疲聾不振難堪治理之人臣與撫按諸臣指名𠫵處另換賢能如此而官吏考成之困可舒矣伏候　睿裁　一舒民間積逋之困今江寧一省自　年起至　年止積欠錢糧至　萬　千　百兩矣如是之多果實欠在民耶所欠之數弊竇多端亦有官吏侵蝕溷稱民欠者亦有解銀出庫解役烹分者屢經清查必不能徹底一清者何也乃新舊牽溷頭緒多端奸役

朦朧上下彌縫故也若不變通例設一良法雖百年亦正如此臣愚請以十四年爲止通將以前拖欠名目無論本折總造清册文與右布政司徹底清查不許仍用左布政書役用絕夙弊或係已解而無批迴者或係經承侵欺那借者查各解役書役姓名註於項下按數清追以上各項獨造一册或係某官支用或奉某官提取而不應開銷者查明姓名註於項下雖陞遷離任亦必查追間有死故無人可追卽分欠明白請示定奪以上各項獨造一册另將民間實欠之數獨造一册議定一年正徵若干大張告示使民知有應納之數與有完期自不肯甘受敲朴得以辦納完納一兩卽給與一兩之完票完納十兩卽給與十兩之完票分頭督催責成各道按其道屬府州縣卽令右布政造一總册與之立定考成握總者係右布政分催者係各該道按册而稽專理舊欠至於十五年應徵一切新糧單責左布政起解存留直捷了當如此則徵新補舊之弊得除借端欺隱之情盡杜而民間積逋之困可舒矣伏候 睿裁 一舒商民封船之困江南一省乃數省之咽喉舟楫所通商賈所至多聚於蕪湖鎮江省會發貨之地一切貨物俱

係船裝船多貨多則各關之稅銀足額而無虧今則不然矣何因封船載兵商多裹足其所封之船雖給食米等項然船中所載之貨必移置於岸上坐困商賈或謂客貨船隻禁止封覔止封空船殊不知江河之船盡係客船舍客船而不封空船能有幾隻可以載送往還之兵馬乎致悞軍機孰爲重大以分船之十分論之八分皆客船也臣聞封船之事大有不便其間種種情弊種種苦楚鄭圖難繪自臣任事之後已經四五次萬分艱難每一封船之際各船俱聞風遠遁江河一空千方百計僅能了事至今日封船之術已窮船戶之避愈巧此後大兵往還仍待封船必至悞事若不急急預籌萬一臨期無措咎將誰諉臣見江西撫臣題請造船備送兵馬已經部覆請
旨允行矣江西既已造船江南亦宜速造如江西造江南不造勢必偏累江西南北遠送終非久遠之計與臣共事者三處撫臣請從江西之例
勑下三撫臣江西是何造法江南亦可踵而行之庶商賈無封船之苦征師有可坐之船而封船之困可舒矣伏乞
睿裁

巡按衛貞元敬陳江屬疾苦疏題爲敬陳江屬疾苦事今談江南者動輒

曰財賦之邦繁華之地也而不知江南固自有其疾苦也請卽省會而直言可乎士無恒產多鶉結以興嗟農卽力田亦鳩形而浩嘆百工技藝日應繁差不暇不免號饑坐賈行商月値飛票班頭可憐盡折他如兵馬往來之供應棍蠹揑誣之詐欺斯土斯民其疾苦詎堪屈指乎夫不至其地不知其地之苦也卽至其地而不知察究不知其地之苦也臣遍履城野稔悉呻吟而使下情壅於上聞罪滋大矣玆除應䘏應禁業已飭行外謹摘切要五款爲我

皇上直陳之

一酌恊濟江寧爲闔省會城凡

欽使之往來大兵之調發率由馬水必封船陸必養馬諸如芻糗槽鍘鍋缸蔬肉等項無一敢缺頃師旅會集供應益繁而搬運需夫動輒萬計官旣黜金之無術吏卽析骸而莫支軍務孔殷詎能徒手以應乎夫兵馬爲闔省遄來江寧豈堪獨累臣謂應將實用銀兩分派各郡檄于存留款內酌節解濟其所用民夫亦應本屬入縣八議均出庶使勞逸皆得其平而供應不匱官民俱甦矣

一淸投充察南民投充惟江

南爲多而江寧惟溧陽爲甚顧若輩非盡難窘而然也半屬作奸惡棍半屬逋罪强徒急欲逞凶遂爾走險一經收錄大肆猖狂或毆赴市廛以陵商或橫行村鎮以詐懦有司憚其惡而不敢制小民畏其威而不敢言流毒播虐尚有紀極乎臣愚以爲旗下民間皆我

皇上赤子也多一坐食之兵卽少一力耕之民矣若輩游手亡賴亦何能披堅執銳乎或應請勑防江各旗以後凡係投充必擇年力精壯者始行錄用自收錄後卽令上檔歸旗帶供驅使如敢借探親以生事假討債以詐人許被害家扭稟有司有司官卽爲申究庶所收皆可養上不至空耗乎太倉而旣養皆可用下不至徒噬乎小民矣　一均加增高淳湖波易沒永折漕糧嗣因行月不敷驟議增派夫淳折僅一萬一千四百餘兩今增至二萬二百有奇淳民豈堪此重科乎且稽通省運船共千三百二十八隻耳卽每船扣三十六兩合計止四萬七千八百餘金迺高淳加八千七百九十七兩零泗州加五千九百九十九兩零以暨下江之嘉定安東興化共增錢一十一萬是竟多六萬有餘也行月不足加增應爾行月已足

多取何爲此項給之軍則無名徵之民則不服無怪五州縣之屢控不休也臣愚以爲應請勅下漕督臣再加酌議應加者加應去者去應均者均庶被加之州縣無獨苦之悲而議增之錢糧有易徵之便矣

一飭牧放江寧暨屬邑田地非稻即蔬原無荒曠迺每歲春夏間滿洲例放馬匹其意不過欲飼青資壯耳而爲之牧者往往驅之良疇緑畝蘆笋麥苗中縱横踐踏此鄉賄囑又走別鄉而各營與各衙門牧馬諸役率尤而效之蓋不至遍詐不已也嗟乎漕田蘆洲爲國課民命之關乃作牧馬草場軍民其何賴乎似應急請

天言嚴加飭禁以後牧放馬匹須遣官擇濱江荒野或有草空山自帶帳房立界守牧如仍前損壞禾稼擾詐鄉村者許被害家據實赴控如法重懲如是庶兵民安田野治而漕糧與蘆課均有攸賴矣

一懲詐告江寧衙門最多訟事亦復不少其訟師訟棍久矣與積猾老奸打成一片矣遍訪諸鄉民可詐者即揑事架詞以害之且庫役侵庫則有告訪犯完贓則有告雖是非究必明白而貲囊蚤以罄懸斯民誠大可憫也察有句容蠧惡丁耀等侵糧數萬告害幾三百

餘人經臣親訪重懲梟行省釋然如丁耀者實繫有徒也似應特請
嚴綸通行申禁凡衙蠹訪犯流徙解逃等項俱不許捏詞誣良各衙門亦俱不許准理如有妄控擅准者即照所捏之罪倍懲之庶欺詐之術窮而良善之困解似亦懲惡綏良之實政也以上五款俱屬切體之痛瘝敢不依方而補救倘有可採伏乞
睿裁　勅部議覆

總漕蔡士英　題請變通漕政疏爲漕政弊壞已極成法亟宜變通謬陳管見仰祈
睿鑒勅下會議以濟飛輓事臣聞無百年不弊之法亦無弊而不可變通之法辟之終歲之衣不補則破十年之屋不修則壞況乎法立而弊生弊生而蠹積因循至數百年猶不知所變計其流將何底乎從古聖帝明王隨時制宜當因者因當革者革未有坐視其極壞而不亟思所以補救之術也臣蒙
皇上洪恩拔臣於諸臣之中畀以漕務重寄受事以來食息起居不敢一刻即安冀得如期速運稍紓
宵旰之殷憂臣晝夜行催各省糧道徵米登廒無悞開

兌今據各屬呈報應兌之米已盡儲水次而受兌無船在在皆然夫米與船均爲並急之務使有米無船憑何輸輓臣展轉無計窮極思通惟有罷長運以爲轉運之一法長運罷而刁軍之積弊可剔疲丁之困苦可蘇轉運復而遲滯之阻害不滋掛欠之追呼不擾誠欲挽遲爲速杜欠爲完計無有出於此者若狃襲成法臣卽智盡力竭止能曉夜撥催今各衛窮丁寥寥無幾每一僉運皮骨皆枯逼年雖給官銀打造船隻無如轉徙逃亡承受乏人是以迄今造報無成此臣在江西所目擊者至於抵通逋欠臣查歷年積數幾三百餘萬石雖監追纍纍並未聞補償如額今日之

功令何等森嚴豈諸臣不欲遵奉力行實窮於法弊已久無可如何耳窮則變變則通正此時漕事之謂也第變法之議駭人聽聞起人疑畏況事當創始布置不易臣亦何樂而爲此難爲特

朝廷旣以極重極大之務責之於臣斷不敢相沿苟且耽安偷逭貽悞

國家之事但舍轉運一法別無神輸巧運之奇雖添設糧道多員亦僅能催徵糧米兌之疲殘之軍丁不能使之盡充衞所也阻滯之漕船

不能使之速歸水次也枯涸之河道不能使之通行
無碍也狼狽至是而猶然膠柱鼓瑟將見流弊日甚
一日而遲與欠亦日多一日夫以萬分緊急之京
儲竟以無可如何聽之臣豈敢出乎惟是一片愚衷
上爲軍　國計重大之務下爲運丁紓積世之苦蓋
萬不得已而思變法非得已而好爲新論也伏乞
勑下臣章召計部及諸大臣會議如果隔碍難行臣亦
不敢謬執己見倘有可採
允而行之使行之有當是則數百年積弊之漕政一旦
而有起色庶幾不負
皇上委任之恩而臣亦得少圖報効於萬一耳臣請先
言長運之害次晰轉運之利更詳條所以經理轉運
之目不憚煩瑣敢爲
皇上一一陳之
一曰長運久因之害攷明朝之漕運法經五變始也
海陸兼運繼而軍民遞運又繼而爲改兌軍始獨其
長運矣從來經國者之論曰漕法莫善於轉般莫不
善於直達若今之長運即所謂直達也在明朝際承
平之後衛所軍丁既不用之荷戈日虛糜俸糧故不
若專用於輸輓見爲稍寬民力習之既久遂若非此

輩別無可以供任使者孰知困敝至於此也自我
朝足咼無一人不被其澤獨此運丁未蒙雨露蓋今日之運丁愈非昔比其世業半侵於豪强久不可問矣夫以身無寸土立錐之人驅之領運蹈江涉河經寒歷暑終年不得休息已屬堪憫至於造船尤爲苦累每見遇一僉報避之不啻湯火及拘拏承受而所給官銀又不足打船之費不得不先爲重利借債惟計領糧以抵償之是未兑之日而即爲盜賣折乾之計矣未已也起淺盤剝種種勒措迨至抵通復苦積棍蠧役需索百端窮丁豈有點金之術莫不取足於糧米額糧安得不掛欠此長運之一大害也且先時運弁皆土著世官與旗軍素相熟習凡選旗造船其間孰爲堪運孰爲不堪運得以預知去取今則部推守千領運矣平時漫無所知止憑積蠹書識上下其手富者索其重賄貧者困以力役邇年以來衛丁富者益貧而貧者日逃職此之故止餘奸軍劣弁鑽運代領以恣侵肥之計漕事安得不至於壞此長運之又一大害也前時依期開兑米一徵齊即催船先集故冬兑春開運重回空得無阻滯近來米已登厫片帆不至比及到次正當水漲之時江河潢流風濤迅怒

重運多遭漂溺其間過淮過洪盤查放閘躭延時日未及抵通而早已霜降水合矣阻凍阻淺勢所必至更何術使其飛渡乎此又長運之一大害也諸如此弊萬緒千端臣特舉其三而漕已不勝其害是卽嚴刑重法莫之能挽蓋極於時之不得不變更窮於勢之不容不變也

一曰轉運當行之利夫長運所以致於弊者因江南浙江江西湖廣之地近者不下三四千里遠者至六七千里一往一還之間幾於萬數千里矣非窮年累月不可竣運夫道路遠則風濤之驚險與夫沙石之淺滯途次所必經歲月久則米穀之糜爛與夫盜賣之藏奸稽察所不及催督雖有文移不能與天時地利爭也鈞距雖有巧智不能爲僻地暮夜防也曰遲曰欠弊自難搜耳今一易爲轉運倣唐時劉晏之遺意江船不踰淮淮船不踰濟濟船不踰衛衛船直抵於京通遠者不過千餘里近者止六七百里月月經行之地程塗皆所諳習自江發者識險阻自河行者避淤塞而遭風阻淺之患可無慮也爲程既近遞爲催輓彌月之間足以竣事水脉未達不先時而與之爭百川灌河不後時而待其涸敲氷守凍之苦可無

慮也此固不期速而自速則轉運之一大利也且運次既分時日有限沿途催押者迫不容其停泊盜賣何自而滋奸弊況未及數旬又復交盤驗數使有升合不足彼接運者斷不肯以身代爲他人賠償掛欠更何自而積弊乎若此之節節有稽考程程有防限固不責欠而自無欠是則轉運之又一大利也凡淮以南各水次江運之船每歲以三四運爲率冬底受兌便可開幇不致苦於凍淺計正月内外頭運即能到淮由是而再運三四運不過六七月而歲運可畢矣淮以北接兌短運之船二月河開以後舟楫可通内河能用牽挽每歲以四運爲率計兩月一往還亦不過九月十月而額糧可盡抵於通矣一歲之間尚有數月餘閒以爲修艌休暇之地法似無善於此者此法行則漕運速而倉督不必有疾聲之呼

天庾充而殘丁可免勾追之厄轉運足以通行爲永利者此也

一曰經理轉運之法臣通盤打筭原額漕糧四百萬石除湖廣運粤本色二十一萬二千二百六十五石三斗作運粤軍糈及各處蠲荒改折共三十九萬八千九百二十七石三斗零此係不起運者也即山東

河南與江南之徐州額運六十五萬三千二百二十九石零原不過淮亦無阻滯仍照舊徑解通倉外臣今所區畫者惟浙江江西江南三省過淮糧米二百七十三萬五千五百七十八担二斗零弊端百生遲欠最甚臣今爲酌其途次遠近適中之處分建淮濟德三處倉厫轉貯遞漕盡去長運之衛弁衛丁而一歸之於官交官運令江西浙江之米塗次甚遠歲限三番運淮江南之安池蘇松四府途次較稍遠歲限四番運淮由淮倉用淮船短運至濟由濟而德而抵通皆可歲限四番也其江南省江寧廣德等處九府一州之米途次稍近令歲限三番運濟而其中鳳淮楊三府途次又稍近令歲限四番運濟倉用濟船短運至德抵通歲亦皆可四番遞運也前者催發後者踵至兌畢即開交畢即回如環無端十舟爲紀十紀爲綱十綱爲總若珠之相貫居雁之相序遇淺則合一紀之力助之遇閘則合一綱之力輓之遇警則合一總之力禦之斷無險阻之虞幷前後失幇之弊矣其應用船隻也各水次受兌江淮之船仍用原衛所漕艘擇其中堅大者以兌用彼淺底輕便者取分內河如式改造以充短運或有未敷將見在各廠衛給

發輕齎打造者補湊而分派之自無不足也其舵工水手則官爲雇募給以工食就中用費亦於諸衞所減去不運之屯丁取其行月二糧以抵給之而更加通融裒益可矣蓋短運行則舊時長運額船可各減去三分之二船減而運丁亦減丁減而行月二糧亦減挹彼注茲故皆可取之以資短運更不必作無船無餉之慮也但行月二糧舊時本少折多抑且折價每石不過三四五錢不等以致各處官丁常有偏枯之控近奉

詔旨令臣衙門確酌本折均平行據蘇常糧道張樹忠回詳歲支行月查照舊額酌議本折各半除本色照徵外折色議照漕欠每石折銀一兩四錢相應著爲畫一定例合請

勅下戶部轉行通漕各該撫臣預行郡國考訂全書按年徵解支給臣得以奉行展布新法所當

題明永遵者也若監運督押仍令各郡管糧同知主之而以各州縣之佐貳正途出身者領之俸祿可不必別湊矣歲運一過則紀錄再過則薦獎三過則優擢不職者參處革究庶幾賞罰明而事功勸昔劉晏爲江淮轉運使凡委任必用士人即此意也其造船之式

每舟載不得過四百石一舟分爲十艙每艙較定石數不使有餘不足兌訖卽令監兌官印緘押運官爲鑰仍不時啓封驗印顆粒豈得有滲漏乎舟制定則所載僅足容其所兌夾帶包攬之弊可以盡革弊革而受載必輕載輕而飲水必淺凡閘淺盤剝之費又皆可免也惟是建倉一項攷明初支運之法舊有淮徐臨德四倉自改兌行而四倉遂廢今

請復建三倉一建於淮一建於濟一建於德淮安用廒一百四十座濟德各用廒一百八十座德倉今尚有存者止須補造俟議定臣再行細查若夫建廒之費

臣

請於臣漕屬內漕折輕齎銀兩及各項下酌量借動似亦可不煩司農之仰屋也其主領倉廒交盤之數每倉須各設主事一員更以道臣一員爲之董率催趲淮德二倉卽將本處分司道臣就便兼領惟濟寧州止有一道尚須添設主事一員或以臨淸分司移之於濟似亦可者是在計部裁度此特擧其大畧若條分縷晰臣另具細冊達部以備參酌　以上末議臣籌之最熟變通似當及時意計部與當

國諸大臣必軫念漕政廢壞已久亦喜有此速運杜欠

之一法或慮變法甚難更張不無費力第臣業已身
任漕事自不得復憚勞瘁苟有利於
公家雖捐頂踵尚不敢惜又何愛乎心力也或又有碍
者造船建廠不無借動輕齎用費然臣亦再四思之
矣目今各水次無船勢不得不動輕齎雇募今歲未
畢明歲復需
朝廷之金錢浪擲而無有已時莫若猛爲更新雖目前
少借動公帑然一勞永逸從此東南之額運歲歲不
缺不特可免每歲之雇募兼可杜將來之逋欠所捐
者少而所益者多所費者暫而所補者久也且轉運
行撐駕交兌一歸於官則十三都司與各衛所守千
等弁及衛經歷等衙門官役皆在可裁歲省煩費何
若不第此也運丁既已不用則各衛所屯田俱當履
畝清稽均照民田一例起科加增
國課不更有無窮之利哉且罷十數萬屯丁使盡歸隴
畝又何莫非
朝廷之生息也臣建此議自揣不大拂乎人心獨是內
外管糧衙門之巨蠹以及通京二倉之積棍數百餘
年未寢食於此疲軍積弁者一旦改爲官運官交盡
剿其窟穴頓破其奸貪定倡爲奸論危言滕朧作梗

臣不憚以身爲怨府惟望
皇上與在
廷諸王大臣屹然如山而不令其搖奪是則臣之幸亦
國計民生之幸也

巡按衞貞元直陳江南四大害疏

爲直陳江南四大害仰祈
勑部核議以拯民艱以維　國計事臣惟法有至當而
永利者籌　國即所以便民事有沿習而滋害者累
民實所以病　國苟拘牽規例疑憚變通毋惑乎民
生不遂而　國計仍虧也臣遵
旨遍巡留心密訪凡地方情形民生疾苦舉爲我
皇上入告矣茲察有害切於通　國患深乎累年者
四款謹再爲
皇上直陳之其一爲辦解本色之害顏料藥材以及蠟
麻銅鐵絹布等項先經酌量改折尚餘未折者每年
照時定價另徵辦解然物非本產旣少精良售自異
商每昂價値若儘奉頒之定數則物料不能取盈欲
照原額以速完則價銀未得其半展轉設處遲悞限
期此採買之難也採買備矣費孔百出南北途遥風
波險阻往北者若揭債之無門而流離異地居家者

若銷批之無日而坐卧圜扉又輓解之難也及抵京
矣而物料繁多盤運車輛之費寄頓候收之費曲盡
調停方能交庫迄至領製掣批迴輙已經年累月且有
解過數年而以朽蛀駁換者又有式樣參差而以折
筭重行提補者不特本年難完即數年尚不能完此
又交納之難也以故辦者解者非賣妻而鬻子即蕩
產以傾家疾首痛心匪朝伊夕然則恤民足用誠不
若改折之爲至便也旣經改折額歸畫一催科者無
煩請價之貴賤輸將者不苦頒値之參差其便一改
編之價爲數有定彙司帶解其事更速旣不須特委
一官亦何至重勞百姓其便二且解折則隨到隨兌
可免守候之難取有批迴便無駁換之患其便三况
京通爲百物聚會商賈輻輳凡列肆市貨盡精美
就近採買隨取而應其便四以茲四便去彼三難在
朝廷不乏之利用之需而閭閻已獲更生之慶矣其一爲
追比漕欠之害漕欠
新例維嚴遇　恩不赦其所以儆侵漁懲奸詐者法當
且善矣稽歷年所欠不下數十萬餘歷年所追不及
十之一二從前變納已屬艱辛此後追呼眞無抵補
承問者爲求生而不得應比者反視死以如歸豁見

骸骨無復人狀身瘂目陷惟聽鬼呼或其父已死而子承或其兄已終而弟及更有本犯暨父兄俱斃而李代桃僵者聽所告愬慘不忍聞徒令鞭笞之下宛轉搶呼挺杖之間淋漓血肉究竟何益於漕欠哉至攤賠之議雖經奉行但自四年以至十年時勢既甚不齊卽自司府以及弁旗人事亦苦殊致死亡者不能起問於九原去任者又難風行於萬里按冊徒掛虛名議攤無關實濟則又說同畫餅勢窘巧炊矣茲察省衞漕運舊例每船止給頭二三撥水手共折銀三十六兩本色行月共糧六十石迺於順治九年內每船加給安家糧四十八石至十二年內該漕督臣蔡　題

准本折均平一案頭二三撥水手除舊例每石折銀五錢外今照浙例每石加折五錢是每船加給銀三十六兩矣又行糧半折一十八石每石折銀一兩二錢每船又加給折價銀二十一兩六錢矣通計舊例每船一隻銀止三十兩米止六十石今則每船銀至九十三兩六錢米至九十石若外衞行月舊例每石不過五錢今本折均平每石則折銀一兩或一兩二錢不等他如贍運貼運大修小修等項俱各逕庭何何

甚歉今何甚豐則今之完者固稱能而昔之欠者亦
非盡不肖也昔之運弁縱不獲與今之運弁一例邀
恩今之加增何不可與昔之積逋通融抵筭似應請
旨勑下漕督於每年每船加給銀內酌量扣留分年帶
完其見禁各弁即治以應得之罪於丁爲無損於
國爲有益而民免告害官免叅罰數十萬不完之漕十
餘年不結之案從此澄清矣其一爲封船滋詐之害
大兵經臨需船裝載封拏四出擾詐無窮有將商民
鞭笞逼脅搬那者有將商民貨物拋棄江河者亦有
得商民賄財賣放遠去者如署六合縣事經歷沈啓
隆拏船受贓經臣　題叅其明驗也孜督臣郎
於三大困疏內已經　題
請造船而工料莫措數年不成大兵一來封捉如故又
思船即造成而駕運之日少閒暇之日多將收之官
乎抑付之民乎且船非不壞之物也洗滌怠則破裂
矣歲月多則朽腐矣每年之修艌幾何每夫之工食
幾何爲事甚瑣爲費不貲正恐法甫立而弊旋生也
更思需船動輙千餘造船數必不足則又將封捉乎
抑發價雇覔乎商困終不得甦稅課終不得裕非無
弊可久之法也臣以爲是役也應責之埠頭而官不

與蓋船隻出沒灣泊津梁惟埠頭知之故往來商賈
裝貨覓船亦惟埠頭任之此中勒索牙用不知凡幾
與其縱奸以飽腹曷若察弊以辦公茲議每地方泊
船處所議設埠頭幾名每雇銀一兩准扣五分以半
入己以半存櫃仍置簿即令埠頭經收再著該地方
印官不時稽察凡需船隻該管官量其衝僻定以多
寡即責埠頭動存櫃之銀公平雇覓貨船客船不許
妄拿商無畏懼而稅課可充　國不費煩而往來有
濟似亦永利免害之道也其一爲各營放債之害
國家爲民而設兵非縱兵以厲民也且使之擐甲荷戈
非使之權子母計什一也迺江南各營鎮不然夥棍
圖私嗾丁放利誘人入局到處開場蓋有司旣莫敢
如何而彼遂肆行無忌也茲察其所放銀錢厥名有
二一曰蔭子舖每錢一千按日科利有日支四十文
者有日支五十文者至期不完則連利作本從頭再
支一曰月利銀出銀一兩止給七錢有月取利二錢
者有月取利三錢者其本恒在若月利不足則鎖拏
取本連利併追彼窮苦小民非不知漏脯鴆酒之不
可食飲也而饑渴極又聊食飲之以暫解幸而償囊
橐必罄膏血必乾不幸而遭重利坐本滾筭疊加家

業立空妻子非其有矣又因之累親戚連里鄰倒洩
横驅捐軀喪命而債棍營惡方且怒目掀髯必欲盡
所有而甘心焉南人情竊多貧其克堪此凌虐乎近
科臣徐 以江寧地棍勾兵放債請
勅究處然放債者正不止省會爲然也臣嚴示飭革終
不衰息似應再請
嚴綸重加申禁無論滿漢官兵一槩不許放債卽有前
放止許收本若藐玩不遵仍前肆惡許有司申報撫
按該撫按卽將將領特叅其放債惡兵先重責枷示
該地庶窮氓有再生之慶而
皇上無不沛之
恩矣凡此者爲害已久擬正原難在官則彼此互推諉
因循而莫能補救在民則顚連莫告惟悽愴而立待
死亡迄今再不變更長此其安窮乎臣從 國脉民
生起見謹瀝血冒死奏
聞

撫都院余國柱 欽賜昇平詩謝恩疏 爲恭謝
天恩事康熙二十二年正月十四日據提塘官李世昌
奉到

欽賜御製叙昇平嘉宴詩一冊到臣臣隨恭設香案望
闕叩頭謝
恩祗受訖恭惟我
皇上止戈爲武 立極右文本泰道交孚之時値昇
平奏凱之會爰咨臣尹於就 日瞻雲之下益矢詠
歌於醉心飽德之餘 首倡自天咳唾皆成珠玉衆
音繁會里謳盡叶笙鏞體製用栢梁之遺 盛事軼
卿雲之什兼之宸翰 親灑弁章典誥疇咨義
聿昭於誨廸 訓詞深厚情共竭於賛襄至於臣肅
奉 簡書方違 輦轂欲貽車牽尚戀 金莖猥荷
特召之榮得預 禁庭之宴翔鷺已辭於太液更唼
恩波啼鶯行遠乎 上林重瞻春色且自遥馳江表空
深望 闕之懷豈期 聖念眷存復 賜芝泥之冊
龍章鳳彩目曜瑶箋 王振金聲聽希廣樂捧持私幸
拜舞增華使在 殿陛之班亦復驚承 惠渥況屬
封疆之吏由茲益見 寵光憶同 喜宴於羣工恰
惟斯月回覲
天顔於咫尺便隔經年犬馬微忱藿葵如結臣謹奉爲
世寶愼守 奎章不羨唐家僅攜飛白之字奚論宋
室徒侈寶繪之文當益凜切於 温綸庶幾對揚於

嘉命臣無任忭舞感激之至相應具疏　奏謝伏乞
睿鑒施行

御賜清慎勤三字謝恩疏 爲恭謝

天恩事康熙二十一年八月初六日接到內閣中書索
紀齎捧
皇上頒賜御書清慎勤三字到臣臣隨率同在蘇司道
文武各官出郊叩迎至臣公署恭設香案望
闕叩頭祗受訖一面選材製額遴工鐫刻高置公堂前
楹昭示永久外恭惟我
皇上法
天垂文體　聖立訓　危微精一傳十六字以執中
正直蕩平錫億萬人之皇極昨者載清反側式奠乾
坤干羽兩階已格苗頑之俗梯航萬里遠歸日表之
邦覊金馬於南嵎界窮章亥之所步詞寶鷄於西甸
地彌禹契之所書蓋已星宿呈祥山川效瑞功遠逾
於虞夏德迴邁於軒姚矣乃於櫜弓韜矢之年又念
吏治民生之奬恤小民之幹止選極工寮飭庶尹之
公廉責先大吏故每當岳牧之舉必簡出於
宸衷且更於

陛見之初屢申戒以　面諭尚虞羣臣之怠玩特灑
奎翰以遥頒環海又安咸頌同軌同文同倫之慶
温綸誥誡交勉維清維慎維勤之懍爰於幾務之餘篆
以飛動之畫
天章璀璨屈盤河漢之形容　玉緯焜煌照耀星辰之
色象分之九牧齎以專官使勒著於堂簷各懸之爲
榜署
帝鑒有赫儼共質於鬼神屋漏難欺益嚴儆於夙夜凡
我臣子仰答　君親敢不厲以恪恭深其祇畏矢之
白日必內無衾影之慚寶此素絲庶外竭涓埃之報
臣材慚樗散學媿顓愚以梧掖之小臣荷
楓宸之特眷乃甫膺　殊寵拔自衆人之中旋畀雄疆
任以江左之重每憂覆餗彌懼處膏竊思清者必精
白乃心至於慎勤則寅恭厥志此固根性之有素亦
祇臣分之宜然若令稍涉於狥名即爲外飾但使僅
怯於畏法亦屬矯情蓋嗜欲蔽其神明則臨事每傷
於簡忽貨慮紛其智慮則昏氣即成於疎慵分之雖
有三名揆之實唯一貫苟能旌此素心不復縈於外
誘貪泉歃水果無改白璧之操錯節應機又豈少鉛
刀之用此實微臣自矢之悰敢爲大庭共勗之箴嗣

是仰睿訓於雲霄寅瞻寶畫對
天威於咫尺矢此寸心惟有竭蹷駑駘時時凜三言之
戒申嚴屬吏在在勵百爾之忠臣謹具疏奏謝伏乞
睿鑒施行

題留江鎮道議裁蘇常道疏

爲鎮江爲水陸之衝監司有彈壓之責謹陳道

臣職任之重輕仰祈睿裁俯酌去留事康熙二十一年十月二十四日准吏部咨到臣共裁道二十六員臣屬江鎮道亦經裁去仰見
皇上俯念海宇昇平國家安寧官方民生總宜休息監司一官乃承流宣化之職責任尤重得其人則庶事綜理吏治澄清不得其人則地方未見撫馭之益政令反多紛紜之擾所以寧簡毋繁寧兼攝毋泛設也顧自康熙六年裁汰之後旋經督撫以地方緊要先後題復輙蒙允行當時部議非不周詳特以今昔之事勢不同郡國之情形各異督撫身履其地親在局中所見既詳所言亦確故廟謨不難爲轉圜之聽也至康熙十三年在在用兵處處需餉或轉輸之藉能員或要汛之賴彈壓或驛務之重專官比時因事而爲變通故不得不破例而允復設又復道

有二十七員邇者薄海底定四郊無壘槩行裁汰不待再計惟是就此裁汰之中推論酌復之由固有因時制宜可於事平之日議裁者亦有事在一時計在久遠一設而必不可裁者臣屬江鎮道即必不可裁者是也蓋江蘇四郡名稱浙西事最繁劇地勢當江湖淮澤之委流財賦爲九州貢稅之重區所設道臣二員江鎮道臣駐鎮江蘇松道臣駐蘇州蘇松南接嘉湖東瞰太海中環震澤陽澱諸湖淫潦頻作水旱不時兼以吳越交界盜賊出沒奸宄潛藏一切巡視海城海塘疏通水利皆資道臣料理其職最爲緊要而江鎮西承大江數千里之勢綰吳楚之咽喉而扼其衝吳楚數十郡糧艘皆繇此以入瓜洲一閘仕宦商旅南北往來亦止此一塗兼以金焦對峙爲海上門户其外大洋淼然目今海氛未靖　朝廷特設駐防旗兵兵民雜處去來絡繹以故盜案逃人視他處更數十倍其職尤最爲緊要今蘇松道員以原係舊制已在不裁之列而江鎮乃以復設裁去得無謂鎮江已設重兵似可不須監司然鎮守將士腹心干城祇可爲　朝廷建威銷萌之計地方之事原非其責况滿漢同城調劑彈壓必有所屬欲責之郡縣無論

地甲勢冗不能責效且府縣職在親民一應錢穀催科刑名聽斷苟非才力兼優尚且日不暇給可能望其控制刑勝之機宜統馭兵民之方略乎是江鎮道之必不可裁較若列眉矣然部議旣定業奉
俞旨臣等安敢輕瀆
宸聽但監司去留亦地方重務情難緘默再三咨商斟酌輕重與其裁江鎮毋寧裁蘇松蓋以兩道相提而論以重則蘇松重而江鎮爲尤重以輕則蘇雖不得爲輕而江鎮尤不可輕至於職掌事務以常州一郡併隸江鎮道其蘇松二郡比江安糧道帶管池太道事之列令蘇糧道帶管庶江鎮旣得彈壓之官蘇松差可無廢事之虞此於萬不可裁之委曲一權宜之着所謂省事不如省官也倘
蒙
皇上軫念三吴財賦之重糧道恐難兼顧之任仍循舊
制在
睿慮自有特裁又非臣等所敢籲
請者矣臣等謹會同總督臣于　合詞具題伏乞
勅部議覆施行

江寧府志　卷之三十四　吳

省劄

宋余嵘平止倉省劄平止倉須知本府戶口繇庶日食米二千餘石民無蓋藏全仰客販

客舟稀少價卽踴貴抑之則米不來聽之則民艱食常平纔數千斛府廩又無餘積官旣無以持平其權盡出牙儈向來雖屢行招誘之法而執或有所格雖略有先備之蓄而數已申朝廷伸縮旣不自由緩急實無以濟是數十萬之民命常禀禀而無所恃近因水災諸證備見職思其憂盡爲之計今將當職到任以來撙節制錢一十五萬貫撥充循環糴本更不申作朝廷之數賤則糴貴則糶隨糶循環無窮權旣在我米價自平實爲永久之利今其須知下項一今剏造新倉五敖以平止爲名取李悝所謂使民適足賈平則止之義一平止倉不許本府及諸司占借以開異時無窮之害事當謀始不可不謹一遇米平則糴糴價視時高下或置塲于本府或收糴于隣郡或于客舟輻湊之時一遇米貴卽糶糶價止視元糴之數所有元行收糴船脚般擔之費明行加上不得過數一糴本錢收付常平庫本庫官掌之一糴米糶米須

擇廉能誠實官吏庶所糴無侵欺濕惡所糶無夾雜減尅之弊一倉官不專屬廳分但隨時于職曹官以下選委廉能誠實之人提督出納或廣濟倉官可委即就委廉管一平止倉合干人只用廣濟倉人兼充一城內五廂城外二廂已造魚鱗圖以銀朱土朱墨字三色標題其委係下戶日糴之家孑然在目恐民居遷移增減不常宜每歲春首編排一次計口出給曆頭大人日一升小兒半升既糶即于各戶曆頭內鑿一某日糴訖印子一每遇糶米于廣濟倉諸廂置塲廂官彈壓般脚之費可省出納之弊易防一五縣並已如式剏造魚鱗圖或遇諸縣糴價踴貴亦當發米賑糶所有船脚錢不可於元糴價上再加一措置招誘客米先從制司給公據付客人及牒沿江諸郡勿與過糴仍劄沿江稅務不得輒收米船力勝錢及苛畱等弊其米船將帶到稅物除將本府從來收稅則例雷例饒減三分外更與減饒一分客米官米兩相資助貴糴之患可以常免一如遇客米稀少市價踴貴許民戶赴府陳狀出糴願永行之誰忍廢此竊觀古今之事玩視而不爲慮作而輒廢艱難剏始于前容易隳壞于後此無他人心不同所見或異不原

其作事之初意不念其用心之艮苦不以國事爲一體遂爾自分町畦姑撫一二事明之溯右圍田幾年議除中間嘗遣使决去矣未幾復與反過其舊屯田之議自中興後上下講明不知其幾淮西漕臣亦既經營成緒卒撓廢于寓公其他庶事不可槩舉未嘗不撫事歎息自顧投老世味日澹豈復有立事取名之心只緣今夏梅霖過多長江上流同時水災故江之下流騰漲尤甚秦淮之河又貫城中江潮大信適助其瀾外水既高内水莫泄遂致公私軍民之居濵於河者悉遭巨浸踰旬不退一時傾帑錢倒廪粟分遣官吏奔走家至以賑之而客販不通牙儈乗時邀利貧民下戸幾至餓殍遂又出常平米減價賑糶甫及旬餘倉吏以匱告亟議遣吏就永豐圩糴米二萬餘斛又倉猝不能遽至是以苦心勞思剏立此倉然自領郡以來秋苗斛面盡行蠲除諸邑二税以十年所催之數取其酌中年分爲準商税之額重加裁減收税則例主減三分在城回税永與除放徵至税務補虧等錢亦與除去今此糴本錢十五萬緡皆由克已自律樽節浮費所積非有生財之術區區述此誠有望于後來體國愛民之君子監其此心有以　持

增廣之實闔
郡生靈之幸

文

宋朱貔孫開堂講義文

大司徒以鄉三物教萬民而賓興之一曰六德知仁聖義忠和二曰六行孝友睦婣任恤三曰六藝禮樂射御書數古選舉之法大率教之於前而取之於後此人才之所以盛也如不教而取是猶不耕而期穫不菑而望畬無是理也故堯舜時契教人倫夔典樂教胄子及其格則承之庸之翕受敷施無非九德之人以此教亦以此取歷夏而商如出一轍蓋至於周而其法遂大備焉大司徒曰以鄉三物教萬民而賓興之所謂三物德行藝是也明而不惑謂之知公而不私謂之仁大而化之謂之聖行而合宜謂之義不欺謂之忠中節謂之和是六者爲天下之全德自孝而友自友而睦自睦而婣以至任於朋友恤於鄉閭是曰六行自五禮六樂五射五御以至六書九數是曰六藝雖三物之殊而合則一道也楊子曰道以導之子思子曰修道之謂教吾夫子曰志於道據於德依於仁游於藝無非物也而亦無非道也六德以知仁爲首此教法之所先知所以明道仁所以會道教莫先於開夫

人之心知而融會夫人之心德由知而仁則聖義忠和四者備矣六德苟全則行藝在其中矣蓋六行仁之事六藝又知之事也人不能備六德之全則隨其仁之所充可以爲孝友爲睦婣爲任恤而爲六行人也隨其知之所及可以爲禮樂爲射御爲書數而爲六藝人也其教法之詳如此而取之法又加詳焉始而閭胥則書其敬敏任恤者繼而族師則書其孝弟睦婣有學者上而黨正則書其德行道藝以歲時莅校比又上而州長則考其德行道藝而興賢者能者教之之法既詳取之之法又詳其規模宏大其條目纖悉才生斯時服習其教屢經品題則他日使之出長入治無一事之不稱其職者矣是故以六德舉者爲至聖大賢周公名公之徒是也以六行舉者爲善人君子康叔君陳之儔是也以六藝舉者則所謂占小善者率以錄名一藝者無不庸如三百六十屬之各專一職之類也至於下而胥徒府史輿臺皂隸侍御僕從亦無往而非正人則亦耳濡目染聲應氣求有不期然而爲德行道藝之歸先王之教其效豈可量哉先漢舉孝廉舉茂異雖有得於行藝賓興之意而三物之教則不復見矣故三代而上人才皆出於

道化之所成三代而下人才特隨其天資之所就儒術益人之國者也無周之教則西都適以儒術壞名節重人之國者也無周之教而東漢適以名節衰晉無周之教而人才溺於清談之相高唐無周之教而人才止於詞章之相尚非人才之不古蓋教法之不古耳嗚呼成周雖遠所謂三物之教豈以古今爲存亡哉士君子入而家庭出而鄉黨游而學校皆所以服習其教之地也政當以古人自期以先王之教自律柰之何安於卑陋者不能習是教恃其頴異者不復習是教工於進取者不服習是教三歲大比率以斯人而應斯舉其有愧於賢能兩字多矣明道先生曰一以道德仁義教養之又專以行實林學外盡去其一切無義理之弊不數年間學者靡然丕變矣伊川先生曰人皆謂某不教人習舉業然舉業可以取科第足矣如十日以兩日習舉業則餘日儘可爲學明道先生所謂丕變伊川先生所謂爲學夫豈外夫六德六行六藝者耶必有取於成周之教必克遵乎明道伊川二先生之訓則可以爲賢能矣聖天子又將賓興師帥又能以道化私淑學者謹毋曰操數寸之管書盈尺之紙苟可中有司程度則可以媒利祿

必求無愧於吾心求無戾於先王之教求無畔於明道伊川二先生之誨以求自附於德行道藝之人而後可也願與同志勉之

潘驥開堂講義文

復亨出入无疾朋來无咎反復其道七日來復利有攸往彖曰復亨剛反動而以順行是以出入无疾朋來无咎反復其道七日來復天行也利有攸往剛長也復其見天地之心乎一陽始生於卦爲復觀其彖辭足以斷一卦之義矣而必贊之曰復其見天地之心何心也天地以生物爲心而人之生也又得天地之心以爲心蓋自太極肇判分陰分陽而闔闢動靜之端循環而不息剝極必復陽無終盡之理亦無頓長之理也故先儒以動之端爲天地之心動之端其聯綿之間兆朕之始歟於月爲子於律爲黃鍾生意之妙有不可名狀者雷在地中聖人特取象而言耳先王觀復之象則以至日閉關商旅不行所以養陽氣也君子齊戒處必掩身亦以是歟卽天地之心以驗人之心人心之善初無朕迹而此心之發則有所謂惻隱羞惡辭遜是非四者之端焉四端之仁卽四德之元是心也

天地生物之心也六爻之中則又以聖賢學學爲善之意見天地生生不窮之心初九乃顏子庶幾之事不違仁者也以陽剛君子之德爲復之最先故曰不遠復二能比初之仁而下之亦顏子克己復禮之謂復莫美於斯矣故曰休復吉三之頻復雖厲而无咎過在失而不在復故許其頻復以求仁不以其頻復而爲咎也四之中行獨復而不言吉凶五之篤復而而止於无悔蓋四以柔居羣陰之間弱而无援乃欲獨復以求濟未能復於仁也故不得无咎五以陰居尊賢人在下而無助僅以中順成其身而已未能普其仁也故不克致亨聖人垂戒之意深矣上六居復之終迷而不復本心既失則何虛靈知覺之有哉此正孟子所謂自暴自棄不仁之甚者也彖以天地之至仁言之故一言而有餘爻以君子之求仁言之故於得失之際一美一戒屢致意而不足也自漢以來易學不傳而天地之心不可得而見蓋千有餘載矣明道先生元氣之會渾然天成其啟發學者必使觀天地生物氣象且曰滿腔子是惻隱之心是不假訓詁而復之義已森然於胸中矣上元廼先生舊游自昔有祠諸君肄業於其間亦已久矣歲在丙辰以十

一月癸丑日南至越五日而爲嘉平之朔潛陽微動
生意始回裕齋先生以當世大儒承道學正統特於
是日屆審是先生領袖於斯堂之上命後學潘驥講
復之一卦以觀天地之心驥衰頽汨没何足以發明
大易之奥旨然竊有聞焉復有二義復者天之道也
復之者人之道也一氣在天屈伸往來而不已者復
也一理在人萬古常存而不能無消息盈虛者復之
也復者天之所以行健復之者君子所以自强不息
然天道未始外於人也諸君當陽復之時盍盡人道
而求所以復之義則善端日生而德之本在是矣若
狃於舊習而無作新之機移於外誘而無務内之實
則日復一日歲復一歲終於迷而止耳非生生之義
也敢併以晦庵先生贊復之説係于後萬物職職其
生不窮孰其尸之造化爲工陰闔陽開一靜一動於
穆無疆全體妙用奚獨於斯潛陽壯陰而曰昭哉此
天地心蓋翕無餘斯闢之始生意蓊然具此全矣其
在于人曰性之仁斂藏方寸包括無垠有茁其萌有
惻其隱于以充之四海其準曰惟兹今眇綿之間是
用齋戒掩
身閉關

國朝陸光旭觀風學校文

節使巡輶例有采風之典衡文相士每勤問俗之懷良以政術必本於通經入官務期乎學古闢門籲俊豈僅收一日之辭章挾策求知實望展平生之抱負王孝先志輕溫飽竟獲連元楊汝礪心薄科名終成偉器芳嶽自昔逸躅堪師歷數制科以來駿烈豐功於焉輩出咸從進身之始帷燈匣劍預卜超羣是知畜德之懿文原匪梯榮之捷徑矧知南國夙號名邦道藝神皋英華淵藪二水三山之秀蔚起乎人文黃山白嶽之奇鍾靈乎俊傑爰有考亭嶽國接道統之眞傳文正叅知以天下爲已任向歆父子傳經術于漢家安石祖孫樹宏猷于建業登車攬轡羣推孟博之風裁對御談經共仰春卿之碩望以至新聲窈窕著述連翩金粉才人宮體素嫻韶麗烏衣子弟家聲克紹風流東海三何水部齊名于散騎青山諸謝康樂媲美于宣城王叔武譜江左舊章雅擅青箱之譽徐鼎臣習中朝使命亦推華國之才蓋不啻戶握靈蛇人吞異鳥是以鄴中七子半產淮瀆蘇門六賢多生揚部蠙珠大貝均爲江海之珍竹箭丹砂並是東南之美況乎 昭代際遇尤隆豹采鴻騫甲第連輝于同

巷鳳池螭陛清班映華于一門久爲遠近所艷稱亦極古今之盛事聡茲已往足券將來振采鵬圖誰非健翮連鑣驥尾豈乏追風新道繼平原之家學謬叨桂杏榮名臨安騰浙水之文瀾喜接揄揚風褱才謝生花固乏文通夢筆心憐同調敢彈清獻攜琴望練影于吳門懼淆匹馬辨劍光于延浦冀識雙龍敢云元禮之得林宗庶效鄭公之知守道擬于某月某日預陳茆篕遍迓蘭軺僭採風謠謬司月旦翠分鍾阜媿乏南皮瓜李之筵香溢秦淮或同吏部芙蓉之幕尚望連翩賁止接舄羣來在省者刻亦晝以程工在外者發緘題而分校將令秋水長天之句驚伯輿之尊前亭皐木葉之篇愜元長于扇底况乃賓興伊邇桂馥將飄筵閣宏開藜燈正燦終子雲揚聲冀闕早有白麟之書賈景伯給扎蘭臺已聞神雀之頌爰舒青眼敬待白眉毋謂俗吏不暇詞章意殊落落莫以浮名非關舉業篇竟寥寥倘畫壁可以點睛卽寶山不教空手非無繅藕用黼黻乎介珪亦有清黃堪藻飾夫犧象就茲彥會竊附儲才勿襲虛文各圖實益

序

唐王勃江寧吳少府宅餞宴序

蔣山南望長江北流伍胥用而三吳盛孫權困而九州裂遺墟舊壤百萬里之皇城虎踞龍盤三百年之帝國闕連石塞地實金陵霸氣盡而江山空皇風清而市朝改昔時地險嘗爲建業之雄都今日太平即是江寧之小邑吳生俊宷輔佐烹鮮我輩良游方馳去鷁梁伯鸞之遠逝自有長謠閔仲叔之遐征欲逢厚禮臨別浦枕離亭陣雲四面洪濤千里簾帷後闢竹樹映而秋烟生棟宇前臨波潮驚而暮雲起想衣冠於舊國便値三秋憶風景於新亭俄傷萬古情窮興洽樂極悲來愴零雨於中軒動流波於下席嗟乎九江爲別帝里隔於雲端五嶺方踰交州在於天際方嚴去舳且對窮途玉露下而蒼山空他鄉悲而故人別請開文圃共瀉詞源人賦一言俱題四韻

顏真卿送劉太冲序

城之華望者也自開府垂明於宋室澤州考績於國朝道素相承世傳儒雅尚矣夫其果行修潔斯文彪蔚鄂不韶乎移華龍驤驤乎雲路則公山正禮策高足於前冲

與太眞嗣家聲於後有日矣昔余作郡平原拒口羯而淸與從事掌銓吏部第甲乙而超升等第爾來蹉跎猶屑卑位雖才不偶命而德其無鄰故冲之西遊斯有望矣江月弦魄秦淮頹潮君行句溪正及春水勗哉之子道在何

居魯郡之顔眞卿

宋馬光祖景定建康志序

郡有志即成周職方氏之所掌豈徒辨其山林川澤都鄙之名物而已天時驗於歲月灾祥之書地利明於形勢險要之設人文著於衣冠禮樂風俗之臧否忠孝節義表人材也版籍登耗考民力也甲兵堅瑕討軍實也政教修廢察吏治也古今是非得失之迹垂勸鑒也夫如是然後有補於世郡皆然況陪都乎昔忠定李公嘗言天下形勢關中爲上建康次之自楚秦以來皆言王氣所在句踐城之六朝都之隋唐而後爲州爲府爲節鎮爲行臺五季僭僞覘消實開吾宋混一之基南渡中興此爲根本章往考來圖志宜詳於他郡而乾道有舊志慶元有續志皆略而未備觀者病之慶元迄今逾六十年未有續此筆者寶祐丁巳光祖蒙恩來思留鑰因閱前志編摩在念一年而

勤民二年而整軍三年而易圖荆州未服也已未重來汲汲守禦補尺籍治戰艦備器械固城池日不暇給未幾鼓枻驚濤風餐露馳於舒蘄江黄之間往復無慮數四元勲振旅長江肅清光祖始得少休于郡與滯補弊之餘爰及斯文有幕客周君應合博物洽聞學力克贍舊嘗爲江陵志紀載有法乃以是屬之開書局于郡圃之鍾山閣下相與研古訂今定凡例而裒篇帙先爲留都録四卷隆炎創興之盛宮城建置之詳與夫雲漢昭回之章皆備録焉揭爲一書之冠冕其次爲地理圖爲侯牧表爲志爲傳合爲五十卷表起周元王四年越城長干之時以至于今千七百載年經類緯曰時曰地曰人曰事類之所由分也志凡十一曰疆域二曰山川三曰城闕四曰官守五曰儒學六曰文籍七曰武衛八曰田賦九曰風土十曰祠祀傳凡十一曰正學二曰孝悌三曰節義四曰忠勲五曰直臣六曰治行七曰耆舊八曰隱德九曰儒雅十曰正女大略備矣始于三月甲子成于七月甲子獻之天子王音嘉焉用不敢闕傳之無窮補其闕遺續其方來則有望於後之君子

元金陵山川志序

岷嶓之山大勢皆自西南而趨東北朱文公謂岷山之胍東東爲衡山者盡於洞庭之西其一支南出而東度大庾嶺者則包彭蠡之源而北盡乎建康山之所趨水亦至焉故建康者東南之奧區而山水之都會前志序之曰鍾山來自建業之東北而向乎西南大江來自建業之西南而朝於東北由鍾山而左自攝山臨沂雉亭衡陽諸山以達於東又東爲白山大城雲穴武岡諸山以達於東南又南爲土山張山青龍石硊天印彭城鴈門竹堂諸山以達於南又南爲聚寶山戚家山梓桐山紫巖夏侯天闕諸山以達於西南又西南綿亙至三山而止於大江此諸葛亮所謂龍盤之勢也由鍾山而右近之爲覆舟山爲雞籠山皆在宮城之後又北爲直瀆山大壯觀山四望山以達於西北又西北爲幕府盧龍馬鞍諸山以達於西是爲石頭城亦止於江此亮所謂虎踞之形也其左右羣山若散而實聚若斷而實續世傳秦所鑿斷之處雖山不聯而骨胍在地隱然相屬猶可見也石頭在其西三山在其西南兩山可望而挹大江之水橫其前秦淮自東而來出兩山之端而注於江此蓋建業之門戶也覆舟山

之南聚寶山之北中爲寬平宏衍之區包藏王氣以容衆大以宅壯麗此建業之堂奥也自臨沂山以至三山圍繞於其左自直瀆山以至石頭沂江而上屏蔽於其右此建業之城郭也玄武湖注其北秦淮水逶其南青溪縈其東大江環其西此又建業天然之池也然此論環城數十里之山川耳其居秦淮之源有東廬山華山臨丹陽湖之上者爲絳巖山最奇特然爲一州之鎮者又有茅山焉而岻山中江徑蕪湖溧陽以入於荆溪太湖則又禹貢所謂三江既入震澤底定者其他一丘一壑擅名紀勝咸有可徵

明楊士奇龍潭十景序

南京出朝陽門東兩舍許大江之濵有勝地曰龍潭之側右石屋有旗山有華麓有柳灣有花洞又有七星之山三江之口皆勝地也山可以遊可以牧水可以梁可以舟又有驛舍可以憇過使麗譙可以騁眺望有三茅君兄弟及王荆公遺跡可以慨想古人又有道家禮斗之宫可以游神於清淨而最勝者夜籟俱寂月上潮漲之際可以坐觀造化盈虛消息之機也太醫院判蔣君用文家于此樂于此析爲十景既各爲詩詠之及官于兩京兩京之縉紳君子亦皆爲詠之誦其

詩想其處蓋使人樂之慕之而不能忘也詩既有序矣蔣君又屬余序其後嗟夫天下佳山水何處不有則亦何處不可樂而常情得于此者必忘于此矣龍潭金陵之區也吾居金陵二十年愛其民多秀俊博尚文學而恥以力勝其俗男女不雜處蓋吾嘗道荆楚以觀於故漢東諸侯之域今之北來也又涉淮徐歷齊魯之郊矣而金陵之民俗吾固不能忘也然此其在下者耳我國家龍興削平僭亂以安天下而後天下之人皆得休養生息以樂于泰和之世而實始定鼎乎是則于今瞻望橋陵于鍾山五雲之表而仰惟神功聖德如天地之盛大豈獨余與用文者之不忘凡天下之人孰能一日而忘也則余于序此詩安得不推其大而不能忘者言之哉

瞿景淳南雍甲子嘉會錄序

南雍故事歲終有嘉會錄不知昉于何時然以志永好敦友道固義之所許也嘉靖甲子余承乏視篆南雍諸生循故事相率以序請余進而告之曰諸生之會也非徒煦煦焉以聚合爲懽也夫羣四方之士進而卒業于太學蓋有相規相勸相觀之義焉相

規則過日消相勸則善日長相觀則悳日進是以君子重會今太學之有會蓋古人講習之遺亦猶行古之道也夫獨學無友雖卓異之士不免有孤陋之憂諸生自其鄉邑來誠欲取友以自益則天下之士聚于斯矣于其聚而思其散錄之以表一時共事之雅亦惡容已乎然余有感焉我朝聖祖定鼎金陵庶務草創而太學首建士之入太學者授以室廬優以廩餼試有成業則不次擢用求賢之意如此其切也自有太學以來士之羣游其中者歲奚啻千百然爇考其行事忠愼廉勤上之不負天子下之不負所學爲同會光者雖其人已往聞其風亦必有嚮往之思焉奸回貪冒上之有負天子下之有負所學爲同會辱者雖其人已往聞其風亦必有嚮往之思焉夫後之視今亦猶今之視昔也諸生今日之會如昔日之忠愼廉勤者吾敢謂無其人乎如昔人之奸回貪冒者又敢謂無其人乎是可以爲勸爲懲矣古之相規相勸以成麗澤之益者用此道也諸生亦有意於斯乎夫君子之學也旣樂盍簪又惡燕僻旣懼孤立又惡朋淫此君子所以重三益之友而損友不敢不遠也又豈徒以聚合爲權乎諸生乃謝曰敢不祗服斯語

以貽同會羞遂書此以冠錄端是歲同會之士凡若干人秋試得雋者蓋十一人奇偉之士猶多遺云

應天府鄉試錄序

聖天子御極之三十有七年戊午秋維大比之期天下士挾策就試者所在雲集應天府府尹臣某府丞臣某先期以考試官請迨閏七月戊寅上命侍讀臣某某往司試事時臣某既晉南京大理寺卿臣某職司提調乃繕垣宇飾供具幣聘四方校官若教諭臣某等俾同考試監試則御史臣某簾內外各務精白率憲度視舊加虔乃合提學御史臣某及六館諸曹所選士五千有奇三試之晝夜繙閱遵制額拔四百三十五人并錄其文之優者以獻臣某謹拜手稽首序其端臣惟帝王之興雖神聖天縱其臣莫及莫不以求士爲先務取士之法雖代不相沿然要在得賢輔治則一而已矣臣初奉命而南下潞河涉大江見大木之浮江而來也翩若游龍則竊嘆曰嗟乎此眞隆棟之材其成非一二歲月之積也方其隱于深山伏於遠方非假左右爲之先容然人臣將天子之命不遠數千里求之躬督率而運致焉惟材之適用故木無求於人而人求之也士之大材晚成而恥於求售亦何異乎此詩

曰周王壽考遐不作人士固有待而興也南幾在今猶周豐鎬鍾山石城龍蟠虎踞巖業雲表長江渾浩則西起岷蜀而東達於海形勢之雄風氣之完固人材之藪也我聖天子一悳格天壽考之隆且將遠邁周文則多士之生此幾服者寧不足以楨王國與周士匹休哉夫士之不求則遺於山林能求則增重廟堂臣故於求大木者有感也既入鎖院閱多士之文明辨者可以觀識深醇者可以觀養雄剛者可以觀才博大者可以觀器則相顧私喜庶幾隆棟之材其在是乎昔人謂拔十得五臣不敢必即十得一焉亦可以報聖明追後然臣猶有懼焉竊思一命之士皆勤簿書供職守不敢無事而食以干曠官之罰臣久塵侍從無所短長獨茲校士可藉以報國然力可勉而盡也知人之哲不可强而能也今獨執一日之文以求天下之士臣懼其失之也夫江左自昔多才况今爲首善之地重以聖天子久道漸漬洋溢於人心士生斯時沉潛六籍馳騁百家咸斐然有帝臣之思其待舉有司者誠皆一時之良顧器識傑然兼綜文武堪以論思帷幄鎮定疆圉者則代不數人耳國家設科取士垂二百年每三歲輒論士於鄉而賓興之雖

兼容博愛一藝並收亦冀有傑然之材出是途可爲社稷之衞也臣今殫竭心力庶幾遇之乃或甄别不明有隆棟之材棄而不收則臣罪大矣臣閱傳記見故來賢士適不逢府雖有輔世之略亦沉淪不克自見輒掩卷太息謂士誠恥于自售縉紳之徒身當其肯不克推挽使國家收得士之益賢士慰彙征之望竊位之譏誠可逭也臣今謬當校士之任實當其肯矣乃不克推挽使奇偉倜儻之士不獲進則何以謝天下今多士之獲舉也亦有可以棟明堂而任天下之重者乎記曰夫學官先事士先志今多士方與計偕雖未及試之政事而志之所存不可謂不先定也昔伊尹耕于有莘而堯舜君民之略已定于中此眞能尚志者也其次則諸葛孔明之於漢范希文之於宋皆篤於道義卓然不以成敗利鈍貳其心亦伊尹之流亞也今多士豈無志伊尹之志者乎使平居而志不先定臨事而氣隨以奪即才敏過人俾當大任必有棟撓之凶復何取焉臣今校士期於自盡復以定志最多士庶多士以故人自期則亦不負斯舉也

丁賓南京廵邏汛地魚鱗圖册序

嘗讀易夬之九二曰莫夜有戎勿恤

夫聖人作易與民同患豈其有戎莫夜而能勿恤哉蓋惕號先之矣故自古善制治者必以防守爲要機焉我聖祖定鼎金陵幅幀廣闊凡十三門内外所立窩鋪每鋪設有總甲每夜皆派有火夫同任踐更又南兵部陸續請撥營軍若干名每歲掄千百户若干員分授信地遇夜則巡官督率巡軍與各總甲火夫犄角應援其偷安曠怠者得互相察舉蓋立法之初加意防守如此奈何相沿日久漸釀蠹萌本院叨贊留憲首取王文成公十排門之法次第行之户口按覈已有實據乃復從諸士民之議請奉新旨凡總甲火夫等役但須攤户派錢投櫃官爲僱募以免小民諸累而又給總甲執照給小民繇票刻成書册著爲令甲至于各窩鋪俱庀材更葺而總甲火夫等類復爲細細稽查舉從來沿襲弊端可謂一切整頓矣惟是夜巡官軍正當乘此併爲飭理而本院偶爾署篆留樞于諸凡事宜經畫更便適謀之職方司武公之望徐君逢聘史君樹德譚君昌言傳知巡邏都督衙門諭令巡邏坐營官會同把總衛總等官備討綜核游徼官軍方畧僉曰夫欲核官軍先嚴信地必使職守所在明徵畫一失事無所逃責然後執柝之士不

敢偷安前此之弊正坐派派地區分間錯不明而稽考者無從致詰耳爲今策者先將十三門内地方莊馗曲弄土名一一別識然後順其段落轉折以次畫定信地照把分派官軍註名防守仍樹木爲標明揭所派官軍姓名其上如此則雖行路之人一望其標而如某地爲某官某軍之守也樹標其爲要乎然而標之久也必有壞當其壞時法懼戮矣于是又以所派信地編造爲書名曰魚鱗圖冊庶幾標可改冊不可改也冊成本院覽而嘉歎之曰是冊有五善焉信地定而防守固一也探宄之奸息而刀劍化爲牛犢二也都城經衢透迤曲折展卷而了然在目精神血脉通融不滯忠信之長從而施慈惠焉歡然如一父之子如一家之親三也前此匿名告訐之事起善良幾無所投足矣今而後櫛比而編列者可披籍而按也有災于無妄者乎四也吏惠民安久之熙皞成而豐芑苞桑翼我神京萬萬世無疆之業五也爰鳩工匠付之剞劂徧給巡官人等俾觀覽習熟以當惕號之戒自此明墨章書垂之永久恪遵無替其于所設火夫總甲巡官巡軍互相覺察之意豈曰小補之哉因書其端如此

焦竑上元縣舊志序

上元古金陵自諸葛武侯稱爲天府之國孫吳寔始都焉六朝嗣起文物勃興而規摹建立未離偏覇至我太祖高皇帝藉江左之力奄甸六合定鼎於斯雖一再世徙都北平而二京並建與豐鎬爭烈非復六朝之舊矣顧其因革盛衰之際載於典冊者自南徐州記丹陽記以下若景定建康志金陵新志各有所明入國朝陳太史魯南撰南畿志金陵世紀陳中丞宗之撰金陵人物志于邑未有專述萬曆壬辰邑侯程公三省謂神州赤縣文獻甲天下而志獨闕如無以備考覽存法試也乃屬鄉先生李公登文學盛君敏耕陳君桂林攬衆說摭遺事芟繁取要而成此書若夫地理文學祠祀食貨兵衛與夫良吏名人忠義孝友高行隱佚儒林文苑靡不備載而列女方伎若事之不可吐棄者咸附焉總之爲若干卷于是數百里之内二千載之間其事可按舊而得矣程侯將刻而傳之以余爲都人與聞其事請序于首簡余以諸先生之政辨疆域程土方稽俗尚愼封守靡匪以適治而已顧興敗之由其來以漸苟非早見而力挽之則莫之能救若是書所載其龜鏡也何者吾觀其戸口則由登

而耗賦役則由省而繁財費則由縮而贏吏治則由良而竄人才則由寔而虛物力則由富而貧民俗則由醇而薄降本流末何莫不然斯非人牧所宜加意耶宋元祐間伯淳先生爲邑簿如國史所紀稅均訟簡與夫脯龍池之神物折道傍之黏竿事甚微淺乃邑之人瞿然顧化俎豆至今以余所睹記嘉靖中程
公鄰恩施甚厚百姓歌之今志成復屬之侯蓋有造于是邦者先後五百年而皆出程氏何其盛也藉第令爲民父母者皆若而人即國家豐鎬萬年之盛將永永是賴非獨爲一邑計而已余嘉諸君子發凡證例以筆削爲已任又賭侯之審于政體能知所重而亟圖之也故樂書之俾後之覽者知轉移之機厥有所寄必有憬
然而寤者焉

李登上元縣志後序

君子之愛民也深故其垂澤也久不圖一時之治平而猶思有以遺諸其後眞如父母之燕翼其子而且貽之孫謀如是者莫良於誌夫誌者識也考諸前以俟諸後之謂也繼茲上元爲陪京首邑宮府交錯公私鞅掌祈目前平治昔賢常難之矧貽之後邪我父母先生確

菴程公往令豐邑嘗以治安之餘重修邑志迨令豐邑世取爲則暨遷是邑則首詢邑乘知其作於正德之季自嘉靖以來時易事更厥故不尠迺闕焉未載郎有意纘修嘗以屬登而當其時公固未遑而登亦未敢承也暨三載考績復任則精明益徹盧行自近百廢具興弊孔悉杜而猶欲遺其畫一之意於方來迺決意成之敦諭於不肖而登則不可辭矣於是援同志文學盛君敏耕陳君桂林二君博雅足禪不肖譾陋三卷以下多二君之力登司校勘而已迨脫稿而程公內擢地官以去遺貲以命剞劂繼者梧藤孫父母先生廉明慈厚洵能與前人協心底治矧今司牧自京兆以上咸詢民瘼爰竟刻之刻成登奉往諭欽其後曰凡志有三要焉一曰紀政二曰觀風三曰攷藝夫洪範食貨大學理財固政理所先也操一邑盈縮之數以御出納之常一有不察中蠹而外竄故爲政者首謹於此此程公本志也至於采風陳詩固司牧者常咨之爲化理之助而宇內人士齒及敝邑動以東晉六朝目之而來遊來歌者尚拾昔人慨嘆之餘唾夫以殷人舊染至周維新秦人樂戰迨漢醇厚均是民也顧化之所漸如何耳洪惟我聖祖定鼎

於斯聖神彈治敦信黜浮而都人首顧其化故其遺民老成輩出載在志中者可按覆也嗣是清談之風易而爲敦大奕碁之勢奠而爲永安令不曰豐芑之遺體而曰六朝之故習不曰卷阿之餘韻而曰江左之流風此非僕之所敢知也且龔遂在齊尚華佩刀之習文翁治蜀鬱爲文學之邦彼一守宰而猶若是矧被聖神之漸摩者乎第消長之機惟在所養所冀後之君子撫我聖祖之遺黎思我昭代之首化長少協心同登之治理俾克稱曰京邑翼翼四方之極是灌灌者之永言也夫是灌灌者之永言也夫

王宗聖重修六合縣志序

古者紀事之史謂之志太史公更志爲紀班孟堅復于漢書立十志今世志郡邑者並皆効法孟堅而其大原實起于爾雅義例悉祖諸六經是故疆理憲諸禹貢法制準乎周官風俗寓五禮之修褒貶存春秋之旨象大壯而奠宮室詠風雅而綴歌詩昭往蹟鏡來業雖邦國郡邑小大之不侔其究一而已矣故邑志之修否繫令尹之淑慝令匪其人則總貨爲家辜功爲府簿書法律有靦顏矣而况其他乎有其人苟匪其志將玩焉忽之有其人有其志苟非其時抑又

促焉未追若是者鮮不塵芻浮梗乎記籍矣志也易乎哉有人有志有時矣而簡以從事者或騣眛跼蹐其人非壽張幻眞則斷梗越幅其不貽菑于水傳啞于觀聽者幾希志也易乎哉矧古棠京輔衝衢其關繫視他邑尤重前令尹雖未嘗乏賢而志與時弗兼値焉兹典之久淹而莫續也有之矣頃北山董侯紹衣世德追尾喆先豐値以腴衰飫覽而宣哲逮八官公廉明健勇毅確直未期而宿蠧清三年而政大乂民用胥康海外羣穴咸草薙而禽獮之凛如也聲翕翕起縉紳間暇輒集弟子道先生婆娑乎文藝之林曰人曰志曰時可謂兼値之者爰延禮羅端士相與操觚執簡以從事且詔之曰志也史可以友經可以師毋或觀場竊鍾旁千胸臆爲爾諸君子亦矢心惠廸按圖采風揭統以存綱析類以疏目耀舊飭新闡幽綜實越三月而成編君子曰居者可以觀俗仕者可以觀政學者可以觀教六之志其足信足傳矣乎昔昌黎考圖經于韶郡紫陽首問志于建康董侯之志是也賢人乎賢人乎侯各邦政別號北山齊之陽信人居六凡三稔而薦稿旌撤積三十餘上下遐邇嘖稱良吏其來樹未可量云嘉靖癸丑歲仲春既望

沈庠上元縣舊志序

我朝受天明命奄有四海天下既平乃定鼎於南畿首設郡邑以圖羣黎而應天實爲首郡上元實爲首邑迄今百五十餘年禮樂制度典章風化赫然盛備且天下藩郡州邑莫不有志一紀一方形勝人物風俗而應天上元爲天下首郡邑而志尚未修舉誠有司之缺典也訪之前輩尹京兆者往往常有意於此屢興而屢止竟弗克就議者以爲應天在都城之内朝廷宮闕宗社在焉未敢輕爲言述故遲遲至今近歲毘陵白尹圻嘉定龔尹弘河陰計丞庭光前後而來皆以此事爲急務而欲舉行且以朝廷頒行大明一統志爲可依據乃託鄉彥徐霖張宏陳沂管景輩五七人設局於府庠後堂編輯餘歲稿再脫又各以轉陞去任而卒不能成其美今山西寇丞天敘來治應天適朝廷有旨取應天府志乃取昔日纂修將成之稿仍託霖等重加修飾成集進上惟時平定白尹思齊薦來宰上元下車之初聞府志既成乃不遑寧處以景嘗與修志遂延至公所披摻前代圖史文冊尋訪古今事蹟編輯數月將脫稿適遇今上親率六師用討不庭駕留南都百官有司奔馳奉迎營辦軍需夙夜

無休息之時而斯事又且停止餘十月罪人斯得王師奏凱聖駕北上始得休暇乃取編輯前稿重加訂正命工繡梓白尹以庠爲邑人知事頗悉徵予序諸首予不能以老耄辭乃取其已成之集而閱之其類有十一曰圖表二曰疆域三曰山川四曰建置五曰版籍六曰祠宇七曰宮室八曰古蹟九曰紀錄十曰摭遺率遵程式不敢加私智於其間其用舍取與亦皆遵府志已成之集而爲之未嘗有所更易誠足以備一邑之所未備也志既成予何敢置喙於其間唯述志之已成未成之顛末如此將俟操國史之柄者採焉是爲序正德

辛巳春正月望日

白思齊上元縣舊志序

金陵爲應天府大京在焉上元爲府首縣正德戊寅思齊領部檄來知縣事惶懼謭薄不堪因而圖覓縣志欲豫諳其風土民俗洎前令宦績可法者博訪無所得比至任始知縣舊無志適府有修志之舉竊自喜曰府志畢縣志其易成乎越明年庚辰伏遇皇上南征逆藩駐蹕金陵有司以職事奔匐倥偬無晷刻暇息奚以鉛槧爲哉及其渠魁授縛六師凱旋又有旨取

郡邑之志臣工莫不鼓舞歡呼咸謂偃武修文聖君御世之道天下其有幸矣思齊猶私喜其縣令有志也郎延府庠生管景於邑諗知其雅博故託焉旬再浹而志成志成可喜也又慮其公帑空竭刻梓資無從出遂倡同寅各損俸薪以協贊乃成志已刻可喜也或者有言上元江寧並峙京都事多互錯宜慎書毋徒作木之殃思齊聞之猶豫亟取成集再加撿閱其發凡舉例悉遵一統志式而地界因革亦皆有據不謬且知邑之官增品秩民減賦租皆我聖祖加惠赤縣而然誠異典也他如里社有學即三代小學之制養濟有院郎岐周惠鮮之仁並歷歲遠廢弛正思齊講求而未得者今志悉著之其爲有益於縣也固不韙歟正德辛巳春正月望日

曹履吉江左觀風錄序

余里南畿江山盤洭風氣質重士所習爲義雅能具思力亦鮮佻脫不合若往所推一二專家直已風嚮海內自近科賈肆板行卷率取僻裂險澁以膺新收高值士遂成桓譚之慕異陳思之務而爲辛洞之簇酒伊氏之歛衣其眞本領反糟醨棄之乃不能以都人士

風異方而反爲異方風品斯軼風斯不至勤督學臺約法如某子甲輩文戒勿閱士寢乃各求亡子而直指西粤何公持斧來當丁卯大比期盡徵我祖京諸屬人文試而觀之先是所司各承委命差等列上隨署行而已無復契匠賞罰者公曰是且將合戰文者衷之旗也旗從風嘘之則順而呼矣是何可不以正合而以故事收才情動反固亦惟利是嚮要于才不累法情不累理併考辭按部琴瑟笙簧皆有天然成響而思力精芒亦澔肝其間發之洋洋盈篇奏之渢渢可聽是之爲山司其鳴而谷從其應較之無本而險其字無義而僻其辭直河漢若也而公所竭心目力分析評定纖毫無不發露自來稱苦心觀者不少槩見焉嗣是春秋兩闈科名高而占數多亦大異疇昔則以爲南國還正始聲或亦引六朝人謂江南文制欲入彈射收功動反乎抑知正律咸池有爲谷應者邪董廣川曰上承天之所以爲而下以正其所正王道之端云新天子以聖明承天與薄海開文明伸正氣純是陽明用事廣川復演之曰陽常居大夏以生育長養爲事大夏於位爲南正則我祖京寔首應之今夫相文品者寒儉鈍而充腴利枯寂鈍而榮昌

利纖魁鈍而宏博利生育長養文之利達相也去僻裂險溢而成洋洋渢渢還於大夏之舊則生育長養之事也陽氣布而心聲正德教聲而民氣洽與樂爲感與福爲應漢文新政則又有賈雒陽之策在已公諫議名臣砥正天下千尋嶽立旁絕躋攀吉竊庇宇下熟公之雅志爲聖主敷陽德煥南離以長養臣庶即從甄文字觀亦請手是刻者勿徒作文字觀也

江左得士錄序

往皇祖重念南畿地北而士蒸始詔江以左分督其學事僅閱兩使者而我檇李過公來當今上新啓御符爲歲則重光爲期則又論秀也公乃先裒所得士之文而梓之盍語於郊取爵於上尊於是焉券而不佞履吉則竊有窺焉古者大司徒樂正掌四術順先王詩書禮樂以命國之左右鄉簡不率者而移之故鄉遂所考常在三年大比而其所屏必于四不變者爲其難化也今屬公以大比士而承公以兩使者後其爲考變猶三之耳按所屏而升所得何易易與江左都人士豐芑樸棫亡慮無文然山谿崓扈沈斥而徑易士生其間質性多朴重以之居業可以爲善至於國家政令聖賢微

言濬以虚心發以妙指不隨時趨自成爾雅此則善變事宜不可猝得也公孫氏以取士爲文章爾雅令一歳皆輒試業割江左分督矣必四五旬而舉一郡歳既不給其寧導徯後之歸邪獨公之來七逾月而試郡皆遍歳一輒試者第了以其半而初非迫大比期直了之耳公精評閲無晝夜間覆發則旅士於庭尺幅之瑕瑜已畧上口或署所賞罰文於門屏大指在功令經旨中自標清芬諸惡悖語摘其不甚如初法從前他試小利鈍無私循者士乃知濬心變易豁然於所得而公因收其文蔚然成一爾雅之編以爲新朝建元闕門加額畿南之應是蓋惟敏惟哲惟公於公有之見爲能變以歳之半而得收士之全而不佞猶以爲不可猝得也公初入豸班所論列皆天下計師氏掌以織詔王以教國子弟忠之移教也非乎北齊地饑民靡孑遺公承命賫賑金粟名十萬餘所仁活無算迄今幾復庶富庶富而教非仁無歸也計仁人効國至願無過得士特神其教於文章一日之權郎一片虚明提速初非問之一日問之半歳也而又易地之江左是夫朴重可與爲善變止于三而簡者率棘寄者化地以士待公乎士以文待公乎而後

知天之爲仁人慰以至敎之成者早也方今疆宇多故動謂經生不了公家事須格外異材夫聖賢語義靈變政事軍旅神明存乎人天下安得復有異材載昔開天從龍皆此中士寧知二百年後無復有就研席而全張新天子之神氣者公固當從文章一日之權相而得之或亦向者朴重之鄉饒自許也不佞履吉畿之下里人也偶奉璽書便經榆社獲謁公辱公問言敬矢得士頌而併爲我里勗

錢謙益千頃齋藏書目序

古人之意未可相告語不得已而寓之於書猶懼其澌滅不傳焉不忍藏也迨聽命於藏亦曰我不能藏必有其人爲我藏之出之於心腹腎腸而藏之於牙籤緗袠如櫝載實笥襲衣尋常有之無所輕重况又有水火風雨蟲鼠之劫聽諸不可知何人可爲書司命者乎雖然苟非其人道不虛行古人之書以藏爲命以傳爲種以用爲麻縷菽粟藏之以其地石渠天祿皇史宬之類是也是不可幾也傳之以其人商瞿子木之易濟南生之書浮丘伯之詩是也是不可幾而可幾也用之以其心力左氏之傳太史公之史夾際之志貴與之考是也是又不可幾而可幾也以地

則水火風雨蟲鼠之患得而劫之以其人與其心力則所謂我不能藏必有其人爲我藏之非眞有其人緘縢扃鐍如世所奉釋老二藏之區區者也神理相延種子不滅抱遺經以貽後學世世之傳書本其心力自爲終始故曰在則人亡則書此其志也予住謂黄子俞邰子之藏書州次部居天府之琬琰故家之金石遺民之竹素石倉絳雲不能與之頡頏前人既往後人未來乘此燕間縱横四庫以其全力專治一經經有成書抑以全力專攻一事事有條貫然後以其次第及餘經餘事則子之藏書足爲有用可以翊前賢而傳後學不亦善乎俞邰深以爲然已而西吳計甫草序其藏目又進之以讀書之法在能擇而守與予言足互相發夫能擇而守而從足爲吾用譬之莞貨財者視世之所棄而居積之則人以爲淵泉也散世之所寶而變化之則物以爲斗極也書之善藏也亦然藏人之所不能藏則不窮於用藏我之所不能藏則不窮於守孔子觀於周室得百二十國寶書而古史不錄羲皇歌詩止存三百則可謂不窮於用矣元經書五國之亡而統紀未正元龜輯列代之史而義類未精惟涑水通鑑繼龍門編年之體新安綱

目本闕里作春秋之法後之學者祖述至今則可謂不窮於守矣甫草之進黄子以擇而守而予之廣黄子以守而用家有西夏實錄其子孔度屢見許而終不可得兵火焚掠彌亘四方古今之奇書秘冊灰飛烟滅者又不知其幾何也世變陵遲人間之圖書典記日就澌滅今日之流傳委巷冊兔園覆醬瓿者安知異時不以爲酉陽之典而羽陵之蠹乎然則黄氏之書積之固難而藏之亦不易固未可以苟然而已也傳不云乎君其備禦三隣愼守寶矣人有千金之産扃鐍緘縢汲汲焉惟慢藏是懼而況於萬卷之書精英浮塞三精之所留餘而六丁之所下瞰者乎藏之之道何如曰什襲以珍之齋祓以享之視其室蓬萊道山也視其書天章寶符也臧榮緒陳經而肅拜顔之推借書而補緝此善藏之法也善藏矣何以能守曰子又生子孫又生孫以守爲守也藏之名山傳諸其人以傳爲守也蔡中郎之盡歸王粲盧山李氏之公人誦讀此善守之法也善藏矣善守矣讀之之法何居曰俞部稱海鶴先生之讀書備矣斲輪堂下之云父不能傳之子者俞部於其先人有餘師矣而余又何問焉俞部拜而起曰善哉夫子之言可以教

千古之藏書者
請書之以爲記

艾南英鄭從周秣陵問業序

癸亥之冬自楚如金陵西安孟旋方先生在焉因得交其門人鄭君從周會從周近刻成而予爲之言曰昔韓退之有言文章不爲當世所共恠則必無後世之傳審如是也則退之之不當傳於後世也久矣夫當世與後世之人心一也天下豈有不傳於當世而能傳於後世者哉即以退之之身論之退之以六經之文爲諸儒倡摧陷起衰之力一時翕然宗之此非爲當世所共恠者也爲文而爲當世所共恠者莫如楊子之太玄至有覆瓿之譏可謂極矣以楊子爲有後世之知乎然自今觀之世特有其書而已矣未嘗有深信而篤好者也即有好之者其人不過附聲逐聲苟自誇大以爲此先漢之書耳非能别其美惡之所存也其書勦取太初曆法銖兩尺寸陰用其實而别爲名以新之其文如孺子學語號嗄未成蘇子瞻謂其以艱深之詞文淺易之說雖使雄而復生無以自解然則爲當世所共恠者亦豈有後世之知哉從周閉戸讀書不祈人知默而好深湛之思無異

於草玄然其文光芒陸離根茂而枝沃源深而流長人人無不知從周者若從周可謂不爲當世所共恠矣雖然從周將取諧乎流俗而不必見知於有識則亦何難之有何也楊雄之玄旣爲當世所共恠而又不爲有識之所賞若退之之文則當時已爲有識之所賞而又爲流俗之所恠故其文有傳不傳之異予與從周聚旬月見其每一藁成質之孟旋孟旋以爲然質之賀廷玉易巖侯廷玉巖侯又以爲然夫廷玉以吳越之靜秀其文圓細刻露而不能不推從周之醇深巖侯以楚黄之剽勇其文豪宕奔放疏節濶目而不能不推從周之雄剛至於孟旋以義法之宗表裏兼至而亦不能不推從周之安和備美也從周可謂不爲當世所共恠而又爲有識之所尊者矣若予之迂拙自命不敢自居於有識然常欲以秦漢之氣行程朱之理而於從周之文見其鑄理會題尤三致意焉蓋將自附於當世之不以從周爲恠者之列以見其不苟爲艱深而至於爲有識之所尊則退之之摧陷起衰亦在是矣旣以是序從周而又以告天下之欲爲傳者當忍爲退之

無徒如楊雄之空自苦也

董應舉鄭一拂先生祠錄序

吾鄉鄭介公一拂先生清凉寺祠之復蓋發自焦太史而九我臺山二先生成之既宇既庭祀事有經過者徘徊入者咏嘆于是乎有倡有和有記有署有官府之典彝又有前代遺文傳志謚議太史手錄燦然足徵鄧君鏕以爲是不可不傳遂梓之並祠之規制器物靡所不備董生應舉伏讀而嘉嘆作而曰嗟夫此王介甫吕平甫諸人所極力擠抑欲致之死元祐諸君子所心賢而未敢輒援者今乃令人景慕至此哉且公去今已四百餘年朝代更易遺跡雲散公于此地又非有政澤之施旋里之寄徒以一時禪林燈火呫嗶遂成俎豆廢而復興嗣而不絕人人若爲其子孫然天理民彝之不可卒泯如此若使當時諸人今而在過公祠下不知當何如爲心也嗟夫骨鯁難親流風易動從古已然彼極力擠抑與夫心賢之而未敢輒援者徒以成公一拂之名自遺天下萬世以恨恨嘆之資而已于公何加損哉予嘗反復公傳詳其始末公之卓然招麾不動志士或能之獨其竭忠致命期于必濟當九閽不通之日觸禁行權擅發馬遞意能危動主聽轉旱爲霖使人不知所從入是

爲奇耳造次一疏遂關宋室興亡三百年來鮮有其比即唐子方鄒志完號稱敢言其言僅上于宮闈以公視之特猶劍首之一決至若劉向屈平劇奸傷亂言含慟痛見若者蓍龜非不有關宗社而入之無術徒爵而自殘繇是觀之公之爲公不特大節耿著其識力才術固足以當天下之所難而爲其所不敢是夫子所謂剛而可與權者而當時以爲狂斥去之其知者以爲介以爲合于殺身成仁難進易退之說竟無有知公之關係社稷者非獨介甫不知即司馬公亦不知非獨司馬公不知即子瞻亦未必知之蓋至紹聖決裂靖康播遷公言一一皆驗而公始見矣使當時終用公即不必有元祐使元祐得公爲助亦何至調停而竟遺後患乎此志士所以撫膺長嘆也其後百年至嘉定人始爲公易名祠始建又三百餘年至今日而祠始復公之精誠氣象與其讀書之景山齋寂歷雪夜流觴皆赫若目前臨風撫咏猶足起懦興頑使人追想而不能已東望故人依佛之所當時所託邀寵君父恃爲可久者已烟消雲散不可復道矣

嗟夫世之所恃固在此不在彼也

國朝總制郎廷佐重修二十一史序

春秋史也明王道紀人事是非二百四十年炳於日星孔子而後有論斷之才者簪筆而爲一代之書以自成一家言而其義皆本諸春秋春秋史之始也史春秋之繼也自漢以來如龍門諸史書或紀數千百年或紀數百年或數代而爲一紀或一代而爲一紀其間帝王君相古今得失興廢之由敘述甚詳且悉藏之名山傳之通邑大都殆可謂曠世而不易其言振古而不磨其蹟者乎是書也上之可以備君王之顧問下之可以資公卿大夫之謨謀與學人君子之觀感有人焉越山航海而叩以當世之事則喈然若喪有人焉足不出戶庭千載而上千載而下數其事迹如在目前則讀史與不讀史之故也雖諸傳家病史書之浩瀚而節取之蒐集之多撮成一書髣髴古今之大畧以裨學者之强記然未覩全史終屬管中窺豹僅見一班爾故登嵩華之高則丘陵不足觀也涉渤澥之險則江河不足畏也得干霄之植則群材不足用也讀歷代之史則諸家之成竹皆可委而棄也信乎讀史者之不可不讀全史也然傳之既久不無漫漶殘失之慮苟非輯其書之本

使之常存而不毀而令天下之博雅者有求而即得之亦不可明洪武間建大本堂羅二酉所藏書其中命諸名臣參考時宋濂王褘輩奉詔纂修畢窮年之力合成全史太祖親加讐校者再廼允刊定而貯於辟雍誠盛事也余舊階史館侍從東觀時與諸司成遊蓋曾流覽其籍思有以新之而未逮今謬膺
宸命節度南邦謁
先師於雞鳴山陽咨之掌故郡廣文出其版以獻荒凉舊簡強半經蟫鼠之餘斷續遺編依俙無魯魚之辨余慨然曰是固天下萬世之書也而顧使其殘缺若此沿至積壞之後遂令將來不復有二十一史則典守者之責也矧今
天子重道崇文修釋奠之儀進經筵之講制禮作樂創
昭代之典章酌古準今徵先朝之文獻即勝國之實錄悉取而裒益之獨是書以介在南服尚待修明又豈非太小臣工之責哉因畀廣文以輯治之任而一時寮寀諸大夫亦亮余心克襄余志爰授梓朝夕從事不數月而告成焉汚者潔之缺者全之糢糊者昭著之久淹之故帙煥爲
盛世之新書余顧而欣然既而復慨然曰商彝周鼎重

寶也而人不之見則不謂其重矣古今全史奇書也而人不之習則不謂其奇矣脩而輯之吾鄉之事也羣而習之則天下後世之事也余固願天下後世之顯而有位者於兵農錢穀之暇手是書而披閱之以攷其得失以獻替於
君父之前雖不作史而存史之心則無愧乎其作史者也天下後世之窮而在下者於易象詩書之外手是書而披閱之以實其聞見以開拓其心胸之未有雖不作史而佩史之言則亦無愧乎其作史者也是則修之之意也詎可忽乎哉嗚嘑史之作爲天下萬世作也則史之修亦爲天下萬世修也第厚物雖堅久則必腐百年以後安保其不復損如今日者乎繼此而修則更在後起之同志者

黃國琦便民甲冊序

東南之第一重地眉金陵閱會典所載除外城之一百八十里陴隄蕩爲野烟而内城之九十六里極目週遭亦何其泬遼也五城之中初料民居而置鋪嘉靖年間倣王文成公治虔之治又逐鋪監柵先是每鋪之居民各自守其本鋪之地久之累民甚民苦不堪萬曆三

十八年南總憲丁淸惠公特疏上請根海忠介之排
門號冊派銀而另養甲夫經今六十年來一人鍵柵
而守則數百家之夜戶可以不扃民之德淸惠公眞
與鐘阜並高而江水並深也邇乃
廟堂籌餉號銀仰佐軍興責甲夫以枵腹應役斷斷難
行計民房而加額重科凜凜曷敢其銀其人勢必一
朝盡撤則大奸大盜誰於五夜嚴防幸總督部院郎
公下其事於司道諸賢再三面諭齒舌欲童數四駁
批手脫幾脫推原大指以爲善攘外者必先安內善
愛
國者必先恤民安內恤民之道凡以去民之所甚不便
而擇行其所甚便者也如甲夫一事前此計名官僉
一役動成世占乃今聽民自雇則其人之善惡勤惰
易察而亦易更又前此逐號輸銀分季始能上納乃
今聽民出米則日用之物按月可完又前此官役徵
催出入不無呼擾乃今聽民與甲夫自相授受則授
者既無橫索之慮受者亦不憂僨領之難又前此號
冊存官尤貽隱勢遺之沓見乃今刻間限數則凳役
登門慘同募化何容漏富而灑貧抑扯衝協僻如割
袂補襟乃今酌民房之多寡併兩爲一或分一爲兩

肥瘠可均況五城之內割東面以建滿城則民之四徙移實湊虛衡僻更堪相劑利既朗如觀火弊復斬如拔窠於是司道諸賢傾心折服而通城紳士暨大小軍民人等無不稽首奉行何也凡以公之於民擇行其所甚便而去其所甚不便兩江節制事事皆然不獨此一事也然則南人之德公甚於德清惠公戴天履地食甘法而衣苦心眞又使鍾阜失其高而大江之水失其深也

周亮工江寧府舊志序

國必有史所以紀朝廷之功實詳統馭之經權而各方英彥臣子經營無不盡歸誌載其外更有天官河渠藝文孝友逸民烈女諸專紀所以分端羅列闡悉天下之盛美者慮無不具備矣然要以國家爲統紀而因之散見于方州不能盡十之三四若其勝蹟遺烈不得不待區分疆畫者之各極其該詳其事雖分隸于各郡邑而掌之司牧繫之職業請之御史中丞其究同于國典非一人之私言也但其間方士有厚薄人才有衆寡不足盡光傳述而一時有其貴者又未即爲賢士大夫號爲才學淹通者流以故雖多成書而未足備藝林採覽至金陵古稱龍蟠虎踞歷

代帝王所都山川宮闕之壯麗人物制度之風流迣迣甲于他方及考其紀載之書自六朝而後惟宋馬制使光祖景定建康志最稱詳洽今既不可得見而元張鉉金陵新志雖存膚蔓實無足觀前正德間府丞冠公天敘曾一修之書亦不傳至萬曆五年府尹汪公少泉復事重修紀事較稱簡确今所傳府志是也以今觀之山水人文猶未盡六朝之盛而萬曆以後紀載尚復缺如

皇清興改都爲省其間沿革吏治懿烈貞芳足與史乘相表裏者歷二十餘禩未見表章識者悼之以金陵地勢攬勝中區而遺聞同乎若滅若没其所關文獻絶續豈細事而已哉太守大亨陳君蒞兹土也惠我人斯以膏以雨乃于政成之日痛斯事之將湮也慨然謀所以修舉之于是請之督公請之撫公請之藩臬諸公僉曰允宜哉陳君則于退食暇即手一編勤纂輯而一時博雅有聲者亦不吝虛心諮訪得而參佐之適八閲月而志成因取其書讀之闕者續畧者詳一時學士遺編故老傳說莫不兼茹而精採不獨風土節烈聲名文物之大足以昭示來許即其一二軼事可傳士林資談佐者固將不勝其漁取于是知

陳君之以著作之才而託之一方見之當世殆有耀簡册而彌光者矣夫以天下之大職方所隸之多且廣合計其誌載遺編當不啻繁星之麗天支山之亘地雖使窮年孜矻莫能竟其疆域居平每作僻想安得好事者流盡舉百國之方書芟繁亂而就統紀勒爲一編藏之石室與七十二代之金函二十一家之載筆並傳不朽豈非更爲極快而終不能苟學者恣意搜討但攬其一二最勝以葢其餘如讀史者之先馬班獵百家者之首韓蘇歐柳則舍是編其何求豈徒孟堅兩京之作太冲三都之製爲各侈方風腴文炫麗而已哉知後有作者僅能增其所未歷而莫能文其所已備也已予少遊金陵每愛此間名勝今復官江左得觀郡志之成因喜陳君芳烈有將與此志聲施無窮者遂因其請略識始末以爲之序若夫陳君惠政昭昭耳目間人士親之如飲旨醴焉金陵有口者固能言之不俟予之詳述之矣郡八邑邑各有志要之多統于郡志或文不雅馴尤以郡志爲斷云

陳開虞重修江寧府舊志序

江寧爲江南首郡東南一大都會也龍蟠虎踞

襟江帶淮凡言財賦輿區者首屈指焉自明爲陪京以迄今日其間因革異制質文異數人才忠孝節義政事文章之日新歲變固有雲蒸囷積而不可致詰者

天子命郡守來任厥職雖以司牧兆姓爲最鉅而於山川土俗人物制度已定者不能釐正昔典未定者不能備載今編其何以爲後人稽考而使大者有所鑒觀小者有所採覽耶余深憂之公餘之暇輒繙舊志猶然明之故籍也夫記載之書近則徵徵則實實則可憑以裁斷世數遼遠則聞焉耳又遠則傳聞焉耳粵稽金陵舊志修於萬曆初載至今且八十餘年自

皇清綏定南服改南京爲江南省改應天府爲江寧府迄今二十三年矣前後共百有餘年雖其世數稍爲希濶而故老猶未盡彫謝掌故猶未盡散失文籍猶未盡荒蕪使不及今而爲之計網羅舊聞採摭近事以成一方之實錄一代之傳書則此百數十年間不幾於挂漏多疎而遺憾後人耶因請之兩臺暨藩臬諸公均許屬筆予遂自忘固陋廣諮博訪不憚多方蒐索一時賢人君子又多匡其不逮謬爲詮次訂譌補闕八閱月告成事焉嗟乎是豈易言哉古者列國

諸侯各有史官記其得失之故昭爲法戒今取郡邑所有而志之雖非蘭臺石渠之藏而陳風備採固守土者所有事也今夫百室之邑數里之城莫不各有方土之產與夫物務之興但其區宇有廣狹則其包蘊有宏纖而記載之編亦遂與之爲大小故人有遊覽八紘見其山川雄奇宮闕壯麗名公鉅卿之高偉進而聞其閎言碩論未有不驚駭震慴自慚其所見之小者勢使然也予生長三秦長而遊宦八閩幸不同於偏方僻土記其所歷之境觀夫華嶽之雄傑閩嶠之崇閎已足盡南北之勝迨承乏金陵覽其江山秀麗人物華美冠蓋之蟬聯舟車之絡繹洋洋大國之風又使人怡然意盡而有觀止之嘆雖其文采不足以表章勝美而藉其人地之奇以倖收採葺之功小而瑣事緒言大而記綱建制固有與 國典相映發史乘相參稽者不啻由培塿以進觀泰岱自蹄涔以極滄溟又豈彈丸荒寂之區所可同年語哉若夫踵事增華廣所未備以相續於無窮是在後日服官蒞政之君子矣

朱彝尊天發神讖碑文考序

祥符周雪客僑居江寧之汝南灣去學宮甚邇

歲在戊午三月借予詣尊經閣下觀吳時天發神讖碑石三段文字顆晦不可讀逾三年予以典省試再至江寧雪客語予合三段之石審其斷處聯貫讀之文義既從字亦可以意辨乃先列其文援据載記作天發神讖碑文考一卷是碑相傳爲皇象書至其文指爲華覈所作葢本張勃吳錄而許嵩建康實錄注戚光集慶續志因之以覈嘗爲東觀令而碑後有蘭臺東觀令字遂以實之妄也考覈爲東觀令時犯顏數諫號稱直臣又其免官在天冊元年則碑之所稱蘭臺東觀令別是一人覈既免官又素伉直必不復籍符瑞取媚未可遽信爲覈之文矣文曰天璽元年桼桼當作桼桼其下葢有月字楊雄太元經曰運諸桼政王莽侯鉦文曰重五十桼斤咸書七爲桼而吳與國山碑有云神女告徵表祥者世有桼與是碑先後建立則爲七月無疑爾碑自元祐中轉運副使胡宗師移置漕臺後圖當時宜多拓本顧不見收於歐陽趙氏之錄石之斷爲三歷八百年而移移又五百年無人能聯貫讀之者自雪客始其勤學好古洵人之所難能而物之顯晦殆亦各有其時焉

荆克捷江寧佟侯風士録序

先正王文成有言舉業者士君子求見於君之羔鴈也羔鴈之弗飾是謂無禮無禮無所庸於交際故求工於舉業而不事於古弗可工也今舉業家無不知摹古矣然知浮華之擀理而或趨於枯寂知平庸之流習而或趨於恠僻淺者有波瀾而未老成深者有理會而難神化此其弊亦即生於摹古譬如古人已往爲土木以象之衣冠是而人非矣乃滑稽者流復過而笑之曰是不如我之能笑能顰或歌或泣也嗚呼將遂得爲古人乎哉將遂得謂羔雉之已飾乎哉惟是驚采絶艶不至于滛曼瑰奇秀逸不涉於輕浮廣大和平不隣于粗率去其所謂弊者以得其無弊者而後不愚于古人而後可以爲羔雉雖然僕困于公車望春明而顔汗更欲向誰告語迺今春謁選司敎江庠得覩建業人文之盛庶幾集多士于寒氊一抒其管見適邑侯佟公有風士之舉秉藻鑑以品題拔其尤者捐俸以授剞劂委僕校讐流覽之際煌然美備其體格則淵渟嶽峙也其氣脉則長江大河驚濤廻瀾也其音調則敲金戛石吹竹彈絲也其藻繪則春葩倩艶其光澤則秋雯澄霽也其險峭奇

拔則巉巖疊嶂幽壑危峯也要皆沈酣左國寢食韓蘇黜浮華而不入于枯寂辟平庸而不流于恠僻結構則波瀾老成深入則心融神化覺几案間隋珠和璧呈輝發彩又何摹古之足累而舉業之不足爲大觀也哉持此以當羔雉可以對揚大君之廷矣獨是此都桃李盡在公門吾于侯不能無私怨于盡取也是爲序

周銘讀畫樓詩序

古今傳人必有一二軼事足以不朽而後其事傳其人亦傳傳其事而事得以不朽傳其人而人得以不朽雖其人不必藉此一二軼事以傳而此一二軼事固足以不朽其人然非出于性情之正學問之達則其人其事亦不傳櫟園公生平經綸事業敷布天壤所著詩古文詞爲此道日星其可傳而不朽者郎縷指莫窮其端余又多乎哉獨是數十年來其性情學問散見于一二軼事者固足以不朽每語余曰吾少年讀書憶子長足跡遍天下時復作此想以胸中自具五嶽觸目間託興不淺吾自此深畫理矣網羅古今名畫十得其一拔其尤百得其一拔其尤竭彌日彌月之功歷窮

年積歲之久纍纍巨帙矗矗林立稱富有焉夫山川中筆墨與筆墨中山川是一是二大有會心不啻足跡遍天下雖然此無足奇者公閱歷山車水航常變患難涖官内外臺極人世參差不齊之致皆以畫理齎之凡車航遊歷携此擔負于前亦可無歌行路難即患難中以居易之心處之得此可爲安樂窩也涖官内外以一丘一壑當琴鶴之隨誰謂此纍纍矗矗者無與于性情學問哉近葺小樓蕭蕭數椽不事緣飾惟以此纍纍矗矗者藏之得所題曰讀畫樓亦等于安石在山水間有數文析理之義推之宗少文塗所遊覽于壁者亦不甚殊其樓傳其事傳其人傳公即不借此一二軼事以傳而適以徵性情之正學問之達城足不朽其人已四方同人援題成詩得若干首誌軼事也詩不更借軼事以傳耶且公一生不營産計獨留此纍纍矗矗者付之一樓以遺清白子孫意昔虞願賑牀上積書四篋遂爲宦橐嘆其清者爲之掃地拂床而去其清與公等而經綸事業又有不逮者耳

考

陳沂金陵諸水圖考

金陵在大江東南自慈姥山至下蜀渡古稱天塹巨浸此江之境也秦鑿淮吳鑿青溪運瀆揚吳鑿城濠宋鑿護龍河宋元鑿新河國朝開御河城濠今諸水交錯互流支脈靡辨據經考之自方山之岡壟兩涯北流西入通濟水門南經武定鎮淮飲虹三橋又西出三山水門沿石城以達於江者秦淮之故道也自太平城下由潮溝南流入大內又西出竹橋入濠而絕又自舊內旁周繞出淮青橋與秦淮合者青溪所存之一曲也自陡門橋西北經乾道太平諸橋東連內橋西連武衛橋者運瀆之故道也自北門橋東南至於大中橋截於通濟城內旁內秦淮又自通濟城外與秦淮分流繞南經長干橋至於三山水門外與秦淮復合者揚吳之城濠也自昇平橋達於上元縣從西虹橋南接大市橋者護龍河之遺迹也自三山門外達於草鞋夾經江東橋出大城港與陰山運道合者皆新開河也東出青龍橋西出白虎橋至柏川橋入濠者今大內之御河也若城外落馬澗諸水不能悉載焉

明韓邦憲廣通鎮壩考

廣通鎮在高淳縣東五十里世所謂五堰者也西有固城石臼丹陽南湖受宣歙金陵姑孰廣德及大江水東連三塔涂長蕩湖荊溪震澤中可三五里頗高阜春秋時吳王闔閭伐楚用伍員計開河以運糧今尚名胥溪河及傍有伍牙山云左氏襄三年楚伐吳克鳩茲至於衡山哀十五年楚子西子期伐吳至桐汭蓋由此道鎮西有固城邑遺址則吳所築以拒楚者也自是河流相通東南連兩淛西入大江舟行無阻矣而漢唐來言地理家者遂以爲水源本通桑欽水經云中江在丹陽蕪湖縣南東至會稽陽羨入於海前漢地理志於丹陽郡蕪湖註云中江出西南至陽羨入海應邵顏師古註溧陽云溧水出南湖後漢郡國志蕪湖中江在西孔穎達書義疏亦引漢史爲證蓋皆指吳所開者爲禹貢三江故道耳後不知何時漸湮景福三年楊行密據宣州孫儒圍之五月不解密將臺濛作魯陽五堰拖輕舸饋糧故軍得不困卒破孫儒魯陽者銀林分水等五堰壩在右是也壩西北有吳漕水言吳王行密所漕也至宋時不廢故高淳水易泄民多墾湖爲田者而蘇常湖三州承此下流水患

特甚宜興人進士單鍔採錢公輔議著吳中水利書以爲築五堰使宣歙金陵九陽江之水不入荆溪太湖則蘇常水勢十可殺其七八元祐中蘇軾稱其有水學幷其書薦於朝詳具東坡奏議中時用事者方欲興湖田未之行也故永豐等圩官私所築無慮數十萬而固城石臼丹陽三湖之間大抵多圩田矣宣和中侍制盧襄奏罷湖田及言開銀林河爲非切務於時田方屬蔡秦韓諸將相家及肆行宮不便塞河卒亦未行也乾道中周益公南歸錄尚謂田鄧步東壩銀樹可通舟至固城黃池景定建康志及祥符圖經亦謂瀨水西承丹陽湖東入長蕩湖足可徵胥溪河尚通云元伯顏攻臨安三道並進參政阿剌罕攻破銀樹東壩至護牙山敗宋兵實出此道而河流亦就塞明興高皇帝定鼎金陵以蘇浙糧運自東壩入可避江險洪武二十五年復浚胥溪河建石閘啓閉命曰廣通鎭設巡司稅課司茶引所當是時湖流易洩湖中復開河一道而尚阻溧水臙脂岡乃命崇山侯鑿山通道引湖水會秦淮河入於江於是蘇浙經東壩直達金陵爲運道云崇山侯者李新濠人也初以建孝陵功封侯焚石而鑿之費油麻不貲石盡赤

岡脊本易通有嚴氏者慮損其田以女賂侯故迂其路侯坐極刑死時洪武二十八年也文皇帝遷都於北運道廢永樂元年蘇人吳相五以水之爲蘇常患也引單鍔議奏改築土壩增設官吏歲僉溧陽溧水人夫各四十看守自是宣歙諸水希入震澤矣而壩猶低薄水間漏泄舟行猶能越之正統六年江水泛張壩大決蘇常潦甚國稅無所出周文襄大集夫匠重築之欽降板榜如有走泄水利淹沒蘇松田禾者壩官吏處斬夫隣充軍十二年張惠等奏復故河道勘行累歲未決成化四年施普奏阻之十二年年都御史時溧陽令靳璋又議復常民張湍又奏阻之大抵利塞者壩下諸郡利開者壩上也後車夫與商爭利利於陸行正德七年給都御史俞以故例乃令鎮江判齊濟周督責增築壩三丈自是水盡壅高淳圩田日就圮矣顧其時愬辭往復在開壩未有言減稅者里甲頓耗其半嘉靖初宮保李公充嗣奉勅偏詢水利有白子俊者呈復壩河乃令治中周通判呂勘行開濬會歲歉止歐夏兩撫臺時程儀鳳再愬之然意在通舟耳三十五年倭入寇商旅由壩行者絡繹不絕沿壩居者利其盤剝復自壩東十里許更築一

壩兩壩相隔湖水絕不復東今壩官及溧陽壩夫俱不存矣葢予他日按輿圖原本山川金陵地脉歷閩浙踰東壩至茅蔣勢本聯絡秦漢以前高淳固魚龍之宅也自有胥溪河三湖東歸震澤民始得平土居稍稍墾湖田爲業宋時烟火最盛今冬春水涸時湖中往往見磚石井冢葢舊民居云自築壩以來水勢壅遏田漸淪没多矣而賦額日增户口視前僅十之三則惟壩之故嘉靖戊戌覈田至虛懸米八千由今而後田之將圮爲湖者未有紀極也父老言湖底與蘇州譙樓頂相平假令水漲時壩一決蘇常可使爲魚鼈當庚申辛酉間大浸稽天淳民紛紛欲掘壩會下壩偶決溧陽宜興以下勢若懷襄有以聞於華亭徐相國者會方令沂入覲召諭重禁之余時在京師

韓子曰廣通壩者所以障宣歙金陵姑孰廣德及大江之水使不入太湖者也自前代皆云中江故道近內閣王鏊記太湖以此一源最巨爲蘇常患而伍餘福著三吳水利論亦諄切言之嗟乎以蘇常湖松諸郡所不能當之水而獨一高淳爲之壑其至於洪漲而廢田也決矣而稅又弗捐民何以堪之自蘇軾單鍔之言行所以爲壩下諸郡者甚善而未有爲壩上

一發明者余覩淳民之日耗且
困於虛糧也作廣通鎮壩考

傳

明焦竑王大司農暐傳畧

公諱暐字克明別號克齋其先太原人自宋南渡家句容世有隱德祖父皆以公貴贈如其官公狀貌魁梧舞象時不類恒兒七歲授孝經小學即動引古人自期稍長讀書朗然貫徹第家赤貧贈公爲朝夕虞歎曰安得兒輩有代勞者乎公聞之竦然念諸弟稚無可擔負者乃釋書冊代贈公營什一少給暇則手一編不置時時顧影歎曰天生子而使之久居人下耶邑有踐更役贈公例當解藥材于京公請代行比至會校士南宮同邸一孝廉錄其試文示公公笑曰吾力能辦此頃之榜出而孝廉得雋公奮曰吾異日不以此起家者有如日輒自書邸舍間其勵志如此歸獨居一樓謝絕一切陳夫人饋食置樓之蝛即返不親授也每至午夜諷聲烺烺屬詞則自發其藻不繇師指而每試輒冠督學鰲山張公得公卷大器之已舉正德丙子鄉薦偕計至都門覩所題識宛然是年聯登進士第以事謁內閣靳公與之揚扢世務甚畏服之曰此大受材也授吉安府推官以明允平恕得上

下心時宸濠逆節大著陽明先生倡義討之檄公以一旅助有愛公者曰得無爲太夫人憂公讓之曰吾敢以賊遺君父耶於是親冒矢石爲將卒先嘗令一吏督戰艦及期無一艘至以軍興法立斬以徇驟見者駴甚陽明先生大嘉公曰如王君可謂達權矣嗣是與參客謀兵攻南昌城破贑兵殺僇過當公亟禀陽明先生止之先生令繫之獄數日疫癘作公復禀先生釋之一軍皆譁先生亟曰此我意也葢一言而公之所活不啻千萬人矣先生念公運籌功奏捷疏臚列公名有首從義師爭赴國難協謀併力共收全功語武皇帝時舉告廟飲至禮敘功公當與伍文定埒而太夫人訃至卽苴杖就途不反顧時朝議方詘新建功公賜閑住僅加二級補大理寺左寺副大禮議起公隨楊公廷和等伏闕泣爭至觸天怒杖於廷不悔尋陞江西按察僉事分巡湖東公精于法比時時以情衷三尺廬陵有父子三人晝剽人而奪之金者邑令周業置大辟公曰此爲饑所驅耳而闔門坐死可乎令曰此直指意公曰殺人以媚人吾不爲也陝商以販錦至臨江忤貴家值地方捕盜商隨衆往觀因并逮焉不勝搒掠遂誣服經十餘年未決公曰

焉有偉丈夫如此而爲盜者移文覈其年月并召居停者一訊得其實釋之繇是名大噪郡邑攝學政課藝以理爲主浮誕者黜故一時所得多知名士尋陞南光祿寺少卿改光祿寺少卿正品式裁侵漁多見采納陞太僕寺少卿上方有事山陵公匆卒應辦事集而下不擾上甚嘉之會考績推恩制詞云剛方之守強於自立通敏之才優于幹理蓋實錄也陞南太常寺卿亡何陞都察院右副都御史巡撫江西江西故公舊遊民艱吏弊固公稔諳又得侍御韓峰沈公來按其地兩人同心以立綱振紀爲任一時黃綬而下有望風解印綬者以東宮恩贈大父父如公官太母母俱贈淑人廕子誠國子生公念句容朱家巷爲祖宗所自出載御製孝陵碑未經表識樵牧莫禁上請建置守卒廣尊祖敬宗至意廷議遣南禮侍崔銑同撫按提學御史詣其地會勘有尼之者事竟寢陞南戶部右侍郎改兵部右侍郎尋轉左奉命攝其部篆會廷議鬻鹵事宜公與兵書毛公伯溫悉心講求斟酌祖法務經久可行不以一時便宜傷國計會有言官語侵之公引咎乞歸奉旨勉留陞都察院右都御史總督漕運兼巡撫鳳陽等處至則夙弊盡掃歲

綱如期無後者其貫海州之馬課裁揚州之二閘人允便之太廟成詔進階資政大夫贈祖考皆如其秩祖母以下贈封夫人晉陞戶部尚書總督倉場督理西苑農事公所治公儲務在操伏匿革冗濫吏不得侵牟爲姦有戚畹以玉帶黃金餽爲請莊田地公峻却之任倉場矖轂率雜泥沙公甃以磚石遂爲永利上聞而加之賜大紅紵絲四表裏織金獅補等又賜獻皇帝御書文行忠信四篆字以示旌異亡何僞銀事起先是部郎中余善繼槩收兩淮解銀未及覈尚書王杲御史艾朴皆廷杖戍邊去科臣厲汝進語復侵公上并杖公于廷且削籍以歸是時相言與嵩爭寵意忮甚汝進窺言旨引繩批根欲因以撼嵩公無與也頃之上悟杖汝進幾死而遠謫之意亦若以兩解云公置不辯即日單騎趨里日灌園城南歲時伏臘二三昆弟暨微時交詩筒酒杯徜徉自適絕口不言仕途事然聞四方利害時政闕失未嘗不拊几扼腕也識者方望公再起爲天下福而遽以疾逝惜哉公性廉靖解衒飾而中實凜不可犯請謁者望風屏跡無識不識皆憚服歷中外三十年循資而進非分事不錯半趾剛腸嫉惡不能自禁論事必先別是

非交友必先別君子小人見善如不及有過面折之不少假其取忌率由此立朝時二權臣皆賢重公欲引以自助而公持已有度有不可得而親疏者科臣不知也居恒孝友篤摯視兄弟子爲已子婚娶敎督務底成就世味一切無所好顧讀好書搆樓貯之額曰藏書山房雖老持一卷不廢書法得山谷筆意所爲文雄渾有法詩律汎濫于常李少陵晚嘉陶孟曰取其清曠契我心也奏議鑿鑿可行不爲藻飾語書奏多焚其草僅克齋集二卷行于世隆慶初理議禮諸臣當恩卹者學臣周公弘祖疏公名與司寇顧公璘一體請卹格而未行夫公與尚書王公杲同時見枉杲既昭雪而未及公公異日當有重公大節繼周而上請者公開府二方致位九列今甫百年遂無以爲家大抵生平無苟交無詘節見善如不及語保子孫黎民者必歸之緯有古大臣風非僅僅以廉靖稱而已初與金陵劉省齋都督同官豫章最相厚善劉公恒亟稱之省齋以清節古道重一時語曰不知其人視其友知省齋自知公矣余生晚未獲親睹公就所知者爲之傳聊志嚮往云爾

張明弼恭人陳氏暨媳胡氏雙烈傳

恭人陳氏大參圯上張君之元配胡氏則其子文學子駒之配也恭人產於清門齔而失怙笄而失恃年十六歸大參君方燕爾大參君天才頴粟自少即具分風劈流仰首天衢之志顧其家素涼薄上有孀母下有弟稚不得不資筆花爲錢穀每當食而歎恭人見之微叩其故君曰吾聞唐人自言樂羊子拾遺金於道其妻誚之是無夫也列禦寇拒鄭人之粟其妻怒之是無婦也吾欲得協志聯德之耦勞則均勞逸則共逸是以歎耳恭人曰妾雖不肖嘗聞先世之遺訓矣君何相視之淺也君若甘爲陶潛則君耕于前妾鋤于後妾亦能爲翟氏若君能自致青雲綜括民務則君理外政妾理內政何敢自渝倘或遇無妄之世値意外之虞則君死君義妾死妾義必無顛越以辱君子君何相視之淺也君乃拍案而起曰有是哉自是館穀遠方一意下帷業日上名日起歷試高等選入成均雖遊子不歸缾罍將罄君曰吾有婦在可無煩陟屺也恭人亦必勞十指化有無堂上之奉竈下之養終無匱焉歲卯辰君連第作令粤東子駒亦婚胡氏恭人侍太夫人就養于

粤每晨必先起庀家務以廉勤相夫子恒勸君曰願君無忘寒食重陽脩然遠館時妾亦無忘太夫人膳畢妾獨向冷竈自煨麄糲時君納其言政聲鵲起擢君銓部恭人又以清愼相夫子私謁私語一無所受時君年已逾强而子嗣未廣恭人親爲君置小婦二人雖抱衾序昭而樛曲下逮帷闥之間三婦和鳴其聲雝雝戚里相傳以爲美談君旣器業泓渟風格孤峻不肯與世局委蛇循例請告一臥八年始叅藩於連陽時獻賊陷襄樊據臨武君從大司馬攻下臨武擒僞帥朱衣點恢復湖南十一城又勦清遠峒賊焚一十八寨君異績方上于朝俄聞燕都已隳泰山河改易君又調任興泉時强賊閻羅總羅亞福等縱橫閩粤君留恭人及子媳于廣城舊署而獨入閩且語恭人曰今廣州一步外皆土賊充斥帶甲滿地生死難期君向有云君死君義妾死妾義正其時矣恭人抆淚而進曰君第往無以妾爲念妾必不敢囬面汚行以羞吾君遂別未幾訛言君遇難恭人乃命其子曰父有難爾亟赴之吾與若婦當相守以待汝汝無慮也子駒乃間關戎馬九死一生以達閩乙酉之臘廣城虛傳訛報一日百端或言官兵已至或言某賊作

難破城廣人夜驚不敢臥恭人與媳乃集諸僕婢而告之曰人有逆旅相從周旋數月一人有難將棄之乎皆應曰主僕豈逆旅等誰忍棄之恭人乃分敕僕婢汝主扃鑰汝主伺察汝主饌糧若急報至吾當死之汝輩念主僕之義或者乘間戢我以一棺皆泣應曰諾恭人又佯語胡氏曰我老矣且兩受敕命婦也不可以辱乃翁死固其分汝年少歸吾家產二子二女皆自乳事上撫下勤苦已極若賊至亟攜汝子或徑或竇萬一或免猶可與吾子相見汝意如何語未畢胡面赤聲厲跪進曰姑爲命婦不可辱翁媳其可辱姑以辱爾子乎婦人逃死如玉逃糞中何能無汚請先効死於姑君前以明我志拔刀引繩將自畢也恭人驚止之曰能如是乎與爾偕死賊至死未晚也因相與商略死所或云持刀殺賊而死其死烈恭人曰婦人抗敵如羊齕虎是妄死也妄死非婦義也或云闔戶自焚恭人曰署中人多若舉火是求殉也求殉非婦義也然則雉經以死乎曰雉經死則誰斂是曝屍亦非婦義也乃相與徘徊署中得一井焉曰寒泉十尺以身爲魚不抗賊不求殉不曝屍吾兩人腐骨泥中得死所矣因先移臥具于井傍晝則坐欄以

待急報凡三日報者曰兵入城矣又聞捌格號嘯之聲姑媳焚香拜天地祖考又遥拜大叅君及子曰幸不辱命吾兩人死終當爲厲鬼以護吾夫若子俾得生還茅盈之里胡又撫其少子方二歲曰汝失乳亦當死不如客從爾母遂相攜入井越二日其僕婢見官兵至土賊退市肆無易乃相與撈求主婦得恭人胡氏面色猶生而兩歲少子呱呱水面氣猶未絕亟上之棺歛畢明年大叅君從閩越還吳子駒聞變入廣載二柩畤粵東叛服不常衣冠乍變子駒攜柩崎嶇兵賊叢薄之中然盻蠁間若有導之子駒亦神動魂窟遇變則伏逢隙則行卒達于家是豈人力將無雙節之魂陰相呵翼之乎予每歎甲申之變北士如林然其殉義如二人者不十餘數也乙酉之變南士亦如林然其如二人者亦不二三數也且大叅君從閩退歸得無恙其子子駒攜柩萬里亦得無恙其兩歲子未能習游兩日坐水面亦得無恙容山雙節之與睢陽雙忠著神露爽其鬼亦异矣張曰予與大叅君交垂三十年如初相見屬予以墓石不敢辭且又快吾張氏之有兩奇婦人也吾昔聞粤有貪泉而今又見義水五羊一泓而雙節駢止焉烈魂萬里北歸

即良常可顏厥名不毀矣

國朝張聯箕明太保工部尚書淸惠丁公賓傳

丁賓字禮原浙江嘉善人也弱冠時宿謁明道私淑文成欣然有得登隆慶辛未進士從遊龍谿之門講學當湖北面三年然後赴選授應天句容令邑界京輔郵傳星羅兩臺牙緒土風瘠惡民多棄桑梓遊食四方公至撫循噢咻興利除弊善政不可殫述服官七載以治行第一徵拜山東道御史時座主相君族公按遠修郤前御史某必置之死公謝不可拂衣歸里容有事仍走籲公公爲畫便宜平曲直出醑醞相與勞苦如是者二十年及江陵事僨起授江西道御史歷遷廷尉大鴻臚至御史中丞開府江上旋晉北司空移書政府願畢志留都改南大司空公以勞悴成疾屢請致仕未允晉秩太子少保公任大理時有金吾衛千戶馬尚仁條陳編審鋪行公抗疏云一時臣民驚傳以爲陛下向來諛中羣小之言始而鑿礦繼而加榷遑遑求利在在鴟張各部院寺臺省內外臣僚動千萬言正望陛下從諫如流汲汲悔改以輿

天下更始也自磺稅議起陛下毋諄諄以擾害小民爲戒頃者太廟雷火示異上煩陛下躬倡百官刻期修省用圖消弭方今又欲編審鋪行則向所云不許擾害也者所云修省消弭也者無乃付之空言乎纚纚數千言不避攖鱗之怒繼而編審中止又任操江時兼署司寇大理寺有奸民劉天緒倡教白蓮謀爲不先擬冬至謁陵日舉事衞軍得其情以告內外守備張大其事陳兵出入且甚氣向公言謀逆大勢不可縱公曰某不才事旣在我輕重禍福獨當之不以累諸公乃擬磔一人斬一人餘悉遣戍凡定大議斷大獄類率如此江寧顧公起元稱公淸貞淡素不染世氛而仁心爲質以饑溺時辜爲己任又云公敏識強記體大而思精皆實錄也公事六朝雖勛業彪炳而雅志林泉前後章疏凡十二上始予告歸田三賜存問崇禎庚午春暮攜五平頭角巾韋帶敬辭家廟一門內外驚問所之公厲聲曉之曰我方以八十八歲老學生拜我萬古大先生認識居處耳遂跂跡數千里躬謁孔林製文告廟其告顏子有云我顏夫子得孔聖心傳精純微密安得有過而先聖與之不貳過此中精微惟孔子會得顏子獨我常人認得不貳

小錯易一畝字自命之日改亭蚤見天心老而彌篤世方之衛武公云年九十有六崇禎丁丑歲薨加贈
太保欽賜祭葬謚曰清惠都邑之民咸肖像祠之
贊曰予嘗詢諸故老得諸傳聞知清惠丁公慈祥愷悌人也及觀拂執政之意高臥丘園二十年如一日豈非膜然于功名者哉乃犯天顏而不懼決大獄而不疑有剛峯之介而不露圭角紹文襄之勤而名壽過焉其一生造詣正於窟謁明道擔登龍溪時得之昔人有云志于功名者富貴不足累其心志于道德者功名不足累其心公殆以道德勝功名而不屑屑于慈祥愷悌之稱者矣

題詞

國朝大學士熊賜履下學堂書目題詞

予生平無他好惟獨嗜書嘗盎中無擔石儲見有異書必買雖典稱貸弗惜務得之而後已室人或訴之曰君嘗累日不舉火亦僾甚矣顧此架上物能飡之而飽耶脫不幸飢而死誰爲讀此書者予亦莫之顧自戊戌通籍宦游京師京師坊間書少且價值特貴以故十餘年間纔積得二萬餘卷丙辰秋被放買舟載歸時楚中多事留寓金陵金陵藏書甲天下多人所未見者予遂極力購求七年之中積有八萬餘卷合前共十萬卷有奇大懼卷帙散逸爰分別門類繕寫目錄一函構房五間顏曰下學堂依次架閣其中以便繙閱嗣有所積將別成一錄夫聖賢之一言可以終身奚用多爲然獨不曰教學之序由博歸約乎學者幸生明備之後欲廣稽遠引從事論述而搜討弗核固陋貽譏識者恒羞之故予之爲此猶饑者之儲粟寒者之備衣固吾職分之所當爲而非敢誇多靡侈觀聽犯古人玩物喪志之戒也錄成爰捉筆弁言以告同志者

跋

蘇軾珍珠泉跋余之所聞湯泉七其五則今三子之所遊與太虛之所賦所謂匡廬汝水尉氏驪山惠濟其二則余之所見鳳翔之駱谷與渝州之陳氏山居也皆棄於窮山之中山僧野人之所浴麋鹿猨猱之所飲惟驪山當往來之衝華堂玉甃獨爲勝絶然坐明皇之累爲楊李祿山所汙使口舌之士援筆唾罵以爲亡國之餘辱孰甚焉今惠濟之泉獨爲三子者詠嘆如此豈非所寄僻遠不爲當塗者所溷而爲高人逸才與世異趣者之所樂乎或曰明皇之累楊李祿山之汙泉豈知汙之然則幽遠僻陋之歎亦非泉所病也泉固無所榮辱特以人意推之可以爲抱器適用而不擇所處之戒

教條

督學趙崙學政教條

國家設職分曹政各有司故學使特勅專官而職兼廉察責

天子雅意作人力崇教化念直省各學臣關天下士風綦重也今

文運務須得人爰是重申巽命

詔廷臣嚴行推舉寄任殊非輕也本道濫膺

簡命視學江南思江南乃海內名區畫野襟江以帶淮人文含鮑而蘊謝稍忝斯秩不幾負

聖天子審愼之心諸大臣推轂之意乎所以陛見之晨即誓水以盟心

勅下之日更惕衾而嚴影秉公一念天地鬼神寔式憑之所有條教歷學使皆有刊發然上視爲故事而下亦以故文應之夫亦安用此爲今本道任事以實不以文下車伊始不爲訓飭於先難以課程於後特與弟子員約十有五則勸休與董戒并行進德與敗過交勵本道矢此實期無慚斯官多士奉行皆當各思著已愼毋以故文目之本道與諸弟子庶幾相與有成也

一敦士行　國家興賢育才羣天下之士

養之學校董之師儒嚴之考課三歲大比而賓興之公卿大夫皆于此乎出待士綦重已上重士而士不思自重其以負
朝廷興賢育才之典也實甚竊見今世文士徒事鉛華不尚廉節名入黌序也或與優肄爲羣身列衣冠也或與市井爲伍讀聖賢之書多矇昧之行相習而不知恠間有清修自好之士咸指而目之爲僞學爲迂儒譬彼狂瀾伊孰砥之本道奉
命督學所衡者文也所諮諏爾多士者尤以敦品行爲先勿曰庸行可忽也孝弟不謹何爲完人勿曰細行可略也跬步不嚴終累大德勿曰小善不爲無害也善端錮蔽究必至旦氣之無存勿曰小惡爲之無傷也惡念滋長勢非入不肖而不止如作秀才時能立品行異日服官任天下事必卓然有所建豎非然品行不端雖曰能文則亦雕蟲小技不足以入于士君子之林矣孔聖曰行己有耻子輿氏曰尚志皆此意也爾多士尚其身體而力行之勿曰南方僅得其英華也

一端士習士人爲名教之首習尚乃風俗之原士亦審所習耳習而敦僕則端謹之儒與習而侈靡則矯罔之風作人品學術之關君子小人于斯判

焉可不愼與夫士貴有守也寧拘曲勿放達寧孤陋勿比附安所固有不求所本無則士也非掠取聲華邀譽鄉國也嗟乎士不古處飾言貌爲先資假文辭爲進取以名亂實因而富矣因而貴矣不學無識者紛紛效慕有司以爲賢教官不知督又加譽焉以是爲人品乎學術乎異日者敝人心而傷風化端以是也今與諸士約道在實踐耳身心而外無學行苟棄本根務枝葉希世盜名穿窬之類也家徒四壁裘馬是飾鮮恥之人也既邀名譽輕世肆志旁若無人浮夸之子也出戶不經恃才妄引險辟之流也儒業不明旁及二氏逃虛之徒也借聲氣爲援引役志長驕附勢奔走出入公門挾持横恣尤名教所不容者本道不時查訪有一于此大者革黜小者懲戒教官容忍不舉致士風凌替不稱職宜揭參　一培士氣士習既端士氣不可不培士習之端在變化士氣之培在愛養近例　功令重抗糧全士也非抗士也有司催科心猛亦竟有少逋欠或輸不及府亟騰官書請褫革矣亦又有戚族牽累或横逆忽來不得已膚愬踏公門長民者公座不爲禮厮隸奉頤指提其頸曳其踵矣草菅士類上行下效豈止齊民有以誚處士

而市拳每以飽老儒嗟嗟士首四民苟其人未易才今日青衿他年紫綬去郡邑大夫未甚懸絕也辱士適所以自辱也本道爰思作人舊典每有隆禮行省大臣有官風郡守縣令有季試拔其友者有嘉獎今其法猶舉行則北匡收石南匡拔温此中必得眞士夫眞士何地無之而以前輕士嫚罵加之多所陳乞干謁不休之徒宜矣惟是駿足不逢伯樂擯棄槩等駑駘未免有昔士貴今士賤之感矣本道與言及此吾黨貽羞獨士也歟哉願與官是士者共培斯文之意於萬一可乎　一振文風江南人文淵藪也近科來文之高華者固不乏其中不無落乎時趨涉乎卑靡者夫素稱能文之士一旦相率而習乎此予甚惜之近閱歲科試牘獨闢蹊徑高自振拔風氣日上予甚愛之然或不得志于有司遇合有時耳非文之過也本道職司文衡以振興文教爲第一事文無論奇正濃澹題無論長短凡遇一題法脉要眞段落要清命意務高布格務正造句務古雅警策勿涉勦襲詮理務爽朗透快勿流詭僻以經史堅其骨以入大家暢其氣起提宜虛也不宜實塡中後宜實也不宜虛衍題承入手具見匠心結束曲終還成雅奏爾多士

果如予言定懸上格以待如以予言爲故事積習不除陳言不去油腔滑調不改斷斷乎屏棄不錄勿謂本道言之不豫也

一正文體文之有體如耳目口鼻之着面小有易置則恠物矣文固不可以無體有體之文本乎聞道尊程朱者得其指矣即如昌黎韓子起衰八代其原性原道諸書于孔孟之醇未盡窺也而古今以泰山北斗歸之見道故耳文章庸庸卑靡一泒本道固厭薄而痛絕之矣但恐不羈之士馳騁浩衍不齊步伐畔道而趨羣相野戰無李將軍之略而妄語人人自便不須部武行陣刁斗令人轉思程衛尉耳爾多士須知文燈嗣續不離祖禰王唐瞿薛四家結撰含鼎味道一氣渾淪至鹿門震川具區石簣以下洎近代正希大士陶菴諸名家有立體高嚴西京命脈于文格固無訾議即或如怒馬脫轡蹀躞千里奔騰泯駕和具存爾多士豈未之知耶今與爾多士約嗣後爲文于行乎不得不行之中寓止乎不得不止之意起伏頓落一以大家爲師浩瀚縱橫一以法律爲準其文可問世即可傳世此本道拭目望之者也況新奉

俞旨科塲定限不得逾六百五十字逾者不錄雖歲科

兩試不在此例然大約以七百爲率逾格者斷斷不拔爾多士安可不斂而就法對揚
聖天子右文之休命乎　一博經史古今人之學無異也然不能不異者古人于書無所不讀致知力行非專爲修詞立言也然中有所得著之爲文咸能自成一家藏之名山傳之其人蓋于文不求工而自工也
我
朝以制義取士家誦孔孟四子之書以爲仕進之階中年歲校三年試棘坊刻時藝汗牛充棟筍抄數帙人擬百篇俄而升于鄉矣俄而升于朝矣勦襲雷同相率以爲固然識者憂之今爲探本之論亦曰通經博史務爲實學然後眞文章眞事業可得而見也前賢云蚤知窮達有命悔不十年讀書爾多士于所習本經之外漸治一經因而旁通諸經大率讀一經先觀
聖賢立言之旨探索玩味期以有得于心而止毋徒爲呫嗶口耳之學如是者數年淹洽貫徹由博入約得意忘言何患不爲通經之儒至廿一史歷代治亂興衰賢奸臧否以至天文地理之條貫禮樂兵刑之沿革無不備具爾多士於窮經之暇博覽諸史且以觀作史之優劣識春秋之大義是非不惑經權攸濟

其以資我之聞見者何多也誠能經史博通以之爲
文必理明而氣厚於以追步大家入古作者之林矣
異日任大事決大疑庶免不學無術之譏正不僅爲
鉛槧家示一指南也多士其敬聽之 一抑奔競
朝廷頓八紘以網賢俊期得眞才士子殫三年以應制
科豈圖倖獲故功名當謹其先資而立身莫嚴于始
進始進正則異日之人品功業立朝事
君因之可苟焉而已哉竊慨今之應試者父兄不以廉
恥訓子弟反爲子弟圖僥倖而愈長其痴愚師長不
以實學督吾徒反勸主人以捷取而自覆其尸素乞
靈阿堵借徑薦剡掩單寒之路奪涇渭之權毋論
功令森嚴主司自顧名節即使稍有苟且諸生不將進
而議其後乎本道守清白訓讀聖賢書矢公矢慎早
已質 天地而告鬼神矣所憑者文必不以魚目混
珠所執者法斷不以繞指易鐵爾生童各宜自量安
有命之功名息妄營之奔逐勿以身家試吾三尺也
一嚴優劣學政之有優劣所從來矣良恐止憑一日
之文則悃愊無華者或以筆墨掩純修素履不修者
得以敷詞藏鬼蜮故衡文與廉訪并行誠重典也年
來督學使者無不懸此爲章程而未收勸懲之實效

者上下相蒙故事應之耳大都該學開報其所爲優或一二熟面浸潤交歡號稱知已或本生文藝荒疏術工媚竈借此以希拔等所稱公論輿情不過二三禮生一紙具文而已求其片羽吉光足以發潛德而獎好修者十不得一焉其所爲劣雖未必非根荄然或以修脯荒失取憎或因積訟佗家中傷或措撫細事或浪採浮言追至發勘往往以小疵微眚了案而吞舟漏網不知凡幾矣以此當勸懲可乎三吳名教之邦自有潛德之士所當亟爲表揚至匪類之徒本道未出教門已廉知江南有一種文武大秀才年深老積窟穴宮墻呼朋結黨武斷壟食把持官長縣官稍不如意動造款許羣聲相吠豈惟有司莫敢攖即教官亦莫能廷豺狼不剪安問狐狸本道按臨所屬該學務將優行生員實查何行何德鑿鑿有憑劣行生員實查何跡何款彰彰有據咨爲開報本道即以優劣之得當覘該學之賢否倘報後本道咨訪不眞咎有攸歸矣愼之哉

一戒朋黨易慶得朋書言無黨古訓具彰彰矣夫十二牧而一德三千人而一心朋也奚黨乎漢末舉君子之朋而鉤黨目之禍重于名流而害釀于奄宦此非彰彰明驗者歟迄于唐而

朋黨分矣奇章太牢黨同肇起于先衛國平泉朋類未忘于後而淸流之慘卒已極已建於宋而朋黨益盛或以小人而攻君子或以君子而攻君子究其始皆起于各立門戶各樹幟壇互相嘲譏而黨同伐異其禍日流極而不可止況

本朝社盟之禁最嚴過十人者無赦近聞大江以南此風猶盛也此習未除也社盟依然未改也萬一有牢修輩出不幾以虛名而貫實禍乎本道奉

天子命以正人心風俗爲已任爾多士有原在社局者亟行改圖易慮渾彼此之名化同異之迹人心正而風俗厚本道深有厚望焉愼毋狃于積習而牢不可破也

一嚴冒籍齒革楚良亦波晉國幹金淮產乃走會邦物猶易地而求人何拘方而限廼畫疆分野于此任貢卽于此興賢雖就濕就乾滿剛滿秀而陳詩知政納賈知宜有餘者無更使之有餘不足者無益成其不足乎治均安正

聖王參贊之妙用耳自世不古處爲利是趨一人而變數姓名一身而占數籍貫以希不得于此必得于彼罔上欺公可無痛抑乎方今令甲森嚴本道毫難假借自今立法責成教官先淸發軔凡遇廪保之際

教官揭示號召生童齊集一堂公同畫押大抵童試子弟多半父兄在學詰問無難即于廩生名下結童多寡或數互爲一結取具存案本道不時親詢焉廉訪焉倘一童弊發結童連坐廩生究革教官揭參由縣而府由府而道一法循環徹底瘢索雖函關不無可啓丸泥庶幾可封當與賢明有司廉幹提調共申飭行之

一禁逋賦粤稽三壤定則推輓宜先九賦式均輸將恐後民義且然矧士爲百夫特乎夫終窶且貧筆耨舌耕以硯爲田斯已焉耳苟先世有遺資詩書有餘潤任土矣敢弗作貢乎況考成嚴長吏而學政有明條係爾之身家無然泄泄緩黜金無術必百計區畫以無愆嚴限簿乎夏秋成熟兩稅全完門無剝啄讀誦安閑不寬然自泰乎況

本朝例嚴逋抗前此奏銷一案鑒不遠耳嗣後如有包攬抗逋之徒該州縣官將欠數開送該學嚴比如仍不楚該州縣官不得不據實申革本道與爾諸生分雖師生情猶子弟斷不敢違

朝廷之功令稍加獲庇伊時一褫獲身之符必受庭笞之慘噬臍其何及乎慎之哉子衿其自愛矣

一嚴規避秀才不讀書一大苦差乎凡遇歲試惶懼莫知

所爲因而巧生規避非假遊學隨任則稱患病教官難之惟薦賄耳夫遊學者遊何學也太史公閱歷名山大川而文章爲之一進今欲借名者眞耶僞耶隨任者子從父宜矣兄弟宗族或徃省焉當無經年不歸者至患病其偶感耶沉痾耶身病耶心病耶抑按臨牌到二監忽來耶該學申辭累累一學或至數十人不等何病者之多也以上諸弊皆以胸無隻字正考難以支吾補考易于頂替故爲此狡兎三窟之計耳夫頂替安可爲也一有發覺兩者俱傷走險可乎再補考例限三月乃有入學數年而從未經考者亦有告病浪遊動輒經年而屢提不至者本道職司課士而使士之不肖者遁形焉如學憲何嗣後凡有生員告病遊學隨任該學確有其人查實申道不得假爲奇貨申送多人以致駁究補考之時出具該學印結如有頂替等弊教官揭參限滿提考不到生員立行黜革愼勿弄巧成拙自貽伊戚也

一督月課溫故知新聖有明訓三年之內一歲一科與諸生謀面者幾何時惟設月課得其謀篇如謀面焉期其邁征就將底于大成意良原邇來封題預折携歸家塾或剽竊舊文或倩人代筆不肯出一已之性靈與本道

相晤對豈師生相見以心之義乎今後本道發題到學該學官務聚之明倫堂當面折題親自操觚盡一日之長彙送本道第其高下仍發本學逐名傳看看畢將前名者繳送本道待歲科案臨時將月課與當場試卷參看如或字迹不同文氣大相懸遠者可知後者是眞前者是假定行嚴究并治該學官以督課不嚴之罪夫業精于勤而荒于嬉教成于嚴而廢于怠除本道月課外該學教官仍每月出題會課一次俾其遊泳純熟自能縱橫如意一入闈中甚覺熟練幾何不破壁飛去哉再孤寒力學有志上進童生願考者聽果有奇才兩試時定爲甄拔爾生童幸淬礪以需勿視爲泛泛也

一杜包攬嘗聞義利無兩俞仁富不同爲一舉念措足間而仁盜判聖狂分所關豈淺鮮哉士人束身潔行砥名礪節謹屋漏修廉隅喜晤對聖賢羞立談俗子前型不遠吾屬之師奈何不循禮義不顧名節身列子衿心同牙儈甚至包攬田土一低昂間而奇零之掛漏無盡矣包攬錢糧一飛灑間而甲乙之受累無限矣包攬行稅一收納間而蠶食之中飽無算矣包攬詞訟一起滅間而身家之傾復無窮矣吸他人膏血飽一己溝壑事未敗屏

息胥吏之前藉威風而貪狠不恤事或露奴顔有司之側回色笑而彪虎仍横囊序衣冠豈容有此魍魎狐鼠乎一有訪聞本道定執法以繩其後矣

一勵武士古誦揆文兼稱奮武黼黻而開光贊之勳附注而著撻伐之烈其功用正相等也前代抑武不與文同公庭笞辱凡民不啻我

朝文武并重聚之學宫優以禮貌榮崇極矣本道未奉

命之前習見有慷慨自命之士不願學書願學劍者其人未可盡訾獨有一種粗豪之輩名掛宫墻心猶茅塞弓馬有其名而馳射不熟策論得其似而揣摹不精甚至結黨横行武斷攬訟出入公庭流毒里閭玷名器而負

朝廷可一日容于士類哉若此者該學與文生劣行一體開報立行黜究其有熟嫻騎步鍵戶窮經三略六韜無所不究入門五花習之最精落筆有驚人之策揮毫成一家之言本道敬之愛之自與文生優等一體同拔慎毋日我武夫也撫劍疾視學一人之敵而下與卒徒同伎倆則鄙矣武士其勉旃

條議

上元縣知縣于述統漕務條議

一漕糧官收官兌爲我
朝第一良法各縣通行上元獨否收糧時聽民自貯倉廒開兌時聽民自付旗軍其收其兌官竟不問甚至糧不進廒私家自兌廒雖設而常虛眞可異也里職目覩民間疾苦於康熙十九年十月初一日與里民恭詣城隍廟焚香立誓矢志興舉是年官收官兌之法始行民困從此得甦願請 憲批以垂永遠者一

一漕糧起存項欵在公家雖有所分在民間宜歸於一歸一者即一條編徵之謂也而上元將北運南糧行恤等項逐項分開各設經承各遣差役各立比期使糧戶分頭四應此項方比彼項又臨大爲民累里職實行官收官兌以來將起存總併一簿官民頗稱兩便願請 憲批以垂永遠者二

一漕糧照由單科算顆粒不容增減而上元欵項既多又不於每圖每甲之首總註額徵鄉民不諳科算蠹胥因得加泒里職自官收官兌以來凡開徵之前

九月初旬卽督經承照由單科算逐圖逐甲繕造實
徵比簿覆核旣確照簿抄謄告示二道一掛倉場一
掛縣前糧戶一目了然各知本名應完實數蠹胥加
派之弊遂絕願請　憲批以垂永遠者三

一皂隸最爲民害愛民莫如省差而上元漕弊或一
里一差或一差兩里事畢始銷名曰糧皂先勒酒席
再勒程儀乃勒規禮而候比交糧又必飲食之此皆
民脂民膏也卑職官收官兌以來催糧先發紙皂繼
發紙籤後發木皂三催不應則用銜票親催如是而
仍有不應者方行差呼差卽限銷不使之久踞以漁
我民也糧皂不可復差願請　憲批以垂永遠者四

一倉厫條
國家公所修理不當問之百姓而上元舊例未開徵之
前卽差押糧里修倉鋪墊凡磚瓦木料蘆蓆等項及
匠工酒飯等費皆取於民而經承又借稱攢工差票
絡繹不飽其慾不止且有更夫工食斗級飯米書案
卓椅籌斛升斗等項件件惟民是問於是奸里指一
派十害難勝言更可恨者漕事一竣倉中所有諸具
聽其狼籍四散不久化爲烏有來年則仍敲民之骨
而取之斯亦暴殄天物之甚者矣卑職自官收官兌

以來凡倉中所有諸具皆係捐貲自備漕事方畢卽置簿封貯着斗級看管以供來年之用雖日久或有毀敗而修其敝補其缺費亦無幾縣官雖極窮極苦而以上修厫鋪墊諸費所當拮据自辦決不可復取於下以開厲民之竇也願請　憲批以垂永遠者五

一倉場折乾之弊病

國病官而上元此弊尤甚里職自官收官兌以來設立一簿親自收執不假手於人凡糧戶交米若干卽親筆註簿收米畢携簿歸署結算本日共收米數當晚收書繳送票根流水兩相叅對如票根流水數多而簿內親筆數少折乾顯然一究卽露雖有神技無從下手此簿所關非小願請　憲批以垂永遠者六

一裕

國必先富民而富民必先節費上元開倉之日糧里設酒席備三牲結彩以待是時印糧官執事極盛跟役極多臨倉祭畢設宴倉聽而各役圖任糧里索酒食索禮包不遂不休數日又臨倉名曰驗米糧里設餽如故各役圖索如故其苦已極里職自官收官兌以來開倉自備香燭香燭之外無他物臨倉獨乘小轎小轎之外無他役在倉一飯家人自送如是從前諸

費俱絕恐後來者議其不近人情願請　憲批以垂
永遠者七

一糧米入倉全憑印票而上元之官向不設印票上
元之民向亦不索印票民所憑者旗軍私票官所憑
者斗級報單是以百弊叢興胥職自官收官兌以來
設立歸農印票凡運米交倉者隨交隨給立可歸農
官有所稽而民有所執弊由茲絕願請　憲批以垂
永遠者八

一冗役無裨公事每致耗民而上元倉場向多冗役
胥職自官收官兌以來痛加斥逐今酌其必不可少
者如斛手如經承如塡寫印票之書辦巡邏之斗級
當所必需此外不可妄留願請　憲批以垂永遠者
九

一交米易致擁擠法當分途而進上元之啚共六十
有五上元之廒共九十有四胥職計啚米之多少與
廒房之大小以仁義禮智信五字均編五廒五廒之
籌以青黃赤黑白爲別交米者青籌則歸仁黃籌則
歸義餘皆類推於是糧戶得分道而行不致擁擠混
淆願請　憲批
以垂永遠者十

劉思敬常平倉議

司馬光曰常平三代聖王之遺法也其在王制云國無九年之蓄曰不足無六年之蓄曰急無三年之蓄曰國非其國也三年耕必有一年之食九年耕必有三年之食以三年之通制國用量入以爲出雖有凶旱水溢民無菜色故夏書曰湯五年旱而民不凍餒其生財容其用節耳再考周官遺人掌邦之委積以待施用德鄉里之委積以恤藉厄門關之委積以養老孤縣都之委積以待凶荒此卽常平倉所自始也李悝耿壽昌不過放而行之耳悝行於魏文侯時國以富强壽昌行於漢宣帝時民皆稱便悝之言曰糴甚貴傷民甚賤傷農民傷則離散農傷則國貧故甚貴與甚賤其傷一也欲民無傷則農益勸必謹觀歲之上中下熟大熟則上糴三而舍一中熟則糴二下熟則糴一使民食足價平小饑則發小熟之所斂中饑則發中熟之所斂大饑則發大熟之所斂而糶之取有餘補不足也是以饑饉不爲患蓋民以食爲天一日不再食則饑至於饑寒交迫雖金玉山積無所用之故王政無過於重農然而偬貴偬賤民愚不能自爲計也粒米很戾之秋上不之收而孰爲概其盈采蓄依櫲之日

上不之恤而孰爲濟其虛審歲豐歉而以人事補氣數之偏則穀之貴賤難平而務持其平平其不平者難常而悉計其可常故曰常平吳世忠曰莫善於常平莫不善於義倉義倉假手里胥而詐冒之弊多董以官法而徵求之禍烈惟常平之法豐年則糴以爲備凶年則糶以濟饑願糴者酬之而無所强受糶者與之而無所追其利常週而其本不匱今宜量民數之多寡以貯粟酌道里之遠近以立倉若隋文帝當社而置窖恐轉徙之難也陸贄先給價而後貯納防抑勒之患也韓琦募耕没入戶絕田以給老幼貧疾哀煢獨之苦也議者曰法誠善矣當三空四盡之時糴本何所出將一一請之當道牧民者乎今玆不能蓋時異勢殊仕路多艱有不遑恤其他者矣無已則請之鄉紳富室乎古有行之今亦不能蓋鄉紳未必有其實富戶又何敢居其名矣夫事欲其相安而可常酌其相安而可常莫若一方自備一方城中之民有鋪可稽矣郊外之民有里可據矣卽以一鋪計之其中之僅足自給者幾戶貧而失業者幾戶可以出粟周急者幾戶比屋相習不問而知但勿以官法臨之勿以苛求駭之計每戶所出不過升斗積數戶則

可以石計矣其有好義樂施者聽則又不止以石計矣其在仕宦蟬聯商賈輻輳之區以其所積施及荒落窮村則又無非酌盈濟虛之意由近及遠可漸被矣抑有說焉常平原以恤窮民之無告者耳窮民活旦夕之命邦家始食太平之福常平所以善也若軍國之用未嘗仰此唐末乃以和糴充他用宋自熙豐後始有結糴括糴等名以助軍儲卒至民窮盜起而二季淪亡此唐宋之失算於前也殊不知兵有額餉用有常輕原不至與窮民爭顆粒夫民不可使窮也民窮不可不恤也苟非豫藏撫綏之術善通盈詘之方曷克有濟而況常平又不費之惠哉但值屢豐價賤之時不講後此恐欲講而無及矣諺曰圖難于其易莫易于閭左之收發還爲閭左之糶貸貴出賤入舊出新入毋出于入期以平其價而已不過三四年所積益久所備益裕一里亦可行之一鋪亦可行之上不費有位之責成下不容雀鼠之侵暴其藏之里猶藏之家也窮民坐而取食于里猶取食于家也昔人言之詳矣賈誼曰積貯天下之大命世之有饑穰天之行也不幸有二三千里之旱國何以相恤卒然邊境有患數十萬之衆何以饋之兵旱相乘天下大

屈安有爲天下阽危若是而上不驚者賈生際漢文
盛世而言之痛切已如此又劉晏曰王者愛人不在
賜予當使之耕耘織紝常歲平斂之荒年蠲救之又
時其緩急而先後之故其應民之急不待其困弊饑
莩然後賑之斯皆知務之言也宋乾道間江南艱食
朱熹請于府得常平米六百石賑貸夏受之于倉冬
則計息加米以償自後隨年斂散遇歉則捐其息之
半大饑則盡蠲之凡十有四年除以原米還府外尚
餘米三千一百石造社倉以儲之自是不復收息每
石止收耗米三升故其一鄉四五十里間雖遇凶年
民不乏食淳熙八年奏于朝時陸九淵在史局嘆美
之編入史志明則侍郎周忱曾有濟民之舉時値蘇
松歲稔會朝命許以官鈔平糴且勸儲積以待賑忱
乃與知府况鍾等協謀而行之蘇州得米三十萬石
松常有差分貯各縣名濟農倉是年夏江南旱蘇州
饑民凡二百餘萬口盡發猶不足以贍之復立水次
收糧法盡隔里胥之費又題免解南軍官月俸之冗
費共省六十萬石悉入濟農倉明年又大旱令諸郡
悉發賑而民不知饑都御史林俊曾建三義之議請
招民入粟補散官凡犯罪情輕法重者聽入粟爲常

平本而募民立義倉義學義塚名阜俗三義州縣儲粟務三年足周一歲之餘大約五十里積粟三萬石百里積粟五萬石侍郎王廷相會定里社之規謂常平雖善若立倉于州縣則窮鄉就倉旬日待斃不如貯之里社一村之間約二三百家爲一會每月一舉第上中下戶捐粟多寡各貯于倉而推有德者爲社長善處事能會計者副之若遭凶歲則計戶而散先下戶後中戶若上戶則責之償下戶則免凡給貸悉聽于民第令登記册籍以備稽查則旣無官府編審之凡亦免奔走道路之若斯又皆已試之效也語曰貴極徵賤賤極徵貴今者天休滋至百穀屢登斗米僅值錢七十賤極矣然農人計一歲之入不足以供官租甚者且視田爲大累恨不委而去之其無田而逐末者百貨又莫不蕭然凡以金錢貴而五穀大賤耳善乎靳學顏之言曰今之理財者不憂穀之不足而憂銀不足夫銀實生亂穀實彌亂銀不足尚可以泉貨代之五穀不足孰可以代之哉故盛世不寶金玉而寶五穀今穀至此猶嘆一飽之無時豐年豈可常哉一遇饑荒立轉溝壑矣近奉

旨允勸助之請

特諭各省積穀甚盛心也

朝廷尚厪宵旰之憂豈民間乃不圖饘粥之計在公祖父母奉　旨捐輸者積之于上而吾儕小民升勺稼備者亦積之于下庶仰體率育之仁不待饑至而後索食也故請以常平之法且分方計里而試之先行于一鋪而城中各鋪可以類推漸行于城外而郊野各鄉又可以類推矣一鋪之內勸其願出粟者不過數升數斗但使一鋪有數石之積積之數年卽可以倣常平遺意少佐賑貸之資然則方里而行在三代爲鄉田同井之制在世情如一家有無相通之常而實乃鄰里鄉黨周䘏之誼雖變通以宜民亦猶行古之道也夫

丁灝擬濬省城河道議

嘗謂一國之盛衰視乎一國之人文一國之人文視乎一國之地脉故地脉通於卽人文風氣之攸關也昔人議河有上中下策今治省城河道惟有度量地勢酌循徃例督工開濬而已金陵東南都會以水爲脉舊有正支等河自水西門笣渡橋起進水西水城門西水關內下浮橋上浮橋新橋南門橋卽鎭淮橋武定橋文德橋利涉橋至通濟水城門東水關西水關內

大中橋復成橋延津橋竹橋新浮橋通賢橋北門橋之西瀆止此爲正河由陡門橋紅土橋乾道橋又由淮青橋四象橋天津橋卽內橋會通橋笪橋二水會合俱從鼎新橋崇道橋卽倉巷橋望仙橋周家橋鈌窓楞水關出城是爲大支河又由東西舊禁門下流水至白虎橋會同館橋烏蠻橋栢川橋出正河是爲小支河又由後河水閘從浴賢橋土橋珍珠橋出正河亦爲小支河又由十廟西門舊名進香河內新建橋嚴家橋大石橋周家橋蓮花橋出正河亦爲小支河其陡門橋淮淸橋二水總至鐵窓楞之大支河包藏於正河之內其栢川橋出口者珍珠橋出口者蓮花橋出口者三小支河旋遶于大支河之外用以吐納靈湖疏流穢惡通利舟楫故居不痛涉小民生業有資譬如人身腑臟居內有血脉榮衛以周流也若使血脉一淤則元氣底滯而身必受其病是在爲國者因其勢而利導之按明神宗十七年間有南京工部題請疏濬續經科部各題請定爲大挑事例劄委街道主事一員兼管巡河遇有壅淤處所卽便會同五城御史督帥兵馬水利等官逐一分投挑濬其各支河亦深加挑挖使河道無阻又建閘蓄水畫界經

理凡居民侵佔及壅土拋灰與淘沙並嚴禁其加惠地方德意甚厚載考萬曆四十三年十一月內從丁清惠公疏請開濬河渠其一切規則照萬曆十七年事例逐一丈量募夫挑濬即于陡門橋淮清橋大支河起手以次及正河三小支河于四十四年五月內疏濬告成共計支費四千六百九十兩有零自先清惠公疏請開濬之後水道安瀾者又數十年迨鼎革以來其正河淺隘盡矣而支河壅塞更不可問康熙二年方盛夏之時值天亢暘水如行潦河若坳堂迄八九月間百川汎溢大浸稽天瀰漫闤闠民甚苦之雖一時天災未可以人力挽還而百年地利固可以及時補救夏令日九月除道十月成梁營室之中土功其始周制季春之月命司空循行國邑修利隄防導達溝瀆毋有障塞蓋先王仁民之政委由周詳如此故陳國道茀不可行單襄公知其必滅子產以乘輿濟人子輿譏其不知爲政薛宣見其于惠宰彭城橋梁不修而心知其無能是道涂之開塞所關誠非輕者今俟水涸霜降之候監司遴委各官查照舊址每處丈量雇募人夫分道開治按日親加督率某處正河宜疏某處支河宜導秦淮兩岓居人稠雜多

有侵越水道以爲亭榭者量行折毁以拓水面仍如往禁居民毋得壅土積穢擅拋瓦礫江南原有都水司及水利廳既裁汰未設應疏請責成街道廳兼管水利事務使勤勞歲月者不致委頓一朝其在斯乎更有議者方今錢糧告絀司農仰屋欲支官錢以倡民力又勢之不可者不若就沿河居民分別輸納或令各戶以門面計修河工至城北一帶民多遷徙舊禁門東北皆爲營伍有未可盡責之本地方者查核沿河居民共修河路若干其餘河路應分派若干郎于各舖地方酌助工食擇令有司專掌出納逐日當衆給受以杜虛冒侵漁之弊如是則故明往例無不可做而行之各郡州邑亦無不可推而舉之也夫淸查疏濬如彼而亟公用力又如此將見河之淺者以深淤者以達狹者以廣而水由地中防無意外且風土日漸完固饑民賴有起色而監司宣上德以達下情比昔時仁民之政又何多讓焉或者曰濬河公務也而取資于百姓亦誰肯鼓舞以從事者不知今茲風俗蠱惑福田之說剏修梵寺神會道場揮財不吝與其以有益之黃白布施于無益之莊嚴何若以佽佛之金錢轉輸爲利濟之實用乎况金陵省會重地

而水道乃人文風氣所鍾不可任

其壅淤濡軌而不早爲之疏瀹也

募疏

知府于成龍募修宋明道豫國純公程夫子祠堂疏

嘗聞崇德報功爲禮賢之鉅典隆儒重道迺名世之儀型非惟當日欽崇望宮牆而展敬猶復今時尸祝葺祠宇以妥靈固云欣慕鴻儒實藉表揚名教如有宋明道豫國純公程夫子者祥雲瑞日玉質金聲誠意正心闡天理不傳之秘窮神知化覺人心久錮之餘蚤聞道於濂溪識淵源之有自悟微言於洙泗得理學之眞詮雖應詔以掇巍科每體驗而恥括帖溫良樂易允爲儒者之宗中正粹精不媿史臣之譽蓋其學存致主澤被生民爭新法於朝而天子諒其忠執政亦感其設施敎化於邑而智士蒙其德愚夫亦沐其休障水均田及民之政旣多獲龍折竿防民之意尤切公輔之器曲學難媚夫孫弘王佐之才喜事每嫌於絳灌明道之有書院始有宋淳熙之年特祠之在金陵亦仕國烝嘗之禮春風堂上如聆謦咳之音御書閣中每煥宸章之錫旣邀淳祐之灑嶶翰復賴開慶之修遺書巍哉曠典久協羣情顧祀事雖

無間於春秋而漂搖恒致嘆夫風雨道行未墜有待在人恭遇

兩江總制于公肅寮貞度奮武揆文先憂後樂存心崇雅黜浮自任採風賴院經品題而價重連城砥柱狂瀾矢清操而望隆甌卜凡其躬行實踐不啻明道再生致敬嘗見夫羹牆展謁不辭夫矩步覩几筵之無恙慰我寤思覽榱桷之將崩愴焉神感爰捐惠以倡助復允詳而募修所兾

昭代鉅公藝林名宿秉彝攸好先得我心念前此疊次鼎新豈今日遽淪草莽音容雖往尚存遺愛於并州敎澤未湮寧遂無情於香火請捐丹堊之費用充輪奐之光集千腋以爲裘多多益善合衆錦而成綵縷縷鄉情將見文翁講堂嘉重修於蜀郡豈徒李朋舊宅嘆更建於譙城率勸俾辭願襄勝舉謹疏

太守于成龍募修城隍廟疏

名勝萃於江南繁華甲於天下歌臺舞榭猶加修葺之工野寺浮屠尚極遊觀之麗而城隍尊神者禦大災而捍大患爲國家所憑依赫厥聲而濯厥靈尤人民所瞻仰城池鞏固既能衛社稷於苞桑風雨漂搖乃反致室廬之傾圮余躬膺民社職涖幽明

睹茲殿宇將頽姝數觀瞻不肅顧巍然厦屋必非一木所能支而輿此大工端賴衆擎而後舉禍淫福善在赫赫者旣無所私刻桷丹楹是匾匾者又烏乎靳藉神之力當踴躍而爭輸聽余之言益歡欣而樂助或倍蓰或什伯或千萬多寡隨緣若士庶若商賈若縉紳尊卑胥募維神正直恒有德而必酬其聽和平斷無施而不報斂時五福降之百祥寧有艾焉爰書以勸

引

方伯徐公國相贖難民引

粵稽載籍有飼雀放黿買蛇渡蟻諸事指不勝屈當時不過一念惻怛生全物命之微尚爾獲報如桴鼓然而況於人乎夫人在平日即有饑寒困苦猶自全其室家戚鄰之間尚可賑卹惟至喪亂之後家室仳離骨肉分散異鄉飄泊會面無期死生莫保情慘意傷此則尤堪憫惻者也如江右難民江廷栻浙東難民劉佛顯等數百餘戶幸為各旗收留許與本人同贖但諸人皆破家蕩產業廢田荒兵燹餘生僅延殘喘踉蹌千里而來豈有多攜資斧空悲岐路控訴無門本司輩念切痌瘝仰體
朝廷愛養百姓之至意特捐俸銀少為資助更願仁人君子普發弘慈共行拯救多寡各隨其心銀錢各視其力以一募十以十募百轉相勸勉同勷義舉湊少成多彙貯取贖使彼父母兄弟夫妻子女一家完聚復歸故園此與生全物命不啻天淵實乃莫大功德
上倉之報施善人自昭昭不爽
又靡特區區飼雀放黿者比矣

臬憲金鎮贖難民引

邇者邊方跋扈抗　命逋誅山海餘孽蔓延於浙東江右之間我
皇上赫然震怒爰命禁旅四討不庭而惻念元元罹此塗炭兵燹所及或良楛不分
天語諄諄臨軒告戒凡我將士惟事撫綏毋縱俘掠尤恐行間之弗戢於暴也申之
明綸誓以嚴譴好生之德雖干羽兩階不過是矣然新復城邑餘寇鼠竄多伏山依莽　王師進勦務殲黨類居民攜子婦避兵藏匿叢菁廢墟間倉卒搜致莫辨其爲盜與否池魚林猿橫罹殃禍寧可勝悼哉頃見紅顏黃口自豫章而來其良人戚屬匍匐千里哀號求贖者盈路我制府將軍及藩臬同事諸公仰體
朝廷德意惻然不忍覩其室家仳離而骨肉析散也各捐俸首倡此邦紳士商民暨吾鄉樂義者亦競出鏹助贖得生還數百口歡呼之聲達於匡阜蠡湖間乃浙中之被係者復纍纍踵至余方懼俘口之實繁而金帛之莫繼乃山陰虞子心影愴念桑梓慨然身任其事先捐貲創贖壹拾伍名外廣募勸贖又另捐貳百金創造報恩書院使信施者既善有所歸而感恩

者亦德不忘報且日給難人食米各使得所則功不虛捐願必圓滿行盡出諸湯火樊籠之中而還其夫妻子母之樂以仰副
九重恩詔無窮利濟豈與布帛捨珠者可同日語哉況其同事張庠生王孝廉諸許吳方暨蕖霄道人萬餐雲等皆誠心實行規約極嚴緇銖不苟宜當道亟許而同人淡服余家本越也樂觀諸難民之扶攜完聚而還鄉者有日故弁數言樂捐薄俸以為之勸

知江寧府事于成龍贖難婦引

地遭兵燹慘骨肉之忽離人種善緣欣室家之重聚此贖難一事眞千古盛德也但創始匪易善終尤難計自乙卯年來已贖不啻千有餘口邇者尚遺閩江兩省難民在營可憐鞭撻驚魂猶係生還之想蓬垢毀體莫敢死別之心屬在仁人有不樂為援手者蓋亦寡矣今於七月內蒙督憲于公頒發大緞一端洋蓆一條變價三十餘金倡勸湊贖然贖貲有限贖價無窮雖仰體憲旨急行鼓舞奈俸薄力綿不克多助傷當如何唯冀江左商士樂善不倦仰遵憲意喜捐勿吝少開未盡之篋笥合成大地之山岳勸諸貞氓永垂不朽

觀察金鎮募建義塚引

岐政澤及枯骨而天下歸仁左氏曰鬼有所歸乃不爲厲凡人委形歸化䰟氣無所不之而血肉形骸則以得藏九原爲安其不幸羈游服賈伉儷患難而離桑梓去鄉井者至窮老疾苦呻吟危困之時未有不於邑雨泣以不得首丘爲恨誠可傷也先王惻焉於死生之際而念精爽無托者或能馮依以作祟於是乎有泰厲公厲族厲之祀且時不令掩骼埋胔從世倣而行之通都大邑咸設義塚使飄泊之䰟羣居侶處無悲愁觱嘷於淒風冷月曼草荒烟之間豈非所以佐王政不逮者哉吾越風尚以懷土爲耻輕去其鄉奔走四方老死不返者所在多有金陵爲勝國陪京山川壤地相接僑居旅寄幾於肩摩踵戛有溢焉朝露至無所寄轊藳骨義上嚴士琦等慨然力倡將募金買地建義塚以爲浙人客死此土停櫬營窆之所聚族於斯而各爲標識其子婦親友力能歸骨無俟覓遺骸於榛莽道路至湮沒不辨卽其終無所歸而永托於此者亦得與故鄉人相爲儔伍而不至單孤號慘依草附木爲厲予深嘉是舉特書數言以勸常聞之莊舄仕楚病而越吟況於羈旅死喪之大故乎仁

人君子有鄉土之思者其
必恒然而爭爲之助矣

江寧府志卷之三十五

藝文二　記

梁陶弘景清元觀碑記

道冠兩儀之先名絕萬物之始者固言語所不得辯稱謂所莫能筌也云何以文字述云何以金石傳故其遂休也則日月空照遂黙也則生人長昏是故出闢遵以兩卷將升擒其五文令懷靈抱識之士知杳冥之有精焉自時厥後奕代間出雲篆龍章之牒炳發於林岫瓌辭麗氣之旨藻舒於庭筵可以垂軌範著瑤誦者迄於茲辰昔在中葉甘左見駭於魏王象奉擅奇者

主至於葛仙翁之才英俊豪邁蓋其尤彰彰者矣公於時雖歷游名嶽多居此嶺乃非洞府而實踞中州東視則連峯入海南眺則重嶂切雲西臨江滸北接駒驪斯潛顯之奧區出處之關津半尋石井日汲莫測其源三足白鹿百齡不異其質精靈之弗渝神祇之所司衛麻衣史宗之儔相繼棲托後有孫慰祖亦嗣居彌歲山陰潘洪字文潤少秉道性志力剛明前往餘姚四明隩國爲立觀直上百里榛途險絕述

識有用爲物情所懷天監四年郡邑豪舊遂相率與工勢不由已以此山在五縣衝要舍而留止於茲十有五載將欲移瑶壇上先有一空碑久已摧倒弘景以爲蔭其樹者尚愛其枝況仙公眞聖之遺蹤而可遂淪乎乃復新建石碑於其所願勒名跡以永傳隱居不遠千里寓斯石而鐫之仙公姓葛諱元字孝先丹陽句容都鄉吉陽里人也本屬瑯琊後漢驃騎僮侯盧讓國於弟來居此上七代祖艾卽驃騎之弟襲封童侯祖矩安平大守黄門郞從祖彌豫章第五郡太守父焉字德閏儒州主簿山陰令散騎常侍大尚書代載英哲族冠吳史公幼負奇操超絕倫黨神挺標峻精輝卓逸墳典不學而知道術纔聞已了非復軌儀所範思識所該特以域之情理之外置之言象之表而已吳初左元放自洛而來授公白虎七變爐火九丹於是五通具足化遯無方孫權雖愛貴仙異而内懷猜害翻琰之徒皆被挫斥敬憚仙公動相咨稟公馳涉川嶽龍虎衛從長山蓋竹尤多去來天臺蘭風是爲遊憩時還京邑覗人如戲詭譎倜儻縱倒河山雖投息履墜叱石羊起蔑以加矣於時有人漂海隨風眇漭無垠忽值神島見人授一函題曰寄葛

仙公令歸達之由是舉世翕然號爲仙公故抱朴著書亦云吾從祖仙公乃抱朴三代祖也裕中經傳所談云已被太極銓授居左仙公之位如自誥并葛氏舊譜則事未符恐教跡參差適時歷說猶如執戟待陛豈謂三摘靈桃徒見接神役鬼安知止在散職一以權道推之無所復論其同異矣仙公赤烏七年太歲甲子八月十五日平旦昇仙長往不返恒與郭聲子等相隨久當授任玄都祇秩天爵佐命四輔理察人祇瞻望舊鄉能無纍纍之歎顧盼後學庶垂汲引之慈敢藉邦族末班仰述眞仙遺則云詩曰九垓夐絕七度虛懸分空置境聚氣搆天物滋數後化起像前令隨形轉神寄葉傳霜野於衰竹栢翠微泉墟共往鼓羡獨歸生因事攝年以學祈如金在冶如帛在機仙公珪謦臨齡發頴襄童比迹碩儒聯影濯質綺闈凝心黛嶺虎變巳攄龍輔遂聘竭來台霍偃蹇蘭穹碧壇自肅玉水不窮巡芳沐道懷古惻衷表兹峻碣永扇

高風

唐蔣日用城隍記 惟天爲大假象以明惟帝爲尊崇職以理分司揆務字人銅墨之班建邦

設都首政子男之國非夫公府博敵城郭完固則無以禦不虞無以崇厥位曾城百雉斯之謂歟溧陽縣者秦漢舊邑要荒雄鎭達閩走楚均江寖湖盻蠻葢山之靈服賈梅根之利資貨紛積人俗厚生矣厥土塗泥及肩邪辟春霖秋潦崩峗是常修役歲勤人弗堪命夫事窮則變理通則久經遠之方以俟能者員外丞濮陽吳公名令璿字無黙希民之畯也玉英金翹物莫能比泉澄山峙人不窺際謫桓譚於卑位實歎非辜滯張暢於下寮當申積屈往因前宰久假總攝縣曹分命胥黨廣敷善政觀其温斷以抑姦愛恕以容困恭敬以攝勇寬正以懷强俾夫從化如流遷善若響雖大機未發養德俟時應物無滯則動不妄故能處磨涅之中無緇磷之損居毗佐之列宣弦歌之政慨兹城宇謀爲遠圖料揀名工准量廣袤事因農隙力會子來鳴杵作雎城之歌節鼓有漁陽之摻自甲達癸崇墉屹然危堞數仞層樓四絶甍以飛甗崱屴龍盤深以飛軒參差鳳舉素壁月照頳壤霞飛瑩江海之光陰潤山川之氣色明宰梁國喬公名翔字方慶雅度端平清規簡正秋霜禦黷冬日臨人虞叔卿之利器盤錯不避陳伯貞之異政清高獨遠其

才足以幹伐其忠足以矯非爰自下車載嘉厥跡迨以爲城壁之設旣以盡善津梁之利尚或未通此縣南壓中江東康中斷風波不借舟檝無施徒涉莫憑公私稽緩矣宰君思閎廣利靖綏厥端申命工吳咨其規畫悅能使衆智足成功曾不浹旬茲搆更畢浮梁夭矯留飲澗之長虹表柱岧亭集遼城之仙鶴影圖七宿上接山河波洞九天下臨霄漢雖香車百兩未停流水銀鞍千騎不駐浮雲行旅欣其就安居人歎其神速大雅遺美實可當之武庫奇功彼宜慚德宰君又於縣南造帳坊及中門樓等倍加精麗不日而成且縣宅茲土近百餘載烹鮮毗贊亦數十人利物不聞於昔時能事頓成於今日不朽之跡其在茲乎丞平昌孟公名希奭字欽古主簿天水趙公名嶸字如山叶謀厥利欽奉明規金玉其聲氷壺其操鳳棲枳棘暫屈仇香之才雌伏海隅未展趙溫之歎尉趙郡李公名廷蘭尉弘農楊公名莊尉盧江何公名懷福員外尉南陽葉公名恩溫並一時良佐五色才雄時未大來官聯下位仙童進玉潔白猶傳神母致符福慶不詆河南淸貴代有其人都尉高勳克紹前烈凡所興剏各進嘉謀同德比義以成茂績錄事宋

石袁訓鄉望郤季良郝元禮趙元緒錢均志等丘壑高年閭閻英楚林野自得刀筆爲娛桑梓之惠既深山嶽之恩無答詠歌盛德託愬下才茂實當示於將來刻石庶傳於不朽詞曰皇王奉天兮建邦國牧人首政兮寄銅墨偉哉吳生兮儀不忒專攝未幾兮休聲塞䎫茲城宇兮架浮梁雲軒永搆兮鬱相望頼壤素壁兮霞月光盤埛飛棟兮龍鳳驤厥蹟不朽兮德無忌明明宰治兮善爲政刑德具舉兮威恩盛公府是修兮方發詠層樓廣厦兮茲邑虔鏘鏘羣士兮代之賢居中行正兮佐亨鮮贊成茂績兮德可甄傳芳示德兮千億年

樊珣絳巖湖記

句容西南三十里曰赤山天寶中改爲絳巖山以文變質也山外周流厥有湖塘舊址考於前志則曰吳人創之梁人通之泊金火有變積爲習坎灌莽之所我唐麟德歲邑宰楊嘉延亦纂前服利農爲民雖迹於傳文而事斯菸眛楊氏之後今餘百年寔滋菰蒲莫植粳稻剝極則貴侯能而伸大曆十二祀縣大夫兼大理司直太原王公昕能蘇罷勞（一作）且易弊俗臨湖而歎以欲從人吟

使臣之清風酌良牧之高課將圖永逸匪顧暫勞因察其地形訪以輿誦謀始作則庀徒揆工月在休農雲其荷鍤周匝百頃一作畦蓄爲湖塘置兩斗門用以爲節旱暵則決而全注霖潦則瀦而不流收功濟時道甚明遠開田萬頃贍戶九鄉泊成奧區頗無凶歲魚稻之盛公寔爲之昔叔敖芍陂能張楚國史起漳水竟富魏邦秦稱鄭白漢歌邵杜皆謂是也每商羊罷舞龍見而雩比屋有憂於銷鑠連阡莫覩於耘耨我則黛波奫淪白鳥飛滅下洞庭之鳧雁泳中流之鱸鮪橫塘之右搆爲新亭芬其芰荷樹以杞柳楊楚江嶺憧憧是途行李寔獲於蔭庥詠歌或藉於觀覽懿乎哉君子之用心也孰愈崇其島榭侈以林堂此而莫文翰墨溪述

韋夏卿東山記

自江之南號爲水鄉日月掩藹陂湖蕩漾游有魚鼈翔有鳧鴈涉之或風波之懼望之多烟雲之思自朱方達於震澤三百里而遙惟毗陵地高林麓相望丘陵塠阜隱嶙嶧聯雖有崖蕚之形終無峻極之狀封域之內罕名山焉有唐良二千石獨孤公之蒞是邦也人安俗阜三稔於

茲文爲宗師政號清淨有仁智山水之樂有風流遐曠之懷如獨鶴唳天孤雲出岫想見其人也公嘗言謝公東山亦非名嶽苟林巒輿遠丘壑意深則一拳之多數仞爲廣矣由是於近郊傳舍之東得崇立浚壑之地密林修竹森蔚其間白雲丹霞照耀其上使登臨者能賞遊覽者忘歸我是以東山定號始於中峯之頂建茅茨焉出雲木之高標視湖山如屏障城市非遠幽聞鳥聲軒車每來靜見水色復有南池西館宛如方丈瀛洲秋有芰荷春生蘋藻晨光烱曜夕月澄虛信可以曠高士之襟懷發詩人之歌詠也自公之往清風寂寥野獸恒遊山禽每萃不轉之石斯固勿伐之木惟喬而繼守數公寔皆朝彥雖下車必理或周月而遷志在葺修時則未暇貞元八年余出守是邦迨今四載政成訟簡民用小康永懷前賢屢陟茲阜芟薈翳而松桂出平坎窞而溪谷通不改池臺惟雜風月東山之賞實中興哉於是加置四亭合爲五所瞰野望山者位正背林面水者勢高籩竽區陳賓寮有位琴碁間作簫管時聞從我之遊者咸遇其勝也嘗以水通舟檝陸阻車徒端徑術於通津剪樛蕪於迴野凡五六里抵於亭之南植山松以作門

樹官柳以界道蟠麀旄於原上騁騏驥於途中又有塞門隴坂之意也懿乎創物垂名俾傳來者登山臨水每想古人亦何謝石門林泉峴首風景而已矣爲文斵石于彼山阿

宋劉宰鼓樓記

紹定庚寅溧水縣鼓樓成樓之屋五崇五十有二尺廣加二十有八深減二十有二繚以餘屋而風雨不侵翼以兩廡而登降有地經始於歲之首訖工於九月旣望費以錢計八百萬有竒鼓以頒政令而觀聽聿新鼓以戒昏旦而興居有節又棟宇之高明丹堊之炳煥使人望之而慢易之心消敬畏之心起益不俟單辭之陳兩造之備而不言之教不令之威已行民咸曰休哉其年冬大夫具爲書介邑之士江君遂良來求余文爲以記余惟大夫當世文人余辭鄙不足進則請屬能者明年秋遂良復以大夫書來曰代更有期又閱月行矣子其無辭余惟溧水自隋開皇置邑中間遷徙不時斷自我宋開寶以下亦已垂三百年矣而是樓不作謂邑之匱而不給于力歟則圖環其後堂峙其偏昔固有用其餘力者矣謂事之殷而執事之不閒歟則從容觴詠流入筦絃昔固有休其餘閒者矣而是樓不作

何也人惟一心心無二用故用之於公則公家之事雖耳目所不接知無不爲用之於私則所急者燕閒之適耳遊觀之娛耳於是樓何有哉且余於大夫無一日雅而聞其在太學也寧逡巡退處不敢以藝成而與衆偕升其在選調也寧恪循考任不敢援他比而躐等希進捨近甸而爲此來其志蓋有足尚者故其來也明足以察而下不敢欺勤足以率而下不怠廉足以律人而下不敢容其私銖積寸累以至於是問木之自則市市之官與旁縣而民不知問竹石瓦甓與他物之自則市之民各以其直而民不病問財用之自則取之積累之贏如前所云而民不擾則君之爲與今之從政者大有逕庭矣宜乎其爲人所不能爲而使數百年之墜典作始於今也昔孔子之作春秋常事不書始事則書之邑之事孰大於是樓者書其始以示方來合於春秋之法余故不復牢辭先是邑之正堂將覆君至未幾即撤而新之嘗自爲文以記故不書若夫清霜戒曉爽氣澄秋樓迥天高一目千里憑欄而望弔吳楚之爭遊目左施感羊左之義僧居駭先聖之遺蹟仙壇想逸士之餘風必有能援筆而賦者余以謂大夫之作是樓也惟以備南邦之

制非以爲燕息遊觀之地故不敢效尤然得以骩骳之文綴名勒石與是樓俱傳顧不榮歟遂艮曰然則書以畀

周邦彥插竹亭記

皇祐三年俞君美於其舍植華以斷蘖扶立之既而花起蘖茂掘之得根苞焉移植先隴又移於圃中皆活後數年大者悉中榱桷凡根株惟竹爲難遷遷必以艮日幷寘故土隨所向背旁設倚據以防傾運猶或不生而俞氏之篠初離皤燎斬取其半僑剌土中決無可生之理遂能滋植蕃亦異矣俞氏世宦富爲鄉閭之望居中山俞姓者莫非其族獨君美好禮而壽有子孫耽學能世其家其世祀殆未乏也詩不云乎如竹苞矣如松茂矣物之堅久晩茂能閱衆朽莫過於此而竹能無根而苞其祥又可知矣紹聖三年竹插竹亭余爲題其榜又記其異異勉其子孫焉

王遂小學記

古者家有塾黨有庠術有序國有學蓋自五家之上立之塾迎仕之已者爲之師匪直郡邑有養也自能言莫不有教十年出自就外傳學書記幼儀誦詩舞象勺十五入大學而教以

窮理正心修己治人之道自秦罷學賤士漢唐之君豈無有志者更我仁祖而郡有學宮中興已後縣令亦稍增置然四民雜處非復家習人誦人不知奉親敬長之道出不聞從師取友之訓灑掃必無加帚拘袂之儀應對必無負劍辟咡之容進退必無徐行後長之序居無禮行無樂無五御五射之文無六書九數之法父詔其子兄語其弟不過聲病得失之習利祿進取之計不但失其學而廢其教不但學者無人而師資亦闕氣習日陋志慮轉薄猶之築室而無其址也昔子夏區別之言子游以爲末管氏弟子之職內政而外莫之能行卓然自立特其生質之良而以溧水居昇宣間當士教衰男子不背死於朋友女子不爽信於君臣則天倫之美宜無不盡千載之間風流篤厚人物表表夫豈無之而時王立制科舉取士千室無能應令者豈生材薄於古歟實玉不琢拱把無養故也史公提刑彌鞏爲令注意教養久漸廢壞今令王公下車興崇惟謹首闢西廡建爲小學旋卽學西闢地爲宮合於虞庠在西郊之制成童而下聚而教之詩賦屬對隨力所進課試有程教導有師表勸有式弦誦相屬先是公廩五百斛不足贍生徒至

是歲輟諸倉月取諸稅猶懼不給會永寧鄉新築之圩租入七十石可以畢小學之功因屬遂記之遂曰小學之於大學爲序不同其道則一大學者因理以明天下之事小學者即事以觀天下之理誠使幼學者用力乎孝弟忠信之行以及乎射御書數之藝及其長也由格物致知以至於誠意而理無不明由正心修身推而至於治國平天下而事無不格自塾庠至于序學教無不成人無不化今顧求工於言語對偶之間其去聖賢塗轍益遠矣王朝以此得人名賢所不廢也士無學師無教疾行先長望於速成豈惟小子之學根於孩提抑耄期稱道其爲大人也能知進退存亡而不失其正者鮮矣安保其不欺官賣法以爲天子之羞哉小學成始成終之教一言蔽之曰敬此心既無往而非明德新民之功豈惟士子所當盡力亦長吏所當盡心也公諱儔北海人

江萬里上元縣廳壁記

秣陵治上元江寧兩縣明道先生嘗主上元簿攝行令事均稅聽訟挈其民於敬孫視由眞令等風行瞬息欠申間播流至今於是地靈光燄旁左莫與京吾里曹

君之格隨牒賦邑適得此百里地引領想像如先生
復出率職廸蒞捐身相民曩吏攬爲市廋欺賦類足
爲民病銳一切洞究根原緩民急吏經界法不行詭
蔽寄挾釀詐萬端昧旦坐聽事揆賦輿所當輸簿正
以差戶稅一境頌平兩境在庭不下席亟決亡何險
健退聽事寖省狴圄屢空則以餘暇定傾換蠹若亭
若堂錯落近遠門皇吏舍悉趨堅良合亡慮屋百楹
縣無它羨餙材庾費皆已出尚以銅章刓爲縣闕典
前閱令長罝莫問歲亦云屢亟上之府從朝廷更鑄
下之縣事復有小於印章者君無不疏理安植之矣
且終更踐遣信重跰來請記葢環百里爲縣聚民萬
室欣戚恬愉我乎繫豈徒以執法制商功利趣了朝
暮哉令之健有決者徒曰縣負我以力勝民惟恐不
至顧詳考而深思以今準昔如君行縣事以休吾民
者不自意迺獲見只君立扁識壁跋而竦俛而悟想
雖一草一水直欲護惜如存先生固謂縣之政可達
於天下則揭之政達以名吾亭先生之道之化吾周
夫子之道之化也則又惟夫子愛蓮有說而揭之同
愛以名吾傍池之滀之亭正使扁拆攘夷道固在也
惕若有懷固其嘗仕也而表厲尊顯之抑以明尚賢

治俗之本
旨云耳

蘇頌江寧縣題名記

縣令題名舊無其傳頌始到職以非便民先急之務而未職經營也一日鄉民有訟田者辭逮數室咸造於庭紛辨交爭初莫能決訊其劑約則曰亡之矣訊其移受之始曰不能記矣所能言者某令時接某事至某之鄉實某祖受田立籍之歲也縣有版籍盡載之矣因求其令在事之年而邑之胥吏皆無能言者乃爲之捃摭數十年簿書始見其令之官氏閱其籍果得訟田者之祖名具載其地數而侵冒者乃詘頌於是歎曰昔之居官者去而留名氏紀歲月於府寺豈特好事者爲之哉是亦有謂爾斯獄也以令之官氏乃得致訟之歲月因版籍而後知民之情僞版籍雖具而民不能言其歲月縣令雖去而民猶能言其爲治之迹是令去而題名於後不惟無益於治理也於是條次前令官稱姓名起開寶李氏去國郡邑歸職方始命王官迄茲慶曆六年凡七十載歷三十八令而拙者繼焉因命礱石紀其交承之次第龕於聽事之壁間非唯記乎歲月而已又念夫居事職者坐廣居享

豐祿假天子威刑案籍以莅政事其不能塵體以督簿書之務平心以待生齒之訟殆非朝廷所以建官分職之意也矧在是邑寄負大府號爲望縣其地之廣袤百里有畸編戶逾二萬而間年逋逃未復者且千齒倍戶有半而隸名于爲役胥徒者幾三十之一其賦徭之重輕資貨之移用兼倂之强弱紛爭之是非益日有焉一繫乎長人者之決之也苟失其當民寔受弊在治者得不爲之用心哉故予因紀年而又論政又書其命事之繇于左方將以告于民官庶幾悉意民務毋俾其人曰某令者治某事而非是我將何告焉姑待來者聽治之非唯警于來者抑將以自警焉則曰外斯堂而受訴牒舉而視之曰前日某事其人稱某令之不治則予之弊事是必將審覆其詞而求索其情亦冀臻夫理而少紓其責也

史攺之溧水縣廳壁記

秣陵號江左重鎮中山爲秣陵壯邑置自隋開皇中閼令多矣國朝紹興巳卯荆南唐公永夫始追紀前人名氏肇自皇祐壬辰凡四十一人刻石龕壁褟昔貽後吳興劉公季高爲文記之嘉定庚辰歲抄余來領邑生晚才劣蚤夜飭厲媿未能彷彿其前萬一顧瞻壁

記衡廣從廟嗣永夫者裁二十四人而登載班班幾遍思之是雖欲固陋不可也廼訪石宅山命工重刻植于便廳左偏旣廣旣宗以竢來者綽有餘地噫永夫刻石時距余領邑歲僂指恰一甲子其更易豈有數乎季高爲永夫記有曰前人作此非徒然也欲知其是非賢否去取之耳

黃敏德句容縣壁記

句容爲邑甚古自漢以來令長不知幾何人江左號近幾三品佳邑選用尤重而姓名傳者葢寡問有著之史册見於碑牌僅可以一二數當世鉅人長德亦豈無嘗宰是邑而爲赫赫名者傳記所畧泯然無聞然則題名葢不可闕已國朝建炎之後舊記不存隆興初岑君又宏乃爲立石得晉以下六人元豐中一人建炎以後十有三人未幾其石斷而棄之敏德至邑再朞始得其托本因重加搜訪而無載籍可考姑求之石章諮之故老又得前代五人太平興國至宣和八人自岑君以降又七人而至於敏德於是龔石刻之聽事繼自今其有考矣若其遺闕猶有望於後之君子淳熙十五年正月日承議郎知縣事姑蘇黃敏德記

杜千能溧陽縣題名記

瀨陽本秦置縣計版溢二萬戶提封跨三百里久隸建康邑去所隸越數舍而遥僻處孤絕四介湖山有獷悍之舊俗號稱難治宋德神靈化南漸江表民陶沐之久又得端良繼爲之尹摩之以道柔之以正今俗乃恂恂而厚家有令子弟起趨學庠庭訟益稀田萊日闢秀髮之樂善者有矣非前後勤教馴變之繇然耶千能菀無術業燭理多昧莅官且將再朞遂享安簡之名逃曠議之咎則庇前良之德隆矣想見其人視已成事思章章厥名以昭示後　訪舊吏第而牒之得自開寶李氏歸入朝以後距于今爲邑者葢二十八焉題名於左若曰政之仁鄙操之清濁質語吾民不誣也夫暇置議哉

葉夢得修府學記

先王以武定天下必以文終之江漢宣王南征之詩也言甲兵車馬之盛備矣末乃曰失其文德洽此四國治道豈不有本乎衛靈公問陳子曰俎豆之事則嘗聞之矣軍旅之事未之學也子豈以軍旅爲不足學哉以爲知所以爲俎豆則軍旅無不可爲雖曰我戰則克可也漢

高帝悉定楚地獨魯不下引天下兵欲屠之魯中諸儒尚講誦習禮絃歌之音不絕遂不敢加而待其服大道之行固有不期然而然者孰謂魯諸儒而能折高帝推而尚之舜舞干羽而有苗格謂之誕敷文德蓋理義之在人心莫不皆有苟未至於絕滅不幸喪失雖至於犯上作亂徐返其本亦必悔而知變善爲治者可待之以變而得所向不可期之以絕滅而終不返則文德其可一日廢於天下乎學校固理義之所從出而斯文之所先也建康領江左八州之地於東南爲大都會異時文獻甲於它方舊有學在州之巽隅更羅兵火城郭鞠爲丘墟獨學宫巋然僅存頹垣敗壁毁壓相藉生徒奔散博士倚席不講紹興二年某始以安撫大使分鎮時自淮以北裂爲盜區蜂屯豕突鞞鼓相聞蓋欲葺而未暇後七年大駕還錢塘詔以建康爲留都蒙恩復畀居守視事之明年輯寧荒殘流亡稍復民益安業於是謂然曰可以有事於學矣乃命其屬因舊址盡徹而新之起已未孟冬訖庚申仲春凡五月爲屋百二十有五間南向以面秦淮增斥講肄列置齋廬高明爽塏固有加於前不侈不陋下及庖圊罔不畢具既又作小學于大門之

東復命有司諏典禮簿正祭器作新晃黼皆中程式聚其田之在屬邑募民耕者千九百十五畝歲入其賦爲米若豆與麥五百四十有奇坊之得自酤者三區歲入其課爲錢百八十萬有奇地之占府城得佃而居者八十有五所歲入其租爲錢六百七十五萬有奇各爲圖籍以時輸之凡廩給之費無有欺匿乃以上丁釋奠於先聖前期率郡執事齋於兩序諸生無不從視滌省牲惟謹夙興籩豆在列史告時至以次就位正笏垂紳珮玉鏗鏘降登伏興卒事無違禮成受釐嚌爵於阼觀者數百人無不太息感動退而揖所與祭者而告子衿之作鄭人所恥是不知在鄭何公然傳載然明欲毀鄉校子産不可則當子産時鄉校蓋復存是鄭之學未嘗終廢有子産則能興之焉四方用兵踰十年學校之列於郡國者其亡與存我不敢知惟天子以仁孝勤儉治天下克復大業願與中外休息還之承平者蓋終食不忘也上帝監觀亦旣歸我河南之地兵革漸息惟宣王之德於兹將興吾邦號陪都視定鼎郟鄏實爲宗周是亦風化之首其復有學自今始肉食者其可不推子産之爲鄭以求先聖眷眷俎豆之意相與先後輔成吾君之志

布衣韋帶亦必有宏達英偉之士拔於草萊接踵繼起由此而出以共濟一世者子大夫尚勉之皆曰唯遂爲記刻之石後來者其有考焉

周應合青溪先賢堂記

公卿大夫士可祠三道一德一功一金陵帝王州上下數千年間有道有德有功者相望何吳晉之臣此皆有祠而他代闕焉開慶元年秋資政殿學士大制帥馬公昉祠先賢青溪最勝處凡生于斯仕于斯居且游于斯而道德功可祠于斯者自我朝上泝漢周列位四十有一取于吳晉僅十有二選亦遴矣先是寶祐丁巳公以大常伯任留鑰建江閫政通俗阜教民靡不勤章往勸來是祠所繇作屬前宗學論馮君去非定其可祠者而爲之讃會上謀荆帥趣公議鎮祠事迄未備越一年進視四輔拊甘棠而臨之凡前志未畢者是究是圖祠乃成八月壬辰舍菜成禮會弁如星相古先民洋洋如在景行行止克廣德心客有賦者曰吳鑿青溪千二百年九曲縈紆七橋蜿蜒鳴雞射雉荒亡流連觀聆明之宮衙樂遊之苑宣尼廟改青衣祠藏此溪之所以堙而流之尼於遠也今揭虔

安靈聖賢其居令聞廣譽黼黻其書俎豆葦管弦之靡聲教滌宴游之娛此溪之所以濬而澤萬年之留都也公謂客曰子徒識青溪之攺視易聽而不知我朝之度越前代也盍觀之楚祠乎淸莫如子陵而隱之致堯其流也忠莫如淸臣而子布子羽其儔也休徵之孝望之之節子隱之勇內史之介逸少之雅仲倫子珪德施太白東野之文皆可以言德而未若太伯之爲至明哲則陶朱公整暇則茂弘安石英邁則士行公瑾幼度皆可以言功未若孔明之爲盛我宋諸賢功德兼之武惠士行也忠獻茂弘也忠襄望之也忠定孝肅淸臣也介公滎陽之鄰也忠宣其謝安乎正肅其子羽乎恭惠致堯之優乎莊簡忠肅公瑾之亞乎至若河南純公龜山文靖公南軒宣公紫陽文公西山文忠公皆以道鳴者則漢而下所未有也而皆萃於吾宋孔孟而後道不在茲乎有道者必有德必有功而功之不究或繫乎時苟不至德無以爲道本也重道德而輕功業人將知體而不知用崇功業而遺道德人將知流而不知源吳祠所重在功而道德之意薄晉祠或功或德道則未聞也古今並祠三者始備大學之道在明德新民止於至善曾子發

至善之傳曰君子賢其賢親其親小人樂其樂利其利所以没世不忘也是祠之作因其不可忘而思其所可學某也道某也德某也功勉而進之三者全則至二則次一亦不失於令名社稷生民終將賴之二三子其有志於斯乎客曰大哉新民之賜抑以得公尚友之志公命記之并刻迎享送神之辭使民歌之其辭曰長江兮淙淙虢虎兮蟠龍秀羣英兮禮樂覽千古兮焉窮蹇誰留兮青溪穆將愉兮壽宫思至德兮肇蒼姬避聖嗣兮與勾吴竟長于兮游五湖𨚗客星兮隱東廬坐很石兮定吴都懷仲父兮秦淮隅燎赤壁兮偉北圖憶尚書兮西明居孝感兮水魚鹿苑兮儒書起烏衣兮見夷吾運百甓兮恢宏撫忠孝兮父子將相兮叔姪登治城兮想高世酌貪泉兮徒四壁與文兮雷劉著書兮陶蕭大節兮霜凛凛謫仙兮風飄飄雲從上下兮東野桃花流水兮致堯肆榮陽兮忠憤相先民兮迢迢天昌宋兮將有曹平江南兮斧不膏德乖崖兮桑本衮美中丞兮蓉幕高神明兮待制忠恕兮膚使春風兮壽元氣圖繪兮回天意出師門兮道與南建留都兮垂萬世伏征鉞兮江無波死封疆兮人知義釆石兮功之奇紫陽兮道之繼仍

乃翁兮南軒開厥後兮壹是澤斯民兮西山儼元凱兮是似厐管鑰兮北門思尚友兮古人建芳馨兮堂廡合荃芷兮盈庭娭秋風兮桂枝繚荷屋兮杜衡薦菊兮寒泉采藻兮落成浴蘭湯兮沐華望美人兮並迎芳菲菲兮滿堂靈之來兮如雲聊逍遥兮容與集琳瑯兮鏘鳴吉日兮辰良蕙蒸兮椒漿元勳兮鉅德日月兮齊光介民兮景福昭昭兮未央高山兮景行千秋兮難忘

袁燮忠宣祠堂記

判官賦籌思亭有詩曰致誠通造化審慮敵權衡境寂居忘倦心虚照自明石刻至今猶在嘉定八年春起居舍人建安眞侯希元恪共使事慕忠宣之賢且愛其詩之旨趣深長也乃於兹堂之西剏一室繪公像而敬祠之又采詩中語更所謂激揚亭者曰虚明而堂之名雙槐者易之曰忠宣顧瞻之間先賢在目高山仰止之意須臾不忘其深有契於心者邪夫君子之所爲當以三代而上人物爲的不當以兩漢而下人物自安蓋三代而上士大夫朝夕所從事者不越於此心毫髪有差痛自懲艾學日進德日充中立而不倚全體渾然不可以一善名

故繇漢而後雖英才間出未有能入其域者我朝人物之盛幾於古矣迨元祐間正人森列而忠宣之德之懿良可仰焉忠宣之論事也慷慨奮發知無不言若濮邸之不當稱親法度之不可變邊隙之不可開皆切於時病屢進而屢黜故天下稱之曰正人然蔡確之遠謫則以爲太過章厚鄧綰之獲辠亦爲之救解忠宣同非朋姦者而委曲如是其志念深矣語所謂君子不器中庸所謂焉有所倚迺平昔之規模也當是時人才非不衆多忠鯁敢言者非不可喜然中正無偏求如忠宣者實鮮此無他忠宣從事於此心心本不偏制行而原於心斯不偏矣嘗稱孔子之言舉直錯諸枉能使枉者直以爲舉用正直邪枉可化而爲善何必分辨黨人有傷仁化深乎深乎議論持平不爲矯亢使其志常伸其言盡用豈有異時讎復之慨哉三復籌思之詩發揮此心至精至切君子以是知忠宣之所存蓋以三代而上人物爲的也起居正色立朝有德有言名重當世而獨於忠宣起敬如此亦足以占其所存矣忠宣之帥環慶也畢力救荒不俟奏報而起居之卹民也亦然屢請於朝施惠甚博亦有不待報者此又愛民皆原於心所以不謀而

同也嗚呼賢哉

王遂文忠祠堂記

聖上改元淳祐之歲眞公之薨七年矣先是江東大飢死徙相望民之被賜未有加於嘉定乙亥者其德而思之也莫不然鶴山魏公記公行事而江東荒政乃不及錄南昌徐公鹿卿推求其故以爲闕典方治平間范忠宣公實典漕事眞公闢堂名曰忠宣繪像其中以示景行至是徐公奉之同室共祀以慰其民無窮之思則移書宗學博士黃君自然求公所行以補遺史之闕黃君曰自然於眞公爲友而知公最詳無若王遂且於救荒本末嘗與聞之以詔後人宜無不可時徐公移浙東憲以書戒遂曰吾行有日矣子必無辭遂遜謝不敢當然其時爲淮西總所幹官職事之間得以竊聞眞公與李公道傳濟人之政眞公治金陵而行乎太平廣德李公治池而及乎宣歙皆以身當其勞而分之幕府遂之心有以知眞公之心用敢不辭而爲之記初公涉三館侍螭蚴入玉堂詞章炳蔚聞于宫禁論事上前皆本仁義皆關君德治體皆切於君子小人之辨使虜不達則益嚴中國外裔之分中外想

聞其風采守泉南帥豫章長沙三山惠民平盜皆有善政外裔讋服天下唯恐其不入相更化立朝發明大學得失與盛衰治亂存亡之義上爲詔讀校文入奏上意權然接納將舉國而聽之而公薨矣宜乎狹歛一道論述一政毋乃憂其末而忘其本舉其小而遺其大哉是不然江東始旱公有憂色合本道義倉及轉般米數十萬斛而厚其積因戶部罷夏稅之請以蠲其征取郡縣官及寓公之賢以覈其實大家勿勸分貧者糶之者濟巳甚者輦粟賜之病者載藥與之本之以河北救災之議行之以青州之政漸風沐雨遍走二郡不足則開寄納倉出官錢糴之吳中又不足則以翰苑槖中金益之不忍留都之不及則發私財以賑贍之訖事民益急則轉糴爲濟廣德守成附會時好劾教官以聞公引咎以白其寃値旱乾禱雨白鷺洲人見其對越者迄以稔告袁公甫筆其事爲錄非特此也推本主上之仁一似仁祖而羣臣般樂怠傲不異政宣者十事語意剴切人之所以心服者豈有它哉仁與誠一故也則民之思之也豈偶然乎哉徐公之祀之也亦豈徒然乎哉文正忠宣有王佐氣象識者猶恨其不同周程之學公居遷陽後於

之公之没放居七年盡讀考亭諸書發揮天理人心之妙葢有及門而不盡得者誠意實德豈一日之力哉宜乎公之自托於忠宣也方眞公立祠時求詩於潔齋袁公又求之漫塘劉公二公之所稱若不類元祐氣象者由今觀之先生大人之所立大矣豈區區拘剪繩墨之所能及哉徐公在朝列數進危言杖節並江綱紀大振嘗請於朝乞緡錢百萬以助糴穀援眞公以言朝廷爲撥祠牒下倉司以備救贍若與眞公之政相後先者夫眞范相去百有餘年徐公之於眞公亦越二十有七載非前有所附麗後有所歆羨也道未必同而心則一也一者何盡其心卽盡其天也子思曰思知人不可以不知天孟子曰存其心養其性所以事天也詩書格言孔孟遺論遷陽之學南昌之教爲有本矣後之學者其可不務於斯

倪皇野亭祠堂記

理在天下惟公平可以服人心惟忠孝可以揚先志歷世千百猶一日也葢作善降祥時廼天道而芾棠之思必有感於中者爲之夫豈偶然也哉惟我聖朝以仁立國以忠厚待士大夫滲漉涵養愈積愈遠一時有位之士知有體國奉法愛民澤物而已一念精白培壽國家之

脉源流所逮非止其身宜乎垂芳襲慶代有顯人呂
王韓范重珪疊組赫奕焜燿衣冠之盛其來尚矣東
陽馬公之純慶元間以承議郎主管江東轉運司文
字廉平公正克相其長持畫婉婉邁德維多後六十
年當寶祐戊午公之孫光祖清才敏德昭名于時天
子鑒其忠使華玉麟晉以書殿恩例眎執政皆殊遇
也然其臨民涖事壹是以祖爲法越明年春上以陪
京之鑰非重臣不可授鉞梟下鍾山草木德威衣被
卓乎忠定之重來都之人士歌舞疇昔桐鄉之愛易
墜皆然爰請運管㕑之偏績公而祠焉碧瓦鱗鱗㽵
題剡楹埤基拓岸事不戒而備中元後二日率屬落
之起瞻德容豐骨遠矑蒼顏古貌衮衣朱而貂蟬峨
也丰儀肅肅可拱而即滓其心若川渟玉韞生發適
還有行未艾懿哉罔乎喬木之家盛德之祀而驗於
感應之理不可誣也公弱冠登隆興進士第與南軒
東萊講貫精詣天文地理制度之學靡不洞究爲三
山法曹與上官爭是非民之全活者衆有欲薦公中
都官輒遜謝之其介陗恬退類此喬文惠公行簡葛
端獻公洪皆橫經執弟子禮其在鄞時吳居父塡守
有幾日不來春便晼開盡桃花葢與公倡酬之句石

刻尚存公篇章吟詠初不若思而意已獨至金陵百詠殆遺藁耳平生著述如書解中庸大學説周禮隨釋講義春秋編年圖豫章沅芷雜著於家史吳載旣老世號野亭先生今祠旁扁揭刻歲月於柱志不忘也先生因資政恩累贈太子少師祠之興工逮訖事凡日周一甲子其熏華供設屏龕俎豆悉倣忠宣西山二公之禮或曰先生昔列屬也往擽之乎曰明道嘗簿正上元矣道之所在下覲北面可也世無孔子而老聃郯子愔愔於祈招此世之所以不古雖然象賢崇德示民之所敬抑觀風者之先務云

杜杲重修南軒祠堂記

人之有此心則有此知知堯舜之聖此心此知也夫婦之愚無以異於堯舜以天而不以人則明以人而不以天則昏夫尊賢而賤不肖好善而惡惡此人之本心與生俱生天理之自然也比小人嫚君子趨惡而爲善此習之而不知人欲之使然也何以言之匹夫信義行於閭閈蓋有盜賊斂干戈而過其閭者烈婦毅然而不可奪世俗固有立祠宇以奉之者是孰使之天實爲之人心之良知也降周訖孔至孟氏而道統不傳天理幾泯人心日晦由漢而下上下之間莫有任

責者至於我宋尊道重德已見於削平肇造之初人心之善芽蘖此時其後濂溪二程先生出而發聖賢之祕孟氏始得其傳道統於是乎有宗中興以來文公朱先生以身任道開明人心南軒先生張氏文公所敬二先生相與發明以續周程之學於是道學之外如日之升如江海之沛婦人孺子聞先生之名者皆知其爲賢譬之景星麟鳳不以爲瑞者妄人也凡講習之地皆有祠宇崇尚嚴潔足以啓人之敬仰百年之間儒風彬彬豈無自而然獨金陵天禧寺之側有屋六七楹曰南軒實先生講習之地想其朝恩夕惟參前倚衡天地之運化聖賢之傳授父子講求乎尊君救時之策友朋發揮乎垂世立教之序闡百聖而不違通萬世而無媿是軒也豈容使之荒蕪而不治惜乎歲久希重道之士日就傾圮甚而春時爲游宴之所杲昨贊江淮幕猶扃閉空閴未至若今之狠藉心竊念之告之長而莫我聽近冐闔事欲因舊而增新之比至殆不可舉目於是命工治葺內外整齊繪先生之像於中使承學之士載瞻祠宇尚想道誼人亡道在如將見之興起良知有躍然不自已者嗚呼閭有當式者墓有當拜者此軒之當新庸非守邦

者之責尚冀來者之不忘也繫之辭曰孟氏曰遠吾道日昏道之明昏儒之疵醇學焉而疵韓董揚荀自時厥後疵亦靡聞我宋立極曰義與仁敎風德雨大和蒸薰篤生鉅儒濂溪二程文公宣公道鳴中興伊昔宣公講學斯軒南軒之名與道俱尊胡未百年棟宇摧傾今我來斯載瞻載覩亟命匠氏斬然一新有隆斯堂鏘鏘其門像圖惟肖奠位妥神遂使先師不窘暑寒牢醴時薦籩豆序陳豈軒之新軒存敬存礲石琢詞以告後人

李處全忠肅劉公祠堂記

資政殿大學士劉公尹建康之明年政治德洽恩施化行民有父母奠厥攸居江東之人咨嗟感涕謂自我宋混一區夏緜開寶迄今更牧守幾人矣若張忠定之明張文懿之靜包孝肅之肅傅獻簡之愛公實兼之睎兩漢循吏有加焉先是旱潦洊至歲弗順成民將阻飢公夙宵勤勞罔敢自逸且懲近世習俗欺誕之弊乃悉其實以告於上蠲租勸分振廩輓漕凡可以惠荒政者咸推行之又慮商賈之或壅也復請詔上流郡縣毋蘊年毋重征苟奉行弗虔得以禁利

聞縣是大江而西巨艦連檣輻湊於東穀賈以平民乃粒食無有轉徙所活蓋以百萬計惠澤旁浹三鄰賴之以免道殣歎息愁眼之聲易爲歡謠林績升開天子歎嘉亟賜褒詔以倡九牧藏在盟府公拜手稽首颺言曰凡修政謹備以禦水旱加惠於元元俾得事父母育妻子皆陛下之仁明幸留聽臣言故臣得竭其區區效萬分之一以出斯民於溝壑繫天地父母不貲之施臣何力之有焉貪天之功以爲己力臣實恐懼敢勒琬琰庸侈上賜庶幾激墮吏之不在民者又以周宣王之事見於雲漢車攻吉日江漢常武之詩者反復申戒欲使中興復古之盛見於今日士大夫然後益信服公憂國愛民其心本於至誠非夸世邀名者昔汲黯使河內河內貧人傷水旱萬餘家或父子相食黯以便宜發倉粟以賑貧民請歸節伏矯制罪武帝雖賢之然終以爲戇且妄發不果用先正韓國富公弼自政地以讒出藩其在青社河朔大水民流京東韓公勸民出粟得十五萬斛益以官廩營公私廬舍十餘萬區散處其人以便薪水立法簡便而周至活五十萬人募而爲兵又萬餘人或以不善處嫌疑地尤之韓公曰寧以一身易數十萬人之

命不悔也其後韓公卒相仁宗輔弼三世爲宋宗臣較之漢武帝所以處汲黯者遠矣公以宥密之舊望臨一時文能附衆武能威敵天下所待以致太平於朞月之間擁樞機坐廟堂爲天子經營四方復兩河歸輿地圖不動聲氣措萬世於泰山之安公之任也迺今年三月制詔進公觀文殿學士上用公之意方隆江東之人懼公之歸而不得見也屬邑五大夫知上元縣趙君公崇知江寧縣趙君伯渙知溧水縣司馬君信知溧陽縣周君世修知句容縣朱君光弼因民之願欲繪公像於蔣山精舍公禁之不可又相率以書抵處全而告以大畧如此且曰公朝夕相天子則無一物不被其澤豈惟江東然吾江東之人德公也深不止其身又及其子孫思欲家至而日見之飲食必祝將不獲如都人旦旦望衮衣於衢路也則非留公像不可公雖欲遜善而辭名奈違衆何吾子於公場屋諸生也盍書之處全復於五大夫曰此固公之所甚不欲公誠朝夕且入相布德和令治盛功隆竹帛紀之鼎彝銘之則公之像冠烟閣雲臺之上矣於此乎何有雖然邦人拳拳愛慕之意則可嘉已其敢辭不名所以褒美政崇大臣褒美政則臣工勸崇

大臣則帝室尊有唐故事也抑千百世之下歲月猶
有考焉請以書於石五大夫皆曰唯乃系之以詩曰
大江之東鍾山石頭虎踞龍蟠帝王之州行闕峩峩
翠鳳鶬鶬其民夥繁事亦浩穰顯允劉公文武咸宜
帝曰欽哉往撫朕師公自湖湘植纛建牙揚舲東來
兵衛無譁公旣開藩童耋歡呼剔蠹鋤姦卹煢撫孤
饑饉適臻公弗遑寧剡章以聞荒政是營謂昔堯湯
水旱莫恕民之毋餒維備先具旣蠲賦租旣發貯儲
舳艫萬艘銜尾而俱市有餘粟民無菜色洋洋頌聲
載彼阡陌民昔未飽公弗安寢今含哺嘻公始高枕
帝用嘉奬錫公璽書乾文晉如玉音鏘如明明在上
公避不有於赫豐碑光氣衝斗帝御正衙一日萬機
袞職有闕誰其補之金節煌煌行趣公朝公朝京師
四域寢謀帝曰於戲汝爲眞儒汝社稷臣其遂相予
公居廟廊明堂孔陽曰都曰俞帝垂衣裳清廟崇崇
羣后雍雍鼖鍾竽笙告時成功一人萬年公執魁枋
肖貌在堂邦人之慶記成於丁酉之冬而碑石褊小
未及刻明年公薨邦人思之益切謂登峴首而墮淚
者有碑故也住山祖慶旣
易茲石俾處全併書之

陳天麟爲史志道重修貢院記

古者自京師至於鄉邑皆有學自秀士至於進士然後官使之攷王制之所載士未始不出於學也後世學校科舉之法並行以學校養士而以科學取士養之取之各異其所羣試州里拔其尤者與計偕又羣試於春官故自京師至於郡國莫不有取士之所焉士方集有司設案主司而下下堂再拜焚香肅士就位則禮闈之設雖近沿唐制亦所以貴進士之科而不敢苟也於古何戾哉建業多士異材輩出曩有魁羣儒首異科而爲名公卿者項背相望也故其後子弟益自勉應三歲之詔者常數千百人兵興百事鹵莽有司不暇治屋廬以待進士始奪浮圖黃冠之居而寓焉郡凡幾守率置不問或告之則曰此非吾之所及也史侯自天官貳卿出鎮之明年諸生以是爲請而其故基爲閭閻營舍者四十年矣侯慨然念之指地而易其居捐金而償其遷築之費取羨餘之木爲屋百有十楹適它郡潦傷民流移江南侯因募之使食其力不足則助以廂卒經始於季夏中休竟事於中元是歲乾道四年也面秦淮接青谿挹方山氣象雄秀侯集賓客而落其成揖諸生而告

以進德修業薦紳韋布之士作爲譌詩以贊其事且曰侯於吾建業之士至矣願求文以識其功侯因以屬予予爲之言曰世之爲吏非通材不濟也欲興利起廢無經畫於事之先則腷臆而不敢爲不然則不卹財之匱民之勤而惟吾有司之事是集是亦安取於吏也侯通儒也於書無所不讀於天下之事無所不悉故是舉也國人不及知而辨於咄嗟之頃其它撥煩濟劇率稱是其與竅實而浮名飾外而遺中本末首尾衡決倒植而興學校益庖廩謂之崇儒證辭於民則曰獨柰何厲我勤是不急爲者其當戾何如也於虖侯亦賢矣哉自兹取巍科登顯仕追迹耆舊皆侯賜也建業之士勉之侯名正志字志道丹陽人

李道傳爲眞文忠初建貢院記

國朝之制諸路置使按察各有職掌轉運使最先置所掌最多提舉學事既省又兼掌學校貢舉事間三歲詔諸州各試其士升之禮部士與爲吏者親嫌則偕已仕而鎻其廳者試于轉運司江東地大人衆才儁間出數十年間由轉運司之試擢高科登貴仕者數數有之顧試院未克立每寓于浮屠者之宫庳隘弗肅有司患焉前使者汲郡孟侯猷始度

地於建康府城之東南隅盧陵胡侯槻以總領財賦兼攝使事稍儲錢以俟費它未遑也嘉定八年秘閣修撰建安眞侯德秀爲副使至則曰是不可以不成於是相其陰陽正位南鄉築而增之其崇五尺背負鐘山前直長干淸溪環流秦淮旁注寬閒爽塏不僻不囂於校文論士爲宜九年三月戊寅命工興事二十日而堂成又十日而聽事成修廊繩直表裏相望外而羣執事之吏各有攸局七月丁卯工告訖事侯謂道傳盍記之道傳竊謂近世取士之制每不如古專尚詞章而德行道藝之實喪多爲文法而廉恥禮遜之節壞世久病之學廢而詞益下俗澆而弊益密雖上之人亦竊病焉捷其徑以誘之於初艱其門以塞之於後使爲士者棄鄉井走道路無復懷寶待價之意又識者所深病也學古行道之君子思救其弊考古之意酌今之宜使教學興風俗厚賢才出治功著其規模條目本末先後必有可言者然豈有司所得爲哉若夫合圓冠方履之士以校其藝曾無定處而反託於異教之廬事益苟名益不正此則有司所得爲者是役也侯蓋爲所得爲而已學古行道侯之素志所謂考古之意酌今之宜以救歷世之弊者其

必慨然於此矣夫豈特以高科貴仕望江東之士哉
侯正色立朝風采聞於四方奉命出使專以激濁揚
清洗寃澤物爲己任歲適大饑民賴以全活者不可
數計斥燕饋削浮冗獨以餘力克興是役材無强賈
庸必厚給田里不知州縣不與是皆足書道傳旣承
侯命因推古者取士之意平日所望於侯者備論焉

馮夢得爲馬光祖重建建康府貢院記

皇帝嗣位越三年二月初
吉詔天下郡國以士來貢若曰宋德當天奎聚五緯
文明景運寔此乎開維茲歲行適合維予一人祗見
先聖闡道立教聿興斯文維躬用勸維爾多士懋旃
於是建康府新作貢院成留守大制使觀文馬公以
書諗夢得曰維此文闈乾道立之紹熙闢之嘉定葺
之今又四十有五年每蒞校比有司取具目前猿狙
之杙侏儒之柱苫蓋檝拘謂是則苟而可老屋岌岌
不任風雨墊隘湫底爽氣弗集笈負而至者外揵內
韄傯焉懼賈躔之及殆非所以使之籛羽翩而吐鏗
轟也以吾爲守長於斯而是之弗慮弗圖毋巳闕乎
乃鳩工庀材培卑而崇拓隘而廣規畫蹇舉再閱月
亟潰于成而人未始知有役國家之賢才自出多士

之氣數攸關可無文字以覺久遠子盍爲我記諸夢得嘗考賓貢之制自周迄唐其意寖以荒失未嘗不慨古之士貴以肆而後世之士不然也夫賓士以禮而鄉射行焉所謂揖遜而升下而飲其雍容和行之氣象何如哉逮至束縛檢約闈棘重重寒廡單席如唐人所云者則偪介已甚於古意無復彷彿矣我朝以儒立國三歲大比攷其德行道藝之法雖未能純用周制而興賢興能使長使治其意亦何以異於周六飛渡江王氣聚於東南而金陵首當其會警蹕駐焉地載神氣風霆流形采芑新田潤澤豐美是開中興以來無窮之用聖天子垂意文治烝我髦俊制詔一下遐不作人業業陪都視周豐鎬所謂庶物露生文武之德有行未艾也居留重臣用克知於德意共明命而厚同氣有開必先夫豈偶然前五十年文忠眞公將指轉輸始作貢院於是邦越明年即有冠南宮者維馬公之學源流眞氏故知所崇尚類如此昇州本多奇士加之以新美之會扶搖天飛志氣固應倍百嘉定類闈得士之盛吾知其殆有過之公三至玉麟十年之間揆教奮衛興補潤賴之績不可選紀而於是役尤汲汲焉公之盛心蓋可識矣夢得於授

簡之辱用次第其說以筆受而不復以不文辭若夫山川之美方隅之吉面勢之宜舊記具焉不書

陸叡忠實不欺之堂記

堂制使尚書馬公受皇帝御扁作也初乙卯冬叡解節須道金陵謁入公肅于玉麟揭忠實不欺之堂六大字叡拜而請曰伊上之賜貽公之心將易而名諸公曰否余起疏逖際熙明倚無他技蚤莫檢省惟忠惟實惟不欺慊未能也頃竢皐神皐登侍清燕自天有賁是訓是彝實朝夕企瞻罔敢替明日繇正堂六大字復臨乎上公之意可識矣稍環顧厥屋傳聽事後面偪腋侵袤不能十丈老而將壓叡輒啓公曷若斥大其制以奉璧奎之躔使邦之人近光而自勸以名而胥攸哉公未許也越三載夏孟辛卯併圖及書來諗政豐理裕百廢具飭堂徹而新矣扁揭而奠矣以予知顛末尚為我記之叡竦而作曰非忠實不欺然邪昔之君子聽政修令辨儀定志亦既疏戶廷截阼阼至其疇酢餘隙以涵以滋又必有為之地參之舍延壽之閣韋郎之宴寢是也矧陪都地鉅物夥表拓裏鎮有臨護之大有湊犇之衆胥湫則煩神壅則涸所以賡續其無倦權度其汎應不在斯乎而百二十年

來非乏名卿相寒廳宿圃更艭迭壁獨斯未暇者堂所安也纖緻於所安嫌也烏虖盡心之謂忠心所不便不容矯循事之謂實事所當華不容緩公寧躬攺作之釐而必遺後人以安身崇德之柢寧舍撝避之謙而必畀斯人以存我厚生之福非其中有不能頊刻居者必不忍自欺邪不自欺則不欺君矣退食之暇補旦晝而棲太虛質天日而葆方寸愈委蛇愈儼恪愈渟深愈通溥堂也者其德之奧歟雖然公人中龍也可以雷域中可以雨天下北門鎖鑰非準不付一衣帶水果限南北邪或曰一堂之營無述焉可也其不敢不述者公所命也堂爲間七後是者五焉各翼以步廡臨以軨軒中爲航齋公成畫也添差通判汪洵之治其凡添差總管鄭良臣課其悉叶劬廼司五䏰竣事公遴委也公名光祖字華父金華人師事毋自欺齋西山眞公有本固如是今以寶章閣學士制置沿江兼留守行宫云

杜杲學齋記

人不可以不知學也五常之性未嘗不均涵養日加然後光大人不知學愚者日以昏不肖者日以悖天之予我者亡矣是猶責履於跛責視於眇不足以有行不足以有明也百工使

藝罔不由學士大夫求善於吾身有用於斯世反不知學而甘心於昏且悖豈不謬哉余以非才荐更任使踰七望八分闖金陵軍民事夥坐廢讀書間得少休凝神默坐温故知新不敢以老而怠府治便坐率高堂敞楹以侈燕飲以合優樂非藏修肄習之處東偏有室三楹介於内外頗爲安便止留北窻餘悉窒塞殊失艮背之義甓久地潤非昏職重着之所宜於是辟南以得明棧地以離濕其南正面堵墻一物無所見寸步不可行子曰人而不爲周南召南其猶正墻面而立周官曰不學墻面遂名曰學齋讀書於此延客於此間亦治事於此仰而思之夜以繼日求其所當學者庶幾於理明達視有所見行無所礙則是牆也爲吾之銘盤爲吾之丹書不然閉而不覩其何以行之哉

蔣志行東廳壁記

官有丞輔尚矣於事大從其長小則專達所以別長貳正名體也秦初置郡則有丞漢以來治中別駕隋唐司馬長史郡贊治名官殊所以佐守一也粤我藝祖懲藩鎮弊置通判以分州權事無所不預至得按察所部意若使之權任與鈞器能相用設施同慮休戚一體非復餘

長貳比事久而殊意寖非初因鈞齊之力立嫌偪之勢佐其長而不能使其迹不疑於長於是有不敢任事者則以丞負余爲解惟金陵不然居守率重臣鉅人無偪與嫌疑競不生上佐帥郡從事日至簽事廳鉅細歸程督視他州第以香礬茶鹽經總制爲事所於兵民賦役聽斷占位書惟謹而不預知其故者絕不同初葢獨員繼迺增置故東西對峙爲倅兩廳其曰東廳者初置員也建炎紹興初師與應百須此官號繁劇後雖屯重戍而王人振糧道東倅職兼審計軍稍而已無它調度事嘗少省矣自北鄙繹騷兵旣休而歲洊饑淮民流至府下以萬計課稟給條賑捄策弭盜是不一端開封鄭公鎮以祕閣來適丁斯時雞初鳴明燭坐公所筆不及停慮不敢暇佐治之勞幾與關決天邑比而公以四姓之英天分高薰蒸不凡動有典刑處之常裕如暇日閱廳壁舊記慮鋟梓易漫刻著于石不以志行位下且不在能言之流俾書其端夫人惟力閒暇而後心和平心和平而後設飾有緒念公於倥傯不暇之際而能去苟且爲悠久非材有餘能爾邪昔志行大父南渡初倅是邦幾四寒暑供軍嘗殫勞舊記顧軼其名豈歲月在追紀以

前故耶兹不敢求附於書獨敘陪都貳車體異於佗郡而事夥於今日者如此且見公能以易處之使來者有攷焉

樓鑰察推題名記

建康古爲王者之宅六朝南唐遺蹟具存高宗南巡駐蹕錢塘以是爲陪都嘗因視師臨幸麟符留鑰諜帥重於它鎭非當代名位俱隆者不在兹選寮宷亦不以輕授故每號爲得士焉余鄉人劉宗直叔向由慶元五年乙科爲觀察推官善於其職貽書求爲壁記余聞是邦衣冠走集之地商賈輻湊軍民雜糅宜乎官府日不暇給而鉅訟最稀庭無留事莫府省文書幾若道院然雖流風餘俗其來有自非賓主多賢積而致此耶自紹興七年趙君不蘭而下得二十餘人閱其名氏如丞相蔣公以文章著侍御蕭公以風節顯貳卿丘公入則爲朝廷羽儀出則爲郡國標表進用固未艾也去此而登膴仕者又不一此官之不輕如此宗直勉旃其益攄婉畫以佐而長以昌賢業以繼諸名公之軌躅豈惟所居之官大抑鄉黨與有榮焉

陳淳祖制置司僉廳記

金陵古都會行闕在焉自昔
國於江南而有志中原者未
嘗不以此爲根本我朝南渡以來每遣重臣居留鎮
守凡使命之出往往即是而開幕府意者地居江淮
之咽恢拓之幾則可以暫駐鑾輅指撝關河承平無
事則可以謹護風寒蕃屏帝室固今天下之重鎮也
粵自督賑宣威次第省併而沿江制置之名始建於
開禧二年之七月待制葉公適首膺是選越明年春
易沿江爲江淮迨嘉定初元宣使趙公淳實爲制使
而又以資政丘公崈爲大使其年夏並名還未閱月
復以總餉李公洪區處制司事務又兩月觀文何公
澹以知府行大使事是後更代不絶嘉定十二年朝
有分制之議閣學李公大東薦來帥守始復爲沿江
制置使沿江之名於是乎定然逆數剏司至于今無
慮二十餘載而賓寮無僉議之舍文書無庋藏之所
寶慶三年春二月先生自京尹易鎮開藩問俗之餘
首詢諸司幕府所在當之者曰某所爲帥某所爲府
制司則前是所無節制司則附庸制司雖官吏亦未
嘗有也先生喟然歎曰安有名爲顓閫而下行一郡
江防之事職在兵機而曾無畫婉奠居之地耶手疏

其事亟聞於朝別爲節制一司顓官兼僉擬之職廟謨可之一日見敗屋數十楹介於設廳之東偏問之則曰公使酒庫也因集寮屬而命之曰糟丘靡窖之務何得邃居於此盍爲我徙之麗譙之外以其地爲制司議舍併節制司附焉咸曰諾於是空其缾罍一撤而新之東序西嚮大門弘啓旁接府治所以便諮詢也東直南嚮危樓中峙名曰議事所以諧僉謀也樓之下亘基博礎戶庭四闢拾級而升者制幕之廳事也廳之陰朱門堊壁明牕而曲檻者制幕之燕坐也廳之左循除而下簷牙高啄傑出乎修廊之上者節幕之廳事也深入十餘步上爲複屋闢室如廳事之數東面而虛曠者節幕之燕坐也極目連甍之表有亭翼翼奇葩怪石參錯乎前修竹拂牆清流闖戶者兩幕之圖也回廊曲屋區別臚分周環於左右前後者兩司之吏舍也東廊之外列屋二十餘穹瓦層樓鱗次而角出者諸司之架閣庫也以至皂隸候伺之所庖湢猥微之地洪纖小大莫不各適其宜而咸備其次焉眡帥司若府凡僉舍之素具者大有逕庭矣合而計之爲屋一百四十楹作興於寶慶丁亥十月二十八日竣事於紹定戊子三月初二日工以庸

計凡二萬四千錢以緡計凡一萬一千米以斛計凡九百五十無非樽節公費而爲之未嘗請於朝也蓋先生天性冲澹雅意簡編凡而宴遊之事交饋之禮一切拒却而不疑冗蠹旣蠲帑積日裕用能費出於公而民不知有役役必計庸而人不知有勞眞所謂不擾而辦者旣落成好問因率同列請記其事先生曰務名之舉余之所羞也故所至公宇之建未嘗揭姓名於上棟間而况敢爲文乎好問復固請曰一司存之修廢夫豈足爲先生重輕特弗可無以識歲月使來者知所自始耳先生曰諗如是子盍自爲之而吾無須也好問退而繹之夫運籌帷幄之中然後可以決勝千里之外兵機固貴於密也而賓幕之無定所烏在其能密哉然則先生此舉非徒美觀瞻而已也壯威重而已也處其中者必思有以副先生之望而後可用是歷敘顚末姑以竢它日大手筆之採擇焉先生諱善湘字清臣濮園五世孫登丙辰進士第由淮西制置移京口六年除理卿兼刑侍未幾以待制寶章閣來分閫云門生儒林郎差充沿江制置司幹辦公事呂好問撰門生承直郎辟差充建康軍節度推官兼制置司僉廳趙溁夫書門生宣議郎差充

沿江制置司准備差遣葉寀篆額門生文林

郎差充沿江制置司准備差遣孫定立石

吳堺淳祐題名記

嘉熙改元十有二月制使大學尚書別先生自姑孰分閫金陵是時首被羅致者參議官則嘉禾李曾伯機宜文字則東嘉黄漢章幹辦公事則古雲吳堺準備差遣則番陽王應辰入幕之初讀重修議舍記規橅一新知其昉於紹定改元之春實大資趙公分閫之日也繼詢題名石刻則前未之有官寺題名所在皆然沿江大幕府乃因循未立非闕典歟因呼老吏叩曩昔幕屬姓氏其歷年之多者往往不能省記今自紹定改元以後裒次而登諸石庶來者有考焉夫題名特一事耳自堺濫巾幕下凡三見改歲至是始克立其亦有時乎

姚希得建康府都僉廳記

留都幕府之重尚矣國朝盛時西洛僚佐多賢稱於天下倅曰謝希深推官曰歐陽永叔有若尹師魯有若梅聖俞咸在其選葢陪京巨鎮非他幕府比治中別駕曰詣其所參決可否號都僉廳凡所以鎮邦國施教化統理所部之畔者悉於是咨晝諾焉金陵夙

號帝王州自六飛南渡管鑰不輕畀而簡僚惟謹景定二年冬余承乏居守幸當邊塵晏清食焉而怠則余豈敢乃搜民瘼乃討軍實越二載百廢粗舉學校既修社廟既葺因念是邦臨護之大而議舍湫底庫仄非所以重賓筵敬民事也於是節浮費之不經者省冗役之不亟者因故地撤而新之廳爲間五堂爲間七航齋設其中賓序環其列吏舍翼其旁總百有四楹堂榜曰此奇取坡公賢哉江東守收此幕中奇之句也高其閈閎敞其軒檽周阿峻嚴列楹齊同堊塗艧丹內外華好可以俯仰可以談笑斯謂高明游息之道具焉者也視以無壅氣以不煩政之大小議於是訟之枉直剖於是物來而名事至而應將無所處而不得其當矣然則斯宇之作豈無補哉抑吾聞之明道程子之掾鎮寧也筦庫細務無不盡心事小未安必與守辨張子韶大書鎮東僉廳之壁曰此身苟一日之閑百姓罹無涯之苦先儒奉厥職若是其忠且敬也居是幕者能以二公之心爲心豈獨爲守者嘉賴將見惠政被江左聲實流天朝諸君自此外矣謝歐尹梅獨何人哉會予有名還之命用伐石爲記俾來者知作之所始而敬其事云

梁椅上元建學前記

上元自程夫子主縣簿士迪于訓至今恂恂如也邑故未有學裁置弟子員四附於郡學官而廩於縣春秋釋奠先聖令服其服荐獻七十子兩廡下外是一無所與之東陽陳侯寅至則慨然曰吾爲邑長於斯使士者無以藏修息游必郡之之焉不大恧歟顧邑賦輸皆上於郡微銖寸入葢偃蹇睥睨者三年會負郭有民田入於官爲畝凡若干迺請于大尹觀文趙公其諾如響計使戶部倪公又欣然以廢圃衡從各三百尺有畸俾規以爲宮於是上元縣學一日權輿矣侯方薙蕪斬翳彝凹苴缺百工咸作亡何當代去恨役未及竟懼來者之弗緝也屬椅志所始椅竊惟三代之學莫備於周周公所以經世變立人極六典具矣而建學養上之費獨未之聞及攷其制則巷有塾里有師朝夕出入有教自二十五家之閭等而升之黨庠術序以達于國莫不有條約焉然後知井田與學校並行眞千萬世良法也阡陌開士什九無常產學亦往往無定處長民者將聚而教則必飲食之宮室之而官無公田又必委曲於經常之外故其事視古人爲難獨慨今之學者月有試旬有課大抵不過務記覽

工詞章釣取聲利而學規云者又特出於一時有位之人類非聖賢旨意夫自灑掃應對進退以至窮理正心修己治人所謂學也今使長民者孳孳焉以就所難而其學乃繆於古豈不甚可惜哉且侯之經茲役也必曰食焉而教基而廬葢有爲之本者夫學亦若此而已邑之士其尚思侯經始之難視侯所以先立其本之意而程夫子之遺規緖訓益致力焉則爲無負於侯之所望若夫棟宇器服未潰于成則新令且至必能以陳侯之心爲心椅敬執簡以俟續書寶祐戊午日南至宣教郎添差通判建康軍府兼管內

勸農營田

事梁椅撰

周應合上元建學後記 觀文相裕齋馬公再尹建鄴之三年江濤不驚闔晝整暇

命客周應合筆受條教補職方乘之闕文謂皇居留鑰不可群於麗譙以尊君也乃爲留都錄以冠之又謂教宮禮殿不宜旅於邑屋以隆師也復爲儒學志以別之自郡而縣有學皆志上元首諸縣學未建而而石有記應合乃卽鍾令蜚英而質焉令曰前令陳君有志於斯會去不果刻石以望于後許君繼陳又

不果蜚英承乏始至承命府公立學第一事也我儀圖之數月將潰于成時聞其語未見其事一日登上元之勤清堂從容覲奥則畫宮於堵爲殿爲學爲堂爲序爲門爲庖井如也鳩工於廡錡者左斧者右梁棟榱桷森如也諗令曰咄嗟集事何其才役其民不知何其仁甫閱月令來言曰學成矣堂一齋四未名敢請應合曰明德新民大學之道堂扁明新可乎子以四教文行忠信以學文修行存忠主信名齋可乎令曰諾又作而曰昔未建學而有記今既建矣可無記敢并請應合固辭請益力則問之曰上元名縣肇於唐五百年矣建學昉此何也令曰昇爲州江寧建康爲府皆治上元郡有學矣縣復立學則懼其費而不敢爲縣以賦獄爲急縣附郭又先急所急在彼視學爲迂而不暇爲其自厲者知立學不可以已材與費又或制於府而不克爲今府公以立學命我以寬條裕我於是免於不敢不暇不克爲之誚蜚英之幸府公之德也應合喟然嘆曰縣有學實三代黨庠術序之規武城弦歌豈以魯有頖宮而弗之務浮圖老子之居遍郡縣素王之宮顧疑其贅乎賈生慨簿書期會爲大故俗流失世敗壞恬不之怪移風易俗使

天下回心向道類非俗吏之所能學固先務也奚其迂所患者學立而教不立謂迂且贅亦宜哉因攷之六朝縣未名上元時龍阜雞山北郊西邸數學並立皆今縣境也立學雖多而世道日卑豈學之無益於世蓋未知所以教耳大經大法之不究談理以元爲高摛辭以靡爲工自以爲學非吾聖人所謂學也蓋自孟子沒聖人之學不明至于我宋克生眞儒若程純公發天理之秘張宣公精義利之辨眞足以揭希聖希賢之正鵠而遺後學之指南車也此邦寔二先生過化之地立學於此其可不皇皇汲汲偲偲切切著明二先生之教以還三代之俗而洗六朝之陋哉令居袁盍思李泰伯之言乎武夫責降由詩書道廢人惟見利而不聞義爲臣死忠爲子死孝則推本於教道結人心之故夫教道之要在於明天理辨義利而已義心根於天理之正利欲生於形氣之私不能以兩立也此長則彼消彼輕則此重其爲孝爲忠爲賢爲聖至於位天地植人極亘萬古而不泯者義心之積也其便巳媒身遺親賣友以至於欺君誤國舍義取生淪胥於禽獸者利欲之積也其初毫釐之差其極天壤之判姑卽是邦言之自古皆有死何獨忠

貞卞公忠襄楊公廟食百世雖死猶生何杜充李棁之徒萬世切齒犬彘不若無它義與利之分耳易曰天險不可升也地險山川丘陵也王公設險以守其國上元之濱長江滔滔地險可設人皆知之天理固於人心而利害不能移患難不能怵威武不能奪此天險也教道結人心眞設險守國之最大者歟夫如是然後知明天理辨義利之教不可以不明立學以明此教不可以不廣恍知所先務矣不是之務學雖多亦奚以爲今日是吾志也府公之所以命也請事斯語壽諸石以詔吾士土木之費末也故不書

劉宰句容縣重建學記

奉議郎古栝吳君淇來宰句容當軍事方殷軍須旁午之時內事拊摩以不失聖天子愛養元元之心外謹供億以不違賢方伯綏靖邊方之畧旣內外兩盡上下交孚田里晏然絃歌有裕深惟觀民設教王政所先化民成俗令長之事而是邑也厥田惟下厥賦中以下田供中賦故其民勤其用儉惟勤惟儉不見異物而遷焉故其俗最近古易以入德而望是邑者三茅之山峯巒回環竹樹深窈有泉石之勝而無巖崖谿谷之險隱君子之所宜居相傳以爲秦之亂茅氏兄

弟實居之若武陵源然其居之安遂往而不返而誕者乘之以爲於此昇僊焉使聞者遐想至者企慕庶乎遼東之去有時而歸緱山之會有時而復幸旦莫遇之則九醞之觴可得而飲五百歲之桃可得而食駕鶴驂鸞可勝躍而上也而理卒無是則始愧其誕戛其窮竊取屈平九歌司命名篇之意以名其山之隱君子以爲僊駕雖不可望而死生禍福之在人容有可得而轉移者蓋後吾山之隱君子在天之靈實司之使世之貪生而畏死懼禍而徼福者爭趨之以庶乎久生而無禍而理復無是則又窘於說之窮愧其誕之覺並緣傳記所載吾夫子問禮老聃之事肖土木像二名其倨傲鮮腆者爲老聃而以其謙以自牧者爲夫子曰老聃吾師孔子吾師之弟子也庶幾夫知敬吾夫子者必知敬其師知敬其師者必知信其徒之說不知老聃以清淨爲冲默道豈誕者所能師夫子既聖不居不恥下問儻以所嘗問爲師則問官名於郯子問每事於太廟彼荒僻之長駿奔走執豆籩之人皆師乎故爲前之二說則自誣其山之隱君子爲後之說則不惟厚誣吾夫子併與其所自以爲師之老聃誣之其誕可勝誅乎雖然爲是說者東

西南北之人非吾之人也彼其以誕承誕以愚詐愚而吾邑之俗近古而易以入德者自若也然則興學以道之以正人心息邪說閑先聖之道非賢令長事乎君於是撙縣費之浮計學廪之羡益之以邑人之願助市材之美諏工之良涓日之吉撤舊宇一新之殿陛邃嚴儼王者之制堂廡廣修倣侯泮之規宸章有殿先哲有祠而士知所尊校文有廳肄業有齋而士知所勉下至庖湢積貯之所僕隸之舍各稱其宜總之爲屋六十而牆之袤丈者百經始於紹定庚寅季秋之朔閱十有六月乃成計米以石厥費凡四百有五十錢以緡凡三千八百有四十工以日凡萬有一千二百而公不告匱蓋以均節有道私不告勞蓋以勞來有方既成屬宰記其事宰惟君之此舉所關者大不但爲子衿城闕而已方緒次顛末君復以書來言古之學者必至大學而後成大學之道在明明德余故以明德名堂而手書以揭之子盍爲我申言其義宰惟明德天所均賦惟先明己之有是德而後能明人之德故明德必自致知始夫苟致其知矣則是非明辨而異端可得惑乎知至而后意誠心正則無妄念無邪思而憑虛御風等說可得入乎由是而

身修則視聽言動罔不由禮安有自放於禮法之外由是而家齊則家人婦子各盡其道安有自絶於倫類之間又由是而推之以治國平天下則堯舜禹湯文武所以爲克明其德及是則周穆秦皇漢武所以爲耄荒而不可救藥也君曰然此固吾黨之士不待告而知者雖然是道也豈吾黨所得私哉當刻之石以正誕者之罪爲愚者砭云

鄭剛中溧水縣學記

唐武德元年至聖文宣王廟在縣東三十步本朝熙寧二年知縣關杞遷於通濟橋之東南建爲學紹興八年知縣李朝正重修大成殿并建講堂齋舍鄭公剛中爲之記三十年知縣唐錫重修隆興二年知縣李衡增員養士淳熙十三年冬知縣房仲忽重建講堂十四年夏知縣李涤重修兩廡紹定二年知縣史彌鞏增建尊道堂於命教堂之後嘉熙四年知縣王儔建小學于戟門之右王公遂爲之記淳祐五年知縣趙崇乘重修大成殿六年又創釣鼇亭於尊道堂之後臨淮水吳承相潛書其榜七年三月重建戟門及櫺星門東西兩廡十二年知縣趙希崗建齋舍一十二間實

祐元年重修命教尊道二堂創學廪於西廡縣尉胡俌改命教堂榜曰明倫四年知縣喬進孫重建櫺星門加飭垣墻景定元年制幹趙介如權知縣事重修大成殿及東西兩廡作亭于櫺星門外取易臨卦象傳辭榜曰教思前後縣大夫皆以興學爲務故溧水文風最盛貢舉爲多固山川奇秀之所鍾亦守令作成之所致云

王遂建小學記 古者家有塾黨有庠術有序國有學蓋自五家以上必立之塾迎仕之已者爲之師匪直郡邑有養也士能言莫不有教十歲就外傳學書計幼儀誦詩舞象勺十五入大學而教以窮理盡心修巳治人之道秩然而不亂燦然而有文匪直成人有德也自秦罷學賤士漢唐之君豈無有志者更我仁祖而郡有學官中興以後縣令亦稍增置然四民雜處非復家習人誦安能比屋而有士君子之行哉幸而學設教修入不知奉親敬長之道出不聞從師取友之訓洒掃必無加帚拘袂之儀應對必無負劍辟珥之容進退必無徐行後長之序居無禮行無樂動無五射五御之文靜無六書九數之

法父詔其子兄語其弟不過聲病得失之習利祿進取之計不但失其學而廢其教不但學者無人而師資亦闕氣習日陋志慮轉薄猶之築室而無其基濬井而無其功宜乎子夏區別之言子游以爲未管氏弟子之職內正而外莫之能行卓然自立特其生質之良而已溧水居昇宣間當王教衰男子不背死於朋友女子不爽信於君臣則天倫之美宜無不盡千載之間風流篤厚人物表表夫豈無之而時王立制以科舉取士千室無能應令者豈生材薄於古歟實玉不琢拱把無養故也史公提刑彌鞏爲令注意教養久漸廢壞今令王公下車興崇惟謹首闢西廡建爲小學旋卽學西闢地爲宮合於虞庠在西郊之制成童而下聚而教者二十人爲率詩賦屬對隨力所進課試有程教導有師表勸有式弦誦相屬先是公廩五百斛不足以贍生徒至是歲輟諸倉月取諸稅猶懼不蔵會永寧鄉新築之圩租入七十石可以畢小學之供天造地設若有爲而然士風與行人村輩出前之成者後繼之今之進者來未已小則烝烝而出大則亹亹而升還成周而陋漢唐自兹始矣大書課冊俾記其成遂曰小學之於大學爲序不同其道

則一而已大學者因理以明天下之事小學者即事以觀天下之正申後國正以正學粹行承學趙丞相汝愚寺丞以清節懿行受知黄尚書度則其政也豈簿書期會而已哉遂少與寺丞同師事黄公今老矣躬耕句曲山下猶及見德化之成故不辭而爲之記

周應合敎思亭記

溧水壯哉縣治難其人開慶己未冬番易趙君幾道繇閫幕被選攝邑事羽書正殷民恃無恐明年春武偃文修釋奠先聖先師廼作亭宫墻之外以萃冠帶以觀示衆庶蓋地之最勝處也澤上有地在易爲臨故取象傳之辭名以教思方求扁于府公裕齋先生而檄召還幕未遂也又明年邑人思之公命復往大書教思二字授幾道刻而揭諸楣正實與時也府統縣五登名大府者合十有三是歲溧水居其八八六經皆推首選士登斯亭動色而胥慶曰趙君之政足以寧我趙君之教足以淑我馬公任之足以福我去而復來足以俾我吾邑貢士素多未理誠使幼學者用力乎孝悌忠信之行以及乎射御書數之藝及其長也由格物致知以至於誠意而理無不明由正心修身推而至於治

國平天下而事無不格自塾庠至於序學而教無不成人無不化今顧求工於言語對偶之間其去聖賢塗轍益遠然賦有物混成而知志不在温飽歌願秉淸忠節而廟堂稱賀對鸚鵡能言爭似鳳而稱精神滿腹驥墮地而動千里之想未脫穎而有聳壑之標王朝以此得人名賢所不廢也苟惟士無學師無教挑達而有在城之譏色笑而無匪怒之教互鄉之不保其往闕里之欲得速成童子而有成人之風嬉戲而有襟裾之詠豈惟小子之學根於孩提抑庭期稱道其爲大人也能知進退存亡而不失其正者鮮矣安保其不欺君賣國以爲鄉里之羞哉小學成始成終之教一言蔽之曰敬此心旣立無往而非明德新民之功豈惟士子所當盡力抑長史所當盡心也公諱儔北海人寺丞田子爲國有盛於此時是敎思之作足以與我坡老嘗言君子爲無窮之教以保無疆之民願記其事以爲無窮幾道乃以其士之意移書屬筆於余余於幾道有幕府交承之好辭弗獲命乃爲之言曰臨之爲象坤上兌下厚德載物坤之順也朋友講習兌之說也容保無疆蓋取諸坤教思無窮蓋取諸兌不有所保奚其臨不有所教奚其保故竈

山楊氏曰君子之臨人非以力制之也亦教之而已幾道其有得於斯乎何哉所謂教者周官卿大夫之職受教法于司徒以三物教其所治知仁聖義忠和謂之六德孝友睦婣任恤謂之六行禮樂射御書數謂之六藝而道在其中本末相須闕一不可教於平日攷於三年之大比而興賢者能者帥其衆寡以禮禮賓之賈公彥釋之曰帥其衆寡集於庠序之前皆來觀禮之人也知所觀則知所教矣斯亭也殆爲觀禮者設歟教不在亭而有教之思焉此幾道名亭之意乎臨不以力而以教教不以迹而以心涵濡游泳意思深長賢能之興於斯爲盛可以驗幾道之教而而府公巨扁爲不辱矣或曰六五臨之主知臨大君之宜吉大君臨天下者也今以臨之教思施於子男之國宜乎否乎曰臨天下者之所以教正有望於臨一國者之推其教也國無大小皆務其教則天下之教成矣今府公臨大江之東思以廣大君之教幾道臨子男之國思以廣府公之教賢能之興出長入治即異日之臨民者又當思所以廣邑侯之教所以爲無窮也所以爲無疆也程子傳曰教導之思至忱無斁容保之心廣大無限幾道盍與其士勉之哉

沈士龍新修文宣王廟記

善乎董仲舒之稱人受命於天生五穀以食之桑麻以衣之服牛乘馬圈豹檻虎是其得天之靈貴於物也知自貴於物然後知仁義知仁義然後重禮節重禮節然後安處善安處善然後樂循理樂循理然後謂之君子夫能使人爲君子者惟吾夫子之道焉今天下郡邑皆得立夫子廟而不能尊修之其何以示教化哉溧陽縣夫子廟舊處其縣西偏既隘且弊今縣宰太子中舍查侯嘗議欲遷之邑東南隅重役民而未果居一日邑民相與爲請願獻其地合材而遷之查侯曰汝曹無乃勞乎邑民皆曰嚮者明府當薦饑勸分粟以餉貧者曰俾築隄捍水墾陂之田衆賴以活且有欲富斯民之意此何以報之今又議遷夫子廟將教以善道如是厚賜敢不子來於此乎於是翕然興功倏焉畢事殿廡之制聖哲之像咸得其宜足以使邑之人圜冠方領遊乎其內奉縣大夫之祭豆侍鄉先生之經席知父子兄弟之道君臣上下之節而安處孝悌樂循中和以興賢能以受爵祿入其境則將見男女之行路者由乎左右少壯之負荷者併其重輕至其鄉則將見訟田者閒漁泉者遜然後

溧陽之民知查侯之德不可忘也夫查侯所以當饑歲役民而民忘其勞者由誠心之所及爾使長人者皆能如是則何事之不立何政之不行乎申翁所云爲治者不在多言顧力行何如者斯之謂矣廟既立查侯以文見託士龍謂茲事可舉以勸遂欣然書之

陳聞遠重修溧陽學記

溧陽縣學其權輿不可得而知考諸夫子廟記蓋皇祐四年自西城遷今處閲時既久廢葺不常冣後建炎末有潰兵至撤庠屋爲營壘唯餘大成殿厥基自是爲墟矣紹興癸亥秋天子大興學校建陽施祐爲邑之明年始合大家富室建今學又明年且成實紹興十八年也吳興周侯淙胝施侯爲隔政既謁先聖先師徧觀黌舍惜其成而未備二十年春遂因其室廬之顛仆者垣壁之頹垝者戶牖之疎腐者瓦甃之鈌折者黝堊丹瓦之未設者悉易葺而彰施之輪奐新美文采爛然屹當邑之東南如涌鼇背上物會是歲詔舉多士令先期赴鄉飲酒乃得應侯奉行惟力禮意有加於是邑居自達官而下畢來韋布雲集比異時爲特盛邑之人獲觀進退揖遜登降之節莫不稱歎

以爲侯既能具嚴殿庭以展釋菜禮又能飾堂廡齋序以容士夫周旋乎其間眞盛舉也既事休工侯廼命其僚三衢陳聞遠爲之記聞遠竊惟國家中興既修鄰好置威武於虛空不用之地首闢賢士關開教化原又詔郡邑恢庠序養士類所以尊名教作人才者德至渥矣故雖偏方僻壤弦誦之聲如沸縣守令宣化之力也矧是金陵疆井廣袤民物夥繁雲峯秀水平遠可愛其淑靈之氣當不在川珍陸異必萃之於人是宜才士輩出收科第如摘髭而登法從者接武竝進宅日三事之任尚庶幾見其人決非偶然矣抑知庠序之不可以不修也固邑人之願也亦侯之職也譬之居室始焉而合不若少焉而全全必臻於美然後爲至計侯之功信美矣推是心以往知其能粉飾治具黼藻王猷必矣是用紀其實云

史正志二水亭記

秦淮源出句容溧水兩山自方山合流至建業貫城中而西以達于江有洲橫截其間李太白所謂二水中分白鷺洲是也來秦淮兩城隅對峙北爲賞心亭其南闕焉登城而望坐挹牛首可憑藉如按淮山一帶沙洲烟嶼皆不遺毫髮意古必有亭其上者一旦父老謂予曰此

承平時二水亭也考於圖志不載嗚呼六朝以來迨今九百餘年其廢興成敗可勝言哉今之爲城蓋自徐温之改築亭以二水久不知爲何時豈歲月久遠故不傳邪城下二水混混東流古今固自若也昔羊叔子登峴山顧其客鄒湛曰自有宇宙便有此山勝士登此遠望如我與卿者多矣皆湮滅無聞使人悲傷湛曰公名與此山俱傳若湛輩當如公言耳嗟夫有志之士慨其名之不與山傳也如此頃者城壁缺壞才辨瓦礫是亭之名先其傳久矣況於一時登臨之人哉碑石果可託於峴山爲不朽乎蓋笑叔子之志眞區區也予方修築城隅復建是亭揭以舊名而爲之記後有來者覽江山之勝而讀予之文因悟夫城之與亭廢興成敗相尋於無窮而人事得喪倏往而忽來思所以託名於後世者可不慨然有感而爲之賦邪

丘崈東冶亭記

留尹史公治效之明年作亭東郊並鍾山之南前臨大逵距城五里所爲僚屬曰厭令驛湊居所使命賓客畢出於是當六朝時名園甲第瓌壯秀麗之觀山川之形勝占是爲多

使夫往來者休焉有以寓登臨觀覽俯仰古今感慨愉悅之適斯亦一奇也如將奚名或曰晉東冶有亭在縣東汝南灣桃花園之間三吳冠蓋送餞於此夫亭近是蓋以東冶名公命宗爲之記辭弗聽則進而言曰夫亭整暇爲之也故爲之無勞而享者易之且國家建置行都逮今數十年自城雉廪庾取士之宮齊名之居室因任故常或鈌弗治而公之承之循自若也獨如亭何惟其悉繕悉營亡一不備而後及此則後推公之治能整且暇焉者夫亭所以識也雖然是豈殫公志哉蓋立館於國以待方國之諸侯列邸於郊以待四荒之客使俾朔南萬里拱極面內以尊京師是以公之志云耳而殫於是哉宗聞之也結眊者志在糾紛運甓者心存乎憂勞君子作於小所以寓大嘗試從公夫亭之上東挹方山西眺石城以望大江南瞻牛首之嵒嶤北顧鍾山之大且高商形制之謂何論險塞之所如究方來之若爲悼已往之弗圖而寓諸遊觀之娛斯亦庶幾公之志乎公曰唯遂記之

吳淵翠微亭記

六朝以石頭爲重戍府庫甲兵萃焉至南唐始爲離宮此天所以開混一

也然而翠微之景實甲於天下林和靖隱居西湖得得來游見之賦詠則其稱絕可知矣中興以來刱總領所亭隸之豈以金穀之冗瑣易生煩厭非江山之清絕不足陶寫邪又不然則中間必有文人騷客名輩清流以是人而居是官故能爲是官而有是景邪淳祐己酉春余自當塗來故人少司農天台陳綺伯奇實護餉事當因暇日相與徜徉其上余舉酒屬伯奇曰是亭之址居山之巔無所障礙故無非景物夫其南爲方山則秦皇之所以鑿而爲瀆以厭東南天子氣者也其北爲環滁則歐陽公之所以與客遨遊作亭其上而名爲醉翁者也其西爲三山則元暉之所登以望京邑太白之所眺以懷長安者也其東爲鍾阜爲鷄籠則雷次宗周顒阮孝緒韋渠牟輩之所以隱居求志遯世無悶者也迺若長江自西亘北銀濤雪瀾洶涌湍疾烟帆風席杳靄滅沒朝宗于海晝夜不息與夫遥岑近岫危峯斷嶺如列畫圖如植屏障或雲靄之出入或烟霞之明晦或晴霽而日月朗或風雨而雷電暝朝莫四時千變萬態不可名狀者無非此亭之景也然景大而亭小不可以縱目而騁懷景四面而亭一面不可以總觀而並覽坡翁有曰

登臨不得要萬象覺偃蹇子盍圖之伯奇曰諾會其以憂於職而病又以最於職而召夫憂於職而病則所亟者藥裹最於職而召則所趣者行裝其於游眺之所必不暇過而問是不惟人意之雖余亦意之也居無何忽折柬告曰亭已成矣昔亭一面而今亭四面矣余驚喜冗未能造亟命工繪圖取而觀則自西自東自南自北凡景之所在亭皆延之亭之所在景皆赴之余之所以舉酒而屬者無一不酬而土木之壯丹雘之工營繕之巧則又其次也夫金陵六朝舊都故其形勢周遭迴環其江山雄偉壯麗非偏州小壘可望萬分一前人登覽之地如賞心如鳳凰如雨華如青溪皆最佳處不獨翠微而已也而大景物每無大棟宇以彈壓之不惟無大棟宇而其小小者亦皆將仆焉余雖有志於此而力未暇及今伯奇當財賦正赤病疾未瘳命召將行之際而能鼎新之使三百年之景物一旦軒豁呈露無餘則其丘壑之襟楚楚不凡鞭箠之才綽綽有餘蓋非餘子之所能及而尤余之所甚愧焉者也夫翠微之爲景一絶也伯奇之爲亭二絶也又以鶴山魏公了翁舊扁而揭之人與斯亭斯景俱稱三絶也故書

史正志新亭記

西南去城十二里有岡突然起於丘墟壟晦間其勢回環險阻意古之爲壁壘者或曰此六朝所謂新亭是也予考之地志信然方六朝時上流奔衝用兵戰爭無不扼此相拒先據者勝亭之名始見于東晉至宋王僧達更爲中興亭其後干戈相尋鞠爲榛莽不知幾年矣予因送客過之裴回顧睠愴然有感乃卽其地稍南爲亭榜以舊名其制崇高廣袤雖未必及於舊而山川形勢登覽之勝煥然如新則世之相後累數百歲未嘗有改也初元帝過江人士暇日相邀出新亭周顗中坐興嘆謂風景不殊舉目有江河之異因相與流涕獨王導變色以楚囚對泣責之且有戮力王室克復神州之言導可謂有志矣當一馬化龍之後導首任相柄非不立志恢復而元戎屢動不出江圻經畧區區僅全吳楚以至中更敦峻之叛下陵上辱紀綱不振導於是時浮沉俯仰終其身自開學校一事畧不能有所建立平居暇日非淸談自命則有短轅犢車長柄麈尾之譏驗以前日之言徒虛語耳所謂江左夷吾功烈如是其卑乎蓋人之情多銳於新而怠於久自古規模之作於新者不苟則勳業之傳於久者必大

天下萬物無不始於新也新新以爲用則精神運動之妙鼓舞天下雖百世作興而不窮不能者日就因循苟且而不知所以振起故自其新者觀之則物無不故自其善用者觀之則物無有故而皆可以曰新矣中原者東晉故物也南渡之初庶事草創故以江左爲新造而亭之名亦因以爲新導不能日用其新以酬其素志宴安有以敗之也然則今日新亭之復豈特爲將迎遊燕之地憑高眺遠動遊子之悲而發北客之嘆也哉嘗試與客登亭四望其西定山一帶清驢龍洞綿亘數百里實與長江爲唇齒之勢其東牛首方山緣廷周匝意斗牛間王氣宛然自若也其南則新林板橋控扼屯守之所歷歷可考其北幙府諸山連接石頭蹲踞如虎想孫權賊築之氣尚凛凛如生也南北𡨋隔中原如故要當哭泣於歡笑之際藥石於强壯之時不敢怠於新以圖其故功名之士患無志耳苟有其志又患無其才今天下豪傑輩出安敢厚誣以爲無人異時擊檝渡江以日新之志收日新之功使王導一時空言乃驗於百世之下者庶幾是亭有以發之

朱處二李亭記

二李亭者，識其人也。初，尚書李公擇與兄野夫隨其親尉溧水，而讀書於尉廳之後圃，後人榜其堂曰二李，蓋以識其人也。處少時登是堂，有故老能道其事者，處不能記其詳也。宣和七年，承乏尉事，求所謂二李堂者，不復見矣。有亭巋然出榛莽間，旁無牕檻，唯四壁立，意者堂之壞爲亭，亭壞而爲更宿之所，問諸吏，果然。處以是感之，欲新一堂以代者，至而不果。姑闢牕牖，加丹堊，榜其上而已。竊以謂伐聽訟之棠，不若勿伐以存其思；去告朔之羊，不若勿去以愛其禮。一亭之廢興，於兩公無加損也，而遺迹在焉，其可以輕廢之乎？尚書公舊嘗讀書於廬山，既去而藏書九千卷以遺後之學者，山中至今指以爲李氏山房。藏書之所然，則是亭也，登之者挾策讀書，亦足以想見兩公之風采師道德而論世，尚友也。若處者，何足以識之？

鳳凰臺記

尚書戶部員外郎倪公以總領淮西軍馬錢糧兼漕江東金陵郡，其治所也，治以簡靜，賦平人和，故得休其暇日，考卜惟勝，作鳳凰臺。臺舊在郡西南隅保寧寺側，余嘗剗蘚尋碑訪古訂實而老禪宿衲無能道者雖圖經載宋元嘉中因神爵至而臺得名然寺之淳熙壁記廼謂晉升平巳有臺元嘉時王顗復面臺締樓我朝祥符間又嘗著亭於斯斯樓斯亭咸以鳳字星移境換鳳去臺空於是蕪没於屯烟戍火之場矣今臺蓋唐布政臺也後世因以存古焉然而風饕雨毀漫漶不鮮棟撓級夷荒穢弗治騷人勝士顧瞻徊徨率不得以極其遊覽之娛盡登臨之美後觀得無廢乎公廼凌氛埃登亢爽腐折斯葺破缺用完碧欄螭飛萬瓦鱗次然後幽想逸發神遊飄蕭烟雲徐來風雨在下遥青遠白刻露清高沙鷺水鳧油浣飛泳龍翥鶴騰俯伏後先而夕陽衰草之悲夜月寒沙之恨亦紛紛落研席間矣公於是舉酒觴客撫飛軒而浩歌白也之詩聲運林木吳時花草亦不覺爲之出色也客有屬而和者曰臺峩峩兮山之陽招桂樛兮芳菲彌章日五色兮雲飛揚噫鳳凰兮胡不來翔臺巍巍兮山之扉膏吾車兮天風歛衣鷔在節兮烏潛飛噫鳳凰兮胡不來儀公聞之曰梧桐生矣子姑醉公錢塘人名皐字泰定

梅摯周處臺記

府雉東南有故臺基曰周處圖志亡之都人稱之登而四望江山表裏與陳跡槩見豁如也按西晉史處字子隱義興陽羨人弱冠前好馳騁不修細行州曲患之自知爲衆所惡慨然有改勵之志里人以三害切諷於是射虎斬蛟往見陸雲具以誠告雲曰古人學道貴朝聞夕死君前途尚可第患志之不立何憂名之不彰遂退而嚮學有文言必信行必謹如是朞年州府交辟仕吳爲東觀左丞吳平入洛累遷郡太守率有善狀拜御史中丞凡所糾劾不避貴權卒樹功名没世遠耀噫天地至大根一氣陶萬化未始無過陰陽寒暑小有繆盭則從而改之卒歸大順而況於人乎古聖賢本天地之性以修其性亦未嘗諱過後之人不獨諱之而已抑又從而文之自底悔吝良可嗟惜維子隱少而不逞長乃自悟一旦番然去惡卽善遂爲名世忠賢可不重乎則中人所禀因物染遷爲時詿誤德有小眚言有小疵未甚子隱之害于而鄉又何憚改爲哉予因表是臺新是堂非止卜高明之居包遊覽之勝而與民同樂亦將有激時世云

馬光祖雨花臺記

雨花臺勝甲江南事詳郡乘余公餘一往則臺屹其崇萬象環集山川城郭江淮吞吐如拱如赴而顧瞻吾臺藩拔級龔反若歆然有不足當者乃度材更繕不兩月告成旣成率賓佐落之余撫欄作而言曰嗟乎地以山川勝山川以人勝而人之所以勝者何哉今吾與二三子登斯臺也仰而觀　行闕奐如趙元鎭張德遠之所建請猶凜有生氣俯而觀長江砂如韓蘄國虞雍公戰勝之跡尚可一二數也子以是而觀之其亦有槩於心否歟向皆如晉元奕輩把酒清譚脫落世事則雖茂弘新亭士行石城遺迹之丘墟久矣而況所謂雨華臺者然則吾與若從容無事相與遊於此也而可不知其所自耶知其所自則當監其所爲矣吾老矣何能爲惟聞誦此山移說東廬山故事則躍然有所契金盆石室諒不終寒我盟然前所謂元鎭諸賢之事其卒付之登臨一槩而已乎詩曰高山仰止景行行止又曰以似以續續古之人吾敢以是爲二三子勉二三子有不勉者耶乃相與離席而謝曰敢不勉因筆以爲之記

蕭十則賞心亭記

賞心亭佳麗地之瓌觀可賞已如先正言此北望中原憤惕不敢暇逸處可賞耶古今遊宦幾何人目以玩賞口以吟賞而眞賞以心者幾希人心天地之託也爲天地立心之心也虛用之虛高實用之實高虛母勝實虛而勝撫嘅千數百年之消息興懷四十餘帝之盛衰烟蕪凝愁風濤磯感宮雉相望客心悲未央其心耳事跡東流傷心長春草其心耳騷人賞自高如虛何實而勝莫若王謝高宴飲新亭賞也戮力王室尅復神州實之放情丘壑賞也棋墅指授破賊淮淝實之曠不弛勞清不妨要以虛豁心之壅滯以實發心之精明兩公實高之賞歟虛高者荒實高者强用實心辨實功今大制使資政裕齋馬公之心王謝心也無賞心也何以亭於新一酒不歡甘苦其同一錢不妄調度其供何以亭於費讀開寶二年二月詔官受代曆書屛增毀以定殿最見亭毀於燬而無動心有慊心日羯胡透渡江上危甚公啓元戎行蒙公先驅祀姑後張循視大江嚴險棘之防進駐上流雄猗角之執神龍拏淵威虎憑林英稜挫其遐衝洪基屹其磐石馳鶩再歲始柙刃而韜弦此一功殊大新北亭賞秦淮

洗兵也賞豈虛賞者屏卧雪圖賞之浮獨倚青冥賞之游公之心心心實也鳳凰去巳久正當今日回有思治心去惡如去草養花如養賢有贊治心想虞雍公督舟采石而提聞則義心激愛張魏公勞軍沙上而　奔則壯心生充是心之實何賞乎以調玉燭之明爲時和賞以補金甌之缺爲國壽賞以鐵劍利而倡優拙爲外禦內修賞非賞之賞此之謂大賞高哉凡役屬其屬朱幼學凡費不書惟一非三是牽聯書亭前爲張麗華墓一賞賴有一戒存萬代之永監而前守爕之非是東卽張忠定公所刱折柳亭誰送迎也西卽蘇文忠公嘗題柱白鷺亭尚典刑也又西橫江舘取李太白人言橫江好之句以名賓如歸也三併新之是亭事畢出餘力築舒州二十三載久復隍之城以舒隷昇聞故遠且城之而況於近亭皆一實所成觀之坎有孚維心亭剛中也中畫一陽蓋象心心剛則實往乃有功公嘗習坎之出以剛爲實心亨有道矣賞大大矣躋亭覽景弄筆而賞以詩公心憤惕未暇也有大父野亭先生百詠在

朱熹明道先生祠記

資政殿大學士建安劉公珙居守建康之明年夏四月始立明

道先生之祠於學而以書走新安之婺源抵熹曰吾少讀程氏書則已知先生之道學德行實繼孔孟不傳之統願學之雖不能至而心鄉往之及來此邦屬邑有上元者先生少日宦遊處也考之書記均田塞隄及民之政爲多膴龍折竿教民之意亦備然問諸故老以稽其實則兵革變故之餘風聲氣俗蓋已無復有傳者矣始至慨然即欲奉祠以致吾敬使此邦之爲士者有以興於其學爲吏者有以法於其治爲民者有以不忘於其德不幸歲適大侵救饑之事方急於今廼克遂其志以吾子之嘗誦其詩而讀其書也故願請文以記之旣而府學教授孫君龔沈君宗說亦以書來申致公意且具道公始之所以焦勞而未及與今之所以暇豫而得爲者其語詳焉熹發書喟然仰而歎曰尊賢尚德公之志則美矣旣富而教公之政則得矣屬筆於我公之意則勤矣雖然先生之學自其大者而言之則其所謂考諸前聖而不謬百世以俟後聖而不惑者蓋不待言而喻自其小者而言之則上元之政於先生之遠者大者又懼其未足以稱揚也吾何言哉於是伏而思之先生之學固高且遠矣然其教人之法循循有序而嘗病世之學

者舍近求遠處下窺高所以輕自大而卒無得焉則世之徒悅其大者有所不察也上元之政誠若狹而近矣然其言有曰一命之士苟存心於愛物於人必有所濟則其中之所存者又烏得以大小而議之哉區區不敏竊願以是承公之命庶幾於公之志先生之學兩有補焉又惟公之忠言大慮既已効於朝廷今雖在外而其所以救菑而弭患者又如此其汲汲也則於先生之所存必有深感而默契於中者矣其祠之也豈獨以致其尊賢尚德之意使民不忘而已哉若夫推公之志而以先生之所以教者教其人使之從事於爲己愛人之實而無空言躐等之弊是則孫沆二君之任也與二君勉旃熹於是其有望焉爾矣

真德秀明道祠記

先生之生鍾乎元氣之會學之所至純乎天理故其生色也盎然若春陽之温其吐辭也泛然若醴酒之醇同設教於家而士之願從者衆同爭新法於朝而天子亮其忠用事者感其忱一時忤意者皆貶而先生獨畀憲節力辭不就去之久而猶見思及其歿也士大夫知與不

知皆爲流滌以爲時使見用必將有綏來動和之效而重哀生人之不遇不得與於先生佐與王道之澤也非夫先生之心學純乎天理其孰能與於斯乎先生之仕也嘗主江寧之上元簿攷其設施若均田賦興水利息邪說正人心等事皆天理之流行著見者也中更變故鄉之人士罕有能言之者乾道中資政殿大學士劉公珙知府事始祠先生於學宮而侍講文公先生實爲之記則旣較然昭著而足以風厲學者矣其後主簿趙君師秀復卽廨舍之前爲屋數楹以寓尊事之意而庳隘弗稱嘉定甲戌危君和嗣居其職始請於帥守莆田劉公榘增而大之德秀時將漕焉捐金三十萬粟二千斛以助之未幾豫章李公珏繼至咸相其役爲堂三間中嚴像設而扁之曰春風其上爲樓高明潔淸內爲齋二東曰主敬西曰行恕後爲小室焉曰讀易外爲齋一曰近思齋之側爲亭曰靜觀又爲兩廡翼之而刻表墓與河南雅言於其壁危君之於斯役勤矣而劉公之經始也嘗屬德秀爲之記危君又重以爲請再三返而不置德秀以固陋力辭而不可得也顧自惟念少知誦習先生之書初蓋茫然不知所嚮而粗若有見者竊謂自有載

籍而天理之云僅見於樂記先生首發揮之其說大明學者得以用其力焉所以開千古之秘覺萬世之迷其有功於斯道可謂盛矣而其所以進於此則又有二言焉毋不敬以操存於未發之先思無邪以戒謹於將發之際涵養省察動靜交飭知天事天二者兼盡及其至也中一外融顯微無間則雖人也而實浩浩其天矣若是者其於先生之道有合乎否也竊不自料次第其說以授之危君幸以爲然則刻之堂上以示來遊於斯者使知先生之道雖高而用力有要萬有一可爲興起之助云爾

修上元儒學記

郡城之東偏由通衢而入數十武積水縈滙有泮流之象北直平疇連衍無際雖闤闠密邇而幽深曠遠不翅乎林壑坰牧之居者會芳圃之舊趾而上元邑學之所建也考其歲月於今百年蓋當宋氏之旣南郡爲大藩閫帥臨之學政之修致隆於郡而在邑則否迨其季年鍾公蜚英之爲令昉爲之經始顧已迫於國勢之搶攘故制特綿蕞而完美之功有不暇焉者混一之久莫之能加則以祭庻之弗嬴緝弊支危僅以自守一旦更張而爲之也實難嗚呼治邑者有能匹休前人以俎豆

爲事因其故而損益之亦何難之有至元五年歲在巳卯大名田侯來尹是邑職專於學覩其廢鈌懼無以副國家設學之意亟以請於邑長曰其責在予圖之惟時謂禮器之具所宜先焉則冶銅爲爵坫四十爲簠簋十有八爲勺二爲鐘一竹爲籩者三十爲篚者五木爲豆者二十以補其未備若豆若尊若罍洗灶薰之有鑪植燭之有檠灌頮之有壺舉易其鉶璺朽窳而新之而凡器用之需無不給繼之以廟學之葺則擴禮殿之基左右各五尺以立十哲之位作欞星門修戟門之廚暨堂及二序皆責治之改築成巳軒敞其後爲四楹構連檐以徹於堂而凡棟宇之壞無不飭然後峙華表於門外飛石梁於水次列柵以爲閑周垣以爲蔽繪門弟子暨先儒之像於縑素以更圖壁之舊而凡畫飾增嚴爲經久之計者今無不用其極內外相侔功倍於厥初來觀翕然感斯文之作興跂望朝夕思服善教昔之大儒嘗佐斯邑化俗之美流於無窮侯之爲是舉也其可以無愧與夫學爲政本先聖王之所勤力而吏卒慢焉世降般周治不古若職是之由自侯之至究心於民夙夜弗怠邑之庶務咸得其理訟獄既淸濤俗以安敏惠廉明著

於一時故上元之政爲屬邑最今又能達其本而崇禮義之化使民有所觀法蓋可尚也巳非其刻之其何以勸來者邑長曰那懷令曰田賢贊其可者簿李艮臣教諭湯俊典史朱節承命謹而督役勞者邑掾陳敏也金石土木之工合九百三十有奇費之出田侯者爲錢五千緡是皆不可畧也附記於碑而爲之記

李衛佳麗樓記

資政殿大學士裕齋先生馬公再鎮金陵之明年被旨兼董西餉公對敭休命布宣上恩弊梳蠹剔害除利興不嚴而治不令而行于時邊氛掃蕩江淮肅清雨暘時若百穀用成貔貅均挾纊之溫鴻鴈同春臺之登公於是憑高懷古慨然謂客曰自六飛駐蹕東南玆地實爲陪京三國之英雄雖遠六朝之形勢猶存顧未能選奇占勝以發山川之羨非闕歟餉臺故有賞心樓適據一郡之中壤地褊小屋老弗支公命撤而新之培高闢廣度林鳩工因作傑閣三層而名之曰東南佳麗經始於仲秋落成於孟冬不三月而大備巨棟橫空重簷揷雲於市塵闤闠之中而覩此突兀傑特之勝過其

下者皆翹首企足窈窈焉如屬弱水而望蓬萊登其上者皆洞心駭目飄飄焉欲餐沆瀣而拍洪崖北望中原一目萬里得無興和黍高低之嘆者乎俯視長江一碧萬頃得無懷擊楫誓清之志者乎銜被命將指西淮道由建業謁公於玉麟堂因獲一登斯樓以快賞心目公不鄙其固陋俾爲文以記顛末云

張椿青溪閣記

天下山川勝處古今相承往往隨人廢興得其人者雖雲煙草木皆有憑恃德名高自標致亘萬古而不可泯没之也如其不然亦復憔悴悽愴風悲雨瞑過者爲之黯然而山川因人而興者亦不多有孟城北垞本宋延清之别業香山履道之坊蓋楊虞受之故宅王白二公乃發其名而傳後世使其地靈氣英而無人傑以當之亦將錄錄蒙昧不復傳矣金陵古帝都也青谿數曲近在城中晋則爲郤僧施之所領覽陳則爲江總持之所據依二人者雖號爲聲名震耀胷次丘壑一時遊從見於歌詠然襞牋賦詩之時君臣狎昵沈酣昏蔽竟不能免艷妃橋上之戮至今使人羞之則青谿殆爲江令所汙而不可洗也異時段氏結廬其上王半山詩之而割青之名遂振兵火後走鼪鼯埋荆棘獨取

給於漁師老圃之用鍾山之秀無復照映此谿之上今大帥史公録甘泉法從宅牧留京政修戸庭而人自得於一路十州之外凡地之勝與景之殊者悉表出之六朝以來人物事迹捜訪具備覺山川益奇登覽益多而聞見益廣至是青谿數曲之地足歷而心營之因柳堤之舊築層閣之新忽若飄浮上臨雲氣環城之山畢出軒露朝躋夕嵐煙顏雨態盡得於指顧之內公聽訟之餘風清月白蘭橈畫舫時往來其間無紅旗穿市之勞有延綠混碧之觀龜魚禽鳥欣榮飛躍鳴聲下上而自喜得所遇焉是可爲青谿賀也一日公顧謂客曰夫豈以遊樂故而爲此哉予之意殆非也嘗迹建康志顏平原爲昇州日據石壁窠大書奇字以紀乾元放生池者蓋自江寧秦淮連太平橋並江帶郭皆禁綱捕所以宣皇明而廣慈愛也今青谿之地延袤數里蒲蓮葭葦聯蔓莎蒨潛深伏奥依戲藻荇不知其幾千萬億皆欲使之遂性咸若圉圉洋洋遊泳恩波以祈兩宮萬年之壽此予之理是谿剏層閣而以時往來其間者述平原之志舉乾元之實而效藩臣之精懇者也客聞而嘆乃酌而請曰以公修名推望持橐偃藩深爲聖天子器重四方

之士知公推轂後進桃李蒲門願一見公者日有其人而公寓意幽討寄興滄洲峴山南樓比迹羊庾又能展廓是谿涵濡品類使梟鷺行哺鷗狎不驚而盡所以鄉慕古人尊君愛上之意則是谿之遇寧有既乎谿之遇公固得其所公方且以宏遠之摹經畧中原勒功彝鼎公則有時而去也公去而位愈尊而谿之名愈大矣可不記歟椿於公爲門下士乃摭其實而書之

章謙思政堂記

天下之理不有廢何以興不有毁何以成水之涸也適爲滋湧澎湃資也木之落也適爲條暢碩茂基也斯軒之建其殆是歟歲在著雍攝提格夏六月晦酉倅聽事之旁忽有回祿之災帥守臨視人皆效力旋即樸滅而貳車燕處之室已爲煨燼於是鳩工聚財期以鼎新一毫之用悉出公帑不以厲民工興于中元節而畢於閱鼓之辰起翼日設觴豆集僚友以落成僕寔與焉酒酣貳車屬僕爲記且謂斯軒舊名治中思有以易之僕固辭弗獲因念貳車左右郡政精力于職今建斯軒端爲坐臥思索之地必不專事宴樂也聞諸子產曰政如農功日夜思之朝夕而行之行無越思如農之有

畔其過鮮矣繼自今貳車處於此或爲南郭之隱几或爲茅容之危坐終夜不寢師仲尼之訓坐以待旦以周公爲法則郡政庶其盡善古所謂同流王化不爲虛語矣請以思政名庶來者仰營建之意云貳車潘其姓恕其名端行其字九江人也

邊惇德籌思堂記

紹興丁卯秋華原鄭公以浙東倉司移總外計于大江之左行且終更留司以應辦軍需無擾而濟聞於上爰下綸言俾仍舊服於是軍民官吏歡呼而樂公之留及是年之冬公以暇日步于公圃視西北偶得隙地焉欲經度之詢之屬吏咸曰漕臺舊嘗有籌思亭者兵火之後其廢日久獨大丞相王文公范忠宣公所詠三詩刑石尚存公歎曰豈可使前人之迹湮没而不舉二公之雅什殆爲虛設乎乃度餘材成之賦功屬役不擾於民用財不取於諸邑閲月而就得豐儉之中而少加壯焉易之爲堂而名仍其舊乃立王范詩碣于堂中匪爲觀游特以繼前人之志也惇德謂天下之事戒在樂因循而憚改作苟臨事例若此視陋不支忽傾不持毛舉縷數歲月之間浸浸而廢者不知幾條

良可憫笑也葢常人用心每以玩歲愒日爲事故較論短長將有所興作必曰此有利於巳乎有利於吾子孫乎力非不足勢非不便畏首畏尾將發復巳率皆滯常而難合惟公之志迺大不然視事雖久一日必葺如其始至於是獘者一新蠹者以飭軍儲充盈民不告病故能以餘財餘力求前人之志而成之其用心固自不同矣聞之晉叔向曰政如農功日夜以思之思其始而圖其終行無越思如農之有畔其過鮮矣方吏退無事時優遊此堂坐而思之若何而可以享上若何而可以足食民之利思所以興民之瘼思所以去則籌思之設殆非苟然者在我後之人凡升公之堂能求公之用心而復思公之所爲則天下之事何患於骫骳而不振也哉故書此以序事之始末云

劉宰忠宣堂記

建安眞侯將漕江東之明年爰攷前人名氏曰惟忠宣范公實獲我心乃爲堂以祠復更命故雙槐堂曰忠宣朝夕遊焉以致其思謂大司成袁公其文弘雅宜爲祠記以光昭忠宣之令德謂漫塘叟劉宰少羲宜述堂之所以名以砭吾私叟不佞竊惟國家倣古部刺史置轉運使江

東以地大賦殷委寄特重異時駕四牡而來多巨公有顯跡而忠宣無可書之事後忠宣百五十餘年其問績用之湮晦何可勝計而忠宣之名與日月懸豈忠宣之所存與眞侯之所思固不可蹟尋歟夫好善惡惡人心公理一失其平則是非易位故愛君子必知其善之所不及則君子勉而進於善疾小人必原其惡之所不至則小人不狃於爲惡君子進于善而小人服小人不狃于爲惡而君子安斯民也三代所以直道而行而家而國所用平康也而季世君子不然其愛同已太深而疾小人已甚愛同已太深則以一人而信其類以其得于彼意其必不失於此言出而和不矯其非事舉而隨不要其弊幸其中而不倚正而非激也則可否則激而偏嘗試而誤而君子之道始詘疾小人已甚則屏之去恐不速麗之法恐不重抉摘其隱微不俟其著掇拾其既往不開其新幸其惡之稔辭之屈也則可否有疑而甚之者矣疑之則是否莫辨甚之則曲直有歸而君子之禍激矣忠宣公其知之方其在江東賦籌思堂詩有曰審慮敵權衡又曰心虛照自明夫虛則無我平則稱物其後曰規撫率昉乎此故在當時曰歐曰韓曰富曰司馬

世所謂君子公所藉以進者而意向稍慾公皆指其非曰章曰蔡曰鄧世所謂小人公所坐以退者而文致稍深公皆以爲過其持平此心眞不愧于權衡而其識慮之遠則非淺鮮者可及故後之論者謂使公之言行于熙豐必無元祐之紛更使公之言盡信于元祐必無紹聖之反覆叟亦謂使公之生先于漢唐之季必無朋黨之禍使公之死後於建中靖國則崇觀憸人亦無所容喙矣人之云亡邦國殄瘁尚忍言之眞侯以道事君以義正國蓋庶乎忠宣之爲者其升堂而思夫豈徒哉其名字不書蓋兒童走卒知而誦之若夫以忠宣所以事韓富司馬諸公者事侯它日將有人焉僕老矣

戴楠使華堂記

余於景蕭之南敞政足圍矣廳事西偏舊有圖焉一水縈環若襟之鈎若珮之璜古榔參天夾峙青竹余欣然樂焉挾書過之亭老而欹地窄而磽藋莽蒙茸水失其性無以發余天趣之靈也沿水爲堤編木護之徹壅而通去滓而清而水之性復矣於水之陰闢地二區移分鍾堂於其上易名使華左植修竹亭曰碧鮮右植寒稍亭曰春信循堂之後復締三亭曰種花以牡丹名曰金粟

界以丹桂名曰雲錦鄉以桃花名此水北之佳趣也使華之南隔水着亭曰芳洲曰映波曰柳風柳風而東飛梁通之曰玉水曰靜觀曰蕉境映波而西復跨飛梁極水置亭名曰水雲此又水南之嘉趣也方其霽影初開天光相磨璧月當空金波動搖其或風止瀾息一塵不生草木軒牕如鏡中觀余遊於斯吟於斯豆賓於斯而不能去也客或誚曰水哉水哉何取於水也余應之曰夫散於兩間者五具道體之妙匹一性之眞者惟水焉耳而四者不預焉今夫水生于天一根固有也含蓄群象該萬善也潤澤百物惻隱仁也不舍晝夜純不已也盈科後進毋自欺也入纖芥之隙虛也斡鰲極之運健也余因之以翫此性之理豈獨恣心目之娛哉且古者卿士奉命而出竣事則旋故謂之奉使未有列職于外而以使名者也若觀察節度轉運之類唐以來失之矣獨今饟師必王人爲之故名園曰使華而又扁諸堂也然金穀縈之塵埃蒙焉比諸使爲冗且劇矣必疏瀹此心若水之清講切利病若水之明稱物賦予若水之平始足以稱禮樂之遣盡諮諏之責不然余於水有愧焉耳奚光華云哉子今與余臨是水也不獨鑑形於以鑑心

不獨觀物以之觀性反稽中省久焉有得則異日遊是園也波光水色無一非性矣客詫曰異哉吾問水得知性

韓元吉四老堂記

乾道二年秋予自公府掾得請補外上不忍其窮而猶以爲可用也俾漕于江東予平生喜交游其在中朝所與遊多天下知名士遇退食之隙及日之休暇則亦持酒賦詩紬繹文史講論古今以爲樂既驟膺使者之寄矣賓客之至者動以禮法相拘縶猝猝不得欵雖强之亦性性不肯盡其語輙去而漕之治頗有軒亭之敞花竹之茂戢事稍閒可以周游閑放而无前日交游之盛與共此者予方以爲恨也歲十二月予兄子雲自京口罷官始得奉太夫人以就養弟兄晤語頗已自適而友人龎祐父乃自吳中來過得之益歡明年春鄱陽章冠之復從儀眞來館於一室四人者晝夜語不休間以吟諷論難而談辯鋒起咲呼之聲聞于外向來索居之嘆若醉而醒病而愈也蓋留連累月其爲歡且甚矣於是盡取所謂軒亭之名相與易之不易更書之而二友之所舍因名之曰四老堂吾四人

者寔以自況也夫古之君子少而學壯而仕老而傳皆禮之常也年未七十不可謂之老又老者非人子所宜稱今吾兄弟之有親也而與祐父年僅五十冠之復少于予十餘歲皆不得謂之老而遽以老自名者蓋皆生于羇旅而長于貧賤容貌薾然以衰鬢髮蒼然以華雖未老而老態已具故辭其名而不可得爾又四人者志尚之侔而臭味之相似不特相從于此蓋將相期老於山林之下此堂之所以識也然祐父牽于文章仕而未達冠之以詩自鳴不肯用以求仕而予與子雲乃僥倖爲郎以蒙上之任使子雲既投劾以歸予之庸且懦每懼其不獲免也使吾四人者幸而至於老既老而果得自逸於山林囬視今日所以名吾堂而爲之先者豈不信而無所媿哉則斯堂雖陋或以吾黨之故而傳後之來者固賢於予亦足以知老之可慕而人生會合之可樂也夫

姚希得存心堂記

令古子男國宅生百里位雖未公卿心苟在焉譬之水流斯爲川惡知其不澤物邪上元爲建鄴赤縣近市不嚻治所西偏舊有堂扁曰存愛蓋取純公程子存心愛物之語

歲久屋老稟焉將壓景定三年臨邛楊君應善涖事未朞月櫛紛爬垢撤故以新易名存心其義一也廣庭闢其前方沼既其後生香樂意可玩可適齋心燕興與神明對景前修之法言儼函丈其如立昔純公主是簿且攝是邑均田塞隄脯龍折竿載諸傳記皆仁者之爲異時嘗於令宰坐處書視民如傷四字其言愛物濟人謂一命之士皆當以此存心博哉仁言乎楊君睎賢志可尚已堂成屬記於予予曰虛靈之府萬善皆具寂然不動之時與天地萬物爲一苟能廣而充之其仁不可勝用仁人心也心主是則仁不主是則欲去仁存欲富貴所充詘也嗜好所嚌吸也夜氣不梏亡者幾何聖賢論存與不存惟於多欲寡欲上秤亭分數蓋欲寡則虛虛則明明則油然而生者皆仁矣今夫百里之官夫豈念不及民而常苦于簿書期會之不給由是狀邑曰難目邑曰債敝精神竭智力濟斯斯已矣償斯斯已矣終更而去之無慮皆褒城驛厥或告之曰民胞物與也徒有蹙然而已嗚虖聖門仕學每於令宰乎觀千室之邑民社之寄蒲之三善武城之學愛隨試輒效壹是心法縣雖劇顧吾所存之何若純公聖賢者流豈欺我哉後之登

斯堂者所貴乎體公名言充我實踐其毋曰力不足也

馬光祖通江館書壁記

懋遷有無商賈事也官自爲之則其害著矣蓋商賈之術逶迤萬狀身履目擊旁通曲遂左右望而罔焉始得倍稱之息今掌之以吏制之以縣官之令其情逆其分格勢已難矣就使綜理得人出納以道而利未一二害且百十剗耳目之弗周而弊倖之紛錯乎金陵中興駐蹕之地爲古東西都其幷邑當殷阜人民當富殖物貨當輻輳今皆不然市無藏賈民以窶告蓋其俗多游惰習未作耻苦心力業務本一値連雨闤闠蕭條往往菜色狠顧長民者率多大吏養威望不屑細微有隱弗達民已病矣旦視暮撫猶俱弗蔇顧乃聚駔儈競刀錐通衢焉以爲之壟斷取之於素貧爭之於無贏剖龜之毛刲鷺之股是民已病而又益之疾也余所至惡言利開慶已未春自荆闔被旨復還舊鎮下車見吏民有爲言圓易庫之害者無智愚貴賤蹙頞不忍道始而行之不過貿易以逐什一之利裨經費所不及未爲甚害日引月長不特守長未嘗預聞僚佐亦未嘗經目其與百姓商賈相爾汝量

較者皆獰卒悍胥猾出柙之虎兕當道之蝮蛇也既欲自肥而家又欲藉是迎合徼寵恨不掩其目搤其吭而豪奪之有司方幸其術之售餘不暇問於是商賈愈望望而去之逮歲久物蠹官視元估太半責羨又畫策盡斂之列肆復於其中高下其手而官又不暇問市井販夫無不束手失業此金陵之民不能自聲之痛也郡本無土物僅產紅花自庫之興而種藝者反受害焉余兩守是邦愧無以及人知其害爲甚深決意罷之以其廬爲通江館不獨欲舍過客蓋又欲泯其跡云

章權天慶觀記漢興三世至于孝文好道家之學躬修元默而清淨之化流我真宗皇帝紹休聖緒以時考之亦漢文時也意將不言而化行無爲而事治迺大興道教詔諸路軍州各建天慶觀至於或因或革或狹或廣其土木費用或一出科降或兼資施捨則不能槩同金陵之天慶蓋晉冶城故地楊氏之吳建爲紫極宮籍田二十頃在常之晉陵無錫間暨爲天慶田亦因之熙寧間始勅免稅役建炎初金人犯江兵火之禍故跡盡矣其徒結茅居奉香火垂二十年晁公謙之守是邦迺請于朝一切鼎

新帖請通元大師方清迪主之嘉熙淳祐之交早題爲虚閣臺望雨靡神不欽邈無應驗制守資政別公之傑聞茅山景元範誠信質實行可對越其祖師即開山方君道法靈通的有傳授迺遝請住持就命禱雨章甫奏而迅雷烈風隨作雨集溝澮皆盈已而有秋邉烽亦息別公遂以暇日數延見談元虚益加敬重言觀宇頽弊當葺更圖開廣別公慨然捐金粟以倡兩臺諸寄寓若有力者亦皆出貲共成自辛丑至辛亥十有一年迺畢工見者咸曰壯哉觀而況竹亭翼然乎其東境界清特其西爲冶城樓地形高樓又高實留都絶境登樓睇想麥秀黍離近悲六代之故墟雲藹微茫遠認關洛於江淮之外古今變態盡在目中士夫好尚閑雅常玆游息若其感慨之餘道香滌塵靜趣天契或興遺世獨立乘虚御風之想覩烏衣翠微青溪賞心雨華鳳臺之游踵東山之跡皓齒細腰相與娛樂亦徑庭矣噫道家以太虚爲域宇宙爲宮三光爲燈燭雲霞爲香火主之以絳衣帝君妙不宰之宰修不工之工居天下之廣居豁豁洞洞一無障礙此道之所以爲大今之宫室棟宇實寄也然道自無而生有有復于無則無者超矣自虚而生實

實歸于虛則虛者至矣我有大患爲我有身苟未能外其身而身存則凡教門之事意者有輔于世道盡心力而爲之夫豈容已天慶自初建碑刻具詳藥於火久不復今重建旣備烏可竟泯其傳故郎羽流所述記其畧焉

郭衡華陽宮記畧

句曲山之華陽陶隱居之上館也陶以上館自居以中館處弟子以下館延四方高士累功修德上館居多是以引珠泉以煉大還修本草以和名餌設大慈于官而向道者心化置靈符于井而飲水者患愈功成事遂而館名遽立於天監之時眞積力久而華陽始建於天寶之際惜乎爾後干戈鑾聚於中原烈焰熾延於深谷天后便闕嘯聚者居之淸虛東竄兵刃則藏之三峯鶴馭遠九轉丹爐隳垣圮神居跡屏上士暨至我朝海内淸肅祥符天聖眞風振興皇祐以來廼有冲隱大師道正莊愼質者天才超穎德操邁逸心恬淵靜昇樂淸虛侍從師資安養斯館爰及政和三年巳踰六十六載惘漏弗塡畏傾弗支於是起役山嵓鳩工雲集征材蔽谷揮刃摩天昔唯茅茨今且華之昔唯土

堦今且

甃之

晏殊五雲觀記丞相冀文穆公即世之明年其小君

許國夫人聞於內朝請建道館于茅

山之南麓以爲公棲神之所聖上追念大臣哀憐時

思特命郡守舊相李公廸主其營繕又勅公門下吏

右侍禁張得一董其力役後十四年夫人以制度之

未備申命公之猶子右班殿直士顒往增葺焉始賜

名曰五雲觀僝工于天聖之丙寅已事于康定之庚

辰其廣袤因崖巘之回抱其興作視科文之品第崇

堂以宅肖像秘殿以嚴眞供層閣崛起廣除環構修

廊蔓衍高閎濬開庖廚有方廐庫有次其外則壇場

著前朝之蹟洞穴表靈峯之蘊喬松夾植蔭行旅之

勞良田外營資糇膳之給妙擇勤士恭修秘式其所

以尊奉遺貌妥安淨衆者罔不周具惟道家者流有

清淨冲虛之說歸眞復樸之教後代悅其風者觸類

而長於是乎幽經秘訣之敷演清都洞臺之照臨三

雲八景之鍊修童初廣寒之遊集上自后辟迄于臣

民用資化源著在彝典初眞宗皇帝既偃武節聿修

文事封太山欵后土謁仙里建靈宮務輯一王之儀

逿追前代之盛公於是時都將相之重極風雲之遇與一二元老洎鴻儒碩生內則翊贊宸猷外則討論經禮用削藁之沉密荷沃心之賞詩借前箸而謀定申哭風而令行至如檢玉分丘瘞繒雎壤近甸巡豫
嘉壇哀對咸遵秘籙聿彰勤任用三洞之科式先八鑾而起行公則參儀衛之職焉寅受天瑞欽從祖烈五嶽升號靈泉效祉並敞真宇茂昭元貺公又歷置使之任焉揔集髦舊紛拔載籍攟百世之龜鑑述方來之矩矱復詔公之典領焉公又以混元之法有助亨會函笈所蘊源流實繁欣逢聖明得用論次乃復選通達其學者較讎而辨正焉名山洞室之藏金簡玉文之萃多所刊定訖無訛謬本至性之冲漠益聖期之參會倘徉乎叢霄太霞之境諷咏乎廣韶曲素之篇寤寐赤松之遊沉酣金七之藥間接真士高談妙樞由是脩然有乘雲驂飈離人拔俗之想每出沐休暇或元辰令吉特想世事虔修淨醮壇宇嚴邃旌藩堀纚杳塵寰之不接疑景象之有聞綿禩寖久積精怠倦乾興壬戌歲分符秣陵眷言茲山實邇郊次餓奉中詔即伸嘉薦注慕靈壤裴回淨域逌爾自得澹乎忘歸隱士朱自英者肥遯中巖載更年所公樂

其素尚宛若石交還朝秉鈞之再歲以其名聞召至都下宴語紬繹異于常倫及其還山又約他日卜隣洞府音旨隆密朱生異之後數月而公捐館舍且有遺語卜兹締構前後所費私帑凡百五十萬官給不豫焉續詔自英往還臨蒞之皆從公之素志也按眞誥言句曲地肺土良水清謂之華陽洞天可以度世種民是處三灾不干又言至忠至孝之人皆先受靈職次爲列仙歲登隆其幽明如人間之考績則公之結思宻岫歸誠妙象豈徒然哉矧夫出應賢運越登極位佐時勳大用特精多非特受靈氣負踰群品曷以協昌辰之偉任非黙契仙籙往階眞格曷以顯太和之挺生質於前聞其有冥合呼嘻乘時奮庸握文武之柄尊主芘物罄其藴懷執方持衡不疚風議烜赫煇燿以功名自終然後脫遺世氛與羨門偓佺之徒相期於烟霄之際不其盛與不其偉與惟夫人恪奉治命無忘遹追其嗣子殿中丞寅亮瞿瞿協心克終勝槩足播徽範永光圖史謂殊夙以文翰游公館宇見託撰述著之金石是用拜禮命之辱而忘其陋蕪公姓王氏諱欽若字定國夫人姓李氏公之邑里世系歷官差次上載史諜下刊碑誌此得畧而不書

文復之洞神宮記

天高地下萬物散殊人以眇然之軀並列爲三其所以與天地相似者曰誠而已誠也者實然之理匪初匪終匪狂匪聖不可以聰慧求不可以聲臭接而須臾不容離此知愚之所同得也天維高明日月星辰運行無息萬物覆焉地體確厚嶽瀆河海洪纖小大萬物載焉上際下蟠無一隙不到古往今來無一息間斷所以主張綱維其間微是理之實然者其何所取證人與天地同厥有初聽聰視明卽此理之高目下耳者也是非決擇卽此理之賞善罰惡者也萬象不能匹形氣不能礙昭昭靈靈毫末有欺而陟降左右巳毛髮森監於大譴大阿之域於皇上帝陰隲下民風雨霜露無非至教神祇上下昭布森列消息盈虛之易處禨祥禍福之異宜豈有心其間哉惟天蒼蒼以萬物之心爲心而自無心惟天無私以萬物之感應爲感應而自無感應不然何其形聲影響不失錙銖如是可考不誣哉衆人昧上天本然之知而爲人上天以衆人同然之體而爲天其降衷不異而源委本末遂有毫釐千里之差可嘆也後世不推原其自於天人之際岐而爲二所以事天者始屋而居之像而崇之曾謂

昭格之誠果在是乎雖然收其放心於主一不二之地則其本然不失者固非牛羊斧斤可以盡皆斲喪宮宇之設其來已非一日矣建鄴舊有洞神宮久廢不治景定辛酉東川姚公希得來司留鑰其政以敬事而信節用而愛人爲本旣明年化行惠孚乃卜青溪之勝以祠蜀三大神又明年因洞神之扁築琳宮於左命黄冠主其香火葢亦謂世俗耳目未可頓躋之本然之地而其攝齊而入肅容而登則其心未始不如捧盤水如承大祭不待驅迫而天理見前斯亦入德之方也已宮役告成公俾復之記其行事復之嘉公之本心有在乎是於是乎書

葉夢得輪藏記

維摩氏極天下之辯而反之于默其爲法名之曰不二夫不二卽一矣不言其一而言不二豈以一猶爲有在者歟道未始有二也旣已有物不得不裂爲二彼自爲二而吾强欲一之必有廢其一以成其二者非道之全也要有非一而不二者存焉爾何特維摩氏爲然孔子曰有鄙夫問于我空空如也我叩其兩端而竭焉空空云者豈有物實之者哉然猶意其墮於一也則叩之以兩

端葢維摩氏所謂不二法門之兩端而知其所解則以吾之所知證彼之所知可一舉而盡矣之人也謂之鄙夫則可謂之君子則不可佛以無所言而爲一切衆生無所不言以爲有言不言是顛倒見以爲無言不言是斷滅見孰能辨其非一而不二者乎自漢永平爲佛者始持其書入中國由晉宋歷唐至于今不絶梵語華言更相發明傳其學者又從而申衍之其說遂充滿天下輯而藏之皆設爲峻宇高甍雕刻絲繪備衆說以爲餙竭衆巧以爲工苟可以莊嚴者無不至梁普通復有異人爲之轉輪以運之其致意深矣吾少時見四方爲轉輪藏者無幾比年以來所在大都邑下至窮山深谷號爲蘭若十而六七吹蠡伐鼓音聲相聞襁負金帛踵躡戶外可謂甚盛然未必皆達其言尊其教也施者假之以徼福造者因之以求利浸浸日遠其本建康府保寧寺當承平時於江左爲名剎更兵火久廢今長老懷祖守其故址於煨燼之餘十有四年堂殿門廡追復其舊而一新之最後作轉輪藏余鎮建康時見其始經營後四年余歸石林祖以書來告曰藏成矣幸得記其本末祖葢以正法眼傳其心者其爲人潔而通靖深而敏非徒

以有爲作佛事者也乃爲推其師之言合諸儒之說正佛之所以言以駴世俗之弊祖當益以是振之夫方無所言則維摩氏之默如太阿難等得道受記諸大弟子皆不任問疾及其無所不言則雖觀世音亦從聞所聞而入爾乃寺之興廢係其時人之施舍係其力有不必記故不書

李之儀天禧寺法堂記

天禧寺者乃長干道場葬釋迦眞身舍利祥符中建塔賜號聖感舍利寶塔至天聖中又賜今額按梁書大同三年高祖改造阿育王塔出舊塔下舍利及爪髮髮青紺色衆僧以手伸之隨手長短放之則屈爲蠡形始吳時有尼居其地爲小精舍孫琳尋毀除之塔亦同泯吳平後諸道人復于舊處建立焉中宗渡江更修飾之至簡文咸安中使沙門安法師程造小塔未及成而亡弟子僧顯繼而修之至孝武大元九年上金相輪及承露其後西河離石縣有胡人劉薩何遇疾暴亡而心下猶煖未敢便殯經七日更蘇說云有兩吏見錄至十八地獄隨報重輕受諸苦毒見觀世音語云汝緣未盡若得活可作沙門洛下齊城丹陽會稽並有阿育王塔可往禮拜則不復墮地獄因此

出家游行禮塔次至丹陽未知塔處乃登越城望見長干里有異氣色因就禮拜果是阿育王塔所放光明由是定知有舍利乃集衆掘之入一丈得三石碑中一碑有鐵函函中有銀函銀函中有金函盛三舍利及爪髮各一枚長數尺卽遷舍利近北對簡文所造塔造一層塔十六年沙門僧尚加爲三層卽高祖所開者也

蘇易簡陳宮井記

陳宮三閣遺址僅存傍有古甃石欄周以蟲篆年禩寖遠辭旨殘缺其可觀者有戒哉戒哉數字詢諸耆艾卽陳之季主避兵之井也詰其篆刻卽後之名士垂訓之文也敢復明其志而言曰嗚呼惟天匪親君爲司牧司牧之畏有若厲也有無爲也苟弗厥道雖降志辱身未足補過苟底厥績則憑几高視可以致理是故爲人君者可不戒哉叔寶之盜南國也悖民心慢天鑒忘吞日之業昧投籤之範淫湎之失一至於此且城下之盟牀下之巽前聖尚或恥之矧於沉井哉夫唐虞之懼與陳主之懼一也文武之樂與陳主之樂一也唐堯統天文思安安御彼黄屋如臨深淵此避兵之井

也虞舜君臨德音愔愔睦彼二女樂而不淫此又同繩之妃也靈臺靈囿其文王之結綺乎公旦公奭其武王之狎客乎四聖克念勃然而昌後主反是溘然而亡爲樂之理孰否孰臧余因公暇遊斯地覩斯井弔往憤懣故窮理盡性譬其石而文之

周虎忠孝亭記

馬軍行司公宇在建業西門之裏東距冶城伊邇前人規橅殊未易及惟西北一隅獨無潴水之地鬱攸之戒每月惴焉暇日因續西園四望亭之北爲軒三楹郎簷之瀝鑿池方十有六丈以受衆溜以備不測穴地不四五尺偶於池心得泉津津從而深之則泓紆隨溢淸冷而甘香以之瀹茗滌煩頗勝他水亦可異也思有以名之而未得一日引睇冶城之巓有屋孤起詢之則晉將軍卞壺望之墓傍之舍所謂忠孝亭者是已嗟乎忠孝之於人與生俱生夫人固有之卞氏一門顧得擅此名於天地間耶方典午不競官爵自尊品流自高紛如也至俯首一意惟國之憂惟君之狥死生禍福不復吾計如望之者凡幾人父死國難子死父難蓋六朝以來曠未之聞則謂父忠臣謂子孝子可無愧裴

母之言矣路有貪泉行道之人恥而不飲虎也何幸雖得官甚麄而食息起處乃隣英靈於千載之上且新泉之出與忠孝一亭下上適相近可不挹望之之高風仰望之之遺烈託忠孝之美名復皇皇乎他求哉於是乎遂名其泉曰忠孝庶後之飲此水者不懷行道之疑而望之之流芳汲之則在云

梅摯八功德水記

鍾山之陽有泉曰八功德梁天監中有胡僧曇隱飛錫寓止修行有一龐眉叟相謂曰予山龍也知師渴飲功德池措之無難矣人與口滅一沼沸成深僅盈尋廣可倍丈派井不鑿醴泉無源水旱若初澄橈一色厥後西僧繼至云本域八池一已晉矣此味大較相類豈非竭彼盈此乎一清二冷三香四柔五甘六淨七不饐八蠲痾又其效也夫姜詩孝聞獲淵開而鯉躍貳師誠至因劍刺以流飛義有激而相求物何遠而不應向匪兼濟則爲怪力是泉也方外淨因寰中美利別其靈者安可忽諸世故流離滋液長在借其風雨不庇荊蕪四侵寂寥山阿孰爲起廢史館學士蘭陵蕭公貫以巳俸作亭甃版石八自南康購至楹柱四下東府所成鑿崖以審曲置土以端術奢不至侈巋然獨存

仍練僧結廬於前以掌之庶幾便民汲息客游非有徼於忘福也

王鏜江寧縣建學記

君子如欲化民成俗其必由學乎三代之學莫備于周周之制自比閭族黨以達州縣國都莫不有學學莫不有師凡屬民讀法鄉飲鄉射以至于六德六行五禮六樂無非教以人倫使有親有義有序有别有信各得以盡其分焉民化俗成人人有士君子之行者此也世降而秦壞田制燔詩書周家法度歷漢唐不能復天開我宋儀式刑三代之典建國君民以教學爲先建隆三年詔修學乾興元年兖州立學皇祐四年藩鎭立學慶曆四年州縣皆立學縣有學實周成黨庠術序之遺意江寧金陵附邑也爲江左望贊宇尚缺典正朔欵謁春秋奠祀令佐率邑子附拜于郡自慶曆抵于今二百年矣假宫就師熟視焉而莫之問番陽王令鏜來長是邑簿書期會之外慨然以興學自任涖官以來凡可以樽節者銖積寸累是經是營又值主學置官有師無學非所以稱上旨遂度地于縣廨之北鳩工市材夙夜展力士以感奮不勸而助留守文昌姚公聞而壯之出金谷以濟于成門阜如也殿

邃如也明倫堂曠如也廊翼爲二齋列爲四宿直有廬前廡有位像設禮品靡不備嚴士於是可藏修游息矣然則群居而教不可無養也官無公田不可經久也又得田若干畝歸于學以繼廩粟王令崇化善俗懇懇焉爲學校計者不以代去而少衰繼自今游于斯者豈直弄筆以爲名位計哉子職當共也臣道當盡也友當取端也夫婦之道當知儀型禹湯文武成王周公由此其選也明之斯盡之行之斯至之果能此道尚庶幾國家建學立師之意若夫務記覽工詞章而曰吾之學止于是非王令所望于二三子景定四年

月日

丘崇修鎮淮飲虹二橋記

乾道五年十一月建康府重作鎮淮飲虹二橋横跨秦淮據府要衝自江淮吳蜀游民行商分屯之旅假道之賓客雜沓旁午肩摩轂擊窮日夜不止淮水至其下奔流而西勢益悍湍激射衝噬滋甚昔之爲橋者又不暇顧計久遠薄費而亟成重負而弱植亡幾何輒壞則姑補苴其甚僅取不費歲縻緡錢數百多或至千歲歲自若也留守侍御史公厥治既成有廢

必舉大備都邑之制乃因民所欲爲而新之率增其舊四之一鎮淮長十有六丈爲二亭其南屬民以詔令飲虹長十有三丈加屋焉凡十有六楹而並廣三十有六尺基以巨石甃以厚甓千尋之材世守之工必堅必良是度是營而屬其事于浮屠氏致勝法才又躬爲程度畢以從事創立靡容有非工人所追及者迄其成無一不合規模壯大氣象雄偉隆然相望闤闠四合軍民父老扶携縱觀推美頌休曰公職勞噫公所建立大于此者不可殫紀橋未足多也惟厥經始人狃故常役大用宏謂不可爲公決作之未旣累月十世之利卒克有濟人乃大服推是而言則天下事有可以爲而人以爲不可爲者獨橋歟彼能者處之雖若不可以爲而率爲之以成者又獨橋歟公名正志字志道南徐人

胡宿高齋記　南中江山類多託賞之美金陵故都緒餘六代華人夏士盛棲此土雖一丘一壑之細皆經高賢名輩嘗所留連茅許世外之風王謝江表之德山林皐壤號爲名勝子城東北趨鍾山爲近南唐李氏嘗因城作臺臺上望月人相呼爲月臺下臨濬濠正面覆舟南對長干西望冶城榛煙漁

火泉華谷氣川會山鳥翔嬉其間林木嘘唫之聲雲霞起滅之狀須臾眺聽萬態遞出此名勝之內特又名勝者也臺傾地荒介在人外一境之秀未有聘者康定辛巳之夏龍閣南陽公自三司拜符安輯江介政尚凝簡日多休暇寄意琴酒之適留好風泉之賞他日因行後圃遂登故城適廢臺留壞址疇踏四聘愛歎形勝指言佳麗之觀此最妙處因裒材庀之美調兵幹之使搴蕪穢養華薄開逕自下立齋其上環植百柱通敞四軒高侔譙樓廣容宴豆檐宇飛竦勢將干雲旁矚郊坰俯見盧井句曲之地睇華陽之洞墟三峯參差彷彿在目雖進躁之士怵廹之人蹔遊其藩一踐茲境其心慘然猶以謂已登崑崙涉閬風澹乎忘歸有離昏俗之意又況真粹之流平日隱几反照正性保御太和人境相得其樂如何哉公既用鍾鼓落其成復須金石記其始北辱來教見命紀事曰我作是齋姑欲榜之佳名而絕境難模了不可得今采謝宣城宴坐之意直題曰高齋夫齋戒潔之稱休舍之所君子根本於道德極埶於性命利用於安身有餘于治人不役志以營己常虛心以待物其有爲也精義致用以經世務之韞及其無事也恬智相

養以濟天均之和故道用不勤而氣守自若庖丁之奏刀老扁之斲輪顔生之坐忘伊公之强德神機之王繇此物也公拘道混成栖神高映初總機劇未嘗榮華比辭禁輿亦亡欣戚方舍山水之所以穆仁智之性高情遠尚焉可跂邪人之登是齋者當領會公意不止遨樂壺觴取悦林岫而已足使軋者忘其名夸者辭其權長留

清風以遺永年

張商英崇禧觀碑銘

東南之鎮曰句曲山蓋華陽洞天地肺福地易遷含眞之所宅

司命童初之所治晉宋以來得道之士二許楊陶遺壇故宅猶有存者宫觀十二崇禧總之國家靈承天心敷錫民福鏤金之虬鏤玉之簡妙眞之香丹素之詞歲修常典間遣王人設官以提其綱賜田以贍其衆宜其宫闕壯麗列聖下居廊廡深嚴萬靈侍衛至者悚然有以移其視聽居者肅然有以洗其心志仙科秘範之所出寶章靈篆之所宗而希夷淡泊之門寂寞無味之教學士大夫未之或講州縣政事又非所先田租所入悉籠于官道侶計口而賦糧有司互券而出納方斗筲之鈎攷孰土木之暇議上下顧望

歲月因循屋簷而不扶榱故而不葺所廢而不興垣頹而不作寶文待制何公君表在元祐中以趣向背時提舉西京崇福宮居金陵嘗至山中熟知其敝紹聖親政召對便殿明年移鎮於此俾發曩志議營繕之會商英謫莅管庫公圖以授商英曰子於道家之學博且久矣凡向背與開闔之不如經者其悉據古攷正之商英視圖南面三門則道俗出入之所由也體三清北極本命三殿相直而玉皇殿廼在東隅商英謹按老子之書曰天法道道法自然所謂自然者清氣之始也其天爲清微其境爲玉清其天尊爲元始其帝爲玉皇所謂道者氣之純清也其天爲禹餘其境爲上清其太上爲大道玉晨君其帝爲天皇所謂天者氣之積清也其天爲大赤境爲太清其太上爲老君其帝爲北極本命者支干之神以統于北極者也北極者中天之樞以承玉皇者也今以北極次三清以本命次北極而玉皇居左非道之序也神而來格亦莫安於其位矣請先玉皇後北極而左本命三門者神靈之所由也非祠醮則闔之東建道院西設賓館如此則尊卑不相亂道俗不相淆人神不相離矣公曰善乎論也茲山宮宇古今廢置不一道術

之士有在于是者亦已多矣曾無一人以三氣三天
三尊三帝之說辨正升降者豈崇無以復靜者或闕
於群有之用造有以致動者或昧于至無之體哉已
移句容縣如子之議因而完之矣越明年五月玉皇
殿成奉安之日有雙白鶴終日回翔遶唳其上于是
上清大洞法師劉混康與其授籙弟子曰異時白鶴
嘗以三月十八日來集或有或無亦不常也今殿成
而鶴降非何公崇敬之誠默與眞契其何以召其祥
請繪公于別室以永我邦人之思已事而求記於商
英廼序而係之頌曰一虛之先强名自然致虛爲道
運道成天三彰一隱一立三全分爲九氣列爲八埏
巖巖茅峯東南之望帝居道祠于山下上厥初經營
先後錯爽何公正之靈報如響儀儀者鶴來自雲霄
誰其駕之於焉逍遥氣合太沖神遊冗廖監觀在下
德馨孔昭宫室絢絢巖谷熉熉風馬霓旌侯止侯燕
維山有祥維國有艮天子萬年賚及四方何公于蕃
百治皆具神之聽之亦惟公故錫爾嘉穀宜其邦人
介爾多祜者寧厥身邦人感仰繪公之像配山久長
以對
景貺

唐張宏龍城寺碑銘

粤夫圖蓋方載無改無更金烏玉兎有虧有盈伽藍精舍或廢或興龍城古寺者始自唐貞元十七年僧貫休所建也後遇戈鋋殿宇焚毀碑碣灰滅至乾寧有五載歲在戊午時有僧法諱鴻朗俗唐氏會郡人也不慕峯巒雲遊九土兩京及南閩西蜀從心之後省返故世遂剏立堂房廚宇焚修住持順世之後吳郡小師惠懃紹襲募緣十方興建墉榭殿堂彩塑未圓時有富春氏號希白字延光世住花犇考諱悖大父諱甫曾大父諱通先於咸通年中興建潘城院鍾樓殿堂綵繪形像見存標額照然今公與子渡字濟川同發心於此寺尊殿綵繪正堵中尊文殊普賢等佛十大弟子四方天王護法龍神共五十一身並已成就時保大十一載閏首月設齋慶讚訖復慮後來罔知根始遂命清和張宏立記乃爲銘曰巍巍聖德四海晏然時清民給古額重編堂堂金軀彩塑兩圓十方皎命結於後緣龍城元始大唐所興朗公再建傳於惠懃奇哉孫氏父子同心宣揚考祖今古皆欽蓋兮載兮不移不傾山兮水兮長碧長青

李白溧陽瀨水貞義女廟碑

皇唐葉有六聖再造八極鏡清萬方幽明咸熙天秩有禮自太古及今君君臣臣烈士貞女釆其名節尤章可激清頹俗者皆掃地而祠之蘭蒸椒漿歲祀罔鈌而茲邑貞義女光靈翳然埋寘古遠琬琰不刻豈前修博達者爲邦之意乎貞義女者溧陽黃山里史氏之女也以家溧陽史闕書之歲三十弗移于人清英潔白事母純孝手柔荑而不龜身漂激以自業當楚平王時王虐忠助讒苛虐厥政芟於尚斬于奢血流於朝赤族伍氏怨毒於人何其深哉子胥始來奔勾吳月涉星遁或七日不火傷弓于飛逼迫于昭關匍匐於瀨渚捨車而徒告窮此女目色以臆授之壺漿全人自沉形與口滅卓絕千古聲凌浮雲激節必報之讐雪誠無疑之地難乎哉借如曹娥潛波理貫於孝道聶姊殞肆槩動于天倫魯姑棄子以却三軍之衆漂母進飯沒受千金之恩方之於此彼或易耳卒使伍君開張闔閭傾蕩鄢郢吳師鞭屍於楚國申胥泣血於秦庭我亾爾存亦各壯志張英風於古今雪大憤于天地微此女之力雖云爲之士亦焉能咆哮烜赫施於後世耶望其溺所愴然低回而不

能去每風號吳天月苦荆水響像如在精䰟可悲備昔投金有泉而刻石無主哀哉邑宰滎陽鄭公名晏家康成之學世子產之才琴清心閑百里大化有若主簿扶風竇嘉賓縣尉廣平宋陟南郡陳然丹陽李濟清河張昭皆有卿材覇畧同事相協緬紀英淑勒銘道周雖陵頹海竭文或不死其詞曰粲粲貞女孤生寒門上無所天下報母恩春風三十花落無言乃如之人擊漂清源碧流素手縈波潺湲求思不可秉節而存伍胥東奔乞食于此女分壺漿滅口而死聲動列國義形壯士入郢鞭尸還吳雪耻投金瀨沚報德稱美明明千秋如月在水

梁武帝凡百箴

凡百衆庶爾其聽之事之大小先當熟思思之不熟致成反覆其心不定不可施令是曰亂常是曰敗政弗正厥身亦喪厥命惟慈惟恕惟孝惟敬嚴惟率下直惟厥正如彼互鄉如彼暴虎家聲不建有忝爾祖思之既熟决意而行臨難必勇見義忘生門有賢良家有忠貞勿恃爾尊驕慢滛昏勿謂爾貴長夜荒醉日不恒中月盈則虧崇山落峯高樹折枝履邪念正居安思危莫言爾賤

而不愛命君子小人本無定性勿謂人微而以自輕張他爲卒李衡爲兵忠信孝友皆以揚名有黄叔度父牛醫者聲高海內重名天下伊尹負鼎太公屠肉甯戚飯牛傅説版築皆王覇師世受爵祿誡爾凡百勿戾勿昏人無貴賤道在則尊余重告爾莫自抑卑克家棟梁惟斯爲吉水淸照淨表直影端近取諸身無假遠觀猗歟

哲人勿謂斯難

論曰古之立言者大矣典墳經史與天地參不可以文字論外若諸子百家酌理富才莫不炳炳麟麟各成鉅觀雖醇疵不一而於以羽翼名教發揮事業其有賴也至於登臨賞歎徵引名物陳説古今或擅騷人墨士之名或止民生錢穀之瑣似不足與並列然人心之文與造物通者也日星雲漢或昭回之江淮

岳瀆或臚列之因而旁及萬類藻龍繪鳳炳虎雕蟲
是則宇宙之大文存乎斯矣益著述之才文從理出
藝文之體情以辭宣其揆一也况乎江邦名域多名
儒鉅公含咀大道斧藻羣言有不胸羅日月口吐風
雲者耶獨是鴻篇專集無關郡乘者例不得載即詩
歌古文僅屬國都而止疑於簡矣然一披覽之其疏
章則晰民情之利弊著設施之綱維其記序則景物
如存佳麗羣赴其論傳則鋟骨鏤心傳神寫焰其賦
詠諸體則鬬麗爭妍盈緗萬狀猗歟偉歟可謂極南
國之大觀而無憾者矣且夫議論關乎世故意旨趨

乎先民筆墨之外别有微情則舉古之立德立功立言者統而一之可也文雖藝也而不已進乎道耶

江寧府志卷之三十六

藝文三　記

元虞集崇壽觀記

大茅峰之下當華陽南洞之便門有崇壽觀者本晉洞天館主任敦故宅宋元嘉十一年路太后始建壇宇大始中廬陵太守孔嗣之重立以奉曲阿高士華文賢齊建元二年敕句容王文清仍立而主之名崇元館武帝以太子時至焉唐貞觀初敕改爲崇元觀有太極元年所樹碑石完而文泯可識者拾遺孫處元文楊幽經書數字而巳天寶七年李元靜先生奉敕重修備加修葺寶曆三年主者有賀思寶則因器物銘識而考見者也宋大中祥符七年敕賜今名大元至正二年句曲外史張君嗣眞始來主之顧瞻方臺近對南面左峰疊玉右引大茅之支而回合焉定錄君受言大茅山下有泉水近水口處可立靜舍隱居云近南火洞口有好流水而多石水出便平此有王文清居之則此觀是矣乃歎曰山中館宇自齊梁唐宋至於今代有增益求諸晉人之舊惟此與玉晨許長史宅耳而吾所

治乃傾廢隘陋特甚豈不在我耶於是度材鳩工更後堂爲大元殿以復舊規象三茅君於中東爲任華王李賀五君西爲陶隱居祠克前殿基爲弘道壇自製銘其上壇東爲玄武祠西爲廣惠祠後爲文賢講堂而前爲都門門外浚古玉津池盡受大茅南面諸原之水循池西南得昭明太子讀書臺臺東有井曰福鄉井福鄉者因昭明道館名也出諸榛莽著文刻石覆之以亭而巖洞泉石之勝近在百步間者皆按圖表之可以觀覽泰定元年上清四十五代宗師劉君大彬朝京師授予始末俾爲之次第焉張君吳郡人名天雨內名嗣眞字伯雨別號眞居年二十棄家入道徧遊天台括蒼諸名山吳人周大靜先爲許宗師弟子得楊許遺書張君從而以爲師悉受其說嘗從開元王君受衍入朝被璽書賜驛傳顯受教門擢任非其志也即自誓不希榮進因從三茅之招追奉任君而下五君爲文而告之願畢力茲宇所著外史出世集三卷碧巖玄會錄二卷又尋山志十五卷考索極精博云嗚呼自任君始居此餘數百年十五人傳焉其自至於久遠者果何托也豈若後世各誘門人系以私屬爲家人父子者哉故寧希濶而有待今

張君無前代錫予之助徒草衣木石以營此而曠然思與四方之士共爲千載之期豈非豁達丈夫也哉予故與君爲方外友奇其能先予遠舉也故系之詩曰大茅南垂元氣積陰關闔扉陽洞關曲穴流泉保靈宅任君來餌黃赤石天丁召錫太元冊曲阿受養艮有宅講官方嚴自玉伯清蹕臨止靈響格虛林森爽化赫赫福鄉帝子發甘液不食何年喪遺甓白雲映空玉清客開元全盛煩百役持節旁午致纏璧爾來蕭條世代隔石鐙刻文土漫畫誰其咎之規古昔句曲外史美冠舄研書千卷視貞白天眞景隨玄系繹玉室金堂萬無斁

謝瑛招雲亭記

禪寂主人猷仲謀嗣金剛幢茂公正法者也住院甫再期當大祲之餘乃能引墜起廢以爲化陋祛鄙之計於是傾笠包所儲新敷衍教戒之堂若干楹鑿山開址出舊堂上十餘尺且即宇後屠蓁滅莽得古磴於數百年砂礫堙淤之中直達於善財所禮大士之巖下若山靈有以默相之者用搆亭於其陽以招雲扁之空翠四環縣瀑飛下游矚所及奇觀湧來一日具茗饌延予其上乃

界極夫雲之所歸趨而徵記焉予謂雲無心物也設可招不幾乎有心也與得非以其與也若乘時而起其歛也若順時而返雖無心若有心也與然無心固不可招若有心亦不易招令之欲招若雲也其於心之有無者必能素識於彼矣某哂而笑曰無心於人雲也有心於雲人也非雲卽我我卽雲也愛之斯卽之卽之斯招之此扁之所以揭也夫守道不如守官虞人猶見重於孔子是雲之視我也夫豈若乎齊田之旌也哉此吾之所以有取於彼也欲法彼以進吾學子幸述以諗來者使知我之所以招者乃在翰墨畦畛之外非智者則不宜與之道者也予善其言出吾書且非卽我云者又有契乎非道弘人之旨故爲疏於左方就以爲記云

明陳敬宗重修上元縣記

上元縣肇設於唐肅宗上元年間其後名稱更易與廢置統屬皆不一而治所遷徙亦不常其詳備載金陵新志皆可攷見歷宋及元歸於聖朝洪武改元之初新創縣志屬應天府迄今八十餘年腐撓不勝其支矣正統乙丑衢州江山姜德政來令是邑周視公宇若

廳若羣胥案牘之房百物庋閣之庫籞廩儲蓄之倉重門繚垣旌善申明二亭以及諸所官舍或欹傾或夷圮或蠹朽人之居止於其下出入於其中者咸有懼心於是謀及僚佐議捐巳帑與公堂過取之金鳩工集材皆徹而新之不敢專也及奏請於朝蒙賜俞允遂起事是年四月一日落成於丁卯十月八日輪奐煒煒聿新舊規整飭軒敞心目豁然德政之有功於縣志大矣其同寅二令張德判簿常延王愼典史劉斌喜公宇之有光也乃相率請文勒石以志夫縣治爲令丞簿施政之所下民之所具瞻者也況京師爲萬方都會所臨之民又皆遴拔天下閭右豪俊以天下之豪俊都會於京師輦轂之下都城宮闕之雄壯甲第之華麗聞見廣博有下視卑陋之心使其仰瞻於撓棟頹楹之前奔走於旁風上雨之下則肅敬之心何由而興慢易之念從之而萌矣非所謂臨民以莊之道也德政明敏愷悌公平仁恕洞悉吏事深卹民隱下車無幾坊廂田野小民無老穉翕然稱之故茲經營繕修民亦有子來之助新萬目之具瞻聳九衢之壯觀而聿睹成功於不動聲色之中可謂難也巳昔明道程先生嘗主簿上元以攝縣事善政善

教人皆思之不忘淳熙初劉忠肅公珙祠先生於學宫朱晦菴記之畧曰均田塞隄及民之政爲多脯龍折竿教民之意亦備其政教及於民如此然當時登台鼎者若丁謂王安石呂惠卿蔡京之徒皆嘗知府事於兹矣無一善見稱後世先生名績止於簿事而其政教加於台鼎之上至今從祀孔子廟庭嗟夫人之流芳百世豈必計其班貧之崇卑哉德政一縣正也蒞官甫及半載以得下民知頌稱藉藉矣使能力行弗懈克紹前修之志焉則於縣治之繕修豈不益有光哉其名益將與兹文並傳於不朽無疑矣德政昔嘗在弟子之列與予相親最厚故既紀其事復致其期勉之意者亦君子愛人以德之道也

王守仁重修江寧學記

應天爲京兆其學蓋東南教本也在國初以爲太學至洪武辛酉而始改創再修于宣德之巳酉自是而後浸以敝圯正德壬申府尹張公宗厚始議新之未幾而遷中丞以去今中丞白公輔之相繼爲尹乃克易朽輿頽大完其所未備而又自以其俸餘增置石欄若干楹於櫺星門之外於是府丞趙公時憲亦協心贊畫故數十年之廢一旦修舉煥然改觀師模士氣亦

皆鼓動興起興廟學一新教授張雲龍訓導戴章陳義黃森何奎輿與闔學之士二百有若干人撰敘二公之績徵予文爲記予既不獲辭則謂之曰多師多士若知二公修學之爲功矣亦知自修其學以成二公之功者乎夫立師儒區其齋廟昭其儀物具其廪庖是有國者之立學也而非士之立學也葺其敝壞新其朽墁給其匱乏警其隋弛是有司者之修學也而非士之修學也以學爲聖賢聖賢之學心學也道德以爲之地忠信以爲之基仁以爲宅義以爲路禮以爲門廉恥以爲垣六經以爲戶牖四子以爲階梯求之于心而無假于財費也其事不亦易乎修之于身而無假于雕飾也其工不亦簡乎措之行而無所不該也其用不亦大乎三代之學者皆此矣我國家雖以科目取士而立學之意亦寧與三代異學之弗立有國者之咎也弗修焉有司者之責也立矣修矣而居於地者弗立弗修是師之咎士之恥也二公之修學既盡有司之職矣多師多士無亦相與自修其學以遠于咎恥者乎無亦擴乃地厚乃基安乃宅闢乃門戶固乃垣牆學成而大用之則以庇天下次之則以庇一省一郡下之亦以庇其鄉閭家族庶亦無負

於國家立學之意有司修學之心哉若乃曠安宅舍正路圮基頹垣倚聖賢之門戶以爲奸是學校之爲萃藪也則是朝廷立之而爲士者傾之有司修之爲士者毀之亦獨何心哉應天爲首善之地豪傑俊偉後先望其文采之炳蔚才藝科甲之盛多乃其所素餘有不肖于言者故吾因新學之舉嘉多師多士欣然有維新之志而將進之以聖賢之學也於是乎書

焦竑禮部侍中黃公元配翁夫人暨二女墓祠記 侍中

黃公死靖難間其夫人翁與二女及家屬十人併日死金陵今去之二百年所矣乃有公鄉人施益臣者索而封且樹之醵金爲祠若干楹并貌公其中會宛陵徐大任以大光祿來攝京兆徐公廉直好義所在著聲與余善聞之而忻然往拜焉薦蘋藻祠春秋勒爲常儀其於表章忠賢之典始備按公諱觀字瀾伯一字尚賓池州貴池人也幼受學元翰林黃冔死節於元公感憤以忠義自許洪武二十四年廷對擢進士第一授修撰歷尚寶卿建文初遷禮部右侍郎屬定官制增左右侍中員次尚書改公爲侍中與方齊

名日見親用文皇索齊黃時公草制極陳大義辭多指斥未幾公奉詔徵兵入援至安慶聞金川門變痛哭謂人曰吾妻翁素有志節必不辱招魂葬之江上是時有司果收翁及二女給配象奴翁佯以釵釧付奴市酒殺以其間攜二女自沈於水而家屬十人者隨之公旋至李陽河亦朝服東向再拜投羅刹磯以死公初以侍中掌尚寶司事而尹公直去未遠乃巳漫漶莫決又實錄載翁死於通濟門河翁既給象奴今象房政在通濟門外當可信無疑傳聞夫人及二女屍順流而下至今塞洪橋相持而立顏面如生焉鳶類皆不敢近或為具棺收之待朝命久而不報天順中池人至京師挪林破棺猶有存者土人指示曰此黃狀元妻女也乃相與藁埋而掩之余嘗與益臣輩榧而問焉三四至其處髣髴低回為之悽然者久之野史翁謁為雍又為龔且言淮清橋為其死所後人弗加檢鏡輒即青谿姑廟以為祠其失遠矣塞洪橋乃夫人二女埋玉處因祠焉而并以祀公固當嗟乎人生何常唯義之歸以彼炎隆薰轑在勢處顯而一旦身死名滅氷消火盡既巳丘墟灰燼荊榛矣即今白楊悲風纍纍纍道傍者皆是也如夫人者迄於今

爲樵夫牧豎之所稱識仁人義士之所欷歔歷久而不能忘豈非忠孝之性得於天者無以異而興于感者不可遏歟余生其地而又幸及知之不爲之發潛揚燉何以示後公閭門之節臣死其君婦死其夫女死其父母而臧獲輩死其主光日月而振宇宙者不待余言乃徵之實錄考之父老之口其實蹟歷歷可證而至爲妄庸者所訾亂此余生其地者之責也殆不可以不辨且喜盆臣失力於下徐公振廢於上見好仁扶義者之猶有人而於甄陶世風羽翼聖化也匪細於是爲之記

顧璘建西新橋記

古者涉不勝苦而後有舟楫舟楫不勝勞而後有橋梁大曰梁小曰杠率構木加垣取濟而已厥後甃石跨川而費始鉅王政之行也制令總於王民之役也以政用其力弗用其財也王政廢制由郡縣民之役也以義則財力兼用矣故吏非良則侵民民非義則尤上所成者少所損者大又弗若疲薾之悠悠也今高淳西新橋其免於是哉高淳建自弘治壬子百度草具故工虞之政多闕嘉靖甲申羅山劉侯啓東請於巡撫東湖吳公廷舉静齋陳公鳳梧巡按静可楊公鄭京兆南渠

王公爌咸宜其議而斯橋始興橋以石建跨小淳溪凡西南之民入邑東北之賦輸倉必道是所謂利民之利可勞而勞之者侯以義勸率著姓陳誌陳智等二十人協心僝工靡愛貲力期年而橋成高二十三尺濶如之而有加長一十五丈兩旁爲石楯凡三十有二堅緻合則蓋不勝其經度矣又作浮梁於大淳溪上長三十五丈爲舟二十有四岸疊石磴立四柱貫鐵索以維舟舟覆以板旁設欄檻濟者如履康莊焉嗚呼非上下交孚心力兼至安能成功之敏擧義之周若是哉是役也襄贊者縣丞馬雲主簿王應時董裕典史陳濬源教諭賈宗魯訓導俞槩吳期暢謁余請記者耆民陳材生員陳士望咸宜備書以示來者

息園記

東橋子築園居室之後袤五十武廣半損之中取纖徑通步餘盡蒔植以延叢縟修竹後挺嘉木前列周除芳卉美草期四時可娛子常曰疊山鬱栁負物性而損天趣故絶意不爲中亭曰愛日本以奉先驗封公曰天乎今無及矣虛窗淨几圖飲宜讀西有謀道齋三楹置諸孫讀書於中佔畢可悅

耳作載酒亭以待夫問奇來憩者東有小軒曰促膝諸故人至解帶容坐談農圃醫藥之事恒至移日相向爲緣率室居則掩覗納息存吾元和起則觀童子理宜史之帙時寄稚抱命之曰息園其南乃有廣圃連數十頃頗雜池沼屋廬其中達於青溪非盡顧氏有按志當爲謝尚江總故宅今廢爲墟而齊民業之闤闠間所絕無也檉榆蒲葦掩映森蔚風靜鳥鳴音變巧慧夏鶯好飛移往來擇蔭暫息倏爾逝去鷺散立青蒼中皎若積雪時驚起飛迴水上久乃復下居人多蒔蔬養魚雜治生業或星散居皆有徑可往吾園開戶向之籠取其勝時與二三子曳履周遊無異深林窮谷之趣此又鄉鄰所以息我者與夫息之義止也生也形貴止神貴生動而不止形乃日敗靜而不撓神乃日生一止一生壽乃長久然則息也者寶形養神之道具是矣造化遺我以年先人遺我以地鄰里助我以勝我顧糾纏外物而不知形神之爲貴殆莊生所謂

倒置之民乎

計宗道過後湖記

天下版籍盡載貯後湖南京戶部官率歲一往磨勘正德壬申秋予

叨職寄斯役自八月至十月始訖事凡過湖必出太平門命舟行可七八里計一望渺漫光映上下微風播揚文漪聿興蕩漾烟波之上莫不情暢神爽若遊仙焉予閒立四顧其崖巽霄漢之表王氣鬱葱而峙乎東南者鍾山也疊連如屏如幃在西北者幕府山也巒嶺偃蹇盤伏於地而松森其上者覆舟山也挺拔而凸出城頭殿閣參差浮圖聳空者雞鳴山也山東西一帶列如懸梯者世傳臺城也崚嶒冒水而出者島嶼也俯視三法司隱隱錯落雲水之湄重岡疊阜遙連於其外巋然而鸞鳳峙騰然而蛟龍走矣其中遠近芳洲相聚如五星紅紫烟花畢絢如匹錦鷗鷺鳧鴻載飛載鳴鰷鱨鰋鯉以潛以泳則已目飫而心怡矣忽驚風暴作洪濤舂撞篙人惶懼拏舟艤岸而行經敗荷間香氣猶襲人浮藻亂荇牽舟綴揖巳乃引入曲渚兩岸薈蔚須臾抵小陂遂捨舟以陟焉命隸翦荊分莽排霧穿雲逡巡而進見數處頹垣廢址意前朝遺跡令人慨歎而叢林蒙翳追探前路尚空泉亦憊焉或藉草坐茵箕踞少憩復進望一高丘隸指曰此相傳郭仙墩也衆狙狨以上四圍樹林蔽日復下故道向新建籍庫過石橋延佇其上騁望雲

水茫茫淸飈颯颯遂相與攜手入舊庫之洲躡齊而升玄武廳則黃門趙君惟賢已先渡見予輩殊訝旣而聞述所遇則又曰是何奇也予往返數矣而未有若諸君所所遇者衆亦相與慰喜以爲非因風之故則誰使之一探此奇哉凡以公事至及暮而歸則見日光射水晩霞相蕩回覘湖上諸宇在蒼烟杳靄間不啻蓬萊閬苑然豈不信爲勝地哉昔歐文忠公以金陵錢塘山川人物之盛各爲一都會錢塘莫美於西湖金陵莫美於後湖固遊冶之所趨也我皇祖奮出江表收天下版籍建庫而儲之於此特設科部官司之禁非公遣不得至則凡好遊者雖慕幽遐瑰瑋之觀無所可及而吾儕今獲因公而至至而又探奇於無心之會豈非至幸哉

焦竑濬對江河記

昔史遷作河渠書葢與禮樂平準並籍夫禮樂制作平準財用兩者經國要務以河渠而得與程功則胡以相提論也夏后氏繇疏濬底平成六府三事賴以允治禮樂之教嗣此而興夫非績用之最著者邪下此則西門豹鄭國之流引漳鑿涇史不絶書以是知水利之溥有天

下者利天下有國者利一國有邑者利一邑惟所擇便專意行之耳夏后世勿論魏任豹秦任國上不牽制下不拘攣故得從容展布而竟其功今之任事者則難矣下之人區畫以上而上或報罷上之人誠期以令而下或稽延前之人志在首功而未必終事後之人慮非經始而莫肯落成財力互殫怨咨日集葢如斯乎任事之不易也乃若上下相成前後共濟惠不費勞不怨行之一時而可爲百世利余何幸於父母之邦見之江浦隸京兆居江之北諸縉紳士庶往來涉江者率取道焉縣治故有河道達江滸江淮濟川兩衛置數十樓船以待無論行者便之四方商賈百貨凑集於民用亦甚利也歲久河漸湮樓船移置北岸渡者更道浦子口水陸迂迴幾數十里風濤叵測行者病之津吏候人奔走爲疲商船不通民用告匱大中丞朱公行部至慨然太息謂縣當孔道賓車使節日出境上河之不通令其迂迴道里且使石尤馮夷時出以爲患至於商閼貨阻騰物價以匱閭閻便人之謂何矧河之故道可尋縣其議濬邑侯倪君故嘗晰其事念此不置因曲具河道通塞伏條畫利害以上辦甚大中丞愈銳然行之迺會京兆張公沈

公直指王公各議鏹所自出得二千八百餘金又兩衛卒取道尤便大司馬周公令江淮出鏹千以助役役既舉侯政暇輒出河上躬立畚鍤間部署程督不遺餘力甫月餘功就什五適太宰課羣吏侯奏計上都門則以其事屬之司理趙君君始爲攝符至旋以河工劇遂辭縣務而專理河會天雨雪役得鏹謀遁去君百計約其渙散相地勢便宜立程限襆被河卜躬自率勸不月餘而功告成事計河延袤十有六里廣十丈有咫深四之一甲午冬十月舉工乙未春三月工輟司理君庚念河故深廣徒以水止沙沉漸至湮塞職上流不通之繇烈山峙江中流水衝北岸迅急如矢濬王家套借急水以刷沉沙它日可以無塞京兆張公當君請大中丞趙公議出積帑千餘緡授君舉事君部署程督如昔河再告成計延袤六十里倍昔之三廣深所在不齊因地勢也即今河引江流行者率取直道不病迂迴乘樓船如輦風濤勿犯四方賈人載百貨以至柔旅通商阜民足用其利不可勝原而三善則較著巳是役也首舉則邑侯爲政司理君成之而主其議者朱公再舉則司理君爲政邑侯成之而主其議者張公若周公趙公王公沈公悉

相與從恿夾持非一手一足之烈也斯上下相成前後共濟者非邪至于軍民相誠以率禁不勞而自勸非佚道之使宜不及此率是道也於天下國家何有余上世家江浦丘壠具在幸河之利賴茲邑也因爲記所由始與所由成以告來世俾覩河水而思當事者功則諸公之惠誠不朽乎哉

盧壁羣公惠澤祠記

畱都南門之外善世橋之西北有祠翼然其額曰羣公惠澤祠惠澤而祠德報德也羣公爲誰撫院雙江方公也代巡少巖黃公也栗菴宋公也戶科麓池郭公也巡江恒所艾公也京兆尹沃洲呂公也通府望沙陶公也上元尹待軒房公也丞龍山程公也江寧丞著山李公也祠生祠也神明之也作之者誰上元江寧之人也夫召公流甘棠之詠何武與去後之思何今人相報之速也而又如是其周邪拯溺救焚非一手足之力出水火而登衽席則報之宜無不盡者矣蓋二縣於應天附郭諸司轄焉其賦役之繁坊廂之困固非一朝邇年以來徵派百出逃亡日衆存者凜凜然愁苦呻吟殆不知有生人之樂矣此何等時邪天啓羣公後先濟美上下同德一聞民瘼靡不心盡是故導

之而使言傾耳而垂聽委曲而爲之處由乎我者不移時而報罷勢相牽掣者移文以酌議乃郭公以考績入京則親爲題請悉獲俞旨宋公駐節於茲又虛心博訪詳定條約俾卽縣亭勒石其詳具於惠政錄中語其槩則光祿之柴薪九庫之夫役歲免賠納者各不啻千金矣各衙門之修理與燕會以及額外之應付新增之工食與諸雜辦其所省又不知其幾矣坊長總坊當頭革而爲顧役而取之者阻作奸者消矣徵派有數盈縮有權力差有等什物有紀益之流移當鋪三百則兩利而俱存矣府有號簿縣有循環部院有稽查戶科有奏繳其防檢可謂密矣是故昔之費也五六今之費也二三昔之勞也八九今之勞也一二昔之愁苦呻吟者今欣欣然有喜色而相告矣民之感之豈待旣去之後哉祠之所以作也報之所以周也祠在衢路之衝外爲大門門內爲大堂堂有三楹堂之上堂之左堂之右設塑像及木主焉堂之旁爲小廳如堂之數廳之後復爲二楹守者居之朝天宮道士也祠垣皆以磚祠之後有隙地畝餘種以竹竹且成林矣夫是事也始而建白者鄉之大夫士與耆民凡百五十人焉而趙生善繼爲之倡旣而

立之祠也有金和等若干人焉而趙生爲最力今之謁予爲記也有諸友焉亦趙生爲之先趙生亦有勞哉可書也已隆慶
元年夏六月吉旦

邢一鳳上元縣德政碑記

上元爲應天首屬國家根本重地薄賦輕徭愛養極
至洪武而下迄於正德吏不舞文民無所擾家給人足神完而氣固蓋未有以病也嘉靖中襍惟正之供小破原額而歲時科派犂至無常吏胥緣此以侵漁坐食因之而日夥神奸鬼祕莫可致詰或者又從而是信是使焉故始以無藉而來者今皆得以衣紈袴啜粱肉棲大厦絜妖姬廣置膏腴而飛詭稅糧俾吾終歲勤動之民竭精力以應公家之求者什一剝膚鎚髓以待被不時之需者什九日戚戚焉若三尸之伏肝癥瘕之糾肺憔悴呻吟罔不思所以療也而何生之能樂皇皇閭閻得一人焉諳其受病之原予以對症之劑不狥庸俗滌臟濯腑而新之如袁侯龍西者蓋醫之罕覯也當其時生意殆津津矣而以他故去未竟厥施至今有餘思焉王道易行固如此隆慶壬申秋大京兆晴江杜公來首詢民瘼令極諄切別駕

西津趙君適署乃事而奉行惟懇諭耆民陶詩吳遵道王大賢輩悉遵咨訪得其時弊之蠹政害民者二十件與其作弊欺負之徒罪惡貫盈者十四人併上之既又陳之大中丞巡撫嵋峽張公按御明臺向公咸是其言明臺公謂必見邑於奸人而慮其爲之中沮令悉治罪務勒石以利無窮意甚盛也事下節推少峰周君暨趙君西津議以允合會主治之人而依憑城社者陰圖反中乘墉叫嘷勘覆雖極詳明而施行總仍舊貫更生之良幾爲斷腸之酖民心又洶洶矣賴大京兆遡川楊公持以獨斷而力救之得弗修未幾而東瀛林侯至誠心愛民務芟宿弊據民謠允稱賢令矣而遡川公即以是役懇責成之侯則按其成牘而周爰咨諏協於克一斷而行之以圖厥終至於今苛毒以融元氣以滋盎然得以永天命焉非諸公之功而誰功邑之貳曹子蓋臣杜子子晉承委宣勞若職允稱可紀也附紀之竊謂民之始是役也與其幾行而敗敗而興興而復成也其病症之展轉與夫藥力之瞑眩始終三年厥惟艱哉繼而大京兆少泉汪公至銳情求治剔蠹蘇疲尤厘公意也乃與遡川公思其艱樂其成恐其久而或替特檄林侯督刻

是石侯方祇奉成命殫精竭思首覈丁糧以窮其源次清飛詭以息其波明實科以定其止據實徵以要其歸其諸馬政羣糧長里批頭總書外差皆害切腹心者悉爲拔去民間恒業存可無廢廢可期復益莫大焉餘件詳册附刊徧佈使吏書不得增損侵漁以病吾赤子則來者觀是刻可以稽醫案矣噫凡此皆民之情也民之言也因請記爲之文第云爾若夫緬思諸公再造茲邑之盛心仰體聖祖二百年前重本愛民之德意護庭子於濵死復甦之後殆有甚於眞元未鑿之先固執已試之方勿爲浮議之奪客邪防之惟恐其或入元氣養之務俾之益克端有望於後之君子之重民命者

陳沂琉璃塔記

南都城之南有大佛宇孫吳時云神僧所居南朝始有寺因地長干曰長干寺趙宋改名天禧寺國朝永樂初大建之準宮闕規制名大報恩寺故有舍利塔文皇詔天下盡甄工之能者造五色琉璃備五材百制隨質呈色而陶埏爲象品第甲乙鉤心鬭角合而甃之爲大浮圖下周廣四十尋重屋九級高百丈外旋八面內繩四方外之門牖實虛其四不施寸木皆埏埴而成連大宮後

壘玉砌數級上爲五色蓮臺座高擁尋丈乃列朱楹八面闢爲四門縣十有六牖於八隅門繞以曼陀優鉢曇雲花壁刻以天王金剛四部大神具頭目手足異冠簪纓冐衣带琑甲異制戈戟輪鐸器飾異埶種種不類載以獅象承以棼橑井拱翔起光彩璀璨覆以碧瓦鱗次螭頭豹尾交結上下又蔽以鏻檻雕楹青瑣繡闥于外二級至九級不設瑣闥惟楹檻皆朱壁皆黝至榱拱則間以元朱其花蔓旋繞牖户縣闢之制皆如初級焉盡九級之上爲鐵輪盤盤上輪相疊起數仞冠以黄金寶珠頂維以鐵絙墜以金鈴每級飛櫚皆縣鳴鐸明牖以蚌蠣薄葉障之㑹出楹外凡百四十有四晝則金碧照耀雲際夜則百四十有四篝燈如火龍自天而降騰燄數十里風鐸相聞數里響振雨夜舍利如火珠數顆次第出入輪相間有聲浮圖之内縣梯百蹬旋轉而上每層布地以金四壁皆方尺小釋像各具諸佛如來因緣凡百種極致精巧肩髮悉具布砌周遍井拱疊起皆青碧穹覆如華蓋列牖設篝燈處若蝸殼宛轉一竅穿出門至絶級亦洞敞首不低縮出櫚楹外則心神惶怖不能久佇四顧羣山大江闗阻旁達無遠不在近觀宫城廨舍

陸衢水道民居巷市人物往來動息罔不畢見飛鳥流雲常俯視在下矣

宋儀望表忠祠碑

皇帝御曆改元崇慶覃恩詔雪靖難死事諸臣俾郡邑吏置祠祀之仍䘏錄其後詔下之日薄海內外冠帶椎結皆舉手加額以我聖祖神孫其扶世教拔忠䰟之心蓋萬禩如一日也予既讀崇陽汪公所著表忠錄泫然久之然不能無私臆焉自古人臣不幸當國家橫决變故出其身抗大誼排大難脫有不濟則繼之以死君能逢比干巡遠世傑秀夫天祥諸人是也建文初纘大統顧命諸臣皆高皇帝一時簡付苟務自兢兢一遵成法敦固懿親以藩屏王室諸王雖處尊屬列疆藩然親承冊券帶礪在盟誰敢興亂齊黃諸人膺慮輕謀啓釁階禍湘齊周代岷五國逆節未蒙暇垢屢摘或徙或廢或焚死或徵入之尋又下詔讓燕文皇神武英明非諸王比靖難師陳諸大臣罔暇卻顧移檄發兵必欲加威以逞而大將持貳動遭敗衂壯兵日邇務得齊黃如鼂錯故事建文英斷不及漢景而諸故臣又以謾焉央事金川既入始以誤國莫贖爲言天威斯赫誅滅尋加根連杸引至不可勝數推皇祖

之心豈獨以其迫抗抵觸罔識天授巳哉要以二三故臣首發難端致勤師旅故其時齊黃方練受禍最慘帝之心有餘憾矣方其舉義旗而南也前軍所指所嚮克捷鐵鉉諸人竭其螳臂之力以當車轍而天命所屬竟莫能沮夫用命有厚賞不用命有顯戮非湯武誓師之詞乎革除諸人就執之日堅盟初心視死如歸寧負順天人之舉而不敢忘叩馬之心寧甘鼎鋸慘滅之禍而不敢効檻車之辱一時披難死志多至百數十人自紀載以來信未兩見者也嗟乎流言興而周室危未央清而代邸入孟津濟而餓夫亡洛邑營而頑民梗彼度德以救時與懷故而寘力其歸一也惜也經生學士不能發揚大誼課革除可以表年矣而不知甲子濟師之日固湯武革命之秋也謂諸黨可以懲姦矣而不知式閭表墓之舉固聖王下車之度也異日者陳瑛嘗請究餘黨矣成祖否之曰彼食其祿固自盡其心爾又嘗謂大學士楊榮曰使練子寧等在朕固當用之嗟哉悲乎此其太公之心舍弘之量大矣如天地之無不覆載也明矣如日月之無不照臨也去今百七十年紀載忌諱是非晦蝕使主仁臣忠之分無以暴著於時此則任事者之

罪也萬曆二載夏予承乏來撫南畿太平郡推官劉垓揭言留都爲革除諸人効忠故地垓以爲宜遵明
詔建崇祠以彰顯我二祖儲養矜䘏之恩億千百年大小臣工往來瞻顧則思諸故臣狥國死綏之烈與當時開國元勲諸人所以翊贊鴻業扶植世教其巨功駿烈皆足掀揭宇宙配天無極予覽其言壯之先是巡撫中丞張君佳應巡按御史向君程許君廷傑以修舉祠祀事下有司議文未報予惟留都內地非支郡比尋以嘗所臆説請於政府江陵張公公手報曰褒錄特出上恩建祠增祀以祇遵明詔則守臣事也會今少司徒江公以光祿卿來尹京兆旣得報喜曰革除諸臣或死封疆或死故域于天子之守臣也惟祀典神祇是司明詔赫奕曷其敢靡於是議以嘗狥都城咸如例列祀使諸孤憤遺魂猶獲血食玆地豈惟彰顯一時遭際表俗勸忠於是乎在議旣定遂委成上元令林大黼江寧簿郭祺擇地飭材工役棘興予與巡按御史鮑君希顔唐君鍊詢謀僉同各發贖金以佐工作提學御史李君輔褚君鈇與觀風教敦勸彌篤未幾京兆公晋官大理卿巳又晋今官祠旣訖工今大京兆程君嗣功少京兆陸君樹德適來

觀成司徒公遣官來告曰是舉也於國家爲懿章於天下後世爲公議是不可以無紀惟下執事圖之予辭不獲乃推本前説俾林令刻之碑庶幾來者因有攷焉萬曆四年七月既望

丁賓茅山奉律亭碑記

聖人之治天下必使養道備而五教行五教者教其習之不善以歸於本善也然而五教之中惟別嫌爲最故昔儒謂婦人無故不窺中門出中門必擁蔽其面是在家庭之間尚不當斯須去禮而況可登山入廟與男子混遊無别乎邑之東南舊有句曲山自茅氏兄弟避隱其中故以三茅名山先朝爲之建祠以祀莫非重其行也乃後之人不能倣法其行而惟從事祈禳以圖利已每歲當春無論遠近男子卽婦女亦多羣聚來山此豈其性則然耶習染爲之累而世教之所以不與也萬曆二年春予始蒞任聞有婦女上山之説爰念此風一倡非止句邑實諸郡人心邪正關焉此而不禁予之愧也間乘公餘郊勸課稽覈稻倉因而親至山所方輿居民父老宣明聖教開其羞惡本心共圖所以行禁之路適見本山南鎮街有故碑直書婦女不許上山六字者葢前任督學聞人建也

予作而嘆曰意誠善矣乃其習之相沿如故得非所以申告之者或弗廣與亟爲修理而益以亭垣乃建直書婦女不許上山六字碑亭於山之北鎮街且令道衆先期分約傳禁四方自此本山疇昔艷粧靚飾浪遊故態非復再見而民習幾乎變矣夫以民俗之偷一禁而即歸於正可謂性非本善乎乃予之意猶有所未盡者則以本山禁約雖行而不謀之鄰邑不請之監司終未廣也萬曆五年冬既經移會金壇宜興丹陽丹徒儀眞六合江浦上元江寧高淳溧陽溧水建平當塗諸邑以同禁約即具詳本府及臨鎮本邑撫臺胡及南京禮部及各院道俱從示允于是遵議本山兩宮三峰之間再建橫書婦女不許上山六字碑墻而以大明律內褻瀆神明一欵全文鐫勒于上其墻南另碑照勒律文以示反覆申明之意無非欲使遠近人民觸目警心將共守祖宗法律以從聖人之教非敢崇尚虛文侈爲觀美而已工既竣祇奉撫臺之意而附跋于其後嗚乎凡今遠近之人所以相攜婦女匍匐登山爭先謁廟者孰不自謂盡禮於神哉而我明律顧以褻瀆神明斷之是自外于法也悖于禮也而彼固惑焉而未悟也誠能鑒褻瀆神明

之訓而凛然知畏則遠近婦女又何
待官府之禁耶此其理之明白顯著而奉法彰教之
義且不外此而俱存其關係
誠不小矣念之哉念之哉

金蘭鳴鶴山建三台閣碑記

句曲爲高皇帝南輔負首善而嚮文明稱金陵
重邑云按國朝世德碑紀先系出句容縣金朱家巷
在焉則茲尤祖宗漆沮地也東南三茅諸峰之勝中
天下華陽所謂欲界之清都是巳西南有絳巖湖周
百二十里渟泓淵毓陶隱居號曰小澤實大江以南
巨浸哉山川森秀蔚爲人文宜乎名賢輩起如李文
定之執政楊柱史之烏臺勳德昭著後先濟美者難
枚指數今上戊寅春余奉命督學幾南句邑實駐節
所按部日進諸人士語之彬彬乎質有其文余心幸
焉乃十載來科名稍落落說者謂形家言容水西流
下沙單薄勢不可無一砥余爲柱笏相之邑東石龍
之水逶迤來者迄鳴鶴山而西邑之隨龍水自北華
武岐諸山發源者亦底鳴鶴山去二水合然後入秦
淮帶鍾陵達大江茲山固交滙所也凹則直流凸則
逆抱宜崇庳益高　氣勢於是議建閣其上筮辛

作乙向兆吉余職司風教義無容緩捐俸鍰首事又多爲措置佐之維時端揆孔公少宰王公中丞李公銓部張公咸嘉會後學倡助有差鳩工庀材一畀於司土者經始於巳卯孟夏越五月而告成不支官帑不勞民力棨楄嵯峨丹艧炳爍高五十尺有奇譙簷者三中窿旁下匝以回廊八窓洞達四照空明凭高矚遠層巒疊壑如列几坐題曰三台紀盛也漢天文志魁下六星曰三台在人爲三公晉天文志三台六星西近文昌二星曰上台三台皆與文昌相比切者也因祝閣中兆文明焉余惟今中外多故所在需材

聖天子申飭功令廣厲學宮余適承乏文衡爲國求賢以濟時艱固其職也歷諸郡較藝毎手一卷盟心久之願得英奇偉碩以奏茂勛以襄盛治容山諸士尤朝夕切磨屬望所先者夫作人育才之道固惟是詩書絃誦三物六行日相敦勉以幾有成爾矣教化深醇則人材鬱勃故曰金玉追琢理之貫也鳶飛魚躍氣之使也然而維鎬之間瀍澗之卜論者已有形家之說則夫崇置規模用相裨益使地靈人傑相待而足謂非培植人材之一助哉去秋玆役未竣已有

賢之應春闈博士楊公裒然大物爲二百餘年所

未有接武而起當更增華矧祖宗湯沐地百靈所式鍾茲秀者相與奮翮雲路著績太常如鄉之先喆翼翼繼起項背相望以副聖明側席之求是即余忠于職事以人事君之義矣邑令武林錢君實始終忠厥事學博丞簿尉勤勞茲閣例得附書邑諸生及義民捐資趨事樂襄此舉者皆次其名於碑陰

顧起元句容令丁公生祠碑記

余束髮時授書句容之戴君君每語余以嘉禾丁公之理其邑者治行爲天下最余心嚴事之稍長以諸生待試句曲聞四境之内謳吟思公者自冠帶之倫以逮蕘夫牧豎婦人孺子如出一口也已登朝籍從賢士大夫遊閒聚語天下博大休容足以衣被九州無不首推服公者先是公以治行第一徵拜御史時座主大相嗾公按遼修郤前御史劉公臺必寘之死公謝不可拂衣歸田閒二十年至是拜上命自廷尉遷大鴻臚至御史中丞開府江上再陟晉大司空皆在南都余休沐里居得時晉謁而聆其教則又熟公之所以治與士民之所以慕説公者竊伏歎以爲古今循良如公之治句容者我未之前聞也公清眞淡素皭然不染世淄氛而仁心爲質以禹稷

之饑溺由我伊尹之溝洫時辜爲已任故筮仕爲令日昃不遑中夜不寢務察民之疾苦而予之以安特引薦紳章縫若鄉三老之浮實者和顏色聞焉俾人得條上便計求所以佐百姓者身粥粥若不勝衣至急民之事雖寒燠風雨不言勩甚則小極卧閤中手握刀匕口諄諄語不休皆民務也公敏識彊記體大而思精民一造庭數年後覩其人以名呼之不爽單鄉下戶田籍牲畜無不具知其數有訟一語詰之輒頓首服鉤校錢穀瓠析經費巧曆不算者公手畫心臆顛若衡量不差累黍書吏拱手咤以爲神君然公不欲爲鍇箭察淵魚時出以輔吾仁術而已是以當日邑中之治其化誨則自黌序以迄於鄽墊其鑰省則自賦稅以迄於差徭其撫循則自耆老以迄於婦嬰其矜恤則自鰥寡以迄於囚繫其便利則自倉舍以迄於稅塲其修築則自城隍以迄於溝畎其綜理則自市之米鹽以迄於塗之樹藝其禁戒則自禱祠之婦女以迄於伶諢之倡優居恒與民語唯恐傷之反復訓咨令其顧化間有抵辠者必對之吁嗟太息求以開其一面之網身不私官下一錢郫不取民間一物餼廪所餘盡捐之爲地方建永利甚且念穀貴

傷民從嘉禾載米數千斛賙之如是者不一而足也以故當時之民聞公言者如飲甘露覩公面者如睹卿雲游公庭者如登春臺載公德者如倚大親上覃其惠下用其情扶老攜幼懽呼鼓舞歸於公而說者象公德謂其生物如地且曰丁公者古之遺愛也豈偶然哉且非獨如此也句容前公而稱循良者毋若貴溪徐公徐公在任九年其愛養元元大都與公相髣髴然徐公以數忤上官後陟郎署至郡守而罷公在邑之年幾與徐公埒而公既拜侍御史告歸里句容人有事必走籲公公必爲畫便宜平曲直出稍醞與相勞苦如是者二十餘年踵相屬於道比公官南都位日益尊膴句容人家事室語靡不貿成於公人人厭其意而返若此者又徐公所未有也徐公所以父母民者髫齔而免於懷公爲衆父又爲衆母父昊天罔極子而宜終身慕者矣古稱桐鄉之朱寄縣之卓至今爲民所俎豆宜考其政事有自爲令至大官登八座撫其民子孫如在宇下者亡有哉余故曰丁公之於句容人者我未之前聞也公以美利利其民而不言所利句容人日孳孳思有以報公而莫知所以報於是以爲生祠奉公者數矣意嗛嗛未足也茲

復大啟宇邑之中衢曰庶可少抒吾適館授粲之慕乎既成鄉之大夫士某某同門生朱家根幸其耆老子弟屬余紀其事夫以予雷都之德公也方其圖畏壘祝公公實且晉秉衡軸霖雨天下將紘埏咸被其澤海內咏歌者方不可更僕數豈獨一雲陽氏之都哉甘棠之誦茇舍爲先東海之祠流光無極若余自髮燥至華顛熟公所以治句容者今獲載筆以不朽附公余之幸又有大焉者矣公名賓字禮原浙之嘉善人登隆慶

辛未進士

王祚遠督學金公德政碑記

嘗聞文運與國運相關其盛衰淳漓之故唯衡文者是覘我明興以來遣使覘學其難其慎官守問於天官文學問於大宗伯僉可然後命之璽書誠以督學者士人進身所繇端國家材具所繇儲也畿南人文蔚起夙號才區特建兩院隆于他省首稱應天督學隸府曰八州曰三祖宗湯沐之餘其所埏植者舊矣年來矜華角勝質絀於文識者有江河之歎戊寅春我公奉簡書來督學事不亟亟他務而先厥本旨著有學政約言首尊德行諭提調教官以及程文

之大旨辭嚴義確卓然爲造士正鵠迨較閱一稟公愼絶謝竿牘夜輒焚香籲天冀得眞才以襄平治名宿之彥盡羅高等錄文之尤爲豐芑錄海內爭誦之嘗自盡聯盟有嚴有翼於乎可以觀公之志矣今天子廣厲澤宮頒行孝經小學公試必掞題士象上旨而風化以變且嚴督騎射食餼者有射貢朝者有射宛然見文事武備之意設三等簿以稽門籍多士無有問戶外事者於是醇者加醇儇者知厲彬彬然臻薪檟之盛焉駐蹕吾邑嘉惠滋殷邇以科名遜昔屬咎山川公重念之爰捐俸措資建三台閣於鳴鶴山爲容水交滙之鎭落成卯闈李子果捷賢書及辰榜發揚君以博士掄大元爲二百年來所僅見豈非閣之靈公之力歟又議移置西關於龍口橋實爲邑便形家咸過曰善更捐百金以倡斯皆吾邑百千年利賴哉若其歲凶糴穀以備賑設厰煑糜以哺飢生活容民紀不足勝凡此皆公秉心之仁而濟之以廉爝事之智而兼之以斷故能上捐已貲下爲衆勸百廢具興萬姓頌德如此粵昔文翁化蜀士風比於齊魯倪若水治汴下車輒修廟興學可以當公作事之典以較經濟之才則罔若陳文惠出米爲糜以食餓者

王侍制捐俸率僚得縠賑荒可以當公惠民之心以較甄陶之力則弗逮益從來政事文學孔門無兼善我公設科以一人備之書史所載寧有亞哉今且按部兩匝歸告天子丁此內擾外訌爕理需人之候出其緒餘可以扶文運者挽國運與士治者飭吏治其陶淑之士又將脫草茅當一面相與戮力王家黼黻
聖治爲天下
蒼生慰矣

李維禎茅山遊記

余擬謁三茅君久矣數坐事不果今年抱痾杜門閲四月室人交譎得無神咎負約耶憶小茅君言八月中彼人暫看燒香必也二十二日昧爽與陳山甫出通濟門沿堤而東秋水方澄斜月猶懸一兩點露如雨三五個星在天令人蕭爽晨光漸起廬落比屬烟樹鬱蔥稻未刈者十九維以皂莢菱芡芋疇蔬畦田地善可家兼之豐歲故爾過小市有坊曰梁昭明太子讀書處俞進士仲茅題視之在一蘭若中從後入有佛殿昭明祠當其南卑隘圮剝爐塵多於餘燼憶荊襄文選樓頗壯麗何此地寂寞也飯淳化鎮而行取間道歷黃彥竈至淤村孫氏宿焉村在秦淮下流復一溪會之潮

時至時否所以名於蓋赤山湖尾湖廞塞爲田矣問道間蝗何不亟捕云翔而不高下而不食食靑而不食黃或遺子土中蓋七八月交蝗蔽天自留都東北去凡數日日晡時未　禮緯含文嘉蝗食苗爲常不食占有兵或未可信不則憂方大也詰旦霞天如赭疑爲雨徵沿小溪行十里而遠逕松林中松高不過丈許能使人迷如是者可十里而近凡五十里至玉晨觀觀故許長史宅定錄君言近所標靜舍地此金鄉至室若非許長史父子豈得居之後世當有赤子賢者居此陶貞白爲朱陽館唐太宗以桐栢棲眞改華陽觀元宗以玄靜修經改紫陽館宋大中祥符始定玉晨之號嘉靖初再燬揚州人張全恩棄家入道爲三茅君玄帝殿各一茅君殿無梁甃甓層累高九丈深十丈有奇廣十二丈有奇余所見天壇行宮五臺佛殿無逾此者茅君背龕展眞人肉身按眞誥高辛時仙人展上公於伏龍之地植李彌滿展今爲九宮內司保常向人說昔在華陽下食白李味異美忽巳三千年元時劉文彬山志並不言有肉身何所據也眞誥云大茅山有玄帝時銅鼎可容四五斛許偃刻甚精好在山獨高處入土八尺有盤石掩鼎上

玄帝命東海神埋藏中君言軒轅子昌意娶蜀山女生高陽號顓頊是爲玄帝鑄寶鼎各獻一於洞山神峰則今所祀玄帝亦非昔玄帝而高陽高辛俱出黄帝黄帝仙家所祖從來殊遠後人傳訛失其本眞耳眞靈位業圖展上公在第五天右位仙階殊不高也左陛顏魯公李君碑四面書鐫字爲吳崇休故良手雖墮損尚多可讀碑言李君姓弘避孝敬皇帝諱改李名含光謚元靖都元敬金薤琳瑯載此碑亦作靖左廡碑河東柳識譔李陽冰篆額云避則天諱兩碑俱大曆中建右有陸長源法師韋景昭碑云葬元靜墓左柳陸碑作靖容譔乃云避則天諱何不審也鄭夾漈通志略載顏碑亦作靜又徐鉉撰紫陽觀碑内云天下者孝高之天天下憲章者昇元之憲章昇元李昇建元孝高其廟號而徐鉉與書者楊元鼎刻者王文秉皆不書國後巳未十二月一日建不書元蓋昇子璟改元保大戊午改元交泰尋去帝號奉周正朔巳未周恭帝立不改元明年遂爲宋故其體如此然何以不稱周顯德至云孝高之天下其二碑則稱保大稱烈祖稱今上不巳侈大哉陰雲四合懼雨妨遊亟呼竹兜子之下宫下宫者崇禧萬壽宫也宋延祐

賜宮號敕有碑而元至治碑王去疾爲文趙孟頫書云改宮爲觀自此始宮惟帝居可稱如後人稱朕稱璽之類豈宋稱宮後又嘗稱觀又復之耶門有小溪自上宮來上宮者元符宮也蓋至是始有喬木而合抱干霄者亦鮮門外樹屏中嵌九字每字高廣三尺餘是詹姜家輿臺弘治乙卯立巳周二甲子道士云有大姓妄意其下藏金欲更修竊取以衆目所視而止從左行丁司空有屏禁婦女遊者書大明律于上前有奉律亭葉相國爲記清虛眞人云黃赤之道混氣之法是張陵受教施化爲種子一術非眞人事也吾數見行此而絕種未見種此而得生百萬中盡被考罰思懷淫欲存心色觀而以兼行上道抱玉焚火金棺葬狗也眞人偶景者所貴存乎匹偶相生在於二景雖名夫婦不行夫婦之迹數行交接漏泄施寫氣穢神亡精靈枯竭雖復元挺玉籙金書大極將不可解於非生而冶遊者以謁仙祈子爲因窺室家之好行穿窬之事妄謂孫寒華與杜契通情　依張毅毅爲脫免事平歸茅山寒華有少容今尚俱處　姥山以此得名夫元白道邑房室自契受道不得行此婁豬艾豭用志能抑斷乎禁之良是登大茅峰九霄

宮据其上西南四平山俗謂方山下有洞室名曰方臺問道士莫能名其處宮後有龍池大旱不涸祈雨於此請龍山多石俗有巧石窩之名而天市壇當洞天中央元窓上是安息國天市山石元帝召四海神運諸洞天非但句曲有之豈石亦如仙聖有種耶何遠求也宋淳祐加封三茅眞君誥大茅十六字中茅三茅十二字按天皇大帝九錫玉策文今敬授盈位爲太元眞人領東岳上卿司命神君中君小君亦各有紫素書策文中君位爲定錄小君屈司三官保命其位似僅定錄司命各二字而南嶽魏夫人與楊君說衆眞次第位號則曰東嶽上眞卿司命君不書名字句曲眞人定錄右禁郎茅季偉三官保命司茅思和註謂以多爲高猶今世嶽號則策文是而魏夫人所說中茅字何以多於兄豈多寡又在本品論耶大茅形甚少於二弟二弟同來倚立命坐乃坐宋封字多寡亦是然人間浮名非天仙所受多見其不知量也拜觀上御書高上玉皇本行集經畢下至喜客泉泉出池中爲八方石欄其色碧客至噴珠自下而上若喜者或叫呼之不出金壇曹太史造老君菴其上子祖鶴修之葢因李德裕茅山三象記自號上淸元

都大洞三景弟子上爲九廟聖主次爲七代先靈下爲一切含識敬造老君孔子尹眞人三象此其意重君親而以孔子廁李尹間甚無謂又有僞作孔子福地記云岡山間有伏龍鄉可避水避病夫以茅山祠柱下史未盡合況孔子乎出祠數十武爲流玉亭泉九曲溧陽史氏鑿源出上宮龍池而喜客併入焉道左有洞泉二字碑石封之上有朴樹云泉通海爲人所汙風雷示異又有小螺取拭目輒佳至五雲觀觀外有小碑宋景佑中書門下下五雲觀牒過華陽洞洞可傴僂入者數十步其中遠不可窮類林屋隔凡句曲洞宮有五門南兩便門東西北各一虛空之內有石階曲出承門口得往來上下都不覺是洞天中謂是外之道路中君云東便門在中茅東小茅阿口從此入至洞天最近而外口甚小以石塞之東門似在柏枝有兩三洞口恐眞門外亦不開南便門外雖大開内已被塞緣穢氣多也華陽中有玉碣文鄧夫人語許長史妻此仙要言解此則仙令文自傳而玉碣當還歸天上矣陶隱居華陽頌十五篇讚述此山洞内外事欲于昭靈臺前立小碣子未辨作石其文具在無樹碣者紛紛惡札爲石災良可嬶惱又數十

武有玉柱洞狹而石差潤是新鑿出意或與華陽通巳入元符宮觀正統時賜藏經敕上賜玉樞寶經象在上經在下後有符有宋賜玉柄劒不滿三尺繡澀巳甚有玉圭有方諸研有玉鎮新符文曰仝明天帝日敕有玉印九疊篆其右都曹印三字甚明葢本朝物而道士詭言傳國璽可發一笑有趙子昂九天生神章經爲錢塘隱眞菴道士何道堅書中失十二行倩拙手補後有趙雍題曰先平章暮年筆復有道流吳全節題此經爲元符道人史姓者所得以質錢史金吾元秉其子復以歸觀要不敢信爲子昂雍與吳題字相類疑是二人臨本耳雨垂垂欲下道士促歸余聞蝗以旱生保命君有丞四人一主雨水理禁伯亦主雨水若請雨宜併爲辭果得雨除蝗余將爲民請命何惜妨遊昇夫請窮日之力無煩再舉從之至積金峰相傳峰以秦皇瘞金名按金陵有二有秣陵之金陵有句曲之金陵河圖中要元篇句曲之壇其間有陵兵病不生洪波不登稽神樞曰金陵者洞虛膏腴句曲地肺土似此印堅實宜禾穀掘作井似長安鳳門外井水水色白都不學道居其土飲其水亦令人壽考是金津潤液之所溉大茅山相連長阿中

有連石古名積金山此中甚多金物秦時名爲句金之壇以洞天内有金壇百丈外有積金山亦因積金爲壇號其非秦所瘞可知且天市壇四面皆有實金白玉各八九千觔入地九尺又曰山生黄金近東處碎石往往有金沙茵山亦有金可往採王莽贈黄金百鎰光武遣使者吳倫賫金五十觔在小茅山獨高處埳上有聚入地三四尺安得秦有瘞金不載耶茅君臨去時曾埋金欲服金者任取但不中以營私累太上宫中歌以青金爲誓然後發行受籙者齎金環一弁諸幣以見師師受贄以籙受之仍剖金環持其半以爲約許氏書亦云然此自鼎藥所須而誤以營私愚矣觀後玉皇閣右石名飛來即本山中所未移者漫爲之名耳已至二峯有德祐觀元嶺高處司命埋西湖王門丹砂六千觔山左右當泉水水流赤色飲之益人抱朴子以石丹泉與太華井泉無異爲作銘泉所在有之無赤色者已至三峯有仁祐觀神座右有石亦修觀時未及剗削余謂此亦可名飛來泉爲一粲漢明帝修句曲眞人廟了無遺趾二觀應門財一兩人作可憐之色游與易倦歸而禮黄冠祝釐方瞋爲謝昇夫不但饒濟勝具其典故不減吾輩矣

枕上聞簷溜竊虞不成行遲明雨漸微之圃中觀許長史丹井石孔二分陰陽水氣冬則左孔出夏則右孔出問徐鉉銘不知所在門有池池前三土壘不及丈曰三星眞誥言長史所營宅對東面有雷平山豢龍池周時雷氏養龍在此後姜叔茂田翁亦居焉宋眞宗遣中使禱龍取二龍中路風雨失其一持一龍至闕下其形可異爲歌記之

宋濂溧陽州新城記

溧陽漢縣也今爲州地居江左要衝城之當新視他州爲急丞相吳公初渡江嘗命將士築之兵事方殷取具一時蔟石横攢錮之丘泥其勢善崩濠淺而淤水至輒溢民恒患之越七年辛丑丞相重命部使者郭君景祥作新城郭君既至召其民謂曰爾閭右民所恃以安者城無城曷生可不改圖厥土用剛厥石惟良釘栰爲基上網下埋鍊堅於岡以膠其壘無使壞傷敝以四門翼以樓櫓環以埤堄四門之外復設甕城鍛鐵承扉時其闔開勿侈勿陋中制乃已初有河貫城中楗木爲關宜易以石上架徒杠外浚爾濠今廣且深疏洩宣通濠東西流漸滙於南與河既合直達無阻

以便行舟爾閭右民驗爾田賦以出爾庸爾無譸張以惑羣聽爾無惰窳弗程以煩我有司先功者賞後則及罰若閭右小氓朝不謀夕盍寬之俾無有所與爾民何如咸稽首至地曰如使者言自正月甲子至四月乙未新城成其周圍以尺計者九十有奇崇二十有七尺厚三分崇之數而居其二凡役民二千餘家工以日記一萬八千池之深廣視城之從而稍殺焉其制一如郭君之經畫無少爽者俾來俾予記其成以毋忘相國之賜而多郭君之功余聞之易曰王公設險以守其國所謂險者城郭溝池也使城高而池深縱鐵騎如林睥睨而不敢進者在古往往有之苟或反是則一夫奮欔疾呼數萬之衆將披靡矣豈其人強弱遽爾殊哉險與不險故耳然則設險以守其國者何可廢哉何可廢哉或者不達以勞民爲解不知一時之勞實永世之逸也雖然城則高矣美矣若夫惇之以詩書道之以禮樂漸之以信義使斯民皆效死而弗去則有土有民者當進其責也相國軫念黎元之意其在茲乎是役也費郭君之謀而宣勞爲多者憲掾趙岳總其役凡而集事者州守林公慶也系之以詩曰溧水之陽崇墉焞焞誰其新之惟實

郭君有美郭君綉衣持斧欽奉相命克綏厥土綏之伊何莫堅匪城城其尊矣羣生以寧乃建教條乃糾功序乃登壽俊俾相告語取直惟繩畚重雲興甡甡份份樹幹以禎侯琢侯甃侯春侯綾侯削侯究不日而就仰瞻雉堞雉堞如陵俯觀河流河流載清我民日噫相國生我寘之袵席脱彼水火相國明明使者繩繩威令是承續用以凝續用以凝宜傳無斁爰述聲詩勒諸樂石

黄宗載重建溧水大成殿記

唐武德初元肇建于州治之東國初辛丑知州鄧鑑重建後改爲縣知縣高謙甫繼之學基在興賢坊一百六十步自泮橋至學門東南北三面舊城環繞西臨泮池大成殿高四丈八尺深六丈廣七尺有奇聖及四配皆塑像兩廡各五間從祀諸賢皆牌位戟門三間櫺星門三座神厨宰牲房各三間在大成殿之東南明倫堂三間在大成殿之後卧碑一座在明倫堂上東偏進德修業二齋各三間在明倫堂之左右饌堂一間公厨三間在明倫堂之西北祭祀有殿講肄有堂居止有舍庖湢廩庫各有其次故士由學校出而顯庸於世者克焉裒焉不可殫舉歲遷月

改斯至傾頹正統四年山陰王侯來令於兹乃顧瞻嘆曰殿者神之所棲戟門者殿之外蔽官民瞻仰在是師生依歸在是今若此作新其可後乎乃諗於縣丞章忠主簿楊禧賢等志合謀同卽日鳩工購材殫慮獻智仍命教諭張彥艮訓導吳復董其事侯仍朝斯夕斯督視弗怠邑之好事者見侯之用心咸助財力奔趨恐後自宣德五年三月至正統六年四月殿成戟門成巋然巍然加以繪畫之華丹漆之飾煒然一新繚以墻垣尊嚴閟侐允爲一邑之偉觀神有所棲人有所仰建學立師不負于國家化民成俗之道皆侯力也而彥艮輩亦皆與有勞焉旣成僉謂宜鑱石以傳屬余記之余謂學校之興替在令之賢否也侯體聖朝建學之心爲心作而新之矣其聖人明體適用之學舍五經其何以哉若夫吉凶消長進退存亡之道具于易帝王大經大法載于書詩有邪正美刺繫焉春秋有善惡而褒貶寓焉經禮之體曲禮之用本文兼備見于禮之教焉師明此道以傳弟子體此道而受必使得於心守於身用於世大而冠冕百辟小而期會簿書皆足以增一邑學校之光則侯今日之用心亦無負矣是爲記

羅倫重修溧水儒學記

成化四年秋溧水縣學成談生張生來曰學舊在邑治通濟橋東南元祉屋燬矣我國肇基邑令高謙甫黿典賢坊土遷之餘數十年葺屢壞令韓先生主教事顧其貳奮曰是吾職也以告司民吾不忍爲聖人之道累吾赤子也迺禮致其閭右飲之酒義以倡之閭右大勸家出貲以從無後者已而天子之命吏若衆吏凡吏于土者若都御史劉公孜御史嚴公洤王公塤府尹王公弼畢公亨府丞冉公哲治中葉公泰通判林公春縣丞王臣主簿潘珎益與左右其先後先生迺鳩匠庀事理大成殿鮮之飾孔子至子夏十四人像改其龕餘六十子爲廡旁列之數十大儒敘其下位置其祭器祠文昌于西廡南循廡抵殿石闌客土建明倫堂兩垂設齋廊行齋南縈外伉儀門鎮匠石爲鼓土汙池舍之以居徒於堂西歸侵地於民垣爲圃以習射圃在泮之南爲通衢輿賢科第二坊立衢左右湢庖庫廄漆丹黝堊各以敘完邑之士咸曰永吾黨之義以無忘二三君之功非子不可子毋辭夫天下事有大而無難得人倡之而已矣禮義人心同然未有倡而不和者事無大於治天下禮義治所自

出學校又禮義所自出建學以明禮義固治天下大事也以癯然儒者任天下大事一倡而上下和者如響費者忘其財勞者忘其力出謀于左右者忘其功吾是以知天下治無難也得人倡之而已矣商之興也伊尹倡之而天下從之周之興也周公倡之而天下從之秦之興也李斯倡之而天下不從之而亡之者民之心豈易於商周而獨難於秦哉倡之非其人不以其道而已矣禮義在人心固不泯也善治天下者先善其倡之而已公卿百執事所以佐天子以倡天下者也得其人則治且安不得其人則亂且危士之學於今日者固異日公卿百執事也師之倡於今日之士之學者固異日公卿百執事之倡也倡之之道無他明禮義以正其心修其身以爲天下國家安且治之具也非徒倡之以與其學校尸以僥利達而已也師職之盡固在此而不徒在彼也二生歸碑吾言以俟談生名宣張生名儒韓先生名和其二陳先生名睿名安若其助費者之姓名與用費之多寡用功之年月日皆不書書於碑陰

顧起元溧水縣令張錫命祠記

溧水巖邑也隸應天稱神州之赤縣距留

都百里而近令之政輦下卿大夫耳而目之甚易士大夫而外御史中丞若御史奉璽書監臨者以什數皆得以職相參以故邑有善政聲上騰不崇朝而徧而或以事多肘掣獨行一意爲難若賢者居之則仁聲易達長才亦以自見有若登高而呼者潼川張公之爲溧水也凡四年自下車以至拜徵命其嶽獻善政日積月累士若民奉之若神君而戴之若慈母被其延接者如坐春風而受其覆幬者如仰冬日吏飭於庭農勸於野士興於庠商旅歌於市於塗謠誦達於四境之外大江南北課馮翊扶風之理三善六條衆相撿括治未有踰溧水者而公之治行遂爲赤縣冠今天子御宇瑩精吏治選取循良置臺省將以次備公卿之任公首應召入朝拜南山西道監察御史矣當公之以召行也邑士民攀公轅而不得則仰而籲曰天忘我耶使我邑不得長有公我民欲再霑公怙恃之澤何日之與有已聞公拜命之南都則又以手加額仰而頌曰天其不終忘我乎俾我公之峨冠簪筆執法殿中不北而南乎我民朝于公而夕于邑也夕於公而朝於邑也公在臺猶在邑也天其遂以我民私我公哉已而父老子弟相聚共語公之惠我

邑也不在利一時而在百世而我民即世世以心戴
公之德而無所以效尸祝者其有愿志歟則相率搆
生祠肖公貌于中嚴事之入公祠愛者起慕若聆公
之謦欬而呴沫就之畏者作肅若承公之版教而神
明溢之爲善者益勸若甘雨之祈祈受滲漉者無不
奮而達也不爲不善者益虔惕若處青天白日之下
豐蔀暗室無可襲而藏也乃總公德政之大者四十
餘事輯爲輿人之誦刊而布之以詔永永而以祠屬
余記余之奉揚仁風久矣每私誦服公以神明之用
達其愷弟之仁以燃犀照膽之明宣其噓枯育朽之
德法嚴於稷狐社鼠恩浹于檻獸懸魚蓋右之循吏
或以寛取譽或以嚴致理鮮有能建中和之極者公
不競不絿剛柔互用鉏簡不設而耳目周芒刃不嬰
而髖髀解以此而佐天子綱紀天憲澄汰官方舉而
措之裕如也公蓋獨爲溧水一邑計哉説者謂公之
築圩堤以禦水勝于史白之鑿鄴渠議永折以寛民
力勝於陽道州之勞撫字除京棍驅莠民勝于尹賞
之治桓東少年周悉民隱無有不上達者勝于黄文
公之問于烏攫勅勤守望盜賊衰止勝於虞詡之募
士而設三科興教化崇禮樂邑中彬彬向風勝於元

德秀之歌於蔿於減息夫馬驛遞無疲累者勝於何易於之躬挽船以免民役加意黌序振起賢才勝於何武之立學宮禁止邪教黜淫祀勝於西門豹之投巫奉母縣邸出入稟命以母衆人勝於孟仁之遺坩鮓愛養小民上下書牘俱得大體勝於呂許公之請不税農器謹傳爰書務使無罔勝於歐陽文忠之省舊牘其他善政更僕數之未易終物盖人之所難公之所易往往如此溧水固稱巖邑公蒞任仁聲易聞而長才有以自見四年中若大府若御史中丞若御史署公上考聞於朝者歲月相望上以是亟褒顯公以風有位乃先以溧水爲大授地誠有非偶然者溧民之祠公而思以永公澤也豈徒如桐鄉之吏民愛其令勝于子弟而已哉

劉啓東重建高淳縣治記

古者列國各有史官備記時事而勸懲之義存焉今之邑視古子男國也雖史無專職顧時事莫重於役民可無紀載以徵人心之從違也哉夫高淳舊溧水屬鎮弘治壬子府丞冀公綺以地控三湖民多弗率乃請於朝割七鄉陞鎮爲縣而撫輯之惟時相地肇

工而知縣宋侯澄董其後治中劉公奎程其功內而廳事廨舍譙樓儀門監庫外而學校倉廒壇祠教場宏規要務草剏一新餘有未備如歐陽子所謂葢有待焉者後更九令其間通敏英毅才足有爲者如熊侯吉頓侯銳或爲時勢之牽檝或爲陟明之迫期以致邑事未圖其全嗚呼是非茲邑之不幸與啓東不肖自嘉靖癸未季夏欽承上命來宰茲土入境首詢民瘼臨事徧咨耆老越三日虔謁文廟洎各神祠土街蔓路木什尨傾河津之厲揭市井之蕭索觸目嬰心恍然宦情有灰退而思之古有以一隅而興者況膺百里之寄而竟無可爲之時乎由是蚤作夜維克自淬礪事上惟恐弗恭御下惟恐弗誠奄至期年而庶務稍集人心以和念昔未備者將謂取次圖成者民陳權二及陳誌等相率詣庭請曰凡有作興願各捐已貲以效力幸毋勞吾父母心予悅而從更之然不敢自用自專乃上白於前巡撫都御史東湖吳公今靜齋陳公巡撫御史楊公府尹南渠王公俱允可遂以節縮公帑量分給以相載事於是陳權二陳誌承造淳溪大河浮橋與傍溪二石橋以濟病涉邢增二陳觀三等承新永豐豫備二倉以便儲運賑濟劉

瑚孔彰邢增一張佐三劉慶六等承廣吏舍建社學崇門觀飾禁庫以及南北壇城隍廟醫學閱武場幷書院公館總鋪義塚街衢之類皆樂於趨事爭先修葺罔有一毫襲僞亂眞於其間以故先期就敝者或因舊而增新未期經始者悉與然而鼎建甫二載間曾不少俟督責每每告厥成功山川因之增壯神人爲之胥悅噫淳哉不負其爲邑淳之民果難治也耶信乎小人學道則易使也夫春秋重義舉有事必書凡此工役繁興俾一邑之事克全顧予何人得此於民耶亦惟因民之利而利之故民心樂從而不違誠義舉也予於此匪特以淳民易於從善爲慶亦竊以自逭債事之責爲榮故書此刻於石以詔來者若曰勸懲之義存焉則惡乎取

祝世祿平山記

浦子曰爲金陵江外扞翼犄角而殿故爲重地而守禦特設焉錯以五衛峙以千戶督以司農有城城之圖蜒如月頃年江濤內嚙城蝕且半將兵無所乘而寄餉於野謀在預之謂何葢其泱漭無際泙湃萬壑習坎之勢羸矣獨東偏岡勢北來橫截半江其巔坦衍可榭可亭號曰平

山西俯原隰萬家烟火環貯懷抱是以擅兹全勝而其最勝則又在寘我而前矣者也湯湯天塹擁光若鏡鬱鬱地脉錯落成繡瞰流空濶對岸聳峚江之南若鍾山若方山若獅子若牛首雞籠若燕磯若幕府若棲霞若都城若宮府若樓觀若浮圖若上下三山峙如帶展卓如搢笏矯如游龍伏如蹲虎以至如劒者如戟者如鍪者如印者如簪筆者如散花者如翔鳥者如逸馬者如屏如垣者如揖如儛者靡不含吐烟霞暉映水日空翠互發濃淡分色兼以浩漾淼溢之波雷轟雪湧葭荸蘆茭之渚蒼入碧出帆檣朝鶩笳鼓晚競魚龍不夜鳧雁可數柳子所謂曠如之觀不加於此矣迺者保章辯星土之宜儒彥卜宅兆之吉崔生肩之范守禦戍之員嶺崇基疏崖置閣祠以文昌孕兹靈秀侑以軒廡備極游觀既美輪奐之材尚俟窣堵之表且大木浮來朽梁倏易鑿石自出礎址一新固合人謀詎非神佑哉余甞六攝留垣閱武江北自公之暇輙復登斯永日可以銷憂明月固堪劇興望西山而柱笏自令爽氣橫生憑長江而太息非同廣武發嘆嗚呼昔瓜剖豆分之秋朔北島南之號懸鎬洛於殊域恃淮泗爲交河彼一時也戎馬生

郊戰鷸塡滸蟣甲剪午鯨波沸揚方奔命之不遑寧片息之自適乎方今中天炳照四塞息烽射麋主皮牧放華野兩階之干戚方陳二京之風聲比呭故得以優游於眺覽酣嘭於文章成弘嘉隆之際於斯爲盛至于持盈保成杜囮防漸迨天之未陰雨履霜而戒堅氷清萑葦之匿姦子間閻以休息四鄰非守五教是敦地險何憑覆隍終慮宜豐日之常亨藉需雲而宴樂湛湛江流顧酹文昌君而質之崖生權固請銘石因系之銘銘曰泰階六符是謂文昌其頴有光文德乃章浩浩長江舊京作隍奕奕浦口負扆是當嶔嶔平山襟隰帶岡縱目千里聚勝一方衿韠在序戈甲在行武事文備互用允臧爰經爰紀肯搆肯堂月流松牖霞藻梅梁將將相司命虎祝孔將熙贊鴻緒永奠無疆

姜寶江浦建城記

浦邑介在江淮間在禹貢爲揚州之域郡國建置遠莫可詳春秋爲吳楚地秦首置郡亦不常厥居自吳始會黃池魏晉六朝皆以偏安紛擾逮宋南渡江淮益多事矣當時議者謂淮爲藩籬江爲門戶守江不如守淮守淮又不如守河葢不欲與敵共險亦善論形勢者哉明初

定鼎金陵仍懷德四里割滁陽六合地爲江浦縣治浦子口時洪武九年也二十四年自浦遷鳳山之陽於此一小邑營卜遷置至再至三胡屑屑不憚煩哉復以江寧二千戶實之惟兹天造之初他務未遑而亦深識天下形勢所在戰有所必爭攻有所必守爲萬世計至深遠也第新造未及城而浦口舊城又歲久半汨於江留都寢廟在焉與浦相犄角即不爲浦計寧不爲都城計耶今上御極首詔海內繕理要害御史大夫汪公謂江浦首宜城詳列其狀核帑餘萬緡以請得俞旨下議諸有事時督撫臣某監臣某督操臣某京兆府臣某先後代至僉報曰宜令尹沈君蒞浦六稔方議丕作得擢比部行不果爲當道檄京兆判莊君視土表位綜理其事以時方寒沍又不果適余君以名御史移治於兹浦人意公自中臺來必威嚴御下大懼不自勝及下車破觚斲雕雅不爲崖岸嘗謂治道去其太甚苟以便民爲之在人猶在我也何約束紛更之爲乃推誠布公加志撫字與斯民約則聯之以節愛之誠與江淮衛約則訂之以一體之誼未幾而上下信又未幾而軍民和遂爲役書展采錯事問工焉取則四方是徵問財焉取則公

帑是出衆工率令各就乃役石者於山甓者於陶惟廉而堅惟色而完壘石甃甓膠以白盛稍殺而上旣平其巔外際列陴隙其兩旁復竅其中以備瞭望云爲門五南曰鍾奇北曰拱極東曰朝宗西曰齊和東南曰敦艮門上爲樓飛棟連甍具簷攸存眺望咸備四門之間爲臺外出者各三上爲屋三楹爲守者棲凡旣備矣樓櫓壯飾雉堞駢羅河山映帶民物改觀屹然爲江表一雄鎭葢自剖判以來未之有也經始於三月丁酉秋九月壬午畢事廣爲丈八百有奇高二丈厚減二尺許爲工役幾千幾百爲費金三萬五千縣任十之七衛任十之三諸父老若相告曰公固我城也又從而城之其覆衛我浦人亦弘且遠哉昔人有言不出一力而享大利不可玆典大工而民不勞用大費而賦不益世享其利而不思出一言以紀厥功不可滋甚乃相率請記勒石俾久勿諼余按春秋於城築雖時必書重民力也至莒以恃險潰三都鄭以不虞棄制邑則又惓惓焉特筆於簡其思患預防之意可識矣且也朔方城而玁狁革費邑築而淮夷平豈惟城之足恃亦以南仲之爲將伯禽之誓師耳今諸公於是役也或司其要或職其詳苟利於國

無追乃身苟孚於人罔出自己思曰贊襄克用底績君子謂是舉爲得人如召伯營謝而行者歌勞成之功山甫城齊而詩人誦德政之美則一時建立乃其餘事而孚信惠和所以固國而保民者葢有出於封疆山蹊之外者矣公爲西浙之遂安人名乾貞字秉智登戊辰進士四山其別號云

馮夢楨醉石齋記

昔蘇長公以怪石充供餉佛印參寥則文石之濫觴也余觀前後怪石供其文甚美然所云怪石者則以餅餌易之齊安小兒當時良不之貴而石之可怪僅多紅黃白色其文如指上螺而止似亦非石品之上乃一被長公拈出隨流揚波至于今日遂爲室書淨几不可缺之物長公盍作法于凉哉今六合山中所產絕奇好事者競出金錢購之而貧者日奔走以自給余至南都則聞程別駕克全所貯不貲請觀焉而克全欣然出其所有示余曰喜則取之不可則返無傷也余以故得盡其意于石自甲午至今識爾精取爾寡計前後所蓄僅數十枚皆取其天機而畧其玄黃牝牡乃所謂文如指上螺者則擲不顧恨不能起長公于九原與之品石耳然余之所謂佳泉俱不解卽克全亦不解

惟長兒驥與余同意每得一枚則父子相賞怡怡終日矣今歲病後挈兩兒游城南克全其雜黍淹留竟日凡盆盎間物搜閱幾遍所僅取者不能數枚克全見訝又出其所寶若干大都求奇于人物仙釋余與兩兒更揶揄之同一嗜石而意匠相詭如此余謂克全好石日購而聚之不減富人之積金乃不自有而歸其精者于余視長公之不自有而以供佛印參寥者何異然而克全之所謂精者自在余未嘗奪之也仁智百姓之見亦何常耶何必余之是而克全之非耶克全所居之齋顏曰醉石嘗自爲賦而以記屬余克全爲人長者愼于取與其廉聲在撫撫之人尸而祝之夫石堅貞而有文理君子比德焉宜其醉也是通而不溺之謂也余斤斤置辨明巳之是張人之非余則溺矣是爲記

顧璵重修六合浮橋碑記

昔在聖人制器尚象以利斯民旣爲舟楫濟不通矣而於津之可渡者復建之橋其始本於架木後世或甃以石或浮以航說者謂浮航始之周文王造舟於渭秦公子鍼造舟於河而後因之爲法古者金陵二十四橋卽浮航也六合龍津浮橋其來舊矣水自滁

以達於江遠縣治之南號稱湍急而橋則途之要者近之長民者每因陋就簡航皆履迹上敝水蠹下齧歲久而爛浥解析之患生民之涉之若敬若畏兢兢春冰僅以身免稍肆未有不墮者故長幼相戒視爲畏途昏夜則嚴防守以遠墊溺而商賈行旅之貨用是日索矣官之由是者復取民舟以助而害尤甚焉嘉靖癸卯華容黎君兩峰以御史謫尹是邑視民之溺若已之溺臨流浩嘆奮然興懷於是出無礙官帑簡命賢能而更繕之鳩材孔良剔蠹易新去敗崇堅凡諸工力器物一切不擾之民未幾橋成而民無勞費其規製雖仍之昔而壯堅固好實百倍焉傍復植之以欄維之以鎖斯民往來若履孔道車馬駢闐絡繹其上雖使五尺童子涉之而亦無復顧忌昔之驚怵駭汗之地今則安舒恬愉矣凡厥士民戴君之德咸願彰之以垂諸後而徵言於予予惟士之於世苟知有志斯民則民未有不被其澤者津梁一事也而王政係焉孟子之譏子產是已昔杜預造舟梁於平津衆議翕然以爲不可而預獨任之既而君賞其功民享其惠傳至於今誦之不絶凡以爲利民也況君昔任平湖而其民立石既居御史而以直見忌方今

蒞治茲土凡諸蠹弊洗濯殆盡謂之有志於民非邪故郎君治橋之績則其政之能芟弊而布德者可知矣郎君不忍民之昏墊於水則君不忍民之饑寒而無救可知矣郎君於一邑而惠民若是他日展濟川之才以佐明時輔大政民之戴之不預卜於此耶是故可以記矣是役也出鏹凡若干鍰置木若干尺置舟若干艘欄凡若干幹高若干尺鎖維舟者凡若干丈其委命督役則耆民李傅余金輩皆其徒而諸予徵言者予所世厚里民田惟也咸宜書之以示來者

孫國敉游冶山記

冶山按邑志爲漢吳王濞冶鑄處冶水出焉經邑東是爲冶浦其山礐礴六合儀眞天長三邑地凡九十九峯峯廻盤轉聳青曳翠距余邑兩舍而近拄頰望之殆不減九子蓮花之勝其奠我淮楚也秩固當視嶽鎭云顧余勞勞屐齒每結想五嶽而近失之邦域中殊不能自解歲丁巳臘月八日歸自汊澗始決策作冶山游攜兒輩載筆以從友婿陳元亮給輿馬又先於其所往爲萬善寺僧雲松時天雲翳如以釀雪故得不作苦寒行四十里許抵萬善寺寺門有伐木丁丁者問之郎

雲松僧也寺有徑焉從右腋入折而南入門直小山巔審視之乃知脉從小山逶迤東北來結一阜盤龍轉頭復顧盼小山閒鈐結寺寺藏竹栢中竹栢隆冬轉茂幾不見有殿閣龍砂帶岸作外護虎砂稍縮其缺處當卯方恰得唐公山作金新補之天開屏障蓄氣極密亟挈兒輩登小山巔乘夕陽尚可數遠峯許許寺僧遣苾蒭速之歸設臘八粥供余故善粥然客元亮所於是不啜粥者匝一月矣急遣蒼頭調眞珠泉煑茶茶罷起步招提外月正作腰鐮形冷光迸射藤樹影滿地眞蘇長公所謂水中藻荇狀寺左萬蔓藤桂臨溪高樹閒藤圍可尺許夭矯如虬龍軒舉怒撐不可名狀又有樺香樹結實如金櫻子如櫨汁用染褐色良宜樹之僧寺者羣鳥宵鳴竹閒想亦以月光不可奈故夜分枕上成宿萬善寺二詩未曙羣鳥先啁啾急呼蒼頭起盥櫛禮佛山信進香積飯從寺南行觀眞珠泉鼓掌則驪珠湧欲成串故一名喜客泉酷與定山珠泉同狀第以宅地幽閒未著稱人閒世遂爲樵夫牧子之所顧享而不至爲俗游所染在山靈必自以爲厚幸而肯介介顯晦閒乎哉泉一泓未甚闊雜藻鮮碧雖春草不如綠冬時泉脉反煖長

養雞藻遊魚樂之然則凡泉皆以冬爲春者耶掬漱甘洌諸輿人利其温欲下浴余訶止之匪獨恐爲輿人厲也亦豈容穢我明月珠乎折而東南行過龍泉廢寺寺亦有泉涓涓行西山峽中作琴筑聲出峽已途遇中山僧覺明覺明故予友方氏子也爰攜同行又有泉從中山寺之下方流過山民毛氏村舍前坡堰田塍遞盈其坎此中遂無旱歲舊聞毛氏舍後山可宅兆今所見不逮所聞乃棄去不復顧而之祗洹寺憇焉寺有羣山前 又峨眉山襯其外僧告余寺故吳時建然非三國之吳而前乎三國之吳余笑謂豈漢吳王濞鑄山時所闢創耶然漢明帝朝佛法始入中國則寺將誰吳耶寺左老山柿下一泉瀰漫而南散於田山僧云先是中山寺之泉流茲山以北緣陶者涸其脉遂不流而忽又有泉焉從山南出折而流以出祗洹寺之左方余慨惜者久之泉脉自不容終遏而又善自爲竅也如此寺前有蓮花池昔從阿耨今爲汙萊僧賚舊鱗鱗萬瓦嘗接待八百神僧於此今頓旁落蓋搚刹者嚮秖見爲宅地宏敞而不知其氣不蓄也從寺左臂登仙人山山巔怪石離立疊翠摇嵐爲山之佳勝石骨鑱透漏厥一峯可當丈人

昇之園林何渠不兄太湖而弟青龍山哉下山顛東北行山腰翠微間過所謂中山寺寺一名祗洹余長爲寺僧作募疏未果修葢寺有虎穴熊館中諸峯嶂之間其無人非安禪者不能止自此過山以北則爲大聖寺而屬天長轄矣寺枕山之陰山門鋸懸崖陡甚殿前有古井井床鐫漢照烈章武三年字因念余邑故吳孫仲謀屬而奚以鐫蜀漢年號始知余邑人以彼其時巳有系漢統奉正朔之想焉彼司馬君實乃猶帝魏哉見出此鐫井床者下矣寺前古銀杏樹可三人合抱槎枒間有乳下垂如石筍聞之樹千年始乳緊兩樹豈不山之耆舊哉古槐亦詰曲可觀寺後沙菩提樹無患子樹黃蘗樹稱是沙菩提實如棠梨而小味如栗枝端別有一葉如梧桐之櫜鄂以覆之而免鳥糞亦一異也每秋時長干僧市去作念珠從事背絙而登山之顛爲白龍池池舊有秃尾白龍都其中龍見則歲豐稔土人云龍今徙匡廬山中不知何據然余不能不詰山靈何以致此龍徙耶昔池形廣如三楹屋許今淤渴土人以歲數儉將仍廟其顛以媚龍神而力未逮也飯寺中巳將晡導師告疲作杜鵑不如歸去聲曰以嗣春游始往不知冬游有

三勝山無藏骨泉有澄鑒寺出寒林正昔山陰道上人所謂秋冬之際更難爲懷者余安肯以彼易此而竟重違導師以故所謂珠砂廢寺及牡丹凹皆不及遊而歸先是土人言山產金及石青石綠及赭石及假山石余曰惡是何言瀵鑄山已屬多事矧以金鳴而逢內多欲人哉余他無所欲即假山石亦皴枯陋劣不足承匠石顧乃別有美石遍土內半出土膚上非俗眼所賞余力以指掐之其質肥潤正作蒼元色而一膜雲翳以內頓瑩然如玉可研可枕可盎可几可碑可屏可榻可柱可礎所謂美石曰珉如玉者此之謂與聞牡丹凹中石作紅玉色彌佳余不能不貪而動五丁力士想至于宅兆則舍萬善寺絕無可寓目者然旣寺矣亦已矣遂歸萬善僧賫篝燈作游冶山記併以報元亮乃山僧言冶山一名百峯昔高皇帝駐蹕山中愛峯岫之勝身坐一峯數之得九十九峯而忘其所自坐一峯葢合之得百峯云余不知峯果九十九與否而正惟九十九峯故其冶容始遺世而獨立若滿百則笨甚矣余無所辱余屐齒矣

國朝馬世俊新建如菴靈雨亭記

鑿城之隅爲龍王堂前爲靈雨亭因亭而

有菴遊人但問亭所在而菴中僧亦目爲靈雨亭之僧志勝也城河穿春雨橋再折入泮池夾亭右而出躍龍關亭去泮池最近學宮府池上東爲城隍廟又東爲太清觀又東爲前邑宰諸祠基地踵接皆與亭相對樓臺映帶丹碧照耀以故靈雨亭爲予邑嘉觀舟遊者從秦橋盪槳入關水聲虢虢然鳴於關口溪迴岸仄有亭翼然舟泊亭下彷彿武陵輞川此舟遊之大槩也陸遊者從春雨橋循河涯徙倚城麓瞻仰黌宮心目敞爽登文昌閣而下得徑甚幽門曰借景菴曰如菴卽予所謂因亭而有菴者此陸遊之大槩也猶記辛巳春平湖金公繩陽宰邑偕邑士大夫觴于兹亭慨然嘆興賦詩懷古蓋自昔玉沙王公載星視事憂民之憂至誠所感靈雨斯降當日亭成之後建王公祠三楹邑人且以事公者事佛菴中香火不絕巳逾百年及金公去而思金公者如思王公又建金公祠於前其制亦如王公適因明季祠多贅設當事者議盡革去而予邑以金公媲美王公如漢王煥卓茂二祠獨不忍去時方多棘無可白其事住持僧遂遷佛像于金公祠立公位於龕左而邑人且以事佛者事公嗚呼興廢之際亦可感矣亭之本末具載

前碑中今不縷述而予兄弟從遊唱和於茲亭也最久喜亭之瀕於河也僧乃爲岸以固之惜亭之即於闤也僧乃爲垣以繚之自躍龍關以至泮池小橋流渠各有位置而僧之始終虔事者曰時彦其以彦師之誠索記於長安則予從弟鼎文嘗從予遊茲亭者予得一一記之記成綴以歌詩三章其一章歌王公也城雲動兮河水肥亭風吹兮亭雨飛民爲水兮公爲雨公不來兮民安依其二章歌金公也古遺愛兮公繼之惠我民兮雨及時泛膏澤兮薦休祉千萬世兮亭在茲其三章歌此菴之賴兩公以不朽也鼓鐘奏兮香烟清雨賜若兮公之靈神介福兮民胥樂歌弗諼兮遊茲亭康熙三年甲辰潤六月望前一日

熊賜履重修明道祠記

江寧之上元邑舊有祠一區以祀宋儒程明道先生考郡志載祠創始於淳熙中劉公珙朱文公實爲之記洎明初改築學使者廨萬曆壬子我江夏芝岡公來督學政因其舊址而拓之歲久傾圮至没爲僧舍前制府于公周視愴然謂宜亟修舉也乃檄郡守于君成龍郡丞朱君雯董其役二君趨赴甚力爰募衆輸助庀材鳩工甫期月而朽敝者易新堂廡齋福規制畧

備旣落成予從諸君子後釋菜而奠爲仰瞻榱桷煥然斯道之光也先生裔孫彭屬予爲文以記之予按先生之道實接魯鄒之傳宋元以來亦旣通祀學宮俎豆百世矣其生長及過化之地各有崇祠以妥其靈若上元其一也考先生弱冠舉進士初任主京兆鄠縣簿尋調上元夫簿微員也宜若有所不屑意而先生爲之一如其爲大吏焉會令罷去先生以簿攝邑事則爲殫心職業備極周至如均田稅修陂塘贍營卒簡訟牒遵服制脯池龍拆黏竿再歲之間教養兼舉休行善政史不勝書先生常曰一命之士苟存心於愛物於人必有所濟嗚呼可謂克踐其言矣然史稱先生達於從政區畫精詳不動聲色而事自理由州縣而臺諫由臺諫而僉判諸所措注建白無一不以宗社生靈爲惓惓故宦遊所至綏來動和幾於聖人之能事然則上元之治蹟殆猶儒效之始見端者爾蓋先生之治原本於學先生之學一主於誠誠也者造化之根柢而三才之極致也先生以誠意爲感通表裏渾融顯微貫徹其不言而信不行而至之妙固有莫知其然而然者嗚呼是豈可作而致之也哉然自先生之沒且六百有餘歲矣世遠言湮正學

日晦江左尤浸淫六代之餘士習頹靡動趨旁徑即我生以來曾未見有眞能讀伊洛之書以求所謂聖人之道者先生之學或幾於其熄矣又奚怪治不古若而生民不獲與於三代之隆也今諸公之爲是役也其亦雅有景行前哲振起斯文之意故予樂得而書之因以發明先生所以爲學與所以爲治之大端以告當世且冀後之來蒞兹土者庶幾踵而葺之俾巋然靈光永爲此邦人士觀感陶淑之地則其爲功於斯道也亦寧有紀極也哉謹薰沭拜手而爲之記

王弘祚江南賑饑記

粵稽三代而上有荒歲而無荒民堯湯水旱民鮮孑遺之嗟其時主聖臣良視民猶子補救備至故天不能爲之災繼至周禮荒政十二補救極其詳盡然行之後世者惟散利薄征最切夫散利即今之賑薄征即今之蠲二者皆善政也若通行於官民間以推屬德義莫亟于賑之一法也我

皇上御極以來如天好生加惠元元每聞四方水旱災傷倍廑宵旰庚戌歲淮揚大浸流莩載道時督撫諸公繪圖以奉

皇上惻然軫念　詔發帑金廩粟遣大臣會賑辛亥大
旱復遣大臣截漕開賑嗣鳳屬旱蝗特甚又加賑焉
匪惟蠲租緩征而已且　允督院麻公之請
聖主賢臣所以生全此災黎者亦既周且渥矣獨是江
寧省會之地五方錯處歲一不登米價湧貴加以遠
近饑民趨省丐食絡繹不絕遂至價益倍增兼會城
貧窶皆成載道饑夫時事之可憂寧僅人滿已耶幸
際麻公駐驥兩江其善政及人更僕莫數大要以
朝廷愛民之心爲心邁茲嗁饑慘目請蠲既格成災乞
賑亦嫌數瀆毅然倡議賑粥有以費大難繼之說進
者公弗顧愍如調饑之在躬而不能一刻緩也採輿
論著聲善士者敦禮之授以方畧俾董賑事一切薪
米之資先爲措給縣示勸諭仁言諄懇維一時諸公
憂患同心分猷襄事或罄捐積俸或易質裘馬或多
方勸諭竭蹶急公勇義若渴爰訂十二月朔設一粥
廠于城南之報恩寺設一粥廠于城內之關廟始就
食者各以數千計日漸至二三萬因亟移城內一廠
于城東之觀音閣增一廠于城北之靜海寺三廠日
計口數萬人日需米數百石登計簿籍章章可覩第
江南邇年水旱頻仍人多匱乏家鮮葢藏自贍不給

責捐輸于窮盡之日蓋難言矣乃今紳士商民無論見義者樂輸恐後馴至越界越疆聞風而效壺漿之惠且競推而爲泛舟之役也昔韓魏公爲廣會倉應米春三日一給人一升幼者半之陳文惠公知壽州遭歲大饑公自爲粥以食餓者吏民以公故皆爭出粟以活數萬人富鄭公移青州河朔大水民流江東勸民出粟得十五萬斛益以官廩凡活五十萬人此皆善行其賑者也麻公匹休古人授糜盈器因人爲善府于臨政之暇減從輕騎偕司府營協周視三廠稽執事之勤惰視治粥之精粗覩稠人之授受事益飭而民益親慈悲佛號所由作也藉徵實有人饑已饑之至情幾何不秦越視之虛文應之泄泄焉付之胥吏之手以滋輿平之弊哉余過從觀賑糜汁濃膩散給應時男女别于途出入循其序董賑者奉命而各殫其勞就食者飽德而各遵其令聚數萬饑民于一所卒無擁擠顛蹶之虞聚數十萬饑民于一城并無穿窬盜賊之患儼若有韓富紀律部署其間化鳩鵠而成含哺鼓腹之氓荒政可弭盜賊不已陰寓于賑飢之內耶所謂有荒歲無荒民于今親見之依稀三代而上之風也事竣諸善士以公施賑四月有奇

日全活數百萬生靈功德希有而慕義向風者亦爲近今罕見不可以無紀乃請余記以垂不朽余旅人也

棠

恩予告金陵調攝夙疾敬謝不文余躬逢其會聿觀厥成詎不獲辭勉爲之記得以覽焉而有感也若夫急公助賑協力經營則織造曹公藩司徐公慕公臬司陳公糧道王公驛道王公學道簡公郡守張公城守張郡佐魏公馮公楊公何公胡公暨上江二邑捐輸爲士民首倡則鄉紳佟鄧胡蔡徐葉黃張諸公分厥董賑不憚勞瘁者報恩則沈黃劉龎諸朱安楊觀音閣則黃龔錢高靜海則卞姜萬羅也例得備書

佟世燕金陵紫巖修建文昌閣記

邑東南隅有巨石蒼紫蟠疊數仞南背城郭北面鍾阜按古邑乘昔蕭帝寺遺址在焉寺額即所傳子雲蕭字飛白書也下有郗后窟云郗化蟒于此後改爲倉仍其名寺後有周孝侯讀書臺宋嘉祐中太常梅摯爲之記南唐更寺名曰法光宋改曰鹿苑寺舊有像即山而成追琢極其精妙見宋元絳記中即今所存石大士耶慨自六朝以來其勝麗

已可想見頽消泯于荒煙敗莽中久矣前臨曠壤至今遂金陵驛踞石脊跨傑閣改祀文昌則自故明南大司馬呂公維祺始也嗣太史方公拱乾繼繕其後迄今石大士依然結跏窟上前楹尚淪爲淫祠余初承乏茲邑悪眺今古稚席江山公餘有間輙喜與都人士論文講德以匡不逮因稔是閣近爲郡彦借字之社緣昔圖始者庀材未精遂致棟撓榱隳此踵事者不禁目擊而中怵然也少選而捐募具餝少選而工材頓興歲未及半閣已巋煥勝昔瞻肅改觀鳩士于是謬請余爲之記余聞之瞿然曰嘻江寧爲南天赤縣余以

弱冠初膺

恩寵忝屬首令方愧譾才寡識日惟 憲度欽承未敢少越邑之大政沿革興替凡有關于民生士習者兢兢更僕靡遑也是閣之役不其繭絲也哉文昌輝熿三台像祀濫及天下金陵躔分南斗魁柄獨斡江畿借字之會近頗羣尚然吾儒誠正之學愼獨唯嚴苟第希榮丏福妄思益算弭僭計彌左矣一字謂之一言言矢諸口字載諸筆非聖之書蔽目悖道之語捫心筆舌機張日星炯攝此君子之所以朝乾夕惕憂

天而憫人不獲已也徒借𢱢壤之殘文曷若借寸田之平旦余願與都人士共勉之將見是閣也景慶瑞輯于櫓楹江山雲蒸夫毫楮爰劖片石庸勵他山猥以余言爲蒿失不亦可乎

韓菼樸園記

樸園者孝昌熊敬修先生之別墅也在石城青京山側中有修竹千竿老梅數十本風景幽僻林木蒨茂隱然丘壑也園後即四望亭登高遠眺莫愁二水諸名勝如在幾案間即江北諸山屏列如畫都彷彿望見焉去烏龍潭僅數武夏月荷香襲人蛙鼓喧闐可聽園之左右人家籬落蕭疎有武陵柴桑之致先生讀書論學其中扁其亭曰洗心曰尋孔顏樂處其齋曰藏蜜曰深造其室曰潛窟曰學易學者多從之遊

時人比之武彝精舍云

孫錫蕃愚齋記

孝昌熊敬修先生自丙辰歲來寓秣陵遂卜築於城北之北門橋北門橋者即所謂青溪也先生讀書之所曰愚齋老屋數間頹然叢篁古木中溪之上有樓巋然窓牖洞豁鍾阜烟雲如在簷際鷄鳴寺塔如笋亦正矗牖前風來鈴鐸如語其聲不絕樓下榆柳参差夕陽晚照頃刻萬

狀每夏初溪水泛漲環繞樓側時有小艇往還漁蓑僧笠隱隱出沒烟雨中先生顏之曰活潑潑地蓋言察也樓之右偏有小亭二區額曰游息曰嘿嘿軒郎先生共友人論學處也亭後野園數畝爲構書屋一楹藏所積書卷其中郎所謂下學堂是也溯溪而北僅里許即上觀象臺金陵全勝可一覽而盡而沿溪一帶野花踈竹極林壑之美先生顧而樂之自以爲桃源洞裏不是過矣每當花晨月夕焚香澄坐尚友古人覺世間塵土不得而浸之或講論之餘間與二三子隨意散步弄月吟風兩兩三三並有舞雩沂水之樂夫先生之學固非淺衷所能窺測而即其杖履所及一觴一詠皆足以見至趣之流行殆所謂深造自得無之而非是者而先生顧自以爲愚夫愚者入德之堦而造道之閫也閫也庶幾以愚得之若無若虛氣象至今可想先生之愚亦若是而已矣是爲記

都憲徐元文重修扶風書院記

江寧扶風書院創於順治之十三年而重修於今年之三月所以祀故總制潤甫馬公也公諱鳴珮遼陽人以順治甲午自宣大總督晉大司馬開

制府總大江西南而轄之是時天下承平未久窮荒餘孽猶有擁殘兵窺伺者公初至先問民所疾苦晨夕籌畫剪除貪墨戢叫囂之伍薄賦省徭停止爭訟視民氣稍蘇息然後按士籍而貸其冗食者慎選將吏修築墩堡絕鄉導解黨與百度具與士氣大作於是指授方畧大破賊衆於崇明恢復平陽等沙而渠盜面縛叩軍門詣降者不絕自此人得安堵舉欣欣有樂生之心迄今餘二十年而遺德之在人猶歌思不衰此扶風書之作與其所以廢而復與也公廉潔自持公事之暇焚香讀書默然終日雖歷鎮名都功施烜赫而其塵視軒冕之意未嘗一日或忘莅吳不兩年抗辭解組民方藉公之庇而歸志已浩乎不可留矣公既歸京師予一見投契閒日過從摘蔬命酌無聲伎玩好之奉而曲盡賓主之樂予時雖初列仕籍公絕不以新進相視所以期待之深而奬誨之切有至今不能釋然於懷者別公未幾而公已捐館又九年而子文毅公雄鎮以巡撫殉節粵西

天子聞而哀之厚加

恩卹立官其子世濟四品洊陟副憲忠義之士無不感激思奮粵西士民爭欲祀公巡撫上其事

特旨聽許是其父子之間所以宣力
國家者一以功名一以忠烈皆焜燿天壤而由文毅
公以溯大司馬公生平庭訓洵有不偶然者予近與
副憲同官習知其賢且能則又克繩祖武不墜家聲
者也夫以予之交公者三世而又生長南國使不述
公之盛烈而道吾江南父老思慕之意於無窮則百
世而下孰爲聞風而興起
者乎遂不辭而爲之記

吳頴 冶山寺記

由九龍山折而北踰大嶺冶山寺寺在山中大木百千章如列隊有拒石勢遊者肅焉寺僧語予曰寺故貞觀舊蹟云今所傳雲版得諸田中誠非近制也唐寺數百年尚存者惟此與唐與寺唐與今名勝因而此則南唐時云下山嗟乎不可考矣僧又曰山葢以歐冶獲名云春秋時予邑故名瀨渚伍員避楚難匍匐來此蒙史氏女子筥漿之恩得不死女子貞明執操以死謝之後員從吳王克楚歸過瀨上報以金投之渚中嗟乎方其間關奔走乞食以活豈能一日忘楚哉迨得志于吳而覇心憤發雪父兄之仇不顧其後吁抑何武也乃惓惓于飯漿之女子駐節投金義形于色且車徒倥偬

經歷江滸至今伍牙名山胥維號渚猶有上馬按劍之遺風而歐冶子亦以是時奉吳王命鑄劍鐵冶山中干將莫邪厚自簡練徐乃拭鐔以問盟于中原張國威焉設令員不獲遇女丈夫餓而死即幸脫于瀨上矣而吳不見用無以發其剛摯即吳且任之專矣而楚君臣修明國政罔隙可乘則又誰爲歐冶之使者將此山終且隱伏而斷蛟龍剸虎豹神物欝滯飛揚未由豈不重可惜哉乃今冶山踞于羣嶺盤曲間雖林麓靜閒爲幽人老僧憩息之地而千古劍光若時與山川雲氣同其震動何況于掩筥之貞義復讐之壯烈乎哉或曰鐵冶山在邑南八十里石屋山西有歐冶子鐵冶阬焉宋張敦頤云

曹新里偕友遊燕子磯記

金陵遊覽名勝春則牛頭山秋則攝山春秋皆宜則江濵燕子磯已未八月余與宛陵梅子淵公温陵黃子俞部同里周子鹿峰王子孚敬從桃葉古渡頭買小艇如葉置罍榼其中長年三老駕雙槳鼓勇而下舟輕水便顧左右兩岸皆逆飛食頃竟河道開大江時則日隱現雲翳中光淡如紙微風徐來吹水面成縠紋艤舟抵岸舍而陸拾級聚足連步以上憩磯頂

小亭則日巳大霽碧空萬里無纖埃雲障朗見江北諸山青嵐冲霄漢間峯巒歷歷可數諸子撫掌稱快遊淵公曰從山觀水較從水觀山孰勝俞部曰然趋而下復登舟命奚童敲火炊茶鐺温酒以俟舟子趕技並磯游旋繞數過遭日光斜薄射入日鎛側見皆氷裂刀劃不假苔衣自然老翠鮮丹映照眉目風復颼颼然起林梢間鼓微浪入石竅噴雪珠作寒濤聲諸子皆飲滿浮白爲歡余謂諸子此山靈水伯有意作奇供文士游泳詩料惜無吹洞簫叩舷而歌者殊遜坡老赤壁遊方話頃隱隱有崑絃響從水上吹送入耳遥見江口小舟來如駛倏巳至前一客弾徽調作激雲聲嘈嘈切切盡態極姸一客唱關漢卿惠明請兵一齣與相應和聲振林木響遏行雲諸子皆謂此遇較赤壁二客尤佳何必同舟始稱快哉因各盡一巵即席分韻賦詩誌其事日將暝鄰舟返棹余與諸子亦登岸假榻蕭寺中相訂明辰買舟遊攝山登最高峯漏盡三鼓方就枕夢寐中宛然幽棲寺在目前矣

杜紹凱游棲霞山記棲霞游快在路路快於春江總云麥氣凉昏曉其時也奇在石

如園林屏障偪隘則屏障無所容兹横里許突者昇者峭者峰而壁者東南山廣狹合度無似者秀在樹樹點綴若畫一峰一樹一泉一石一樹杈枒配合而成山山無磵不泉無蔭不樹分之抱之縱之渲染之勝在兩逕由東逕上得者曰方泉亭曰千佛嶺曰紫峰曰白雲中峯折而西拾級上得者曰遺谷曰雙桂曰烏栖凹曰玻璨臺曰禹王碑此二逕游者不知知亦莫分逕東西也予與友人訂山游四十年戊午雲陽姜子以公幹來金陵導予游乃策蹇蕭條行野埃中時秋八月楓未紅桂落橙黃長烟遠水與桑柘人驢帽影映帶阡陌到山如舊相識焉寺在山址門外松不濤僧髡無松韻致聞白雲菴在中峰側擬登峰拜望鍾陵値雨不果雨三日留隱君張瑶星菴中同遊者促予行遂歸矣予負山靈哉與瑶星再游以暢山志抵一年又不果已未八月値其游之時日補記瑶星世武衛更名遺别號薇菴白雲菴主人也

陸大寧重脩方正學先生祠記

都城之南爲長干里有方正學先生之墓存焉厥後因其旁以爲祠斯華斯飛煥如也迄今閲有歲時几筵榱桷久付之荒烟衰草間祀事不脩葢

數年於茲矣前尹茲土者將欲舉焉而不克順治十有六載民部洪公若臯奉　簡書以裕儲南國越明年餉充兵給邦之人士或告於公曰此邦之舊有如正學先生而廟宇弗光詎不大闕公曰噫嘻信豈可以緩乃度材於山爰命梓人審繩墨之曲直察規矩之方員辨尋引之長短不數旬而告成於公公於是以假以享具三獻禮焉都人士觀茲庭楹無不式燕且喜有言者曰惟先生生於明室方盛之時當洪武十五祀以吳沉薦召見高皇喜其舉動端整謂皇孫曰此莊士當老其才輔汝因遣還鄉後二十五祀又薦召至高皇曰今非用若時僅擢漢中教授及建文嗣位廷臣交薦乃拜翰林學士未幾而隨遷侍講尋進侍講學士是先生之遇知於建文實遇知於高皇也先生既忠於高皇則忠於高皇之孫與忠於高皇之子亦無以異當靖難兵興金川失守而燕王已居然進帝矣在先生出其緒餘何難與楊夏輩共垂功名於竹帛顧乃甘飴於赴鼎取適於捐生宗族奄滅而守不移師友并殲而心不動壯烈泣鬼神血誠貫天日抑獨何心哉言未既有應者曰子不觀伯夷太公之所爲乎昔二子同避紂亂言歸于西伯昌迨武

王伐商一輔之一去之蓋太公之心在拯一世之水火而伯夷之心在維萬禩之名節意各有取爾也若先生之仗義不屈雖與伯夷爭光可也迄今奕代而下讀以暴易暴之歌如見伯夷焉覽血淚交流之語併如見先生焉嗚呼先生其即今時之伯夷乎方其齊衰見文皇哀聲徹殿陛此日之成王竟安在哉仍欲舉天下而挈之成王之子與成王之弟其秉彛爲獨苦矣其仗節爲獨艱矣不僅存一世之君臣而直欲存萬世之君臣其立心寔與伯夷符矣是先生之大有功于名教也而豈區區慨慷赴難者之可比哉彼後之身爲亂賊而自托于管仲魏徵者皆先生之罪人也而子乃謂先生旣忠于高皇則忠于高皇之孫與忠于高皇之子當無以異豈不惑之甚耶公曰然爰命爲頌將以永其禋祀

其辭曰先生誕與兮寔維寧海承弼建文兮將登隆平昊天降亂兮如蝗如蟬以身許國兮千古猶生烈士殉名兮純臣狥仁廟貌重新兮俎豆綿延庶幾昭回兮陟降于天

杜琰憶棲霞中峯聽雨記

雨在八九峯峯頂不知雨在中峯八九峯何如也雨

之奇幻在俯仰先觀其雲氣冉冉從西北來左穿右射及於窗幾房闥坐古鏡臺仰聽峰頂及中峰聲已數千丈矣不知上有雨無雨雨聲跳雲合也聲綴雲專也聲重雲族也聲縱雲行也惟怒則山鳴谷應摧崐偃樹有悲歌激烈之聲然不能徒然以雷電而威以蛟龍而快茲之雨無雷電蛟龍或爲山林灌莽坳垤坱軋曲咈嵚嶔欝塞陰曀之所致其聲噍且殺或曰從鍾山八九峰來則閃灼若雷電若蛟龍砰訇震盪不減鈞天聽者在樵屋漁舍羽人釋子之廬爲善不敢寐不敢訛謝翱先生西嚴聽雨記謂僧之聽異乎人世吾之聽異乎僧知吾與人世與僧之所以異則必有與吾不異而深知此聲者杜子曰謝涉乎悲矣莫若大旱焦釜流金裂石忽而雨集農夫芸者呼聲動天地樂歟否歟已未六月旱因憶在中峰聽雨故作

笪重光釐清句容學宮三田碑記

人才造於學校先達每嘉意焉而遺澤之在容庠者則撫按學三田皆前賢捐俸所置也憶余爲諸生時小試受高等之賞大比有應舉之資

雖縣　朝廷經制亦此三租是賴其租不入會計例專爲學宮用故試貲闈費之餘尚得供貧士膏火邇者軍興浩繁經制裁減諸生仰給惟此三租邑胥復夤緣掌握出入不由學校任其那移占沒致令諸生蒙澤者鮮迨康熙十三年　憲檄稽查經承因舞文對諸生詭言偏列會冊而申詳卽冐開貧生多名以罔上租銀遂盡入私橐矣諸生有知其弊者咸以公事畏避不言其欲言者胥輒能賄之而止自是公四侵欺莫之顧忌丁巳夏經兩歲試劣則有褫優則無賞師生咸謂宜淸三租以光賞格具白其事於　學憲邵公邑侯林公洞悉旣往議立法以示將來凡三田租銀徵貯縣庫令公偕師儒核虛實嚴冐濫庶諸生永有賴焉或謂學宮攸重講肄有業辨說有數視聽蹈舞有物春夏秋冬有課而歆獲口腹之資不與焉詎知備弟子員於膠序者縉紳素封之家居其三而蓬蓽單寒之子居其七當應學使者試裹糧僦舍多苦無措至趨赴省闈策蹇擔篋卷燭饘帷果食之需不一而具每聞鬻產負債竭蹶從事一不第而父母妻孥相爲嗟涕撫書太息隳志廢學者有之其獲而去者幸耳此賢公卿牧侯之所以培翼有加而不

敢忽焉者也此意烏可忘哉學博許君縱君率諸生建石學廡命僕記之使前德垂之不朽兼冀後之賢者纂往哲以敦養學校而容城多士力藝與行期無負諸君子雅意云

楊元勲重建句容縣學明倫堂碑記

學校教育人才風化所出聖謨洋洋日月經天江河行地美教化而敘彝倫一道德而同風俗功垂萬世矣

皇清綏定以來崇 文廟右師儒彰志貞教麟彬德造煥然蔚起猗歟 當代作人殆媲美大雅薪槱歟句邑建學始於唐遷於宋修於元明往代論秀書升其間三事九列偉業鴻章足光天壤近因兵燹歲饑明倫大廈風雨摧剝俱將覆壓而科名亦復稍遜南平簡公以天部郎秉衡江國駐節吾容謁 廟登堂目擊榛蕪憮然動念捐俸若干緡倡始振興更屬有司暨師儒共襄厥事邑令周君歷長勸率父老子弟人有同心由是庀材鳩工經始興事丹雘翬翥堂宇巍閎自堂而降如兩廡及門墻靡不修葺堅好自是登降進退稱詩學禮人士歡欣樂有其地非直爲觀美也昔文翁修建學宮士習之化至比鄒魯漢史稱焉

今日之事適觀厥成不在茲舉乎公開誠布公人才鵲起微直一邑而已更加意樂育科舉額外有增江寧府屬入泮數獨減相沿已久公適代宅者一再過之或爲墟矣代而更也過都越國時有其人矣向之計田以出丁計丁以授役必不能長繼不能長繼雖有舊籍趋事者或寡矣貧匱者無聊而温厚者自匿往日之良法美意豈能率由而不敝乎大事不念昔則善道不行法不準今則新功不勸是放必籍農以度田農無失業斯田無偷力亦籍田以貴役田無詭算斯役無曠工今

聖人御宇以廉能飭群吏邑賢侯周君又奉命以宣新猷考諸現行丈量有圖開墾有課較之舊冊歲時無廢版籍更新將國賦以登田功用懋壽惠之德音繩是繼焉所謂善作善成善始善終其不歌無數于今日乎芳從祖賓王翁已一再識之于前余小子幸際熈朝得觀嘉績吾族又請記之于後亦俾後世之孫子追思盛際如吾等今日也謹撰

史秉直書邑人黃凡過魏彦恩先生故里記

魏彦恩先生澤

所居故址即今予淳練成里予即其里中後學也及觀郡志載先生爲溧水人溧志亦自載之此時溧與淳未折壤之前耳先生少勵學行明洪武中以薦辟官刑部尚書後謫海寧尉時文皇帝誅方公孝孺亟併族黨至八百七十餘人先生以尉主捕方氏獨能護方公幼子德宗與其文稿其慷慨慎密已過人遠矣初非於先生有所爲而爲之也適台州秀才余學夔乞食狂歌于市有願効程嬰語先生會其意即以扶顛子呼之叱使出城密付德宗及文稿囑以急去而後夔深不負其所託以故方公尚有後謝文肅所稱孫枝一葉者彦恩力也在當時雖不知其所以爲力處卒亦未嘗不可知也迄今讀過侯城詩何令人感悼心傷流連無盡也歟耑祠祀公固淳之人士所共快而爲忠存孤如先生實我邑中俎豆有光者也若鄭莊簡吾學編李龍湖續藏書皆指先生爲溧水人乃偏考其里居不可得而前之令溧水者漫作高碣樹之通途曰魏尚書藏方希古遺孤處毋亦知地以人重而幸其爲溧之人耶夫士君子生爲名臣没存正氣後之人思其節義欽其風軌每過其里居山水不勝俯仰情深即或他有遷徙猶必追溯淵源憑

吊故墟剏練城實隷我淳子孫世守厥土而得不以先生爲淳人乎要以溧淳未分當以先生爲溧人淳溧互設宜以先生爲淳人予生也晚思先生而不獲見其人猶喜附先生之故里一日閱黄子之記而偶識數語于末俾千載下仰魏先生者知淳有練城里亦如仰方先生者知寧有侯城里亦並垂不朽而相得益彰也哉是在後之博綜有識掾纂修載筆之任者有以採正焉

江寧府志卷之三十七

藝文四 詩 詩餘

晉陶潛初爲劉裕參軍日賦詩

弱齡寄事外委懷在琴書被褐欣自得屢空常晏如時來苟宜會宛轡憩通衢投策命晨旅暫與園田疎眇眇孤舟遊綿綿歸思紆我行豈不遥登降千里餘目倦修塗異心念山澤居望雲慙高鳥臨水愧遊魚眞想初在衿誰謂形迹拘聊且憑化遷終反班生盧

辛丑歲七月赴假夜行塗中詩

閒居三十載遂與塵事冥詩書敦宿好林園無世情如何舍此去遥遥至西荆叩枻新秋月臨流别友生凉風起將夕夜景湛虛明昭昭天宇濶皛皛川上平懷役不遑寐中宵尚孤征商歌非吾事依依在耦耕投冠旋舊墟不爲好爵榮養眞衡茅下庶以善自名

齊謝朓作鼓吹曲　江南佳麗地金陵帝王州逶迤帶綠水迢遞記朱樓飛甍夾馳道垂楊蔭御溝凝笳翼高蓋疊鼓送華輈獻納雲臺表功名良可收

游東田詩　慼慼苦無悰攜手共行樂尋雲陟累榭隨山望菌閣遠樹曖仟仟生烟紛漠漠魚戲新荷動鳥散餘花落不對芳春酒還望青山郭

冶城詩　九河亘積岨三嶝鬱旁眺皇州總地德回江邀巖徼井幹絶蒼林雲甍蔽層嶠川霞旦上薄山光餘晚照翔集亂歸飛虹霓紛引曜

望三湖　積水照頳霞高臺望歸翼平原周遠近連汀見紆直葳蕤向春秀芸黄共秋色薄暮傷哉人嬋媛復何極

梁武帝冶城詩　鬱盤地勢遠參差百雉壯翠壁絳霄際丹樓青霧上夕月出濠渚朝雲生叠障面勢周天地縈帶極山川

愛敬寺　稜層叠嶂遠迤邐磴道懸

元帝自江州還入石頭

鼓枻浮大川遥睇雒城觀雒城何鬱鬱杳與雲霄半前望青龍門斜暉白鶴館槐垂御溝道柳綴金堤岸迅鳥晨風翻輕輿流水散高唱梁塵下湘瑟翔禽亂我思江海游曾與朝市玩忽寄靈臺宿空軫及關嘆仲子入南楚伯鸞出東漢何能栖樹枝取斃王孫彈

沈約登鍾山作

靈山紀地德地險資嶽靈終南表秦觀少室邇王城翠鳳翔淮海衿帶繞坤坰北阜何其峻林薄杳葱青發地多奇嶺千雲非青嶂勢隨九疑高氣與三山壯即事即多美臨眺殊復奇南瞻儲胥觀西望昆明池山中咸可悅賞逐四時移春光發壟首秋風生桂枝多阻息心侶結架山之麓八解鳴澗流四禪隱巖曲窈冥終不見蕭條無可欲所願從之游寸心於此足君王挺逸趣羽旆臨崇基白雲隨玉趾青霞雜桂旗淹留訪五藥顧步佇三芝於焉仰鑣駕歲暮以爲期

侍遊方山應制

清漢夜昭晢扶桑曉陸離發吹重陽下建羽朝夕池樅金浮水茗聳蹕詔山祇一霑九霄露藜藿終自知

何遜冶城詩 關城乃形勢地險差非一馬嶺逐雲開犬牙傍隆崒百雉極襟帶億庾並量出至理歸無爲善守竟何恤眺聽窮耳目遠近備幽悉擾擾見行人暉暉視落日連檣入迴浦飛蓋交長術天暮遠山青潮去遙沙出薄宦忝歸來屬詞慚愈疾願乘觳觫牛還隱蒙籠室

唐王勃白下驛餞唐少府 下驛窮交日昌亭旅食年相知何用早懷抱卽依然浦樓低晚照鄉路隔風烟去去如何道長安在日邊

杜甫送許八拾遺歸江寧覲省 詔許辭中禁慈顏赴北堂聖朝新孝理祖席倍恩光內帛擎偏重宮衣着更香淮陰清夜驛京口度江帆春隔雞人晝秋期燕子凉賜書誇父老壽酒樂城隍看畫曾飢渴追蹤恨淼茫虎頭金粟影神妙獨難忘

崔顥江畔老人怨 江南少年十八九乘舟欲渡青溪口青溪口邊一老翁鬚眉皓白已衰朽自言家代仕梁陳垂朱拖紫三十人兩朝出將復入相五世疊鼓乘朱輪父兄三葉皆尚主子女四

代爲妃嬪南山賜田接御苑北宮甲第連紫宸直言榮華未休歇不覺山崩海將竭兵戈亂入建康城烟火連燒未央闕衣冠士子陷鋒刃良將名臣盡埋沒山川改易失市朝衢路縱橫塡白骨老人此時尚少年脫身走得投海邊罷兵歲餘未能出去鄉三載方來旋蓬蒿忘却五城宅草木不識青溪田雖然得歸到鄉土零丁貧賤長辛苦採樵屢入歷陽鄉刈稻常過新林浦少年欲知老人歲豈知今年一百五君今少壯我已衰我昔少年君不覩人生貴賤各有時莫見羸老相輕欺感君相問爲君說說罷不覺令人悲

李白金陵歌送別范宣

石頭巉巖如虎踞凌波欲過滄江去鍾山龍盤走勢來秀色横分歷陽樹四十餘帝三百秋功名事跡隨東流白馬小兒誰家子泰清之歲來關囚金陵昔時何壯哉席卷英雄天下來冠蓋散爲烟霧盡金輿玉座成寒灰扣劍悲吟空咄嗟梁陳白骨亂如麻天子龍沉景陽井誰歌玉樹後庭花此地傷心不能道目下離離長春草送爾長江萬里心他年來訪商山皓

金陵三首

晉室南渡日此地舊長安地即帝王宅山爲龍虎盤金陵空壯觀天塹淨波瀾醉落

回橈去吳歌且自歡

又

地擁金陵勢城回江水流當時百萬戶夾道起朱樓亡國生春草王宮沒古丘空餘後湖月波上對滄洲

又

六代興亡國三杯爲爾歌苑方秦地少山似洛陽多古殿吳花草深宮晉綺羅併隨人事滅東逝與滄波

登梅崗望金陵贈族姪高座寺僧中孚

鍾山抱金陵霸氣昔騰發天開帝王居海色照宮闕群峯如逐鹿奔走相馳突江水九道來雲端遙明沒時遷大運流龍虎勢休歇我來屬天清登覽窮楚越吾宗挺禪祖特秀鸞鳳骨衆星羅青天明者獨有月冥居順生理草木不剪伐烟窻引薔薇石壁老野蕨吳風謝安屐白足傲履襪幾宿一下山蕭然忘干謁談經演金偈降鶴舞海雪時聞天香來了與世事絕佳遊不可得春去惜遠別賦詩留巖屏千載庶不滅

贈昇州王使君

六代帝王國三吳佳麗城賢人當重寄天子借高名巨海一邊靜長江萬里清應須救趙策未許棄侯嬴

別金陵諸公

海水昔非動三龍紛戰爭鍾山危波瀾傾側駭奔鯨黃旗一掃蕩割壤開吳京六代更霸主遺跡見都城至今秦淮間禮樂秀群英地扇鄒魯學詩騰顏謝名五月金陵西祖余白下亭欲尋廬峯頂先繞漢水行香爐紫烟滅瀑布落太清若攀星辰去揮手緬含情

金陵泝流翫月達天門因寄句容王簿

滄江泝流歸白壁見秋月秋月照白壁皓如山陰雪幽人停宵征賈客忘早發進帆天門山迴首牛渚沒川長信風來日出宿霧歇故人在咫尺新賞成胡越寄君青蘭花惠我庶不絕

遊金陵贈同旅

朝登北湖亭遥望瓦屋山青天白露下始覺秋風還遊子託生人仰觀眉睫間日色送飛鴻邈然不可攀長吁相勸勉何事來吳關聞有貞義女振窮溧水灣清光了在目白日如披顏高墳五六墩崒兀栖猛虎遺跡翳九泉芳名動千古子胥昔乞食此女傾壺漿運開展宿憤入楚鞭平王凜冽天地間聞名若懷霜壯夫或未達十步九太行與君拂衣去萬里同翺翔

金陵聽韓侍御吹笛

韓公吹玉笛倜儻流英音風吹繞鍾山萬壑皆龍吟王子停鳳管師襄掩瑤琴餘響渡江去天涯安可尋

春日陪楊江寧宴感古作

昔聞顏光祿攀龍宴京湖樓船入天鏡帳殿開雲衢君王歌大風如樂豐沛都延年獻嘉作邈與詩人俱我來不及此獨立鍾山孤楊宰穆清飈芳聲騰海隅英寮滿四座粲若瓊林敷鷁首弄倒景蛾眉綴明珠新絃採梨園古舞嬌吳歈曲度繞雲漢聽者皆歡娛雞棲何嘈嘈松月沸笙竽古之帝宮苑今乃人樵蘇感此勸一觴願君覆瓢壺榮盛當作樂無令後賢吁

金陵江上遇蓬池隱者

心愛名山遊身隨名山遠羅浮麻姑臺此去或未返遇君蓬池隱就我石上飯空言不成歡強笑惜日晚綠水向鴈關黃雲蔽龍山歎息兩客者徘徊吳越間相語一執手留連夜將久解我紫綺裘且換金陵酒酒來笑復歌興酣樂事多水影弄月色清光奈愁何明晨掛帆席離恨滿滄波

金陵城西樓月下吟

金陵夜寂凉風發，獨上西樓望吳越。白雲映水搖秋光，白露如珠滴秋月。月下長吟久不歸，古今相接眼中稀。解道澄江靜如練，令人却憶謝元暉。

月夜金陵懷古

蒼蒼金陵月，空懸帝王州。天文列宿在，霸業大江流。綠水絕馳道，青松摧老丘。臺傾鳷鵲觀，宮没鳳凰樓。別殿悲清暑，芳園罷樂遊。一聞歌玉樹，蕭颯後庭秋。

金陵阻風雪書懷寄楊江寧

潮水定可信，天風難與期。清晨西北轉，薄暮東風吹。以此難挂席，迴沿頗淹遲。使索金陵書，又叨賢宰知。絃歌止過客，惠化聞京師。海月破圍景，菰蔣生綠池。昨日北湖花，初開未滿枝。今看白門柳，夾道垂青絲。歲物忽如此，我來復幾時。紛紜江上雪，草草客中悲。明發板橋浦，空吟謝眺詩。

遊丹陽湖

湖與元氣連，風波浩難止。天外賈客歸，雲間片帆起。龜遊蓮葉上，鳥入蘆花裏。少婦棹輕舟，歌聲逐流水。

金陵送張十一再游東吳

張朝黃花句風流五百年誰人今繼作夫子世稱賢再動游吳棹還浮入海船春光白門柳霞色赤城天去國難爲別思歸各未旋空餘賈生淚相顧各悽然

送張舍人之江東

張翰江東去正值秋風時天清一雁遠海闊孤帆遲白日行欲暮滄海杳難期吳洲如見月千里幸相思

贈溧陽宋少府鄰

李斯未相秦且逐東門兎宋玉事襄王能爲高唐賦常聞淥水曲忽此相逢遇掃灑青天開豁然披雲霧威蕤紫鸞鳥巢在崑山樹驚風西北吹飛落南溟去早懷經濟策特受龍顏顧自玉樓青蠅君臣忽行路人生感分義貴欲呈丹素何日清中原相期廓天步

張九齡經江寧覽舊跡至元武湖

南國更數世北湖方十洲天清華林苑日晏景陽樓幕下迴仙騎津傍駐綵斿㫚鷺喧鳳管荷葉鬪龍舟七子陪詩賦千人和棹謳應言在鎬樂不讓橫汾秋風俗因紓慢江山成易由駒王信不變麋鹿姑蘇遊否運爭三國康時劣九州山雖幕府

在館豈豫章留氷淀還相閲菱歌
亦故遒雄圖不足問難想事風流

綦毋潛題栖霞寺

南山勢迴合靈境依此住殿轉雲
崖陰僧㮮石泉渡龍虵爭翕習神
鬼皆客護萬壑奔道塲羣峯向雙樹天花飛
不著水月白成路今日觀我身歸心復何處

岑參送王大昌齡赴江寧

對酒寂不語悵然愁送君
明明未得用白首徒工文
澤國從一官滄波幾千里羣公滿天闕獨去過淮水
舊家富春渚常憶卧江樓自聞君欲行頻夢南徐州
窮巷獨閉門寒燈靜深屋北風吹微雪抱被肯同宿
君行到京口正是桃花時舟中饒孤興湖上多新詩
潛虬且深蟠黃鶴舉未晚
惜君青雲器努力加飡飯

送許拾遺恩歸江寧拜親

詔書下青瑣駟馬還吳洲
東帛仍賜寵恩波漲滄流
微祿將及親向家非遠游看君五斗米不謝萬戶侯
適出西掖垣如到南徐州歸心望海日鄉林繫漁舟
種藥疏故畦釣魚垂舊鈎對月京口夕觀濤海門秋
天子憐諫官論事不肯休早來丹墀下高駕無淹留

魏萬金陵贈李翰林謫仙子

君抱碧海珠我懷藍田玉各稱希代寶萬里遙相燭長卿慕藺久子猷意已深平生風雲人暗合江海心去秋忽乘輿命駕來東土謫仙游梁園愛子在鄒魯二處一不見拂衣向江東五兩挂海月扁舟隨長風南游吴越徧高揖二千石雪上天臺山春風斡林伯宣父敬項槖林宗重黄生一長復一少相看如弟兄惕然意不盡更逐西東去同舟入秦淮建業龍盤處楚歌對吴酒借問承恩初宫買長門賦天迎駟馬車才高世難容道廢可推命安石重携妓子房空謝病金陵百萬户六朝帝王都虎石踞西江鍾山臨北湖二山信爲美王屋人相待應爲岐路多不知歳寒在君游早晚還勿久風塵間此別未遠別秋期到仙山

王維送綦毋校書棄官還江東

明時久不達棄置與君同天命無怨色人生有素風念君拂衣去四海將安窮秋天萬里靜日暮九江空清夜何悠悠扣舷明月中和光魚鳥際澹爾蒹葭叢無容客昭世衰鬢白如蓬頑疎暗人事僻陋遠天聰微物縱可採其誰爲至公余亦從此去歸

耕爲老農

李嘉祐送冷朝陽及第東歸江寧

高第由佳句諸生似者稀長安帶酒別建業候潮歸稚子歡迎棹鄰人爲掃扉含情過舊浦鷗鳥亦依依

晚發江寧道中呈嚴維

惆悵寒江路蕭條落日過蟬鳴獨樹急鴉向古城多轉曲隨青嶂因高見白波潘生秋徑草嚴子意如何

錢起送沈少府還江寧

遠宦碧雲外此行佳興牽湖山人間井鷗鳥傍神仙斜日背鄉樹春潮迎客船江樓新興發應與政聲傳

江寧春夜裴使君送蕭員外

花院日扶疎江雲自卷舒主人能軾仕歸客雅門車曙月稀星裏春烟紫禁餘行看石城戍記得是南徐

維舟秦淮過李給事宅

給士爲郎日青溪醉隱銜氷池通極浦雪逕遶高巖珠玉

悲同棄松筠莫共芟帝圖憂一失臣節耻三緘代有王陵襲時無靳尚讒定應摻直筆寧爲發空函

韓翃送冷朝陽還上元

青絲絡引木蘭船名遂身歸拜慶年落日澄江烏榜外秋風疎柳白門前橋通小市家林近山帶平湖野寺連別後依依依寒夢裏共君攜手在東田

送客之江寧

春流送客不應賖南過徐州見柳花朱雀橋邊看淮水烏衣巷裏問王家千閭萬井無多事閉戶開門向山翠楚雲潮下石頭城江鷺雙飛瓦官寺吳士風流甚可親相逢嘉賞日偏新從來此地夸羊酪自有蓴羹定却人

顧況題攝山棲霞寺

明徵君舊宅陳後主題詩跡在人亡處山空月滿時寶缾無破響道樹有低枝已是傷離客仍逢靳尚祠

皇甫冉獨孤中丞宅筵陪餞韋使君赴昇州

中司龍節貴上客虎符新地控吳襟帶才光漢縉紳泛舟應度臘入境便行春何處歌來暮長江建業人

祖詠晩泊金陵水亭 江寧當廢國秋景倍蕭騷夕照明殘壘寒潮漲古濠荒田看鶴大隔水見僧高無限前朝事醒吟意覺勞

耿緯送王秘書歸江東 廻首望知音逶遲桑柘林人歸海郡遠路入雨天深萬木經秋葉孤舟向暮心惟餘江畔草應見白頭吟

李端送友人遊江東 江上花開盡南行見杪春鳥聲愁古木雲影入通津返景斜連草廻潮暗動蘋謝公今在郡應喜得詩人

姚合送陳彤之赴江寧從事 荊州勝事衆家聞幕下今朝又得君才子何須守科第男兒終久要功勳江村竹樹多於草山路塵埃半是雲新什定知饒景思不應一向賦從軍

周賀送唐紹歸建業 南朝秋色滿君去思如何帝業空城在民田壞塚多月圓臺獨上栗綻寺頻過籬下西江闊相思見白波

送郭秀才歸金陵

夏後客堂黃葉多又懷家國起悲歌酒前欲別語難盡雲際相思心若何鳥下獨山秋寺磬人隨大舸曉江波南徐舊業幾時到門掩殘陽積翠蘿

寄金陵僧

水石致身閑自得平雲竹閣少炎蒸齋牀幾減供禽食禪經寒通照像燈覓句當秋山落葉臨書近臘硯生氷行登總到諸餘寺坐聽蟬聲满耳頻

盧綸夜泊金陵

圓月出高城蒼蒼照水營江中正吹笛樓上又無更洛下仍傳箭關西欲進兵誰知五湖外將吏更爭名

羅隱過廢江寧縣

縣前水色細鱗鱗一爲夫君弔水濱謾把文章矜後代可知榮貴是他人鸎偷舊韻還成曲草賴餘吟盡解春我亦有心無處說等閑停棹似迷津

金陵夜泊

冷烟輕淡傍衰藂此夕秦淮駐斷蓬栖雁遠驚沽酒火亂鴉高避落帆風地銷王氣波聲急山帶秋陰樹影空六代精靈人不見思量應在月明中

臺城 晚雲陰映下空城六代纍纍夕照明玉井已乾龍不起金甌雖破虎曾爭亦知霸世才難得却是蒙塵事最平深谷作陵山作海茂弘流涕莫傷情潮平遠岸草浸沙東晉衰來最可嗟庾舅已能窺帝里王郎還是御人家山寒花樹啼風雨泉煖枯骸動齒牙欲起九泉看一遍秦淮聲急日西斜

劉長卿早春贈别趙居士還江左時長卿下第歸嵩陽舊居 見春風塵裏意出風塵外自有蒼州期含情十餘載深居鳳城曲日預龍華會果有僧家緣能遺俗人態一身今已適萬物知何愛悟法電已空看心水無礙且將窮妙理兼欲尋勝槩何獨謝客游當爲遠公輩放舟馳楚郭負杖辭秦塞目送南飛雲令人想吳會遥思舊遊處髣髴疑相對夜火金陵城春烟石頭瀨滄波極天末萬里明如帶一片孤客帆飄然向殘靄楚天合江氣雲色常霑霽隱見湖中山相連數州内君行意可得全與時人背歸路隨楓林還鄉念蓴菜顧予尚羈束何幸承眄睞素顧徒自勤清機本難逮累年忝賓薦末路逢沙汰濩落名不成徘徊意空大逢時雖貴達守道甘易退逆旅鄉夢

頻春風客心碎別君日已遠離念
無明騁予亦還柴荊山田事耕耒

韋應物龍潭　激石懸流雪一灣九龍潛處野雲閑欲
行甘雨四天下且隱澄潭一頃間淚引
浮槎依北岸波分晚日見東山垂
髯儻過穆王駕閬苑周游應未還

宿潭上二首　夜潭有仙舸與月當水中嘉賓愛明月
遊子驚秋風　又　青蒲野波白水露明月
天夜中秋風起
心事坐茲然

常建過青溪王昌齡宅　清溪深不測隱處唯孤雲松
際露微月清光猶為君茅屋
宿花影藥院滋苔文予
亦謝時去西山鸞鶴羣

杜牧寄贈許七侍御棄官東歸瀟灑江南頗聞自適
高秋企望題詩十韻　天子繡衣吏東吳美退居有園
同庚信避事學相如蘭畹晴香
嫩筠溪翠影疏江上九秋後風月六朝餘錦肆開詩
軸青囊結道書霜巖紅薜荔露沼白芙蕖睡雨高梧

寄甚燈小閣虚凍醪元亮秋寒贍季鷹魚塵意迷今古雲情識卷舒他年雪中棹陽羡訪吾廬

將歸茅山兼寄李叢時兩河用兵

故人日已遠身事與誰論氣直難趨世心孤易感恩晨歌憐宋玉夜舞笑劉琨從此歸山去無因更出門

題宣州開元寺

南朝謝眺城東吴最深處亾國去如鴻遺寺藏煙塢樓飛九十尺廊環四百柱高高下下中風繞松桂樹青苔照朱閣白鳥兩相語溪聲入僧夢月色暉粉署閲景無旦夕凭欄有今古留我酒一罇前山看春雨

劉禹錫冶城

山圍故國周遭在潮打空城寂寞囘淮水東邊舊時月夜深還過女墻來

方干贈江南僧

忘機室亦空禪與沃州同唯有半庭竹能生竟日風思山海月上出定印香終繼後傳衣者還須立雪中

茅山贈高拾遺

聖代諫臣停諫舌求還故里傲雲霞溪頭講樹遺漁艇篋裏朝衣盡酒家

但愛身閑辭祿俸，那嫌歲計在桑麻
我來幸與諸生異，問答時容近絳紗

張潮長干曲

壻貧如珠玉壻富如埃塵貧時不忘舊
富日多寵新妾本富家女與君爲偶匹
惠好亦何深中門不曾出妾有繡衣裳葳蕤金縷光
念君貧且賤易此從遠方遠方三千里思君心未已
日暮情更來空望去時水孟夏麥始秀江上多南風
商賈歸欲盡君今向巴東巴東有巫山窈窕神女顏
常恐游此方
果然不知還

項斯寄江南親故

古巷槐花合愁多晝掩扉猶存過
江馬强拂看花衣送客身先醉尋
僧曉未歸龍鍾易
惆悵莫遣寄書稀

李紳憶登棲霞寺峰懷望

香印煙火息法堂鐘磬餘
紗燈耿晨焰釋子安禪居
林葉脫紅影竹煙含綺疎星珠錯落耀月宇參差虛
顧眺匪恣適曠襟懷卷舒江海淼清漫丘陵何所如
滔滔可問津耕者非長沮茅嶺感仙客蕭園成古墟
移步下碧峯沙澗更躊躕鳥噪啄秋果翠鷰銜素魚

迴塘彩鷁來落影標林簇漾漾棹翻月蕭蕭風襲袪勞歌起舊思感歎竟難攄却數共遊者凋落非里閭

温庭筠清涼寺

黄花紅樹謝芳蹊宮殿參差黛巘西詩閣曉窗藏雪嶺畫堂秋水接藍溪松飄晚吹攛金鐸竹蔭寒苔上石梯妙跡奇名竟何在下方烟暝草萋萋

筠遊高座寺

晉朝名輩此離羣想對濃陰去住分題處尚尋王內史畫時應是顧將軍長廊夜靜聲疑雨古殿秋深影勝雲一下南臺到人世曉泉清籟更難聞

崔峒登蔣山開善寺

山殿秋雲裏香煙出翠微客尋朝磬食僧背夕陽歸下界千門見前朝萬事非看心兼送目葭菼暮依依

趙嘏宿靈巖寺

明月溪頭寺蟲聲滿橘州倚欄香徑晚移石太湖秋古樹雲歸盡荒臺水更流無人見惆悵獨上最高樓

權德輿與沈十九拾遺同遊棲霞寺上方夜於亮上

人院會宿二首 躡山標勝絶暇日諧想矚縈紆松路深繚繞雲巖曲重樓迴樹杪古像鑒人腹人遠水木清池深深蘭桂馥層臺聳金碧絶頂摩淨綠下界誠可悲南朝紛在目焚香入古殿待月出深竹稍覺天籟清自傷人世促宗雷此相遇偃放隨所欲清論月輪低閑吟茗花熟一生如土梗萬慮相桎梏永願事潛師窮年此棲宿

又 偶來人境外心賞幸隨君古殿煙霞夕深山松桂薰巖花點寒溜石磴掃春雲清淨諸天近諠塵下界分名僧康寶月上客沈休文共宿東林夜清猿徹曙聞

張翬題棲霞寺 躋險入幽林翠微含竹殿泉聲無休歇山色時隱見潮來雜風雨梅落成霜霰一從方外游頓覺塵心變

皮日休遊棲霞寺 不見明居士空山但寂寥白蓮吟次缺青藹生來銷泉冷無三伏松枯有六朝何將石上月相對論逍遙

江南道中酬茅山廣文南陽博士三首 寒嵐依約認華陽遙想高

人卧草堂半日始齋青飿飯移時空印白檀香鶴雛入夜歸雲屋乳管逢春落石床誰道夫君無伴侶不離窗下見羲皇　任在華陽第八天望君唯欲結良緣堂扃洞裏于秋雁厨蓋巖根數井泉壇上古松疑度世觀中幽鳥恐成仙不知何事迎新歲烏衲裘中一覺眠　五色香烟惹内文石飴初熟酒微醺將開丹竈那妨鶴欲算碁圖却望雲海氣半生當洞見瀑冰初坼隔山聞如何世外無交者一卧金壇秖有君

和魯望過張處士丹陽故居

先生清骨葬煙霞業破孤存孰爲嗟幾篋殘編分貴位一林石筍散豪家兒過舊宅啼楓影姬遶荒田泣稗花唯我共君堪便戒莫將文譽作生涯

陸龜蒙依韻和皮日休三首

一片輕帆佩夕陽望三峰拜七眞堂天寒夜漱雲牙淨雪裏晴梳石髮香自拂煙霞安筆格獨開封檢試砂床莫言洞府能招隱會輾飈輪見玉皇　壺中行坐可携天何況林間息萬緣組綬任垂三品石珮環從落四公泉丹臺已運陰陽氣碧簡須調次第仙相得雷平春色動玉芝煙草又芊眠　良常應不動移文金醴從酸亦自醺相父舊歌飛絳雪桐孫遺

韻倚元雲春臨柳谷鶯先覺曙醮靈蕪鶴
共聞珍重雙雙玉條脫畫憑三鳥寄羊君

題江令公舊宅

身沒南朝宅已荒邑人猶賞舊風光芹根生葉石池淺桐樹落花春井香
帶暖山蜂巢畫閣欲陰溪燕集書堂
閑愁此地更南望潮滿臺城春草長

周繇題金陵棲霞寺贈月公

明家不用買山錢施作清池種白蓮松檜老依
雲外地樓臺深鎖洞中天風經絕頂迴疏雨石倚
危屏挂落泉欲結茅菴伴師住肯饒多少薜蘿烟

楊乘建鄴懷古

故城故壘滿江濆盡是干戈舊苦辛君見即須知帝里生來便作太平人

李羣玉秣陵懷古

野花黃葉舊吳宮六代豪華燭散風龍虎勢衰佳氣歇鳳凰名在故
臺空市朝遷變秋蕪綠墳壠高低落照
紅霸業鼎圖人去盡獨來惆悵水雲中

崔塗金陵懷古

葦聲蕭颯水天秋吟對金陵古渡頭千載是非輸蝶夢一罇風雨屬漁舟
若無仙分應須老幸有青山即合休
何必登臨更惆悵比來人世只如浮

王貞白金陵

六代江山在繁華古帝都亂來城不守戰後地多蕪寒日隨潮落歸帆與鳥孤興亡多少事回首一長呼

曹松秋日送方干遊上元

天高淮泗白料子趨修程汲水疑山動揚帆覺岸行雲離京口樹鴈入石頭城後夜分遥念諸峰月霧生

于濆金陵懷古

館娃宮畔顧國變生嬌妒勾踐膽未嘗夫差心已誤吳亡甘已矣越勝今何處當時二國君一種邊江墓

孫逖丹陽行

丹陽古郡洞庭陰落日扁舟此路尋傳是東南舊都處金陵中斷碧江深在昔風塵起京都亂如燬雙闕戎馬間千門戰場裏傳聞一馬化爲龍南渡衣冠亦願從石頭橫帝里京口拒戎鋒青楓林下迴天蹕杜若洲前轉國容都門不見河陽樹輦道唯聞建鄴鐘中原悠悠幾千里欲掃攙槍未能已英雄傾奪何紛然一盛一衰如逝川可憐宮觀重江裏金鏡相傳三百年自從龍見聖人出六

合車書混爲一昔年王氣今何在併向長安就堯日荆榛古木閒荒阡共道繁華不復全赤縣惟餘江樹月黃圖半入海人烟暮來山水登臨遍覽古愁吟淚如霰惟有空城多白雲春風淡蕩無人見

司空文明金陵懷古詩

輦路江楓暗宮潮野草春傷心庾開府老作北朝臣

劉滄經過建業

六代興衰曾此地西風露泣白蘋花烟波浩渺空亡國楊柳蕭條有幾家楚塞秋光晴入樹浙江殘雨晚生霞凄凉處處漁樵路鳥去人歸山影斜

李商隱

迴望高城落曉河長亭牕戶壓微波水仙欲上鯉魚去一夜芙蓉紅淚多

南唐宋齊丘鳳凰臺

嵯峨壓洪流岩崿撐碧落宜哉秦始皇不驅炙不斲上有布政臺下顧皆城郭山蹙龍虎健水黑螭蜃作白虹欲吞人赤驥相博爍晝棟泥金碧石路盤磽确倒挂哭川猿危立思天鶴斲池養蛟龍栽桐栖鸑鷟梁間燕教雛石罅蛇縣殼養花如養賢去草如去惡日晚嚴城鼓風來蕭寺鐸掃地袪塵埃剪蒿除鳥雀金桃帶葉摘綠李和衣嚼貞竹無盛衰媚柳先零脫塵飛景陽井草

合臨春閣芙蓉如佳人回首似調詭當軒有直道無人肯駐脚夜半鼠勃窣天陰鬼敲椓孤松不易立石醜難安著自憐啄木鳥去蠹終不錯晚風吹梧桐樹頭鳴嘐嘐峩峩江令石青苔何淡薄不話興亡事舉首思眇末吁哉未到此褊劣同尺蠖籠鶴羡鳧毛猛虎愛蝟角一日賢太守要我觀囊籥任任獨自語天帝相唯諾風雲偶不來寰宇消一略我欲烹長鯨四海爲鼎鑊我欲取大鵬天地爲繒繳安得生羽翰雄飛上寥廓

李建勳青溪草堂閒興 窗外階連水松杉欲作林自憐趨競地獨有愛閒心素壁題堪遍危冠醉不簪江僧暮相訪簾捲見秋岑

愛敬寺 溪雲藏寺靜風磬摘林鳴臺古松多折碑荒字欲平

宋范仲淹送陳瓌秀才遊江寧 君有江南行爲君歌以喜龍盤山萬曲練靜江千里江山不可空台星照吳中古來王謝地今有周召風而問楊與鄭萬丈光相映煌煌聚宰府金陵一

何盛此去知巳賢雅客情無邊白雲起江樹明月逐江船雲月共徘徊優哉如遊僊歸來笑春風白日登

青

天

蘇軾贈石頭長老

代馬初辭沒馬塵江南來見卧雲人問禪不契前三語施佛空留丈六身老去山林徒夢想雨餘鐘鼓更清新會須一洗黃茅瘴未用深藏白氎巾

次舊韻再贈

過淮入洛地多塵舉扇西風欲汚人但怪雲山不改色豈知江月解分身安心有道年顏少遇物無情句法新送我長蘆舟一葉笑看雪浪滿衣巾

蘇頌三藏塔

凡劫半依山經營昔甚難周遭嚴佛宇直上俯天關登陟緣梯險淹留布坐慳椽楹亦塗附櫺檻遍朱殷白日分明到青雲咫尺攀龍潭斜影落鳥翼怯飛還基趾從吳晉聲名動朔蠻燈然時照耀梵唱每循環往事稠重問前朝指顧間誰知息心處香火老僧閑

詠天禧寺竹

萬箇碧琅玕雨傍蔭潭沼叢深蔽巖麓幹直露雲表刹影下交加山房上環繞

昔嘗止鳴鳳今肯棲凡鳥筍抽龍種瘦籜墜孫枝小
美勝會稽箭珍逾汶陽篠兎園名非奇渭川比終少
樵刪草根變客玩茶煙燎創亭會意高
論佛禪心了吾愛有霜竹一到忘昏曉

張孝伯視旱田賦呈上元簿楊明卿　輪蹄旦旦風塵
表入眼郡山青
未了刺藤迎日子先紅蕎麥得霜花漸老叢祠詭怪
畫村疃古寺騫騰出林杪征衫多次逐飛鳶下檐有
時隨宿鳥初晴得去恨遲遲獨夜不眠憂悄悄公如
老驥暫伏櫪我類游鱗終屈沼一朝王事有期會百
里民情同採討詳於禹貢辨等級明似離婁燭幽眇
高依丘壟或微收低近陂塘翻盡槁凶荒有數合均
一報應於中又分曉不能究寔害非淺儻使從
寬恩豈小菑行到處欲春風批放莫教分數少

張栻送胡伯逢之官金陵　相望數舍已云疎遠別何
因執予袪漫仕相應同捧
檄舊聞當不廢觀書月明淮水空陳迹山繞新
亭有故墟暇日更須頻訪古因來為我道何如

新亭　風景自今古孤亭誰是非絕憐江水逝還有故
山圍得失同千慮成虧共一機所思惟謝傅不

但勝
淮淝

楊萬里前題　六朝豈是乏勳賢爲底京師不晏然桓
換客長南望江水留人嬾北旋强
管典亾談不盡枉教吟殺夕陽蟬

橫山　再見橫山滴眼新山曾勸我脫官身燈籠簫鼓
年年社酒醆鶯花處處人忽憶諸公牡丹會轉
頭五柞去年春野雲墟月
空荒寺兩袖寒風一帽塵

過秦淮　曉過新橋啓轎窗要看春水弄春光
東風作急驚詩眼攪亂垂楊兩岸黃

過笪橋　輕風欲動没人知早被垂楊報酒旗
行到笪橋中半處鍾山飛入轎窗時

登鳳凰臺　千年百尺鳳凰臺送盡潮回鳳不回白鷺
北頭江草合烏衣西面杏花開龍蟠虎踞
山川在古往今來鼓角哀只有
謫仙留句處春風掌管拂蛛煤

夏日雜興　金陵六月曉猶寒近北天時較少暄打盡
來禽那待熟半開萱草已先翻獨龍岡項

青千摺十字河頭碧一痕九郡報來都兩足揷秧收麥喜村村

圩田　迴遭圩岸繚金城一眼圩田翠不分行到秋苗初熟處翠茸錦上織黄雲又古來圩岸護堤防岸岸行行種綠楊歲久樹根無寸土綠楊走入水中央

蚉起秣陵鎮　人趂村中市鷄鳴擔上籠忽看一天紫未吐半輪紅誰撼扶桑露吹來楊柳風

詩肩忍凉冷已出兩臛峯又山路秖言迴農家俱夙興短長羣穉子廻避一田塍隨犬能知路騎牛底用繩茲行有勝事何處不豐登

路口回望方山　鍾阜回頭失方山戀眼寒似巾簷短帽如覆玉瑚槃每恨青蒼遠因行反覆看歸時記面目城裏指雲端

宿牧牛亭　函關只有一穰侯瀛館寧無再帝丘天極八重心未死台星三㸃圻方休只看壁後新亭策恐作移中屬國羞今日牛羊上丘壠不知丞相更嗔不

史正志前題　龍蟠虎踞阻江流割劇由來始仲謀從此但誇佳麗地那知西北有神州　忽枉王人六轡馳新亭有酒便同持坐中不作南冠歎江左夔吾有素期

周師成前題　昔日新亭今已舊百年名義尚如新高談坐上無安石灑淚尊前有伯仁對面飛來帆影亂傳音吹過羽書頻青天更喚當時月且放清輝照坐人

趙汝鎣金陵作　龍虎帝王宅鳳凰仙子臺六朝遺事冷八月夜潮回隴雁秋仍到江花晚自開憑高一樽酒何代獨無才

王遂前題　天上十分月人間一半秋笙歌傳小寨燈火認層樓酒怕初斟滿碁欣未了收分明渾似水只是少雙鷗

劉克莊前題　經月疎行臺上路秣陵城郭忽秋風馬嘶衛霍空營裏螢起齊梁廢苑中野寺舊曾開玉帳翠華人不幸離宮小儒記得隆興事閑對山僧說魏公

金陵作 高牙拂雲車帶雨晴曉西州氣成霧玉麟堂上少文書白鷺亭前多杖履古來此地一都會城郭樓臺盡非故落日朦朧江北山斷煙髣髴新亭路神州豈但夷甫責西風更有元規汚是中端的得長春正自不能堪短簿戲馬頻從九日遊南樓許共諸君住服前突兀老碑蘚裏吟哦謫仙句只今蕙帳怨猿鶴想見齊盟憶鷗鷺淮南四月蠶麥熟宮闕山河煩卧護了知此意誠能訓未許尋公遂初賦

夢賞心亭 夢與諸賢會賞心恍然佳日共登臨酒邊多說烏衣事曲裏猶殘玉樹音江水淮山明歷歷孫陵晉廟冷沉沉曉鍾呼覺俱忘却獨記千門柳色深

王安石遊長干寺 梵館清閑側布金小塘回曲翠文深柳條不動千絲直荷葉相依萬蓋陰漠漠岑雲相上下翩翩沙鳥自浮沉羈人樂此忘歸志忍向西風學越吟

遊光宅寺 今知光宅寺牛首正當門臺殿金碧毀丘墟桑竹繁蕭蕭新犢卧冉冉暮雅翻回首千歲夢雨花何足言

和陳輔金陵寺　南郭先生比鶺鴒年年過我未愆期休論王謝當時事大抵烏衣祇舊時

送吳龍圖知江寧　才高明主眷方深屬郡聞風自革心閭里不須多按治山川從此數登臨茅簷坐隔雲千里栢隴初抽翠一尋東望泫然知有寄但疑公豈久分襟

金陵絕句　水際柴門一半開小橋分路入青苔背人照影無窮柳隔屋吹香併是梅

秣陵道中口占　經世才難就田園路欲迷殷勤將白髮下馬照青溪

賞心亭　霸氣消磨不復存舊朝臺殿只空村孤城倚薄青天近細雨侵尋白日昏稍覺野雲成晚霽却疑山月是朝暾此時無限窮高興醒客無言醉客喧

胡銓金陵書事　六代風流最永嘉鬱葱勝氣隱晴霞折衝樽俎神俱旺表裏山河險莫誇幾縷碧烟迷杏眼半篙青漲減蒲芽歌聲已得檀郎怨四海而今再一家

張詠郡齋述懷　傍人往往羨清途野逸情懷亦自扶官舍四邊多種竹潮溝一面近生蘆

病嫌見客低徊甚老覺臨官氣味麤不信浮名是身累有時閑撫白髭鬚

晁補之金陵

龍蟠虎踞望南津餘烈崢嶸尚霸陳醉著不知風揭屋可能楊素是江神

李綱金陵懷古

六代兵戈王氣銷山圍故國自周遭豪華散滅城池古人物摧殘丘冢高阜轉盤龍翔寶貨瑲州分白鷺湧雲濤悠悠世事多如夢且對金樽把蟹螯

阻風慈姥夾一夕至金陵

露氣漫漫欲結霜扁舟夜下秣陵江烟波如席月如晝快意倒盡黄金缸

江豚出没白波中千丈神魚躍晚空知是陽侯憐我拙故教來助一帆風

馬之純白鷺亭

白鷺亭前白鷺飛山如屏障水如圍水中獨立鸞窺鏡沙上羣行雪滿磯白日不來爭碧樹有時同往送斜暉江山得此眞成畫撩得遊人不憶歸

陸機宅

只聞二陸住華亭却有書堂在秣陵如此弟兄無比擬翕然京洛有聲稱辯亡著論眞難

及受命專征若易能十萬河橋俱潰散儒生虚語不堪憑

沈約宅　飽觀明月雙溪水徧倚清風八詠樓但見遺蹤留婺女安知故宅在昇州文章至極雖堪羨節行全虧亦可羞看得齊梁相禪際只宜稱隱不稱侯

江總宅　青溪第宅闘鮮姸最是江家宅可憐路上行人爭指處橋邊遺跡尚依然南冠辭住長安日北客歸來建鄴年惜此屋廬還似舊不知曾讀黍離篇

林逋王處士水亭　金井前朝事林僧問不知綠苔欺破閣白鳥占閒池清楚曾經晋荒凉直到隋南廊一聲磬斜照獨凝思

馬光祖青溪　人道青溪有九曲如今一曲僅能存江家宅畔成花圃東府門前作菜園登閣自堪觀叠嶂泛舟猶可醉芳樽料應當日皆無恙茗雪瀟湘不足言

徐照青溪閣本梁江總故宅　葉脫林梢處處秋壯懷易感更登樓日斜鍾阜

烟凝碧霜落秦淮水漫流人似仲宣思故國詩如杜老到夔州十年前作金陵夢重撫闌干説舊遊

楊備白都山

駕鶴驂鸞自古聞策名仙籍是眞君天邊舊跡無尋處满目青山空白雲

陸機宅

陸家兄弟頗能文入洛仍將筆硯焚舊宅荆榛狐兎窟機雲無復有昆雲

天闕山

牛頭天際碧凝嵐王導無稽亦妄談若指遠山爲上闕長安應合指終南

青溪姑

曩不乘龍即跨魚岸傍人復乞靈無柳如眉黛花如面聞是青溪一小姑

青溪栅

傾城傾國兩妃嬪此地聞名不見人潛想舊時紅粉血落花風裏步香塵

江令宅

竹木池臺尚儼然歸時頭鬢雪霜寒青溪隱映朱門處曾屬中書一品官

周邦彦鳳凰臺

危臺落盡碧梧花勝地凄凉屬梵家鳳入紫雲招不得木魚堂殿下飢鴉

朱存前題

竹影桐陰满舊山鳳凰多載不飛還登臺客有吹簫者爭得和名墮世間

任斯庵前題

只爲羊車戀靚粧倉皇合殿燭無光宮中不解嫁鸚鵡臺上安能來鳳凰

郭祥正前題　高臺不見鳳凰遊浩浩長江入海流舞罷青娥同去國戰殘白骨尚盈丘風搖落日催行棹潮擁新沙換故洲結綺臨春無處覓年年芳草向人愁

王渭卿前題　江山還似六朝老老盡梧桐鳳不知保大空存前殿佛元嘉已沒舊廊碑幾年何德之衰也何日覽輝而下之見說長安豪傑恨諸公忍讀謫仙詩

吳陵金陵懷古　烟雲莽莽對窮秋六代雄豪見古丘萬里長波東赴海千年閒客獨登樓山川冥漠天難問運數推移地莫留終信東南多王氣浙中今是帝王州

劉端之雨花臺　六朝宮苑帝王州何事興衰若置郵可是戰爭收拾得却將歌舞破除休千門靜鏁梧桐雨萬堞深籠薜荔秋試上雨花臺上望夕陽烟水替人愁

梅摯秀峰院　影共金田潤香隨碧月流遠疑元帝植近想寶公遊

王琪賞心亭　千里秦淮在玉壺江山清麗壯吳都昔人已化遼天鶴舊畫難尋卧雪圖冉冉

流年去京國，蕭蕭華髮老江湖。殘蟬不會登臨意，又噪西風入座隅。

王珪前題 六朝遺跡此空存，城壓滄波到海門。萬里江山來醉眼，九秋天地入吟魂。于今玉樹悲歌起，當日黃旗王氣昏。人事不同風物在，悵然猶得對芳樽。

高九萬登賞心亭 江亭如倚釣魚磯，面面雲簷勢欲飛。西望汀洲依白鷺，東連巷陌接烏衣。六朝更代何人守，千古興亡事總非。客子獨憐風景好，倚闌長是欲忘歸。

米芾前題 晴新山色黛，風縱蘆花雪。盡日倚闌干，寒霄低細月。

羅必元金陵作 六朝遺跡舊山川，萬里長江當守邊。一念易驕人事廢，不關飛渡北來船。

曾極詠昇元閣鐸 摩娑石柱蘚痕斑，亡國如鳩去不還。無復切雲三百尺，空傳風鐸在人間。

文天祥過金陵驛 草色離宮轉夕暉，孤雲飄泊欲何依。山川風景原無異，城郭人民半

已非滿地蘆花和我老舊家燕子傍誰
飛從今別却江南去化作啼鵑帶血歸

元楊維楨鍾山

鍾山突兀楚天西玉柱曾經御筆題日
照金陵龍虎踞月明珠樹鳳凰棲氣吞
江海三山小勢壓乾坤五嶽低百
世昇平人樂業萬年帝壽與天齊

明宋濂望鍾山作簡周先輩

有序春旭載和鍾山在望
道光泉之嫩碧空曠朱湖
洞之飛丹可尋爰憶舊遊輒形新咏不慚下側以豔
高情云爾

鍾山菀如沐綉巘孕春饒生黃歸灌棠
駭綠亂陵苕谷沸桃雀集飈迴川景嬌茲今愧畜軫
宿昔憶聯鑣陟峻鼻生火酣芳臉帶潮詩情霞間迴
酒纈望中銷偏憐晴蘿思長麗凉月宵文園病渴吻
沈生滅園腰江表周公子華采雙鳳翹逸興如遄舉
相隨擷
鞠苗

題方方壺畫鍾山隱居圖

飄飄方壺子本是仙者倫
固多幻化術筆下生白雲
白雲縹緲間拔起青嶙峋似是朱湖洞笙鶴遥空聞
豈無許飛瓊烹芝騎華芬鍊師從何來面帶山水文

相期守規中結庵在雲村心遊帝象先神棲太乙根
我暖上清訣衛以龍虎君内涵玄命秘一氣中夜存
行當去採藥
共入無窮門

洪武五年秋九月十又五日日入酉與仲子璲過張
錄事孟兼于成均秉燭對坐孟兼方命侍史汲玉兎
泉瀹茗聯句

成均地何靈聖澤資灌沃濂兎奔兆奇
徵井漯廢新斵昺自非三窟深孰湛一
川綠孟兼儲精本從金生色絶勝玉謝霜毛蘸寒飲雪
毳翻夜浴崧釀洌補酒經沐丹驗仙籙善仲杵椿蟾宮
棄珠噴鱧堂觸璲孕月生陰精觀天漏晴旭濂冰澄
毛骨堅鑑澈須眉燭昺魏名徒自奇獪行穢難贖孟兼
雖涵東郭筊難洗上蔡辱謝引滿瓶未羸探幽綆頻
續崧流罌滲銀床出竇濺瓊粟善仲醉沃日暈花凍汲
指連豖璲濡毫乃自潤照影從人欲濂光沉天上魄
祥啓地中蠲昺擣辭挹餘清盥薦侑嘉告謝劍刺非
貳師池移豈身毒孟兼燕支媿涅陳鹽鹵鄙富蜀崧不
動疑窪雪頻摇笑風轟善仲天光一眼開雲影片鱗束

璲劇嚥覺瘮瘶蹶足想彳亍瀌膐沸虎爪跑斞吸貧
臂臼齃潔士濯纓冠渴卒卸刀韣謝精當昴君降液
或井宿督[illegible]誰知鍾宿分脉與伊洛屬嵩錫名爾固
嘉戰句吾何局[illegible]聯將指齃比疾勝擊鉢促璲驚風
落燈燼斜月墜檐曲靈源
詎能窮短咏聊可錄濂

李夢暘長干行

皚如玉山雪皎如瑶臺月郎去騎白
馬調妾桃樹下桃葉何㭬㭬不謂君
行久倚門問來
船見郎寄書否

羅洪先書永慶寺壁次荊川

城陰背流水遠樹夕舍
風避客溪橋外逢僧野
竹中問名無以答齋食偶然
同更向忘歸處方知過去空

何景明金陵歌送李先生

李公爲舅有吕甥甥舅四
海皆知名吕君關西昨日
去公自金陵來復行金陵江水無斷絶金陵之山高
巀巀龍虎千年抱帝京星辰萬里羅天闕白鷺州前
芳草歇清江浦上看明
月燕山北望花如雪

送徐主事還金陵
送客出門三月暮片帆遥見石頭城南方山水登仙與北望星辰戀主情花暗河津天雨細月殘江舘夜潮平鳳凰臺上重回首六代繁華野草生

徐渭清凉寺云是梁武臺城
蕭梁臺殿一灰飛薺麥清明雉兎肥壞榜幾更金刹字饑魂應爛鐵城圍東來鏡折龍潭水北去蘆長燕子磯千古興亡眞一夢隔江間數莫鴉歸

桃葉渡
書中見桃葉相憶如不死今過桃葉渡但見一條水　憶渡桃葉時綠楊嬌粉面丈水五石泥好影照不見

黄輝秦淮春渡
春酒如江清春花照江冷婀娜手中枝殷勤渡江影

牛首晴巒
佛字風吹去一時花鳥閒唯餘紫雲蓋直接破頭山

弘濟江流
隔岸看孤寺應疑不動舟剎竿雖倒影那入海帆愁

徐渭恭謁孝陵正韻
二百年來一老生白頭落魄到西京疲驢狹路愁官長破帽青

衫拜孝陵亭長一杯終馬上橋山萬歲始
龍迎當時事業難身遇馮伎中官說與聽

答贈盛君時飲朝天宮道院　長安道院一牽裳司馬
筵中再舉觴柿葉學書
才不短杏花揷鬢意何長藥沈綠醑家厨釀霜折
紅蕉道觀房坐裏黃冠三兩輩醉來相與說先皇

汪廣洋登蔣山望江亭　絕頂出華構有時來一登
曾將六朝事閒問百年僧

胡廣從遊詩　曉從鳳輦出龍關偶尋牛首共躋扳南
唐古寺留碑在西竺高僧振錫還百丈
崖龕過鳥雀半空鐘鼓隔人間暫
遊已覺塵緣息到此方知佛窟閑

錢琦獻花巖　獻花巖畔寺着屐漫登臨花發年年好
巖深處處陰步來尋落果坐久換鳴禽
世路何多事
看山獨會心

遊牛首山　青山高傍帝城隈結客相將命酒杯石路
草香人獨往楓林葉暗鳥頻來江迴素練
雲邊出嶺獻石花雨後開臨眺
莫言歸去晚放歌還上夕陽臺

余夢麟清明日登牛首山

對客空堂問四禪隔林疎磬席諸天燈傳白馬殘經後寺倚青春暮雨前浮棟山嵐迷梵影入簾雲氣雜爐烟同來忽憶當年事花落花開一惘然

陳沂經牛頭山寺

落日牛頭事攀緣嶺七盤鳥聲林葉暗山影石溪寒清梵空中聽丹樓畵裏看到門僧不見松桂滿秋壇

過崇因寺簡古曇上人

仙丘何處覓梵刹此中藏卓地穿龍井開山起鴈堂曇花無伏臘祇樹有齊梁相對爐烟下前因未盡香

登芙蓉閣

丹閣懸青磴浮雲宿處低俯窺寒鴈度歌聽曉猿啼瀑水侵琱檻飛蘿護絳題香臺在深處卽此是曹溪

宿花巖寺

古臺秋晚客閒凭渺渺寒原思不勝巖日乍沉鳴遠磬野烟初暝出疎燈山分僻路惟聞鳥寺轉空廊不見僧人境已離人世界此身還宿翠微層

皇甫汸夏日登牛首山

出郭紆京覽尋山隔世緣鴈垂珠戶墖龍起石巖泉法雨穿花外慈陰憩樹前寧知禪寂處曾是聖遊年

秋日思牛首

坐憶空山路青林去不遥齊關閑秋雨寒磬落江潮雅自依龍藏憑誰問虎橋塵心報支遁何日晤言消

殷邁牛首山閱楞嚴夜坐

一軸楞嚴閱未終四山風靜暮林空忽逢華屋身能入自得神珠道不窮樹影欲迷雲度處經聲遥聽月明中共傳鹿鳥春深後猶向煙蘿禮法融

金大輿三山

白石三山路青春二仲過緣崖窮鳥道倚檻看鯨波夜靜潮聲急江空月色多酒酣雙樹下醉荅榜人歌

丘濬金陵即事

六朝宫闕久蒿萊紫蓋黄旗帝運開鳷鵲漏傳雲外觀鳳凰簫奏月中臺千峯山勢連吳遠萬里長江自蜀來此日金陵非昔日子山詞賦莫興哀

高啓天界寺

雨過帝城頭香凝佛界幽果園春乳雀花殿午鳴鳩萬履隨鐘集千燈入鏡流禪居容旅寄不覺久淹留

于慎行秦淮

秋月秦淮岸江聲轉畫橋市樓臨綺陌商女駐蘭橈雲裏青絲騎花間碧玉簫不知桃葉水流恨幾時消

長干

白門通里巷傳是古長干陌柳藏鴉暗秋潮帶雨寒橫塘歸客斷子夜舊歌闌別是繁華地休將六代看

曹學佺社日鷲峰寺前過喻宣仲

彭澤與君別金陵訪我來清流照碧草古院發寒梅渡口獻之楫門前周處臺今朝斟社酒樂事屢相催

沈越遊靜明寺

萬柿垂枝秋色蒼遠林騎馬度重岡客登山路穿松徑僧禮蓮臺閉竹房夜靜梵音巖壑滿月明清夢石床凉此心頓有皈依處回首諸天別思長

許穀遊崇因寺

秀壁垂蒼栢珥臺映紫霞林虛舍萬象室靜演三車寶地金爲粟祇園玉作花直須同結社應恨未辭家

姚汝循遊崇因寺

複嶺藏金界幽探歷翠微屢迷黃葉境始到綠蘿扉谷靜松聲合秋高林影稀坐來塵世隔花雨滿空飛

王韋芙蓉閣

綠曲疑難至馮虛恐未安俊猊金鎖冷鸚鵡雪衣單竹倚琅玕聽雲移罨畫看如何翠微上猶自著塵冠

江賓王題茅山道士琴月卷

皎皎松上月冷冷手中琴一彈颯靈飈再鼓驅層陰鏗然發清響宵晶延餘音流光復徘徊空林轉蕭森象器無乃泥天人諒何心邂逅若有得俯仰還自吟大音寄寂寥内景涵靜深山空夜將晏微露沾衣襟

蘇潤絳嶺樵歌

落花過雨湖水紅湖上湧出臙脂峰伐木聲穿白雲裏放歌調起蒼烟中

暮阻哀猿嘯空谷曉驚宿鶴飛長空雨三互苔自成趣攔柯却笑尋仙蹤

莊杲興教寺前大樹

杏壇風雨有桓魋此樹能容老翠微夢裏幾番全是幻人間萬事果誰非繁陰蔽日三千界黛色參天五十圍我欲南堂借斤斧不勝三匝繞斜暉

湯鼎登塔作

登盡浮屠已在空此身疑是躡仙蹤上方天闕欄杆外下界人家烟霧中絕頂孤危無鸛鵲中心蟠屈有蛟龍嫦娥訝我來何暮賜得金莖一滴濃

魯鐸遊獻花巖

清塵曉雨作霏微落絮遊絲總不飛絕巘路通行委曲大江帆遠見依稀雲中絳閣初疑畫河口青苔欲上衣擬借巖房留信宿隔林啼鳥漫催歸

湯顯祖登獻花巖芙蓉閣

木末芙蓉出花巖草樹齊陵高諸象北江白數峯西

朱應登祖堂山

長廊卷幔得閒凭南國秋容望不勝香閣梵音傳遠磬石幢寒影護懸燈山深疑有長生藥寺古應多入定僧人語忽然飄下界始知身在白雲層

顧源前題 步入招提境雲蘿隱法堂蓮峰低室座檀樹拂經林深壁燈烟細孤龕栢子香坐來毛骨冷空翠濕衣裳

盛時泰前題 落日深林逢遠公銅瓶錫杖得相從層闌遠接諸天外丈室平臨萬壑中鍾阜系雲連古戍秣陵殘葉下西風陶潛不爲鐘聲去月夜相邀溪水東

李東陽遊報恩寺 古磴穿雲到石窗樓臺四面隱旌幢北臨廣路斜通郭西隔平原俯見江萬里乾坤蹤跡罕百年風雨鬢毛雙向來作賦軀全瘦獨有凌雲意未降

李維禎報恩寺墖燈 鳳刹勢參天天花步步蓮火從三昧入燈向十方傳雉羽驚焚清蚖脂照景懸奔星莫是成龍樹幢然法炬紅金輿激電不數永明年 又 盤非借日寶鐸自鳴風天眼山河盡珠眉火月同恒脂帝歸生趣燈王發妙明星何必見夜鑒正當空 又 如星熒惑守拔地祝融平碧海窺龍藏丹樓接鳳城火珠蕉葉裏空望露盤擎

方正學祠 高帝孫謀遠儲才輔後人比肩同事主强項不稱臣氣壯河山色神留宇宙身曾塗肝腦地灑泣薦江蘋

又 文皇深鑒汝爲主盡心忠大義乾坤正高名日月同須知關氣數未易論英雄累葉分茅土猶多靖難功

又 國破心猶在身危舌尚存一生何足惜九族不須論電閃瞋時目星躔變後魂孝陵相望在法從自晨昏

南都 旌旗劍佩擁椒除尚想戎衣革命初綠草不侵雕輦路紅雲常護紫宸居金銀宮闕三山外烟雨樓臺六代餘誰謂長江天作塹八荒今日共車書

九日秦淮舟次同子謙不疑山甫對酌 籬門是處是黃花秋暖遊蜂自報衙擊汰揚舲江上客嬌歌清吹館中娃白衣何日逢陶令皂帽無風落孟嘉緩酌一尊談笑坐秦淮片月已籠沙

又 九月重臨九日陽蒹葭露白未爲霜蟹螯人市無高價鴈字排空有斷行玉步搖攢黃菊朶金蹺脫繫紫萸囊長干遊女橫波目不省秋悲客望鄉

金陵五日即事次韻

都市喧傳競渡行中流疊鼓不
停聲當窗白舫青簾集入幕紅
蓮漾水清鵁鶄舌緣鸚鵡剪蟾蜍命與蛞
螻并葫蘆河岸休輕擲莫有佳兒此日生
五時花艷畫圖張別作城中巧畫粧心著赤符兵自
辟臂牽朱索命同長舊歌桃葉王家扇新沐蘭湯楚
畹香却笑青溪姑獨處開門何取近橋梁
朱雀橋邊朱雀航人家宛在水中央船名馳馬能千
里術有騎龍按五方絳帳後堂還共見銀河隔岸但
相望日行北陸猶憎短小艇高歌夜度娘
河下船通河上房婆娑士女略相當臨流弄影投珠
浦虛閣傳聲響屧廊目擊總成驚蛺蝶情凝欲學野
鴛鴦歌來白紵堪逃暑不道宮羅疊雪香
銷夏灣前一館娃秦淮十里美人家膽瓶寒浸芙蓉
萼脂盝香薰茉莉花皎皎素紈裁月滿仙仙裙帶受
風斜舵樓卒苦舟人
婦揮汗淋漓似浣紗

焦竑牛首山 龍藏烟蘿閟牛山殿閣幽夜凉僧梵歇地迥佛燈流樹影兼雲合林香過雨收平生飛動意何幸得淹留

鳳凰臺 鳳嬉曾此處秋爽共登臺一望東南盡長江鴻鴈來青林隨浦溆白石轉莓苔莫繼浮雲唱空傷蓋代才

桃葉渡 吾聞王内史落日淮河濆花塢飛瑶札蘭舟載玉人雕奩回曲岸彩袖隱平津珍重扳歡意能無寫洛神

雨花臺 南郭高臺迥乘春數散愁雨餘千嶂立樹杪一江流地擁鷺花勝情兼水石幽角巾差自得端合老林丘

獻花巖 一上花巖寺迴瞻紫氣遥幽深臨絶壑突兀凝層霄槎小星堪摘窗虚月待邀無人參妙義旛影對風飄

莫愁湖　水闊菰蒲淨城開睥睨斜懷人倚高閣落葉見平沙眉黛餘山色鈿金但野花徘徊湖上月一倍惜芳華

長干里　長干古阡陌佳麗擅名都花月三春暮衣冠六代餘橋星隨寶馬檀霧雜巾車絲管淹良夜嚴城鐘漏徂

青溪　宛轉青溪步扁舟曲曲通竹烟籠罨畫花雨澹冥濛豔雪歌憚墮澄金酒蟻空良遊不知倦遥夜水雲中

雨花臺歌　行遊城南今幾回丹楓欲老菊半開高座道人有精舍相與推挽升崔嵬往事風流如可掬況復陳君起空谷共推謝朓解吟詩又道周郎能顧曲茅齋門巷接烏衣六代繁華有是非尋眞弔古情何剩載酒彈棊樂未稀高臺一望紛烟樹笑指城中讀書處故篋長懷霹靂春振衣莫厭風雲暮君不見明堂大廈須良材一丘突兀何爲哉

賦得鳳凰臺 高臺鬱嵯峩三鳥鳴翽翽兼之萬羽從下上青林外何年去不還江空臺自在
聴茲威鳳姿豈以稀見貴止必梧桐枝飲必瑶池派
矧伊臺中人高風擅絶代因時一來儀功成謝塵韁
道從神理超賞與崇深會振策凌紫蒼披襟濯松檜
夜靜簫聲空風吹女蘿帶嗚焉睇長川一往有深解
行當千萬秋
乘雲弄烟瀣

姚履素祖堂佛跡 循嶺更幽探高僧寄一龕荒苔迷佛字層閣貯經函斷續雲歸鴈空
濛雨後嵐更宜秋
載酒遶砌海棠酣

丁賓謁方正學先生祠 花雨臺前石子岡孤墳松栢自蒼蒼從來灑淚成新土何
必遊魂返故鄉山色一林俱積翠江流千古
半斜陽欲知直道人心在祠廟于今信有光

曹履吉金陵登憑虛閣 傑閣平懸翠嶂頭似臨無地與天遊遥看大界蒼烟合併
入長陵紫氣浮明月尚傳飛錫夜寒風時作
故城秋銷沉多少憑欄意莫向登臨怨未休

登攝山絶頂　紫霧峰頭四望齊分明指點又疑迷奔來萬嶂沿江轉瀉去長天碧眼低壑有鐘聲俱是寺野多雲影半于谿尋眞自在丹霞杪不向人間更藉棲

同錢牧齋晚上燕子磯　斜風急浪獨揚舲燕子秋歸到晚亭來檜尚教危徑辨老蟾忽破半江冥杯貪清漢當空吸曲愛高臺向下聽還取磯頭靈石弄人間何地不雙星

錢謙益報恩寺塔燈　空門至日拜空王肅穆爐烟玉几旁是夜燃燈多寶塔此心祈見白毫光鐘鳴圍繞高低級梵罷低回在右廂良久下方仍暗黑少焉東壁破昏黃科頭老衲驚呼急禿袖中官指顧詳昱燿乍看銀色涌晶熒諦視玉毫長一重闌楯明初地半壁琉璃映十方鉤鎖金鋪連白道彌漫碧落隱紅墻水晶宮闕遥分影天漢星文暗助芒共說丹爐呈變化又言火樹漾低昂似懸荔子銀青色欲奪蒲萄紫翠甊交絡倩誰排帝網鋪舒那得截雲昉雲盤熒燭如移級雕角搓挪欲差行斫樹不愁傷玉斧雨花還喜見金牀紅樓夜靜香爲界白氎僧歸月在廊舍利宜心觀掌果燈輪彈指歛毫芒

長依慧火銷灰劫，但擬光巖入道塲。歡極身雲都涌現，歸來毛孔亦清凉。帝心鴻朗開三寶，佛日弘明長一陽。大地何曾亡玉鏡，普天還欲理珠囊。慈恩盛事人能記，一夜齋宮每降香。

顧璘遊嘉善寺

蒼石斷蒼雲誰遺空山裏藤蘿覆細路披烟得奇詭巉巖負龍脊岭岈露巃嵸修竹照人淸幽花傍泉紫樹古走危根欲斷不可止天地終劫灰況我二三子金陵百名勝託足自今始

蔡羽秋日遊獻花巖

花巖最絕頂下與人境懸峭壁下蒼霧飛梯入青天江影如秋毫吳楚浩無邊隱隱藤蘿中金磬忽冷然東山動餘靄羣巘爭效妍空虛亦悽神還尋曲房眠主人棄客去獨負東林緣

柴惟道登牛首山

崖峴峙天闕飛閣凌層空峰巒莽迴互江色遠冥濛磬聲落崖谷梵唄飄虛風景符九秋後影翳千樹紅靈寶自天設墖影疑神工碑板盡滅沒徑草披蒙茸至人徒緬邈曠

世紛難從搴蘿把幽爽穿林閲蒽蘢是身忽若遺神理超無窮永懷謝公趣豈必安期逢

陳鐸宿牛首寺

到寺萬緣絶蕭然宿峰頂蒼蒼野色新漠漠秋烟暝相期話三生夜坐石根冷微凉入虚欄老鶴語桐井支郎翻經處松子落古堦白露下高空濕雲壓幽境披衣問姮娥霓裳曲應聽望極顛崖前寒籟聆村逕詩久明月來照我天地静半生繫虚名江山負眞景自汲石泉水同僧瀹佳茗天風在林末空翠散復整一乘演微機開豁自儆省疎竹何蕭蕭雲房亂燈影

王世貞報恩寺塔歌

壯哉窣堵波直上三百尺金輪撑高空欲闘曉日赤浮雲遏不度穿泉下無極鍾山巔頑一片紫餘嶺參差萬萬重碧高帝定鼎東南垂文孫僭啓燕王師燕師百萬斬門入廟社不改天樞移六軍大輔萬姓悲欲向罔極酬恩私阿育王家佛舍利散入支那有深意中夜牟尼吐光怪清晝琉璃映纖碎常令攝之寘塔中寶鈚嚴供蜀錦蒙諸天悉憑龍象擁千佛趺坐蓮花同匠師琢石細於縷自云得法忉利宫亦知秋毫盡民力謬謂斤斧皆神工波旬氣雄佛緣盡紺宇雕闌銷一瞬

烏芻額爛走不得韋馱心折甘同盧海東賈客莫浪
傳此檜至今猶鬱然老僧尚誇護法力永寧同泰能
幾年

瞿景淳同林平泉遊靈谷寺

法王非异教無極本合三水月空中相松風靜
裏談連峰高並玉曲澗遠拖
藍起滅誠何意天光在碧潭

俞彥登三山二首

培塿大江滸登來亦自尊攜詩帝座近瞰石落星繁望迥疑天盡潮
歸辨水痕平生志丘壑此日更南轅　艤棹蘼蕪麓
蕭森水國秋千帆散天外一閣俯江流雨腳凌風至
山身帶寺浮井泉聊
用汲彷彿惠山遊

顧起元金陵篇

緩唱采蓮曲停謳折柳辭聽我歌金陵何如京洛時金陵此日稱京洛虎
踞龍盤勢參錯江水建瓴西抱城淮流如帶東縈郭
雲中雙闕雙芙蓉天上五樓五鳷鵲西園公子舊應
徐東第將軍新衛霍漠漠堂開雲母扉沈沈戶倦水
精箔天津橋下滌波流垂楊兩岸弄風柔水心軋軋

雙槳艇水面茗茗百尺樓艇中載酒吳姬壓樓上鳴箏越女搊徘徊桐樹碧灣側悵望桃花綠水頭別有青溪好遊泳灎灎微風縠紋淨朱闌畫棟互連蜷紅樹碧潭相掩映此時蘭橈試一過小姑能唱青溪歌

檀橋今烟白日斷湘宮華月乙黃昏多臺城銷沈只培塿高臺盡是今人有雀乳胭脂井榦中雞啼景陽鐘聲後處處潘娘步底花家家張緒風前柳直置登高幾斷腸若爲弔古頻搔首四望峰頭開翠微千門萬戶靜朝暉北山松桂雨餘出南澗蘼蕪烟際歸江燕尚尋軍壘語城烏爭避女牆飛偃源佛苑那能數琳宮珠塔森綦布崑崙臺上十二樓尼連水西六年樹絕代風流舊有名綺羅金粉不勝情王家淮水宅猶在謝傅東山墅未平茱萸好作登高餘芍藥宜爲祓禊行六朝哀怨何時了此日繁華古來少有人玉樹倚娉婷有客金羈馳騕褭行來隨處有青山踏時何地無芳草橫塘　下信隆夸鋮樓綺閣紛繚繞一自神都莫麗雄水光山色日冲融五城禁烟白浩浩二陵佳氣青濛濛秦城樓閣那足擬漢主河山詎可同試向朝陽門上望形雲長捧大明宫

靈應觀俯烏龍潭

霞峰俯雲潭翳然望秋水我來攀石松烟庭企高士長嘯紫冥中迴眺綠波裏娟娟石瀨流矗矗波樓起初行栖碧樹復甜枕紅泉䝉茸翠房窈蕩漾瓊珠圓遥想山中人結宇青蘿烟愛而不可見搔首心茲然杖策信所之悠悠忘近遠杯行松花酒盤進彫菰飯囘囘翠岫沉垂垂白日晚烟波杳藹間但見飛鳥返潭中采蓮女能唱石城歌紫芳搴不盡乘月弄清波洲中翡翠鳥兩兩拂船過無因解瓊珮其奈獨愁何

四望山看石頭城

鶗鴂鳴春風青柯衆芳歇把袂淩紫烟翱翔攬城闕憑高一以望孤亭開翠微新甃紅滿地裊裊罥人衣以西石頭城巉巖如虎踞上有萬古雲下有千年樹自從六朝來龍戰何時了東風歲歲吹烟絲摇碧草千春啓休暦萬雉開神都天高江月迴地遠堞雲孤杜若生芳洲桃花飛淥水西連盧龍山南接長干里城下雨垂楊飄飄颺雪花何人不繫馬何夜不啼鴉古城人不存古人城尚存漫意谷為陵空嗟田變海感此長太息悵望愁躋攀高樓吹角晚素月流蒼山

秦淮望青溪 我來秦淮渚懷古尋青溪風吹綠楊樹啞啞羣烏啼兩岸白蘋花烟紛香葉齊進我青絲笮洄沿赤闌西朱樓多美人夌波步堤堤招要拾翠羽飄飖曳華袿揮手抗瓊瑀願言托雙栖坐弄雙玉玦跡遠心含悽明月海上來照水如玻璃天空綵雲没地迥銀河低對此令心哀蒼茫歌躑躅杯行金卷荷一飲醉如泥鵝笙沸紫霞嫋嫋鳴天雞小姑安在哉春風草萋萋檀橋花月夜歲歲玉驄嘶

高座寺望木末亭 崇岡何盤陀曲徑故迤邐古刹巳經行孤亭更堪倚北眺景既佳南瞻境逾美騫騰峭蒨間突兀蔥菁裏結構迥在兹扶搖詎勝此雲來千樹白日落萬峰紫時時挂猿猱稍稍緣葛藟孤矯象翬飛獨立儼鷹峙松濤午接扉嵐翠朝流幾杯從樹杪行榻向林端徙攬秀挹玉芝搴芳摘瓊藥青冥竦長步紫烟展高視居然栖一枝可以見千里誰爲振風策髣髴巢居子

方山頂觀石龍池 携我綠玉杖來登天印峰兹山多秀色合沓青芙蓉初觀洗藥泉緬邈懷仙蹤丹竈久寂寞金光草丰茸攀躋上絕頂相携招石龍泥蟠久不躍瑶池水溶溶傳聞風雨夕往

往元雲封何人鞭龍起乘之躡星虹翩躚駕烟上攀天升九重參差吹碧簫鳳聲何雝雝粲彼赤霜袍纖女爲之縫挹斗洭天漿仙甕弄蒙蘢遨遊紫淸內千載猶春冬神龍不可御欲駕渺無從蟲壤苦迫隘悵望愁心胸天風吹萬里浩蕩搖雲松

戴重别横望山

秣陵有南山赤石厲錯錯周迴四十里帶割幾峰壑昔隱陶弘景井竈餘上藥茂樾嘯山君喬枝時靈鶴北來地氣盡但以卧豕貉采薪無秀女負耒無良作初聞泉石好俗偷安可託劬勞未去去草木互開落盜起驅我行不遑治囊橐回首移家時可嗟亦可噱暮春桃花水拏舟載餘閣不知復何許作得蘇老脚北谿有梅柯東皋足蘭蕚只此不應舍更與南山約

杜祝進江南春和黃陶菴

綠江船販春泥筝櫻桃未出游絲靜行人祇隔渡頭烟草色花光分兩影城裏河魨風味冷籢錢瑒指平康井吳姬結束腰下巾拂拭都無陌上塵北雁歸題書信急聞說關山淚痕濕夢魂縈塞何時及澄心願守方塘碧閒上高樓翻邑邑六朝宮柳無情立燕御

飛絮落爲萍楊花渡水何經營　蠶絲已老園重箏
甃甌試茗招提靜罌粟花開次第枝碎綠芭蕉亂抽
影榨酒微嫌幕府冷解醒便汲梅花井河房哺鴨裹
紅巾綠耩布蔴無纖塵草色深蛙鳴太急新烟火爲
黃梅濕曙窗百舌圓音及柔荑嫩葉將成碧踏歌還
是舊京邑燒槽不惜呼朋立揷身桃葉如浮萍燈船
鼓吹正
月營

曹臺望登攝山　最高峰頂小庵懸遍作蒼菸散遠天
有酌且留青草坐幾人來抱白雲眠
陰陰似閣慈林雨點點全蟠帝里烟
試把浮漚空一瞬早于此際見初禪

黃居中靈谷看梅　出郭同人一日歡無風無雨閣春
寒松濤五里凉生袂梅雪千枝亂
撲冠酒愛酡顏香裏駐花憐老眼霧中
看回車促赴嚴城約始信禪門法界寬

送人往棲霞尋野雲道者　靈峰何窈窕策杖獨凌虛
世外尋眞隱窻間寫道書
石留千佛跡松問六朝餘
藥草此中滿歸來或餉予

陸朗慧隱寺謁座師何相國兼訪石上人 大隱不擇地空林漫築居捫蘿扣禪徑開閣簡丹書渴飲清泉水饑飡古野蔬解衣共磅礴松影拂羅裾

初秋登燕子磯 亭俯驚流亂夕暉樹深烟鎖一峰微水空天際鳴孤鶴雲染江花拂釣磯遠嶼浮青翻石壁凉風吹雨濺征衣扁舟繫處游人少惟有漁郎換酒歸

登雞鳴山 金陵佳氣秋逾壯日落江明百萬家城外青峰横遠黛雲中高閣拂流霞寒侵菊圃胭脂淡霜染楓林錦繡遮自是湖光宜晚對烟波深處有漁艖

國朝大學士吳正治贈王石谷有序 長安今歲苦熱而家弟平與書來又以江南之熱爲苦余不以爲然或者評之余曰我聞王石老在秣陵小齋結夏筆墨快發相對晨夕豈不可以忘暑乎戲賦一絶 遠心如水托滄浪點染輕綃意興長寫到雲巒最深處一回清玩一回凉

大學士熊賜履贈石谷和韻四首有序 石谷先生繪隱也昨年陽

月爲予寫秋林講易圖展翫之下想見當年徐子仁郭泰和高致因走筆次韻率成四絕以贈之末二首云云者以先生風度在鬚僊淸狂之間也先生其許之否

蕭疎楓影浸滄浪茅屋斜臨秋露長莫訝雙藤嘗鎖戸主人逸興在淸凉

十年霜鬢已蒼浪檢點韋編興自長識得羲皇枕上意無邊風月盡虛凉

澄心繭素墨痕浪小閣幽淸烟水長最愛鬚僊名字好快園花下度西凉

蒻船風笠破江浪天際晴沙雁影長試問淸狂誰似子虞山松菊正蒼凉

戊午暮春同友人城北看花步韻二首

晴日風光好偕遊意渾忘人家依遠岸雞犬似蘋鄉花發千林秀溪回萬壑藏從來多野興歸去正徬徨

見說春風老尋芳興轉忘飄零悲落日歸夢滯他鄉到處歌黃鳥何人省蓋藏夕陽無限意分手各徬徨

制院于成龍贈江寧朱郡丞

江邊啣尾舳艫移輸粟饟奸有口碑升斗不曾侵囷橐軍民從此起瘡痍心如止水須長潔守絕纖塵更永持尤望諸司同努力奸紆經濟佐淸時

贈江寧汪別駕

別刑當盤錯如君重拊求政和看擾鹿才敏羨庖牛春散隨車雨風清置鼓樓安民兼息盜望爾借前籌

贈上元于令

唐年多邑冠仙子首春蒔不擾方稱政同看既濟師柳添新雨色烏引自門思自古難京尹勞勞卜爾奇

贈江寧佟令

江虛接南軫愛此剖符年課賦能勤理供軍可與權風來帆過堞溯合烏留仙應有桓伊笛梅花在耳邊

贈江寧劉覺岸

聖人有道慶昇平一統方輿萬國行特向山中邀逸老何緣江上會羣英醉扶鳩杖年初度笑指蛾眉月漸明我欲封書言宿德安車應出錦雲迎　筵前瑶瑟動雲和眉壽畝丘鬓未皤八月彩花連綠野三山佳氣映青波玉簪滿地花俱發金掌承天露正多同甲會中君第幾採芝相約更誰過　昨夜秋分河漢高老人星照廣陵濤不須採藥精神健猶有燃藜意氣豪樽俎千秋存我

輩文章一代起兒曹天邊桂子垂金粟珍重斑衣拂鳳毛　久矣甘棠種粵中一錢不受本清風歸田書著三千卷行地人稱八十翁高處老山偏見綠近來秋葉作爲紅知君所餘多雲液指點崑崙信自通

李光地遊敬修熊先生樸園

十畝清涼地先生賦索居江樓如有待庭草未曾除杖履隨烟雨琴尊足歲餘須須高卧意吾道在皇初　修竹方塘裏蕭然仲蔚居經綸歸造物著作滿庭除丘壑風烟古乾坤嘯傲餘只今傳洛社冠蓋返隆初

韓菼樸園即事和李厚庵前輩韻

陋巷子淵宅寒溪茂叔居羣蒙勞接引百籍待刪除高卧松風冷長歌烟水餘我來頻立雪方悟厥生初　望重平津閣堂開綠野居嘯歌存古昔歲月任遷除鶴舞雙峯頂花明三徑餘先生眞獨樂閉戶卽皇初

李盈坤遊樸園分韻得霞字

野園幽隱對西霞樸以爲名無取華遠引波光浮霽月深藏鳥語報秋花蒼亭簡僻連雲黯老樹參差繞徑斜到眼半星咸古趣清芬寧羡武陵奢　東

山丰韻自蹁躚萬里煙雲一望連竹影輕搖濃雨內荷陰淺映野塘邊登臨石砌藤花落卧倚松牀鶴舞還不久鳳樓需待對那教閒放五更眠

彭焱集樸園二首

高卧江城僻亭開半畝閒碧流橫古渡紅葉點秋山舊識頻招醉新書幾費刪就荒三徑裏偷學少年閒

傍山三五座雅奏羽仙音對客能忘倦呼童莫浪斟白蘋浮澗淺黃鳥話林深一枕羲皇近何須辨古今

觀察金鎮乙卯十月偕同事諸公游牛首作

孟冬氣初澄疊嶂聳遙碧良日共休暇相邀出南陌甜憩馬在山阿循磴躋百級烟開峰巃嵸松擂遥紆折浮屠插霄漢飛閣迴明滅銀杏蔭十畝薇殿信奇絕支笻上層巔遇險疲還歇森峭疑鬼斧對峙鑿天闕曠然得大觀極目萬里濶六代舊市朝下視如蟻垤遠江平楚外帆影露林缺我聞樵採餘林木徧斬伐茲山遠塵區斤斧獨不及丹楓晚尚明翠竹晝欲滴獻花巖際鐘空堂暗相接攀蘿俗慮蠲持觴鄙懷豁僻境空幽棲慚

愧戀簪紱平生鮮所慕丘壑足怡悅

勞勞亭送王善長學士鄭瑚山舍人西征

白門勞勞送客亭柳條霜煖初冬青羣公祖帳滿江汀驪歌罷唱愴莫聽學士對揚在王庭舍人朝夕趨槐廳同來南國藉藩屏伏莽乘墉消未形江楚妖氛白日冥長蛇封豕大地腥奉命西討宣國靈六師所至驚雷霆勢逾破竹與建瓴仰天射落欃槍星須臾萬象還淸寧但苦赤子遭伶俜如禾損必除螣螟如人病必資參苓庶庭者起踣者醒愼勿掊削致聦瞑知君講武有大經胸次不淆渭與涇臨岐把醆杯未停樓船打鼓催揚舲江干父老莫涕零不久凱歌側耳聆壺漿迎勞擁征軿磨崖千仞待勒銘

葉天木招飲青溪

自憶蓴鱸早掛冠青溪白石久盤桓相邀好月尊前滿莫把鷩烽醉後看六代江山供蠟屐一龕燈火悟蒲團逃禪醇酒英雄托不僅相尋世外歡

曉發石城暮抵京口

理檝西州曉收帆北固昏中流孤櫂穩夾岸亂山奔地圻蛟龍

窟天開江海門金焦看冥色蒼翠辨微痕

燕子磯二首

空亭憑眺極青蒼吳楚年來曉客航獨有釣磯長不改夜深明月下滄浪

突出江心形勝稀蛟龍日夜護蒼磯臨崖莫踏將崩石好倚孤筇上翠微

太守于成龍登報恩塔

百磴懸梯徑甚紆凭欄心戰步徐徐寶珠吐納光無定金鐸飄揚韻有餘六代河山供指顧千村烟火費躊躇專城莫報君恩重北眺忙將倦眼舒

郡丞朱雯恭和制憲于公原韻四律

瑶華天半五雲移詩句唐箋筆漢碑膏雨已流千里潤和風忽散萬家痍欽承金鑑終朝勉敢不冰心夙夜持願繼賡歌揚令德揮絃解愠太平時

幕府秋高日影移江城處處有豐碑旋驅害馬能消弊爲輯飛鴻漸解痍北下烟喉勞碩畫南來保障仗維持林間小草懈扶植幸躋陽和被拂時

香溹椒蘭意自移敢將蘿蔦附崇碑愛烏或冀

叨新澤策蹇何能起廢痍海欲蠡窺終自赧山當蚊負恐難持心期雨露無邊潤得借陽春十二時

恩

深國士志難移告語應同座右碑自矢寸心勞竭歷敢辭努力惜衰羸飲泉吳隱仍堪侶叱馭王尊且自持更借餘光勤拂拭莫教駑鈍負良時

聽雨樓詩爲太守陳公賦

當今救府宜貴粟籌車粒粒皆珠玉況復軍儲煩廟謨殫力輸公猶不足頻歲江南苦旱荒窮者無食餓翳桑流離子女且行泣見之貌悴而神傷軍中之呼呼愈緊監門之圖圖不盡鑠石流金響桔槔算緡榷稅勞平準名都沃野甲三吳憔悴連年困未蘇提封八邑今良牧太守陳公賢大夫夫夫夫爲政民安樂耕耨以時勤力作當暑披襟閱簿書事無巨細親裁度禱求以實不以文清風灑然來卧閣卧閣清風對綠陰玉壺朗朗映氷心異政晝馴境內虎清操夜謝懷中金自古不乏循良吏獨愁爲吏難在今今年夏五天不雨爲民請命心益苦待酌西江涸鮒悲誰教南甸商羊舞籲蒼罪已莫病農齋心夜宿朝天宫仰看箕畢候雲氣願得甘霖致歲豐崇朝四望陰雲起好雨須臾沛千里浩蕩平翻江海波空濛直瀉天河水昔人曾説雨隨車由今驗昔誠不虛入烟萬井沐膏

澤從此有年當大書高樓聽雨雨來歇雨外蒼茫見天闕望滿三農拜賜多歡歌共醉秦淮月

別駕汪培錫和制院贈詩原韻

保民如保赤中夜切誠求綏撫驅飛隼調元問喘牛懸魚曾相含明月庾公樓駐鶩親承範無能效一籌　微吏誠何幸童蒙藉講求學慚窺半豹才遜解全牛皓月通虛幔清風度畫樓鉛刀覲一試愧乏魏舒籌　憶昔棲林壑幽居祗自求雄文慚繡虎壯志憶歌牛夜雨雙峰樹秋風百尺樓平生搖落意何以佐前籌　一字榮華袞寧能禱祀求彩毫揮白雪紫氣識青牛價重羣鵝帖文成五鳳樓小廉承大法竭蹶副良籌

登燕子磯

萬里長江湖上郵三吳形勝是神丘夌空壁削丹砂色漱石波洄碧玉流雲木蒼蒼山徑晚風帆歷歷海天秋石頭城下人懷古蕭瑟非關異代愁

于述統恭和制臺贈詩

海宇昇平日元戎奏凱時樓船觀卸甲衽席慶班師率土謳歌志彌天帶礪思萬年文德矢韜畧莫談奇

秋日隨侍于太守後湖觀魚四首

秋水平如鏡湖光瀲灧多暮山橫靉靆樂野任婆娑　飛燕穿紅蓼遊魚唼碧莎酌泉良有意勵節挽江河　指水旌心處銜盃碧太空一泓澄皎月滿座挹清風　爭識臨淵趣因知解網功勝遊眞足紀逸興逐飛鴻　水色涵天碧中流泛太虛雲開千里外人醉九秋餘　遵渚無哀雁浮豪有樂魚會心偏在遠夕照澹林墟　一望晴波渺青山倒影虛黃堂多政暇綠野恰耕餘盪槳堪盟鷺臨淵豈羨魚載賡秋興句逸思入烟墟

佟世燕賞心亭懷古課士

賞心亭在秦淮畔隔代猶傳地最幽周昉畫曾誇帝子袁安卧不負林丘參差雪影搖虛壁掩映鷗波失汎舟勝蹟應同多士賞樓臺那似六朝秋

將修學宮三首有序

自開國以來府學改爲上江二邑之學相沿未修久矣余甫令江寧謹奉時祀怵目惕然不安于衷值簿書倥傯未遑圖及丹雘今春杪始與于上元同寅慨思修葺之方擬各先捐微祿移牒廣文周視傾圮計貲正簿隨以其狀上之各憲府獎掖之餘且允出冰俸以勸厥

事私幸可以漸次鳩工因于月朔課多士時亟為稱述漫成三首以鼓羣心　璧宮傾亦久修拓更何疑敢惜捐微俸寧辭治劇時良材需杞梓利器藉工師繡虎雕龍客同心望在茲　能吏逢于頔同聲欲謦囊謀非塗肉食事本係官常總為文風起難令頖水荒圖將鄒魯地遮莫變江鄉　鳩工亦已晚奈此未遑何吏昔經營少人今太息多倘能除茂草庶不負絃歌他日芹香處崢嶸爾輩過

曹溶冬杪廻光寺偕孫豹人周鹿峯曹礎航曾錫侯分賦　老人疎伏謁歲籥漸忘更闔戶寒分火抄書晝倚晴盈樽餘臘味獨客聽松聲從此多佳集須尋北郭生　我馬虺隤甚含毫只未慵侯連椒頌切居愛佛燈重俗哂於陵子天私阮嗣宗展期勤把袂雲物鳳臺濃

龔鼎孳青溪中秋諸子讌集　河山烟樹舊新亭鍾阜雲偏對酒青有客胡牀攜好月到門疎竹帶秋星南枝夢穩投林雀團扇風微隔幔螢肯負桂叢招隱約十年江海怨飄零

江天閣觀姜九畫燕磯送别圖　涉險窮幽賞崖懸磴道深受風纖葉亂過午大江陰迫促生能事艱難感故林素交分手地并入鴈行心

長干秋興　宋玉悲生事登臺萬里秋即今芳草暮終古大江流紫鴿翔朱塔黃雲吐戍樓諸君南渡日醉夢已封侯

雨花臺晚集　萬山青酒幔一半入殘陽帆外愁長路花前得故鄉烟波天浩浩陵阜晚蒼蒼漸覺林楓變高城已薄霜

沈荃贈江寧朱鶴門督學中州　漢廷典禮近西清蓋擁蘭臺河上行振筆迴摇嵩岳色掄文欲繼兎園聲黃沙古渡頻停馭綠柳繁臺好聽鶯窮憶龍門登御日流光亭上月華明

朱之翰金陵送友　東臯峭石挂飛泉洞壑梅林香霧穿半閣曉凭千嶂合虚堂夜坐一燈然銜杯得句山花塢放艇隨流水鳥邊竟日蘿關無客啓徜徉沉醉愛逃禪

王士禛宿弘濟寺曉登觀音巖眺望

擊楫凌滄洲投宿招堤境入門優曇香聞鐘夜方永高桃聽濤聲層軒抱江影曉來徵雨過紅葉滿高嶺憑欄見萬里雲物殊淸迥長山去蜿蜒上流壓江郢海門控金焦蒼烟翳朝景信美睇山川覇圖遞烟冷如何學無生抗跡雲峯頂

渡燕子磯

飽挂輕帆趂暮晴寒江依約落潮平吳山帶雨參差沒楚火沿流次第生名士尚傳麈扇渡踏歌終怨石頭城南朝無限傷心史惆悵秦淮玉笛聲

秦淮雜詠有序

青溪佳麗白下冶游空存小姑之祠無復聖郎之曲渡名桃葉懷王令之風流湖近莫愁憶盧家之舊事高卧邀笛之步偶成擊鉢之吟調類淸商語多雜興所居在秦淮之側所咏多秦淮之事故以秦淮名篇

潮落秦淮春復秋莫愁好作石城游年來愁與春潮滿不信潮多尚莫愁

青溪水木最淸華王謝烏衣六代誇不奈更尋江總宅寒煙已失故侯家

御溝碧水鴨頭新流入秦淮更幾春舊苑衹今零蔓草杜將遺事弔隋陳

當年賜第有輝光開國中山異姓王莫問萬春園故

事諸門草没大功坊　新歌細字寫氷紈小部君王帶笑看千載秦淮水嗚咽不應仍恨孔都官

施閏章燕子磯用王貽上韻　磯頭一上一含情吳楚風帆入掌平山寺樓臺衝岸出江村烟火雜雲生東南極目眞天塹鼓角連年動石城今古銷沉魚釣艇斷腸重聽暮潮聲

遊弘濟寺及觀音閣　寺倚寒江石天銜水國秋懸巖千掌覆危閣一拳浮葉盡娑蘿樹船歸蘆荻洲老僧閒洗鉢更卧碧峰頭

桃葉渡　萬事東流去爭傳桃葉名當年曾照影終古尚含情畫舫停歌扇悲笳動冶城祇留一片月猶是六朝明

林古度秦淮汎舟夜雨　雨入梅時易積陰溟濛景色夜森沉山疑在郭因嵐重船礙過橋爲漲深妓席忽聞鶯乍度人家都喜酒相尋誰知一片秦淮水能遺風流自古今

顧夢游登周處臺　玆臺傍吾廬一月必幾上自予抱痾來經歲不一往勉隨艮朋遊步

步入高爽山川悉如昨我齒忽已長靜言念伊人年少稱粗莽折節能爾爲千秋繫遥想予少乃不鈍老大轉迷罔顧兹病靡躬望古但悲愴悠然詠三立願以勗吾黨

登雨花臺 佳麗長干道高臺近易登出城空翠逼藉草細茵承落日摇江練叢林擁塔燈遊人清夜盡消受與山僧

高座寺送春 他時和雨餞詩與葛仙裁彈指廿年過凭樓百感來山容經亂改鳥夢失林猜初地還逢劫浮生何用哀

秦淮夕泛 落日淡生烟空明浸短艇人來花檻裏酒出板橋邊楊柳風千樹簫歌月一船十年重對此回首各凄然

邢昉高座寺尋介立上人作 黄葉落未盡招提猶是秋因耽清寂境更上西齋樓風榛蔽遥阪寒景下荒丘惆悵故情歇難爲永日留

同韓聖秋登清涼臺望江

清涼臺下三年住幾度登臺望故鄉江上亂帆投極浦風前落木憶咸陽頻行石磴休山屐更款籬扉過竹房僇慄乍逢秋氣肅誰言楚客獨沾裳

王潢利涉橋

古渡新成利涉橋秦淮簫鼓舊煩囂虹腰帶雨潮聲壯鷁首臨風柳色驕塞卒揮鞭馳健馬漁人舉網出輕鯈惟餘堯葉名長在又在江南第幾朝

莫愁湖

帶郭青山隔市橋盧家少婦董嬌嬈曾臨止水開朝鏡剩繞空城打暮潮花艷笑勻紅满頰柳纖眠覷綠垂腰吳歌子夜江南弄千載風流總未消

尋賞心亭故址

大江日夜流東注白髮蕭騷感頹暮南山秀色逼秋冬木落參差天地素縹緲遥看天外峰蒼茫欲辨雲中樹自從鳳去古臺空寒雨荊榛走狐兎賞心何處問荒亭勞勞總是傷心處

周亮工與客歸秣陵

君來殊有意只似促予歸小艇同花坐空山看鳥飛經灘開茫

水過嶺勸添衣不若秦淮好相期守釣磯

秦淮舟中談盛時事

紅兒家近古青溪作意相尋路已迷渡口桃花新燕語門前楊柳舊烏啼畫船人過湘簾緩翠幙歌輕紈扇低明月欲隨流水去簫聲只在板橋西　曲曲銀河蕩晚霞蘭叢玉瑟間琵琶牆潮夜濕依欄石細雨朝開隔岸花菡萏無心臨翠蓋芙蓉有意映窻紗雲鬟月底分明畫妒殺垂楊一半遮

陸先旭雨花秋讌留別金長眞曹秋岳諸公

濟陽風雪夜郎烟自昔孤臣豈偶然馬度黃塵迷晏驛雞鳴白草夢吳川天高猶可雲亭望日近非同瘴嶺遷莫道露雷恩有異雨朝矜荷此身偏　黃河北望古青齊惜別良交手重攜垂老那堪深樂醉無家安論玉門栖千山人影霜林曉一路秋聲野鵑啼此去平陵回首睇漫漫烟樹隔隋堤

朱彝尊贈鄭簠

金陵鄭簠隱作醫八分入妙堪吾師竭來賣藥長安市諸公衮衮多莫知

伊余聞名二十載今始邂逅嗟何遲自從鴻都石經
後工者疏啚無定姿任城學宮闕里廟羅列不少漢
人碑篚也幽尋遍摹榻羲娥星宿摭無遺郃陽酸棗
法尤備心之所慕手輒追黃初以來尚行草此道不
絕眞如絲開元君臣雖具體邊幅漸整趨肥癡寥寥
知解八百瀆盡失古法成今斯邇來孟津數王鐸流
傳恨少無人披太原傅山最奇崛魚頏鷹跱勢不羈
臨清周之恒委曲也得宜勾吳顧苓粵譚漢暨歙程
邃名相持未若篚也下筆兼經奇縣如烟雲飛欲去
屹如柱礎立不移或如鳥驚墮羽翮或如龍怒撑之
而箕張昴萃各異狀屏幛大小從所施平山堂成蜀
岡湧百里照耀連雲榱工師斲扁一丈六衆賓嘆息
相瞠眙須臾望見篚來至井水一斗研臉糜由來能
事在獨得筆縱字大隨手爲觀者但妒不敢呰五加
皮酒浮千鴟我聞此事足快意目雖未覩心已怡安
得留之數晨夕醉時竊柎醒肩隨盧溝橋北風已厲
子今南去生凌澌驪駒在路留未得歲聿其暮云誰
思鍾山草堂定好在放溜且任吳中兒華陽瘞鶴字
刻露鄧尉遺樹花參差無錫城
邊見嚴四示我長歌一和之

秣陵

秣陵城闕暮雲封估客帆檣落日逢萬里星霜沙塞雁五更風雨掖門松長江鐵鎖空千尺大道朱樓定幾重此夕愁人聽鼓角驚心不似景陽鍾

陸光旭登燕子磯

一上孤亭思悄然往來縹緲晚寒天斜陽紅帶高巖寺疎樹青迷下界煙江近海門潮自壯徑通山郭騎遥連明朝須盡探幽興好緩東歸震澤船

方文文德橋步月

青溪夜半凉風發獨步溪橋看明月月下何人吹玉簫含悽吐怨聲初歇憶昔年少來金陵兩岸樓臺千百層瑶笙錦瑟家家曲畫舫珠簾夜夜燈如今未及三十載城市蕭條風俗改居人對岸悄無譁月色波光似烟海

丁澎江南曲

江南三月嬌青春江南女兒眉黛新日日粧樓折花戲杜鵑只嗔如花人鬭草香塵連宿靄畫船更繫垂楊外同心巧結柳枝毬腰肢斜嚲湘文帶翠袖風吹暗香度凝眸愛傍櫻桃樹不愁寒夜鵓鴣啼生怕花朝風雨妒横塘笑指是儂家金剪初裁紫綺露不知陌上柔桑綠爭試春衫踏

落花

梅清登長干塔　此身無鳥翼登眺忽飄飄指點空千里徘徊近九霄秋嵐青入海江氣白于潮舍利應難見神仙或可招

天闕山絕頂　勝地隨吾屐何妨寂寞遊當年經玉蹕誰更問金牛曠絕三江眼茫然六代愁高呼上雙闕天際得淹留

讌集天尺樓同黃俞邰程穆倩曹礎航黃有臣分賦得收字　雪意滿高樓秦淮盡十洲江山雙眼亂檢點四窗收客自供詞賦天教聚唱酬更憐酬別去瞑色一燈浮

倪粲和周櫟園讀畫樓詩二首　世人逐紛擾君子思嶙峋閉門展緗素草堂靜無塵生平滄海意烟波夢垂綸豈期尺幅中悠然遇吾眞石梁渡落景絕島藏餘春所以陶彭澤動

與山水隣五岳徧一室嘯歌傲古人　我生厭塵陸延首眺秋旻策杖陟山麓牽葉到松門雲烟倏萬變幽懷難具論揮翰題蒼峭列峰爲崩奔何年輞川子寫此丘壑眞春雨不啓扉秋月寶無痕茲焉賞未極永與烟霞親

秦淮竹枝詞　莫愁湖畔柳藏鴉極目蕭條一徑斜春草不知人事改緣湖開遍杜鵑花　蘇娘一曲恨全消雲作衣裳柳作腰而今明月空如水不見青溪舊板橋

張芳秦淮竹枝詞　烏紗繡領入排場想見輕烟淡粉粧獨有黃家冠翟在石欄苔蘚姓名香

杜濬古杏花村尋友人居　野夫不識路逐步問君家但見新荊棘曾無古杏花風傳林杪磬烟起竹間茶始到幽棲地行遲漸日斜朋輩多分散烟光也倖存最憐新柳色不改舊柴門海石蒼三徑隣機響一村彈丸詩脫手況復酒盈樽

陳寶鑰天界寺　尋春又到大羅天老徑苔深不計年人借名山空姓字佛留畫閣鎖雲烟墻頭夕岫堆紅髻檻外風茵繞翠壇走馬看山山亦厭好辭婚宦問高禪

房天駟攝峰頂　霞棲不肯飛路仄欲爭鳥置身凌絕頂衆山忽已小

顔光敏登燕子磯　漾舟下澄江安穩靡輕揖遥空指蒼翠久行漸重疊石蘚秋更荒阜蘭露猶裛孤亭四環望風磴遂屢躡盤渦息雁鶩幽窟蛟龍怗恐觸馮彛宮俯聽常震懾詰屈雙銀杏天半垂黄葉波濤撼危巖栩栩亂風蝶東西吳楚間舳艫遞相接鐵鎖沈千年金陵氣久厭蒼凉金粟堆時時見樵獵鳳凰無遺音嶰竹誰更吹浩歌懷美人褰裳不可涉徬徨江霧消斜日照城堞

題龍江樓　我來亟問鳳凰臺荒基零落委城市江上高樓起何年畫棟朱欄宛相似鍾山走勢連豫章蒼然四合雲錦張就中擘裂貫江水魚龍始卧金陵旁金陵城郭如汎梗憑高直欲西南翔寒空明滅三山在玉色芝光遥可採影入波濤衆峰碎千年空翠東流海海中傳有三神山夢魂欲到風吹還

燕市三年胃塵土野人何地開心顏四月江南梅雨休灘水漸高風力柔鯿魚潑剌舉網得櫻桃歷亂無人收誰能不醉龍江樓

周維藩登憑虛觀 空壇鳥雀喧淸晝高閣雲霞近碧天丹竈火開成道氣洞桃花發艷風煙逍遥物外吞芝子放達人間化鶴僊自是步虛臨勝境胡麻一飯隔塵緣

宗元鼎孫楚酒樓 李白豪歌孫楚樓烏紗紫綺醉乘舟參軍供奉俱何在夜月淒涼照石頭

勞勞亭 席上陽關馬上春勞勞閱盡古今人徧生揺曳迎風擲不向家園向陌塵

百尺樓 素襪翩翩月一勾凌雲風致想高樓江南歌舞尋常事便遣曹彬下蔣州

桃葉渡 桃葉桃根事若何春花非復昔時多只餘渡口江南女解唱殷勤團扇歌

周銘秋杪讌集雨花臺送别程湟榛夜宿讀書樓 蕭瑟

値秋晏葉脫山露形飈唳飈雲天虛岫結空冥良會憩流景酌客到山亭亭前舊雨花佛界凝芳馨受風坐臺畔山氣欝精靈江水浮天碧遠峰入霄暝撫菌雖已落勁松迥然靑深巵酬交錯圓煙籠林坰淸興剡溪樂濁世屈原醒緬古感時變日暮客不停客去共遲留塔火拂天庭高樓五六人紅燭揺靑熒聽漏裁詩篇寒月透疎欞傾樽送遙夜啓戶已稀星

愚齋歌呈相國熊先生

愚齋相國藏書論學之所陳思昔日擅書府河間當年

富典墳五車累篋藏石室七閣縹緗自連雲石室藏書堪對酒連雲閣籍恣尚友尚友匡坐酌金罍對酒當歌發墨守我今歌詩歌愚齋愚齋書史窺無涯結構迢遞列遠岫庭際襟帶展高懷相國偃息此齋中浩浩天地闢洪濛落筆全空作者意著書直逼古人風掞藻摛華窮二酉奇文綠字秀蚪蚪奔走天下問字繁出處一室經綸手我公生平惜居諸宦槖僅餘萬卷書日昃不遑兼夕月較讐閱盡夜窗虛臯夔事業胸落落閒來惟向此中託粤稽如登百尺樓幽討又哂子雲閣曠然獨得勝丹丘百年書籍足春秋神

仙中人匪易得東
山絲竹任優遊

丙午仲夏雨集秦淮 六月天地寒江漢晝夜長黃河
尾入天流水在天上黑雲變天
色水渾安得綱肅然披襟坐風雲不在掌幸有
同心人對兩悟元賞把酒重論文一時結遥想

長干同友人閒步 春尋古寺蒼苔路玉殿松風竹逕
斜夜雨草青寒佛骨晴嵐黛影艷
曇華天香擁出雲巘翠金界時開貝葉
花絕頂臨峰萬壑靜浮屠光起燦流霞

攝山道中 莽莽楓林觸眼繁迢迢銀漢絕塵喧空山
路僻雲封樹野寺風高月閉門愁引遠音
吹塞角輿乘無事到秋村神皐
原隰浮天籟元化深沉古意存

登獻花岩 獻花存古蹟幽境矗峻嶒步步雲隨起層
層天可憑懸崖一老佛石洞兩山僧到此
無塵累慧
心秋水澄

步原韻呈制府于公 帝簡元臣佐太平牙旗節鉞向
南行汾陽鼎鼐推耆碩吳會屏

藩俯衆英甫至憲邦歸整飭歷年綱紀倍嚴明旂常漢室勳名遠斗極高懸紫氣迎　擎天一柱仰仁和不惜精勤鬢已皤坐鎮萑苻逃遠跡巡行江海靜無波霜威百職冰操肅澤沭兩江雨露多南顧　天顏加寵錫詢謀僉拜未能過　世際昌期功德高同文萬里渺雲濤欽承會典心逾瘁督纂輿書事更豪吐握虛懷延博士持衡立法冠東曹轅門望重堪羅雀飲水淸風等茹毛　八月棠音滿城中雲璈初奏扇條風甫申正値呼嵩日草野聊爲獻曝翁定國傳家門第大志寧列戟錦堂紅岡陵三壽人胥慶歌祝遙聞

帝闕通

曹新里秋日遊莫愁湖　高秋風日好情適步應閒坐此一泓水悠然萬疊山名姝荒草蔓帝子老楸斑懷古餘幽興沉酣未肯還

耿忠烈公祠　魏徵殊足鄙蒙恥說良臣雪刃鋒藏利緋衣血染新死驅生帝走魂衛太孫新祠下羣瞻拜英風肅世塵

雪齋後登天尺樓　特向朝㬇眺遠霞北風還借綺窗遮層氷護石疑成玉殘雪依梅欲作花鍾阜晴雲凝不動浮圖倒影勢如加江天漠漠寒威迴何處袁安第一家

步原韻呈制院于公　蓬萊佳氣繞方平天上文昌地上行潁郡大丘推宿德中州灘國冠耆英兩江雨潤山如洗千里風清水較明見説芳筵陳荇藻綺霞畫向石頭迎　元氣均調皷太和安危身係髮應瞻電驅狐鼠鋒皆息風靜鯨鯢海不波裝篋但餘琴鶴韻釜鬵惟見菜羹多旂常紀績推盤石韓范于今孰更過　漫羨于門駟馬高起衰八代鼓洪濤但逢講業情皆吐一遇論文興自豪經術眞堪參兩漢詩篇直欲壓三曹淵源家學垂休遠雛鳳將騫振羽毛　聖育尼山此日中甫申今復紹遺風先天圖自符周叔九轉丹羞説葛翁汾水出雲皆是紫太行有雪盡爲紅期頤劒履昭明德道接薪傳

帝謂

通

和周櫟園先生讀書樓看山如讀書　曠曠天地情悠悠知者旨涉足

窮桃源縱觀得妙理氣與山澤通頓覺天如咫睇笑顧儔輩夙昔曾遊此注想徒爾勞不記何年矣掀髯忽大嘯寤寐尺幅裏蒼秀顧陸爲嶔崟董巨是乃知大手筆得之眞山水匡廬當面看思在吳道子

典裘歌爲大中丞余公賦 大纛高檣紛擊鼓歸舟十萬股淮浦舟人皺蹙啼向天天寒發襛愁風雨此時呼天天未開何意南岳撫軍天上來仁心不隔七郡地況復身臨目睹何其哀哀我人斯寧顧已霜裘自解嚴霜裏典得朱提布且匀一時歡聲雷動不復聞淮水但聞歌哀哀我公膏雨原無私淮水千年江萬里大大裘廣被春陽暉

黄虞稷九日同蒼略貞一礎航文濤泛舟秦淮 戲馬感昔遊蕩舟愜斯日淮流靜歌吹遊境入蕭瑟烟疎畫閣明水落魚罾出選勝偕友朋放懷弄文筆珠光迎鷁首巒影隨鮫室菊垂岸側花萸泛樽中秋郎事良已佳無煩凌崒嵂

莫愁湖懷古 石城艇子昔經過南國風流事若何勝地華軒歸瓦礫美人荒草助悲歌隔江

山色疑眉黛拂面湖光想眼波岸
柳年年青不改纖腰猶自舞婆娑

與周鹿峰曹礎航坐月

廣庭如積水相對坐宵深未
減中秋色能凄獨客心花明
疑露墜鬢薄怯光侵遥
雁來何處霜寒起素砧

陸大寧半山寺懷古

半山古寺近朝陽廢砌頹垣鮮
松栢幽棲地僻苔痕青慘淡天
空雲氣白我來山寺訪遺跡云是荆公讀書宅當年
勝跡縱遨遊此日凉秋倍肅索欹側殘碑隱斷文迷
離曉霧難分色中山有井名應潮潮去潮來代幾隔
不貪赤紱肯投簪應悔青苗建新策我遊曲徑尚逦
邐盍覺緬懷悲在昔飄摇籜葉多依水倒挂垂
蘿半在石四眺登臨無匹儔曠然惟見千峰碧

上制府于公敬步原韻

聖主當陽祝治平東南半壁
福星行經綸久重阿衡老淳
樸猶傳洛社英鐵面直侔松勁節氷心堪擬水澄明
瑞雲捧日祥光近會見王喬笙鶴迎　鹽梅賴汝作
羹和深幸元臣髮未皤露灑雨江敷惠澤風披萬戶
沐恩波政期平允頌謠靖教在寬仁俊乂多韓范於

今推碩德當年廷尉豈能過　帝簡端揆風望高雄
才雕繡起文濤學窺二酉天人秘賦竝三都志氣豪
黼黻泰堦稱沈宋策勳鐘簴邁蕭曹德言不朽垂千
祀翥鳳還看振羽毛　白下爭傳化日中于公不讓
海公風喜迎竹馬多童稚快覩扶鳩半老翁三萬駿
行桃尚綠八千椿盛酒初紅太行在昔標形勝縹緲
神仙路
自通

九日同杜蒼略曹礎航黃俞邰諸子泛舟秦淮

此日來舟
中蟹螯在吾手回看楊柳烟已落青溪口秋水豈無
涯寒花自爲偶遊人盡出郊爾我挈良友沿洄鐘山
下端不負重九　木葉下高原秋氣已蕭瑟佳辰愛
臨水澄波映寒日菊芳遠岸花萸泛尊中秋倒景望
蒼山臨風
宜散帙

羅光忻雨後登紫峰閣

梵鼓催秋霽門前水尚狂孤
峰拖暮紫高閣入寒香幔卷
晴嵐上藤垂鳥道旁閒
僧眞野鶴常見鬢毛蒼

周驤 莫愁湖懷古 湖邊曾繫泛湖船湖上佳人自採蓮今日我來人已去滿湖荷葉尚田田

同曹璉 航登天闕絕頂 寒林寂寞掩斜暉秋色蕭條落木稀爲訪華門人策杖便披蘿徑露生衣西風颯颯孤鍾遠白鳥飛飛暮靄微況是對君神更爽黃昏未肯下山歸

丁奚 金陵 金陵非復帝王州蓼渚蘆汀蔽石頭鳳去祇看江水遶燕歸別覓壘巢留八朝軼事人能述一郡遺文我欲求憑弔何須增感慨黍離不獨是宗周

曹樸 泊燕子磯 芙蓉獨拔與天參萬里江光一氣涵襟帶洪流連楚蜀星碁形勢壯東南潮聲夜響和鐘韻雪浪朝翻破曉嵐六代風流何處是長空漠漠石巉巉

史秉直 黃公祠拜瀾伯先生像及翁夫人二女墓 畫船偶纜古祠邊讀罷殘碑說變遷忠節一門留故國清魂兩地會何年塞洪橋下波沉月羅刹磯頭水拍天

悵望孝陵松栢盡後園埋玉莫凄然

陸鳴時登牛首山

登山望自遠人在白雲頭梵閣橫巖秀長松拂殿幽窗中平楚盡木末大江浮皓月生崖石風烟萬里秋

登古山

木落空山響高巖古寺幽僧寒惟偃曝客到任淹留芋熟松根火茶烹石澗流江楓迷晚眺野夢在雲樓

杜琰桃葉渡詞

青溪頭桃葉渡桃桃葉倚桃根相邀夕陽路夕陽烟水簫聲咽桃葉渡江不用楫憶昔烏衣全盛時王家少婦垂青絲至今人唱桃葉詞桃葉萋萋夏已晚寄情能長不能短吳宮花草凡幾秋晉代衣冠坐中換可憐過客猶逡巡古來靡巧誇吳人江南白苧換衣早樓船歌吹生香塵流蘇映水風未動茉莉繞頭香滿身岸邊挾彈多年少笑看青鳥啣紅巾酒闌曲罷興未已盈盈桃葉橋邊水不惜清光醉復醒歡情常在河亭裏桃葉復桃槎桃葉影橫斜子夜曲中青眼盼採蓮聲裏素紈遮莫

訪邀邃步芳草迷離越人去莫上朱雀橋舊時巢燕增離騷不如且飲桃葉酒小槽夜滴珍珠走詩腸縈縈情奈何酒錢鈌少空婆娑渡頭也復題桃葉怪煞層樓夜月多

普德寺門聽松　倦客坐蕭森奔濤走石林競來山不覺忽去海無音遠岫層層淡春雲漠漠陰咄哉南郭子真接伯牙琴

擬李白鳳凰臺置酒　朝登盧龍觀暮上鳳凰臺梧桐八九樹一片長江來閑評秦晉人鬭爭皆庸才埋金眛遠識九錫良可哀爵祿亦斗筲疆宇生草萊忽見明月光寫影入深杯煮蔬解宿酲振步高岡迴梵響出林樾桐子落滿堦嘉客遲不至天風掃塵埃

胡任輿題燕子磯　巨靈劈碎玉芙蓉分得如拳鎖鐵龍百磴盤迴青嶂迴一亭孤秀碧蘿封新沙擁岸當磯石古木穿雲度寺鐘幽賞那愁天入夜江聲流月益淙淙

王栻登北極閣望月　日落蟾光皎山亭望遠天無風千樹寂有月萬峰連坐對湖如

鑑回看露若烟夜深橋畔立氷雪滿前川

胡澂雞鳴寺

透迤殿閣古精藍山色湖光絶頂探不見雞塲來寶翳猶傳鹿苑徙珠龕疎鐘夜雨臺城北細柳春風講院南惟有白頭雷處士石門斜日話優曇

雨霽入祖堂聽雪藏講楞嚴

不政幽棲路青松冠白雲千年塵夢隔雙屐雨花分佛窟開春草巖扉扣夕驃清機隨指示到此悔多聞

謝允掄同友遊燕子磯弘濟寺和韻二首

羨爾飛來積氣中穩浮水面趁江風潮侵穴壘波濤壯地擁河山帶礪雄古拍虬龍欹怪石高峰螺髻露朝楓停盃不住滄浪興話入禪門一逕通

蠟屐何妨續勝遊秋光端不爲人留振纓直欲排三島把袂猶能控十洲始識乾坤空法界祗緣今古總浮漚滿懷氷雪清如許一任松風影自流

荆克捷蚤發慈湖至江寧鎮

片片溪雲送曉風相攜春色過湖東朝煙遠放

山根白海日初飛樹杪紅十里松濤催去馬一天竹籟亂歸鴻吳門遥望知何處只在蒼茫水氣中

朱廷鉉金陵紀懷留別諸同人二首

建業江山擬畫圖談經齋舍未全蕪興亡世代留殘碣今古乾坤寄腐儒縱酒月明桃渡杳揮毫雲落鳳臺孤如何只作經年住吏隱從來豈是迂

江左名流自昔誇諸君風雅盛才華蕭疎古調林間雪熳爛新篇嶺上霞江令宅邊侵屐草謝公墩畔拂鞍花他年把臂重相賞一笑論文與正賒

陸禧烏龍潭同何德坤用放翁楓葉將殘看愈好梅花未動意先香爲題

山徑驅車耐早寒平疇久立笋鞋乾髮無美酒應嫌白樹傲秋屏祇是丹落日半林烘作障西風擁地忽成團如花二月尤高妙莫薄今人不解看

擬向孤山構一亭春風不數谷蘭馨高人乍見如同夢明月相憐似寫形半吐半含臨壩岸無風無雨護籬鉼歲寒爲爾參神氣撚斷吟鬚又出坰

丁灝龍江關送別張卽公先生之任滇南

朝暾掩映靄林霏極目江天攬翠微捧檄有懷時事阻絕裾未忍願相違壯遊獨步星雲上惜別追隨斗渚磯萬里圖南誰不羨鷽鳩祇自笑卑飛

九日偕友烏龍潭詠蓮次韻

僧耳傳聞四季蓮淸香奇麗擅當年於今挺秀秋方艷一夜舒英花欲然競綴紅妝臨曉月醲鋪翠蓋宿潭煙誰知高會龍山日解語仙姿宛在前

東山行

晉室太傅謝文靖少有大志性機警寓居會稽隱東山時與王許共遊騁獵山漁水四十秋捉鼻不免辭箕潁祖餞新亭朝士多安石其如蒼生何簡文顧命總弘綱比之王導風雅過築室東山擬會稽賭碁別墅醉顏酡小兒破賊淝水涘八公草木皆驚異聞捷了無色喜時入戶不覺折屐齒折衝萬里手談間矯情鎭物類如此君不見烏衣巷口雛燕飛謝公墩上草迷離只今惟有東山寺但看芻牧晚來歸

讀書樓詩中原有畫峰巒具尺幅畫中豈無詩淸音出空谷讀詩理之常讀畫情所獨猗歟櫟園師睟成並畫讀嗟彼看山人登高寓遠目美景未曾收心神已飄𠊓昌黎陟泰華竟同岐路哭何如縱臥遊襟期富岳瀆緬懷曠達風肆志在丘壑士從田間來析圭與擔爵兩者意欲兼那得揚州鶴嚋知有署齊歸然搆高閣閣內集荆關賓主時酬酢近郭雉飛飛遠黛雲漠漠四壁幻烟嵐點染窮寥廓讀書還讀畫解衣供磅礴

七里洲恭送

聖駕紀事歲月咸逢子堯天景運昌八埏歸化育一德慶元良宵旰周民隱庭燎問未央深居時簡出高拱法垂裳北陛司鉉宸天宗祈蓋藏宸遊省風俗補助樂熙穰鐵騎迎冬令朱旂拂曉霜登封祠太乙瑞靄燭神光扈蹕皆耆儁騰驤盡驌驦明堂居左个廣樂奏韶章玉帛克庭實攻同集海疆宣威時講武肄射奮劻勷泮奐親魚鳥昇平致鳳凰乘槎泥霄漢破浪歷淮黃擊楫看飛渡臨流瀰涵茫

輿情頌遊豫侍從列金張
帝輦方三宿
鑾廻肇一陽觴祖惠閭左沛澤及
膠庠艸莽誠何幸賡歌志拜颺

王炳棲霞寺六朝松下吟

一杖尋秋過野橋西風颯颯草蕭蕭年來遺跡荒凉盡剩有孤松是六朝

袁瑛再至攝山訪白雲先生賦呈三十韻

暫爾謝塵事幡然從老農三年成一別復此見孤峰細認留題處還尋藉草踪澗流仍宛轉鳥語更從容再拜徵君宅重瞻隱士丰風塵甘隱豹道德自猶龍大業名山在童顏古鏡逢一心難轉石勁節獨扶笻緇服依身稱黃冠束髮鬆面沾松露潤門掩嶺雲封藜榻書銷日蓬窓石作供逃禪入元理注易透心宗洒淚存家乘悲歌咽梵鐘傾心在鱸鱠把臂語喬松逸興飛三徑淸標耻萬鍾忍看魚漏網側見雉羅罿課稚收薇蕨隨猿趂蜨蜂聽泉翻石磴坐雨急郵舂逐物憐羣蟻傷秋泣亂蛩原思終自潔叔夜豈關慵鍊性棲山谷辭塵就

秸穜烟雲長漠漠水月兩溶溶石乳烹茶洌山花釀酒濃筆峰搖斗岳劍氣響芙蓉繼述名歸史綱常血滿胸自慙蒙戰伐遊棹阻艨艟寤想披詩卷遙情隔堠烽歲時欣一晤山水得相共石壁高何似搬城赤幾重當年眞面目猶是舊蒙茸

周在浚幕府山

幕府初開擬揷天晉家南渡列羣賢江山壯麗雄中土風日晴和酌古泉短策穿雲迷石磴疎鐘出谷隔谿煙翠蘿峰上瞻瓜步魏卒齊師總可憐

織山

荒村入夜聽疎鐘爲約來遊逸興同絶頂烟雲青裊裊隔林松竹碧重重蕭梁舊事斜陽盡僧紹遺蹤古佛空白乳泉頭敲石火淙淙聲滿萬山中

鄭司勛偕友人登雞籠山

六朝金粉六王功此日風流憑弔中萬里雲山青眼客一江流水白頭翁野花隨意開新陌芳草多情滿故宮日暮漸聞鐘磬響松楸謖謖起悲風

鄭鶡登攝山最高峰

石磴盤旋鳥道迷最高峰與碧天齊六朝雲物驚心眼萬里風

煙接鼓鼙大壑應多豺虎鬭空山唯有鷓鴣啼伊人何處堪追溯野樹秋江落照西

臺城懷古

西風吹客白門邊欲上臺城意悯然金粉空留千古恨湖山長鎖六朝煙華林日落惟蒼鼠芳樂春深有杜鵑更是傷心張緒柳年年搖颺野風前

十月朔日燕子磯送友

差池影裏日將斜烟水微茫掠遠沙莫謾乘風欲歸去江南春已到梅花

登鳳凰臺

昔聞鳳遊寺今上鳳凰臺梵語天花外空江一雁來

攝山石佛

丘壑含金碧諸天象教垂人能開混沌石自具慈悲千古成趺坐終朝但俛眉此中眞色相未許淺人窺

徐延吳天妃宮海棠花下作

積雨淹春情抱膝送朝暮晶晶林光開遊子即長路舟行十里餘亭午櫓聲住岸上天妃宮中海棠樹翠羽翻柔枝枝晴花盡吐微風散輕霞嫣然衆

所顧亂離餘草木感茲仙靈護

飯西村人家晚登清涼山

人家背郭獸扉開放步壖初問晚梅聽入林香依墮磬坐移山影靜傳梧亂雅催動城南客落日還登屋後臺高處不堪舒老眼隻鴻聲向大江來

李念慈九日金陵寓樓獨酌

秣陵一片秋砧杵鍾山下落日照江流金波紛影射客子來歲晚梵宇聊借假令節感易興羈愁不可瀉他鄉一尊酒舉手弔王謝樓處卽登高東籬事可罷挑燈讀漢史寂寂江天夜

訪在遠雨花禪房

久負城南約今過開士居樺籬園野綠竹影上窗虛市遠塵囂隔緣空樂事餘坐來忘禮俗客意亦蕭疎

丁灦秋日登雨花臺

千峰南北列如屏中有江流入杳冥王業依稀餘故壘夕陽憭淡照新亭潮來遠浦帆飛白霜染深林雁帶青百感登臺是羈客美人遲暮髮星星

江城閣和顧與治韻　憑高騁目遠天地一浮鷗遥見漁舟度頻驚戍鼓愁北山空怨鶴故國幾登樓徙倚增惆悵烟波八月秋

葉芳嘉登長干寺塔　晴秋風日佳賈勇試茲屩淒凉帝京餘氣象仍磅礴層塔矗青霄巍然煥丹雘楹拱鈎槍棓虁螭護榱桷登臨發惆悵屬目驚寥廓煙中百萬家俯視盡一握群峰互起伏蜿蜒疑龍蠖遥想肇造初般倕幾揆度壯麗侔皇居經營實天作高皇昔剏建定鼎同卜洛卉服侍郊壇長江自銷鑰守文貽委裘謀國效鼂錯同氣忍戈矛義士甘鼎鑊哀哉十族誅至今鬼猶愕何以謝三靈琳宮獨恢拓結構窮鬼工萬象就繩削六龍旹經過十里聞鈴鐸于焉報佛恩童叟咸歡躍藉此日月光一洗兵氣濁甲子已頻移風流舉非昨殿閣悲黍離冠蓋付螢爝獨有阿育居焜煌照南郭始知佛力尊不與運會角遥對孝陵巔松柏悉摧斵衰草自凄凄飛雲仍漠漠

周之德吉祥寺看梅　江南二月吉祥寺傳有老梅獨自芳歷盡金陵寒歲節直收虎

踞早春光枯來半樹風烟古放却一花天
地香步屧擬同高士卧明朝探信到僧房

半山寺懷古　懷古蒼茫感廢興東郊步屧半山登亂
峰烟人梅花塢落日雲連鍾阜層午梵
隔村知有寺夕陽歸路不逢僧幅
巾投老尋幽勝意致蕭蕭獨自凭

周在延高座寺　南朝梵刹多高座山門古老衲度松
陰殘陽下平楚岡頭塔勢懸巖際秋
花吐獨立畫圖
中蒼莽聽鐘鼓

清涼山　山底扶短笻直上層臺止城邊反照紅天際
羣峰紫煙火萬人家空濛一江水惆悵懶言
旋鐘聲
隨月起

杜暢文燕子磯眺雪　十年收勝覽天地此孤亭寒氣
摧空壁江流失夜星扳蘿松杳
靄步壑石竛竮蓋盡
中原色羣峰不肯青

許佩題高座寺　娑羅樹下憶蟲聲鎮日郊原愛獨行
松鼠窺人棲古瓦木魚和梵渡王城

炎歊日午氷堪飲秋色涼風寺早生
山雨不來僧未遇長廊隨喜佛香清

曹遜脩鷄鳴塔燈 佛火臺城上西風今又吹中宵通
碧落數點掛寒陴雁度霜能覺龍
吟夜自窺與君勞
醉眼相望未參差

叢澍清涼寺 幽巖傍水結僧迦遇雨新泉出徑斜
靜坐時聞山鳥叫一聲飛出紫薇花

張景載登周處讀書臺 高踞秦淮上登臨感逝波英
雄留意氣忠孝滿山河亂後
書難讀臺存恨尚多誰
爲除患者同此不消磨

王廷銓鳳凰臺 荒臺咫尺大江東此日城隈隔梵宫
淮水有痕連碧落蔣山無籟起秋風
謫仙已去空留賦威鳳重來不在桐
數盡歸鴉人獨立寒烟一片月明中

馬迅泰淮泛舟 避暑期來早放舟驟驚風雨似深秋
依依綠柳迷前浦曲曲青溪上急流
轉過一灣山對面輕摇幾槳月當頭
鳴箏少婦凭樓望欲捲朱簾不耐愁

陸大節登報恩塔 塔身如海嶽金色靜威儀殘菊半堦有青桐滿院垂息心求舍利劫火問須彌笑向高朋語諸天何所爲

陳誠遊天闕 幾載看山約于今慰夙期燈留千劫火錫掛一枝棲寓目烟嵐變回身霄漢低超超名象外饒有出塵思

陸本秦淮晚眺 三百年來歌吹地祇將簫鼓送斜曛桃根往事逢人說商女新聲異代聞畫槳幾迴催醉客珠簾一片鎖春雲惟餘波上蒼蒼月曾照當時文酒羣

曾明新登清涼臺 雨後登高望憑陵意自殊樹陰分斷壑嵐影下平蕪六代寒潮盡三山夕照孤眼前空指點乘興且提壺

龔瀚憶棲霞空谷松石 遥憶攀躋處烟霞歲月深翠濤孤磬寂蒼蘚一僧吟徑轉人寰杳泉鳴草色侵何年覓支遁同話別離心

清涼山讀書精舍　紆迴陟高巘鐘鼓下方聞一徑開蘿磴千峰抱夕曛江流欹枕見鷗影倚闌分鎮日無來往歌聲透白雲

丁平望江　六代寒江水滔滔今古同波浮蒼旻外光撼碧雲中帆影依殘照蓼花下冥鴻可憐興廢事獨立但書空

臺城　烟冷臺城霸業空蕭蕭木葉下秋風殘碑斷碣存荒寺隙閣巍樓憶故宮極目那堪衰草白傷心最是夕陽紅曾觀石闕猶揮涕何況鍾山在望中

以上金陵

明江賔王題茅山胡道士琴月卷　皎皎松上月泠泠手中琴一彈颯靈飈再鼓驅層陰鏗然發清響窅鼎延餘音流光復徘徊空林轉蕭森象器無乃泥天人諒何心邂逅若有得俯仰還自吟大音寄寂寥内景涵靜深山空夜將宴微露沾衣襟

蘇潤絳嶺樵歌　落花過雨湖水紅湖上湧出臙脂峰伐木聲穿白雲裏放歌調起蒼烟中暮阻哀猿嘯空谷曉驚宿鶴飛長空兩三互荅自成趣爛柯却笑尋仙蹤

莊杲咏興教寺前大樹　杏壇風雨有桓魋此樹能容老翠微夢裏幾番全是幼人間萬事果誰非繁陰蔽日三千界黛色參天五十圍我欲南堂借斤斧不勝三匝繞斜暉

湯鼐同縣尹李公登塔　登盡浮圖已在空此身疑是躡仙蹤上方天闕欄杆外下界人家烟霧中絕頂孤危無鶴雀中心蟠屈有蛟龍嫦娥訝我來何暮賜得金莖一滴濃

陳沆登白石山閱仙跡　乘閑縱步登危峰凝眸俯視仙人蹤我欲題詩寄巖石還疑歲久蒼苔封酌罷村醪欲歸去醉中不記來時路惟聞山鳥啼一聲山花滿地無人顧

虞謙雲潭道中　十日江南雨今朝喜放晴澗泉淸可汲沙路軟堪行谷暖禽聲媚風微柳絮輕前途問樵子咫尺鳳凰城

朱稔望駒驪山

駒驪倚弄外樹色畫蒼蒼相去渾如近邈行便覺長霧深常隱豹石卧未成羊幾度凝雙目吟餘思渺茫

李春芳崇明寺

年年山寺聽鳴鐘匹馬長安憶遠公異日會須留玉帶題詩未可着紗籠

唐順之歸自金陵宿白土

長路緇塵欲上衣暫投客舘亦如歸不因野老來爭席豈解山僧久息機

國朝叢大爲憩定水庵

洞天遥指碧雲涵縹緲其如勝未探執掌巳知違鹿性折腰又復向龍潭攢峰簇湧長江涘曲徑幽通定水庵最愛筠林資嘯傲偷閒於此語瞿曇

胡岳飲九曲泉

曲曲瀉清泠灣灣勢不停仙山多幻景縮地得蘭亭流轉偕杯折波寒照客醒賞幽殊未足一任晚山瞑

江五岳元陽觀訪續道人不果

爲覓山中侶攜筇問故遊難將招鶴意欲

作挽雲留紫氣騰無定青霞燦
可收我心殊蘊結回首洞天悠

丁澎句曲道中 馬首秋原外垂鞭趁夕曛江迴孤嶺樹城接亂山雲丹井荒郊没鐘聲遠寺聞鶴橋占歲稔尚仰大茅君

以上句容

唐李白戲贈鄭溧陽晏 陶令日日醉不知五柳春素琴本無絃漉酒用葛巾清風北窗下自謂羲皇人何時到栗里一見平生親

孟郊同溧陽宰送孫秀才 廢瑟難爲絃南風難爲歌幽幽拙病中忽忽浮夢多清韻始歎侶雅言相與和訟閒每往招祖送奈若何牽苦強爲贈邦邑光嵗嵗

射鴨堂 短蓑不怕雨白鷺相爭飛短櫂畫菰蒲鬬作豪横歸笑伊水鍵兒浪戰無光輝不如竹枝引射鴨無是非

許堅幽棲觀　仙翁上昇去丹竈連晴壑山色接天台湖光照寥廓玉洞絶無人老檜猶棲鶴我欲泛靈槎他時冲碧落

周子固太白酒樓　神龍不可羈竟脫萬乘屣舊事寄金鑾遺蹟委荒市凭闌意無限風月空自美不見騎鯨人吟情渺何許

寒光亭　簷影流不去天光蘸波碧開軒足清致遠山映佳夕輕風入座隅水紋浮枕席魚鳥喜相親灑灑然脫塵跡

史經三節堂　世道日以降士氣已不振求之女類中有見伊誰人溧陽有史氏建武開國臣英風傳後裔千年如一新粤惟善貞女亂世禍逼身霜刃不斷玉抱子入水津刲股愈母疾有處士以辰縣官聞動色奬勸典斯遵討賊戰以歿忠勇冠三軍卓哉此人傑可以範縉紳忠孝及守義事殊理則均故名以三節建堂洮湖濱湖濱有祖廟碑載左雄文鼻祖弘功德此豈無其因爰徵東晉室卞家何難辛

一門爭以死事急難具陳未若從容時道在各自伸廟此山水際觴豆祀秋春匝山青嶙峋下映湖水斎萬古同常在誰敢有異論

馬一龍宿彭西崖園中
北風凌夜堂霜葉下庭樹相對不成言月白人何處譙樓五更鐘雞聲天欲曙少年今白頭春光杳然去安得建安子尊前一歡聚

邢昉過友人湖蕩田舍
五載隔君廬依依辨林木帆帶鸊溪烟舟行石塘曲扣戶寂無人荆扉日日關髫山雨初晴長蕩水如環雨多林氣濕薄霽聞清晝開扉指稻田伏几看木秀聞君時抱犢旦夕爲饔飧舊穀幾時斷中男昨歲婚雖復少饘粥新詩每逾帙舒卷日悠悠孤雲澹無蹟

李白酒樓歌
溧陽酒樓三月春楊花茫茫愁殺人胡雛綠眼吹玉笛吳歌白紵飛梁塵丈夫相見且爲樂椎牛撾鼓會衆賓我從此去釣東海得魚笑寄情相親

許堅遊下山寺淨土院
地枕吳溪與越峰前朝恩賜雲泉額竹林層建鴈塔高石

室幽棲幾禪伯荒榛蕪沒蒼苔深古池香泛荷花白客有經年說二林落日猿啼情脈脈

秦梓貞義女咏 史氏之女生寒門白璧粲粲貞義存上無所天漂爲業春風三十報母恩斬奢芟尚白日昏子胥脫身間道奔遠來困窮乞於此漂母進食哀王孫子胥還吳雪雙恥貞女可憐身已死一飯之德古必償遺以百金投瀨沚謫仙高才起幽沈奕奕穹碑照江水有客停舟臨古祠凉颸動水與遐思蕉黃荔丹幾千古焄蒿悽愴若見之更憐抉目人已去姑蘇臺上草萋萋

楊邦乂貞女歌 溧山兮蒼蒼瀨水兮湯湯中有貞女飲水茹霜于焉擊漂維瀨之陽遭壯士兮苦絕糧賑窮不惜傾壺漿所處既以義安能計存亡幡然捐珮入不測下遊九土從英皇耿幽光兮貫白日凛正氣兮摩穹蒼嗚呼世無李大白此女終弗揚遺風奕奕山高水長可以敦薄俗激忠良千古萬古誰頡頏

蔣時中大石山龍洞 大石山頭兀盤石下有靈物阻深宅珠宮弄月躍泉光墨池飛

雲沛甘澤瘦藤倒掛古洞前僊壇秋靜明
翠烟龍兮冬卧春乃起素鮮聞雷飛上天

趙王廟
蘩蘩社日楓林鼓旌旗飄拂神鴉舞池藕無
花岸草荒只有斜陽自今古古城西風吹袷
衣下馬一訪眞王祠斷碑有
字不可讀漢家舊事無人知

胡儼題水天清意軒
澄江一碧天浸水星河盡在氷
壺裏白蘋微颺鯉魚風雨岸蘆
花吹不起軒窗臨水敞玲瓏月到天心夜正中幽人
燕坐羣動息一襟爽氣超鴻濛湘靈鼓瑟衆仙下老
蛟出舞馮夷宫此時清意誰能會安樂窩中人未睡
却憐龍斷走紅塵終日昏昏長似醉幽人已去乘白
雲清意猶能傳子孫繡衣驄
馬心如鐵索我題詩揚世芬

袁正邑山曉雲歌
大坤濕氣蒸蓯蘢油然勃然連蒼
穹曙窗注望東邑峰須臾不見青
芙蓉初疑博山噴出紫烟縷又疑蜃精海底推起龍
王宫東西糢糊總一色上下變幻知幾重既非茈碭
山中隱劉季又非陽臺神女遥相通養文元豹隱丹
壑失巢老鶴迷青松忽見千株萬株老枯檜化作千

丈萬丈蒼精龍斷崖滴翠晴灑灑落花細雨春濛濛
金烏欲上海水赤神光盪射生青紅狂飈捲地忽吹
散依然繡出金屏風奇奇怪怪
渺無際且將浩興收拾塡心胸

朱熹贈石山前巡檢司都巡舍人陳英

古寨依山麓頹垣近水湄
有兵耕綠野無盜弄潢池歲稔村村樂
官閒事事宜我來無所餽聊遺一聯詩

史徐龍興寺

石徑二三里浮屠十二重雲深不見路
風遠只聞鐘禪院秋歸鴈靈湫夜卧龍
我來尋惠遠
數遍半巖松

徐渭歸得園柳浪堤

夾岸千章柳青春翠浪浮如將
曲池水共作逶堤流長堤偃青
蔭水鳥悅芳柔試于
垂縷處一繫木蘭舟

馬世俊秋夜過靈雨亭

靜夜扣僧扉關頭人語稀磬
聲兼葉下茗火帶螢飛徑曲
窺燈小亭寒過雨微石
橋歸路近攜手共依依

張孝祥寒光亭 亭依三塔占清幽松竹環除翠欲流曉色晴開千嶂月波光冷浸一天秋瓊瑶影裏詩僧屋雲錦香中釣客舟風送不知何處笛雁聲驚起荻花洲

仇遠溧陽市 萬家大縣舊留都一泒中江入太湖縮項魚肥人膾玉長腰米貴客量珠府分南北寒蕪合橋直東西夜市無却是旗亭浮蟻美杖頭能費幾青蚨

李東陽送史主事歸溧陽 一年分省近江鄉不似親庭隔太行咫尺家書傳溧蔣東西軍食仰淮揚天恩早下金華誥士論原歸粉署郎春晚送君頻注目落花隨棹楚天長

馬一龍九日與南村諸老登玉華山 九月九日九老會野蔬野飯野人家遠來何處白衣酒同醉此時黃菊花歲到雪霜見松柏春如桃李自繁華可憐頭上烏紗帽不比風流晉孟嘉

遊茭山 青山十里盡樓臺萬竹山房雙徑開春日看花紅藥亂故人送酒白衣來神仙第宅無煙

火大史文章半草萊野老未曾通姓氏相逢謂我謫仙才

錢自勉登盤白山

孤峰高潔出塵埃試拂春衣坐石苔眺遠思隨雙鳥度應時心逐百花開野芳散地難將去樹色臨湖欲過來怪得山中多伴侶鹿羣呼趂不相猜

陳名夏去大石山宋其武邀觀雜劇答謝

我去重遊大石山君來爲過扣僧關霜銷落葉鳴鷄早鐘擊空林飯鳥閒田野歌喉齊白雪衣冠抵掌變朱顔懷人遥已同武子千里猶然乘興還

馬世俊東寺訪源公

爲訪幽棲侶先經古佛堂栢陰迴晚照菊蘂抱寒霜寶氣晴生殿香風暗轉廊點茶供法語握塵掃匡牀磬鐸開朝瞑旛幢引夕凉蔬渠過北郭落葉淨中唐已覺塵心冷翻令别緒長前溪驚虎嘯世路迴羊腸回首雲封樹歸來月滿牆所評山水事何處問津梁

仇遠𠙶山

𠙶姥峰高翠倚天洮湖春水緑無邉不知楊柳兼葭外何處泊君書畫船

湯顯祖溧陽洞山 瓦屋如雲春作花華陽絳氣屬青蛇中開百尺仙人掌揺漾金光落紫霞

以上溧陽

宋史彌鞏過上方寺題孫鍾種瓜井 孫鍾原是栽瓜圃客至嘗瓜因其所不應司命降從天至今人指種瓜處

趙傑之釣鰲亭 天地分來萬古多鰲魚背穩駕山河亭前見説高人釣池上那聞漁父歌四面青峰環秀色一灣緑水漾清波誰能掣斷黄金索終日持竿怎奈何

張𡎺竹節亭 結構華亭歲月深形如竹節俯山陰規模壯觀中山景基業猶存萬古心窓外豈無猿雀淚簷前時有鳳凰唫夜深神鬼驚聞處月下誰彈一曲琴

周邦彦竹城 竹城何檀欒層翠分雉堞王封盡四塹同有歲寒節

元袁良所廬山 洗洗生寒龔苧袍笋輿一步一升高好山好水因追謝新酒新詩擬和陶梅雨

多情猶借潤松風盡力不辭勞東廬重見渾如舊惟有霜華點鬢毛

適固城湖

北風獵獵響黃蘆高掛征颿疾似驅一片好山看不厭扁舟又過固城湖

明王艮題開福寺筠香堂

玉立亭亭暎畫欄氤氳日日報平安秋風鸞鳳音千里夜月龍蛇影萬竿四望眼空淇澳水數間心有渭川寬摇金縷玉清如許氷雪相看度歳寒

姚崇文嶽恩閣

古溧城邊水倒流崇墉岀吻矗雲頭華林勝地星霜換白府祠前草木幽高閣西風雙禿鬢斷雲斜雁數行秋洞庭只在闌干外乞得黃金便買舟

劉三吾送袁縉還中山

艮所山人儒者醫前朝作手稱能詩殘藁在人猶膾炙何況當時親見之山人有孫承世學滿頭霜雪垂鬚眉手持家集來相訪清論令人雙解頤自言家住中山下東至王城近三舍一從太祖渡東來百載於今荷陶冶兒孫只解識牛羊鄉里何曾見兵馬森森喬木故園居翳翳桑麻遍平野老來忽憶帝王州藜杖素琴尋舊遊舊遊人物已非昔昔日朱顔今白頭都門

三月鶯花簇又想故園芳草綠蹇驢蕭帽且歸與此去中山酒應熟

曾棨送端木孝思還溧水 蚤年江右仰芳名闕下逢君白髮生栗里風光歸去樂蘭亭畫法老來精玉堂金馬留眞跡白石清泉有舊盟此去鄉山殊不遠好將消息到神京

武昂遊無想寺 野步趁春晴行行入化城泉穿石罅出竹篏栢身生草色侵堦綠溪光潑眼明老僧禪誦罷閒坐聽松聲

石柱庵次韻 土沃禾先熟山深逕曲通高林陰午日落葉響秋風世遠衣冠古年登俎豆豐壺傾車未返夕照愛丹楓

姚希孟菱水歌爲黃時化題 昔游瑯琊山箕踞菱谿石谿聲滴雨石齒齒枕流漱石山環碧晨興點檢周籬策又見菱水古蹤跡伍君過溧買渡時石臼湖天菱水白漁父揚舲難問津菱花菱葉湖水春蒐奇訪古我所好且付湖頭澹蕩人

陳文貽過華勝寺　出郭纔三里秋光入眼繁青山仍遶寺黃葉漸成村桐乳隨秋老松陰覆殿昏低徊殘照裏歸去欲消魂

國朝閔派魯懷白亭　萬木一亭迥羣山入望遥頻臨悉勝賞偶坐借閒宵俎豆何年設風流此地饒先生眞我法千載說前朝

顔友笏登琛峰望石臼湖　無地拋塵俗誰與借好山爲看千頃碧贏得一朝閒拈韻銜杯處疏松瘦石間攜琹希嘯阮捫薜共躋攀

以上溧水

宋周美成竹城　竹城何櫑欒層翠分雉堞王封盡四塹同此歲寒節

元王均容題三湖絕句四首　春風楊柳綠盈堤一望湖天烟水迷幾度問津尋釣客落花飛處片帆低　乳鴨初飛湖水平菰蒲分綠上檻庭荷錢遍買烟波趣不繫漁航坐月明　滿湖

紅袂采蓮歸絕浦初看獨鴈飛落景凉颸孤棹急莫教新露點秋衣

衰柳啼烏月冷時黃蘆落鴈折霜枝氷寒湖靜空收釣欵乃長歌歸獨遲

明齊泰木樨臺

萬物呈祥兆太平奇花命來正秋深馨香御座龍顏喜瑞應蟾宮柳色新天地栽培因獨厚士民登賞共留吟清風一種從茲貢王氏聲名達帝京

魏澤過方孝孺故宅有感

筍輿衝雨過侯城撫景令人感慨生黃鳥向人空百囀淸猿墮淚只三聲山中自可全高節天下難居是盛名郄憶令威千載後重歸華表不勝情

夏輯丹陽秋月

秋滿丹湖月滿空湖光月色競秋容惜無法善同游玩玉笛金錢一夢中

頓銳保聖寺

侈殿平蕪照野塘水田風起稻花香松欹古砌飽霜露碑鎖蒼苔沒漢唐壞塔倚空形寂寞敗垣經雨色凄凉不堪吟斷無人會滿耳蟬聲報夕陽

韓叔陽題彰教寺憶雪峯上人

湖南山寺翠嵯峨棟宇猶傳宋政和禪榻

獨聞春燕語僧房常有白雲過衣冠時人談元社桑梓遥連讀易窩惆悵遠公何處去淵明詩興近來多

尋真觀　尋真人去觀依然丹竈空餘龍虎烟白鶴下來雲鎖院滿庭風雨草芊芊

邢昉藕絲堰鳴榔歌　石臼湖南爲我家十里漁人居水涯相連小港清見底漂出漁船如落花大船載罾小載網水光一碧平于掌横篙緩楫向湖心終日鳴榔恣來往雲氣霞光相映明滿湖盡是鳴榔聲渚鳧汀鴈各飛起鰍鯢魴鯉俱潛驚風吹渺渺聲漸遠微茫漁火黄蘆晚大家都住荻葦洲生計不離藕絲堰别有迴船暗相續岸上喚聲出茅屋傍門稺子着簑衣屋裏吹殘船裏宿朝炊暮炊無風波愁事無多樂事多藕絲堰外鳴榔者誰知我作鳴榔歌

國朝紀聖訓蓮蕩秋容　朝陟城西南野行復奚求恣意在所適淡然泛孤舟蕭條瀁清瀠容與隨輕鷗紅藻亂寒汀翠蓋滿中洲秋光紛可挹遠水相虆由落日微風來彌覺此地悠湖濆有漁者擊節歌中流寸心聊復然世路空悠悠

馮如京和高淳行署度月亭韻

閒雲蘇野自依違細雨含烟到處飛玉蘂峰前春爛熳木樨臺畔景甤葳寒泉潔冽千家食化日舒長萬木犀爲語乳山一老叟談經能入道心微

孫奏升次三元觀

將發姑溪路維舟古殿傍鍾聲驚客艦颿影動危檣兩岸荒村寂三更畫角長離家數里外我夢已他鄉

陳悅旦萬民墩月夜

日落孤燈晚長河蕩月陰清光時聚散皓魄幾浮沉風渡溪戍㲄舟移波泛金更殘柳影亂漸入水中林

史秉直龍城古栢歌

古寺蒼凉列雙栢龍虎對峙勢辟易有時風雨聞嘯吟翠枝老幹苔蘚積千年養脉託根奇吳剛持斧不相戹高蔭梵宇日月長蒲牢掇記非一日春光駘蕩逐勝遊仰覩偃蓋坐拂石栢子時落雪霜中白雲飄渺鸛鶴宅此樹閱歷歲寒深昂首鼓鬣誰去迫嗚呼噫嘻空山喬木鬼夜啼摧折剪伐委沙泥竹路嘆息不敢言烏船拮据畫淒迷古栢古栢爾何幸龍騰虎攫猶雙淒

固湖秋望　烟空霧散鳫飛聲湖水當秋蕁藻生楓樹
遠山看醉色蘆花近岸識浮情漁師曬網
曉炊汲估客揚帆晚唱晴蕩漾
落霞鷗自語凭欄莫漫濯清纓

李斯佺丹湖秋月　丹陽湖水暮來秋月映空明萬象
幽曲徑人烟迷遠樹數家漁火對
芳州吟詩欲續元暉句載酒難尋太白
舟却喜萑苻無嘯聚不妨乘興作清遊

固城烟雨　城南秋水正蒼茫漸覺平湖烟雨凉雨洗
空林人不見烟迷右渡雁初翔寺鐘聲帶
蘆花濕舟火紅霑芹葉香欲向
空濛歌一曲恍疑身在洞庭傍

官河夜泊　帆檣無數集河邊夜色空濛入遠天斷岸
平分千嶂月長橋横鎖一溪烟漁燈明滅
連村舍雁影參差落水田應使
萍鄉無犬吠肯教佑客帶愁眠

以上高淳

唐李白横江　海潮南去過潯陽牛渚由來險馬當横江
欲渡風波惡一水牽愁萬里長　横江西

望阻西秦漢水東連揚子津白浪如山那可渡狂風愁殺峭帆人

權德輿揚子江

返照滿寒流輕舟任摇蕩支頤見千里烟景非一狀遠岫有無中片帆風水上天青去鳥滅浦迥寒沙漲樹晚疊秋嵐江空翻宿浪舟中千萬慮對北一清曠回首碧雲深佳人不可望

盧綸前題

山映南徐暮千帆入古津魚驚出浦火月照渡江人清鏡悲雙鬢滄浪寄一身空憐芳草色長接故園春

宋秦觀虛樂亭

禪房幽構徑灣環噪鵲鳴鳩盡日閒隱几冥濛超物表畫圖髣髴見林間褰簾雲吐池中月岸幘天横行外山秋興已闌成麗句板輿時此慰慈顏

孫覺龍洞山

側徑縈紆入杳冥神鑱鬼鑿露巖扃天懸乳石映華蓋壁隱莓苔矗翠屏九道寒江雲外白一池陽井雪中青還同康樂登臨水可共羊何筆不停

明羅倫珍珠泉　駐馬門前步石橋臨池頓覺旅魂消便於此地投雙屐不枉中秋度一宵地湧温泉眞可濯天教明月不須邀歸來仍賦沂濱詠獨有先生興趣饒

陳獻章定山　四千里外無消息一日定山相對閑仰止此山雖萬仞蕭然我屋只三間眼空一世何曾見心到雙泉不記還但得與公同白首乾坤五嶽也無山

接待寺　白馬江邊寺公舟雲裏來平生朱仲晦只送呂東萊山暝雲藏月江春雪放梅老僧無一語玉帶却收回

石洞菴三首　小洞長年翳野萊冥冥勾漏可誰來數公馬跡深深到一徑梅花笑笑開琴裏宮商分雅調觴中元碧自僊醅閒人本是無心出應共閒雲作伴回　坐我藜床弄我琴春風一曲杏壇音從今只道無絃處萬古乾坤萬古心　朝憶羅浮暮武夷山中明月幾盈虛扁舟歸向滄溟去只釣清風不釣魚

莊㬌定山　蓬萊人自到蓬萊此老眞堪此地來眼底風光拈筆有空中樓閣接天開敢拚千古留公醉却有雙泉是我酤何處江門聞老子題詩到此亦忩回　杖屨頻過活水灣我山眞果是何山烟霞豈斷千巖路天地誰偷萬古閒明月高梧無俗照桃花流水有僊寰時人識否公休問此樂子心自孔顏

吳性吸江亭　野性厭拘縛雅與泉石宜作吏聊兼隱別署況在茲亭榭稍修葺聳峙江之涯高明快遐矚虛寂塵累遺羣山共徙倚爽氣堪支頤魚鳥各有適花木蔭四垂推窓向寒碧臨檻俯清漪喜值素心人日夕同遊嬉奇文及奥義辨析不復疑觴咏倡余和璚琚數見貽金蘭定久要古道相劘砥遇合豈必早所樂在新知爾別會幾何自覺心神馳江上只如此星物倏改移景光良足惜能無念睽離願言各努力明德以爲期

茅盤前題　虛閣憑霄迥澄江入望開鯨門横岸出鶴馭逐潮迴吳楚仍天塹登臨此客杯滄江

烟樹曉何啻接蓬萊

陳勳前題　寥寥人境外朝暮定山鍾礀石寒多雨滄波夜有風一編松火細孤桃竹齋空偏稱逃名客安禪向此中

陸弼章前題　苧衫猶怯麥秋涼梅雨朝來已漫塘落日亂蛙添鼓吹暖風新笋過隣墻家童曳杖猷丹杏田父持絲換綠秧又覺眼前風物變一年踪跡滯江鄉

鍾成昇中寺　青山隱隱樹重重石室烟霞第幾峯天闕到來紅日近祇園歸去白雲封菩提葉靜聞秋梵薝蔔花深度曉鐘詩伯詞林最知己遠公蓮社幾時從

林廷機玉虛觀　江城仙觀古歲晚客初來羽士紛相迓桃花閒未開烟雲留客興歌管助傾柸明發金陵道思君佇鳳臺

丘濬橫江　風定帆初落籬根晚泊晴寒潮隨月上秋水共天清隔竹見燈影橫江聞鶴聲有懷

愁不寐坐
數驛樓更

張璧莊梟墓　曉傍流雲問錫泉蒼菸霜樹翠微巔偶
尋朋舊烟霞會似結平生水石緣日月
浮沉驚過客乾坤俯仰愧高賢定
山景象眞堪絕顧借懸崖障百川

祝世祿平山　一尊相向碧山頭倚瞰長江萬里流城
闕南標龍虎氣水雲中泛杜蘅洲娑婆
地盡三千界縹緲天垂十二樓飛
鳥夕陽低遠樹從人署我醉鄉侯

李維楨前題　虛閣凌空控上游東南名勝望中收征
帆遠影飛青雀坐釣閒情對白鷗十里
深山猶負郭半江遺堞已爲洲年
華逝水滄桑變有酒那能解客愁

袁宏道前題　石路突寒松桑嵐破遠封白波千里舶
青靄六朝鐘雲老蛟遷窟窗晴雨洗峰
文心踰煙水
呑吐幾重重

國朝丁澎江浦道中　渡水重騎馬衝泥荻岸長有山皆
是赤何草不云黃地僻雲依郭人

稀邑似鄉村多捕魚者野宿兩三航以上江浦

梁沈約蚤發定山

夙齡慕遠壑晚蒞見奇山標峰綵虹外置嶺白雲間傾壁忽斜豎絕頂復孤圓歸海流漫漫出浦水濺濺野棠開未落山櫻發欲然忘歸屬蘭杜懷祿寄芳荃眷言采三秀徘徊望九仙

唐羅鄴夏日宿靈巖寺宗公院

寺入千巖石路長孤吟一宿遠公房臥聽半夜松杉雨轉覺中峰枕簟凉花界已無悲喜念塵襟自足是非妨他年縱使重來此息得心猿鬢已霜

韋應物游靈巖寺

始入松路永獨欣山寺幽不知臨絕檻乃見西江流吳岫分烟景楚甸散林丘方悟關塞眇重輪故園愁聞鐘動歸騎憩澗惜良游地疎泉谷俠春深草木稠茲焉賞未定清蟾期杪秋

戴叔倫宿靈巖寺 馬疲盤道峻投宿入招提雨急山溪漲雲迷嶺樹低凉風來殿角赤日下天西偃腹虛巖外林空鳥恣啼

孟郊題從叔述靈巖山壁 換却世上心獨起山中情露衣凉且鮮雲策高復輕喜見夏日來變爲松景清每將逍遙聽不厭颸颸聲遠念塵末宗未疎俗間名桂枝妄舉手萍路空勞生仰謝開淨絃相招時一鳴

獨孤及瓜步山 蕪城西眺極蒼流漠漠春烟晴樹樓瓜步寒潮催建業蒜山晴日照揚州

劉長卿瓜步送客 瓜步寒潮送客揚州暮雨沾衣故山南望何處秋草連天獨歸

駱賓王渡瓜步派 捧檄辭幽徑鳴榔下貴州驚濤疑躍馬積氣似連牛月廻黃沙淨風急夜江秋不學浮雲影他鄉空滯流

李頎謁張果先生 先生谷神者甲子焉能計自說軒轅師於今數千歲寓游城郭裏浪

跡希夔際應物雲無心逢時舟不繫霞食斷火粒野服兼荷製白雲淨肌膚青松養身世翦精除豹隱鍊質同蟬退忽去不知誰偶來寧有契二儀隨壽考六合隨休憩彭聃猶嬰孩松期且微細常問穆天子更憶漢皇帝親屈萬乘尊將游四海裔車徒徧草木錦帛招談說八駿空往還三山轉虧蔽吾君感至德元老遠來詣受籙金殿開清齋玉堂閉笙歌迎拜首羽帳崇嚴衛禁柳垂香爐宮花拂仙袂作年寶祚廣致福蒼生慰何必待
龍髯鼎成方取濟

温庭筠磐石寺留別成公

槲葉蕭蕭帶葦風寺前歸客別支公三秋岸雪花初白一夜林霜葉盡紅山疊楚天雲壓塞浪搖吳苑水連空悠然旅榜頻回首無復松窗半偈同

月中宿雲居寺上方

虛閣披衣坐寒階踏葉行衆星中夜少圓月上方明靄盡無林色喧餘有磵聲秪應愁恨事還逐曉光生

宋歐陽脩出儀眞西泛大江

孤舟日日去無窮行色蒼茫杳靄中出浦轉帆迷向

背夜江看斗辨西東滮田漸下雲間雁霜日初丹水上楓蓴菜鱸魚方有味遠來猶喜及秋風

楊萬里渡楊子江　祗有清霜凍太空更無半點荻花風天開雲霧東南碧日射波濤上下紅千古英雄鴻去外六朝形勝雪晴中攜餅自汲江心水要試煎茶第一功

梅聖俞渡江二首　始發碧江口曠然諧遠心風清舟在鑑日落水浮金瓜步逢潮信臺城過雁音故鄉何處是雲外郎喬林　風駕晚潮急浪頭相趂過水歸瓜步小船下秣陵多鷗舞不停翅燕飛輕貼波今來學楚客薄暮愛漁歌

王安石瓜步望揚州　落日平林一水邊蕪城掩映秖蒼然白頭追想當時事幕府青衫最少年

蘇軾宿瓜步夢中得小詩錄示民師　吳寨蒹葭空碧海隋宮楊柳只金堤春風自恨無情水吹得東流竟日西

梅堯臣重過瓜步山　魏武敗亡歸孤軍處山頂雖憐江上浦鑿嵓山巔井豈是欲勞兵防患在萌穎我昔常登臨徘徊愛晴景片雨西北來風雷變俄頃疾行下危磴屨脫不及整霑濡入舟中幼子喜抱頸問我適何之衣濕不太冷昨暮泊其陽月黑夜正永雁從沙際鳴旅枕自耿耿平明夾櫓去廟樹聳寒嵓嶺舉首生白雲飄飖水中影

祖永冶浦橋　纔入維揚郡鄉關此地遥林藏初霽雨風送欲歸潮江火沙明岸雲帆礙浦橋客衣今日薄寒氣迎來饒

劉攽長蘆寺　越船吳商倚萬檣紺園金刹起中霄魚龍聽法因多雨江海皈心每上潮林黑夜深燈影白川平天闊梵音遥心知水陸俱調服借取靈犀不用燒

秦少游蜀崗　蜀崗精氣蓄多年故有清泉發石田乍飲肺肝俱澡雪久窺杖屨一清便炊成香稻流珠滑煮出新茶潑乳鮮坐使二一分鄉思動放杯西望欲揮鞭

元張以寧長蘆渡江往金陵

達摩來東土茲峯天下聞樓明滁水月鍾度蔣山雲梵唄江龍出僧齋野鴿分一帆風力便吾欲謁神君

王惲佛狸祠

江山照眼舒清眺千載興亡墮眼前瓜步市長連野戍佛狸祠古慘荒烟槐樓看取平吳日父老空傳飲馬年此際不須開濁淚好風都屬往來船

揭曼碩過六合郎景

春日三竿上翠屏曉風五兩下蘆汀水兼天去無邊白山過江來不斷青沙嘴潮回平雁跡海門雨過帶龍腥昇平不復庭花曲睡起漁歌爛熳聽

明屠隆六合道中

客中不覺年華變閱歲因知道路遥春入補沙猶積雪凍合河柳未垂條蕭蕭匹馬行空闊莽莽孤烟破寂寥北去漸看風土異愁來髩髮使人銷

莊㫤過六峯問買田黃山二首

賣犢年年得幾錢移家何處問安眠白頭笑對黃山尹他日催租更賣田　雞肋尊拳豈足供一時何惜在元戎問田亦是痴人夢天欲窮吾處處

窮

春風亭　春風誰遣月溪潯我屋居然入我岑豈有一人如子到可無半榻此雲深眼中豪傑誰徐孺天下人家幾臥林每夜小趺明月坐傳衣或此是傳心

靈巖山逢太虛僧　雲水秋江與別悰三年不見意何窮誰知小榻青燈裏又是寒巖白髮中坐久可忘今夜月夢回誰喚此堂中相逢更有梅花約任取他年一笑同

送東川雪潭至牟尼峰　懶散乾坤信步行椶鞋布襪頗能輕偶從老樹孤雲頂又盡南風半日晴何地暑堪留酷吏此天涼乃贈先生堯夫十二行窩處此是行窩第一淸

彭堯俞六合道中呈蔡年兄　酒香魚美稻田肥久客南中見亦稀沙鶴似嫌官騎發秋雲兼帶野帆飛秣陵山束濤聲壯瓜步洲横樹影微他日薄游來此邑攜家江上不思歸

程嘉燧重赴六合道中羈懷　眞州曉雨送征帆憶作寒星舞客驂三月烟花

離海曲孤舟風日望江南水鄉味遠閒偏思岐路悲深久漸堪几杖柴門相待否歸心芳草自能諳

送曹丈江行之六合

對客看雲想故丘憐君何事到滄洲還家明月飛烏鵲背海輕帆羨白鷗瓜步江空微有樹秣陵天遠不同秋貧交此別難爲贈欲借殘樽比石尤

季維春日江上

輕舟出瓜步浩渺春江濶鷺起若導予前飛値花落桃李誰家墻鳥啼傍幽郭鍾山紫氣高神京正寥廓

袁敬游冶山

尋芳不惜馬蹄遥楓葉蕭蕭出寺寮搖落並招叢桂侶冶游偏趁菊花朝雲中似擁仙人珮月下疑聞鳳女簫僧舍濁醪同信宿可堪回首黯魂銷

何棟如壬戌秋暮陳元亮招游冶山

聞說百峰山最奇到來秋色更離波地當吳楚東南會寺有齊梁禪代時雲氣欲迷丹鳳闕雨珠先灑白龍池翠華駐蹕知何處擬問山僧騎已馳

姚履素定山看梅　花塢傳芳訊曾如嶺上奇傍巖英
錯落樣月影離披丘壑春生馥松
筠雪間窺會須王
冕筆爲寫最高低

楊于庭陪呂玉繩吏部游六合山　不涉千峯上何知
絕巘高齊梁留佛
刹吳楚隔江濤　啓事山公舊詩名水部豪探奇還從
倚六合有吾曹　石磴捫還滑籃輿夕更躋輿君依
淨土何處見狂華山駐梁皇蹕人傳
韋相家相攜覺迷路爲問白牛車

李維禎史民部紹卿招遊定山珠泉　吏隱仙郎可自
由相攜野客問
林丘峯陰曲抱清溪轉水氣長驅大火流江上船如
龍馬渡山前臺見鳳皇遊僧家解制餘三日芳草爲
茵未
覺秋

朱之蕃眞珠泉　空林侵曉叫鵓鴣獨步探奇得奥區
載酒呼徒來畫舫看雲倚石挾飛鳧
羣峯寒沁千秋碧一水光搖萬斛珠
川瞑烟橫歸騎促中流猶自醉豪粗

曹學佺珠泉　秖人巖巒迴誰知源水生在淵猶自媚出澗始成聲好鳥沿溪映繁花澈底明石家金谷妓見此倍盈盈

馬之駿珠泉　四山莽奔峭有泉冽其坎潛蚌非一源欲撥不可攬空巖匣作鏡細草綠成毯浮陽上鬱蒸頹照人愁慘靡靡戲藻活的的金沙糝鱗介各生成巨細自相啖琴樽寄幽討亭橋架澄澹岸植滋琅玕楚影倒菡萏靜堪通智慧瑩取析肝膽從倚生羣陰俯仰騞諸感月怯宿禽墮風疑林獸喊車馬尚勞勞將發更周覽

林古度咏珠泉月湧　月色自然好況當泉上生水珠光併照石壁影俱明此地全無夜長流獨有聲盈盈如可掬相對總含情

文徵明謁江浦莊先生留宿定山草堂　十畝青松四面山草堂宛轉亂流間若非淸福安能主爲訪高人得暫閒竹圃眠雲秋濯濯水春供枕夜潺潺就中何事尤堪羡國

是人非
可不關

再至定山辱莊先生贈詩次韻

稱鹵窮身豈有知偶陪高論得移時感公不以愚頑棄顧我何堪遠大期草閣便須終歲住僕人休訝出山遲歸來乞得堯夫句暮雨愁燈不斷思

焦竑謁定山先生墓

千古人豪去不歸空餘墟墓江之湄草木摇落滿林壑蕭疎不受春風肥我來維舟奠椒醑薜荔荒叢泣山鬼亂風欲瞑江氣寒老屋吹雲白日死建章千門燈火時從臣爭上鼇山詞封章慷慨羣小忤抽身一去無還期明月長遭魚目妬從古紛紛那足數古冢猶令壯士哀不見當時狐與兎嗚乎轅下之車空局促誰使遺芳貽青牘研泚長歌卷伯篇習習悲風振林木

薛瑄宿靈巖寺

梵宇深沉夜景遲僧房禪榻果幽期竹鳴虛牖風過處霜落寒巖月上時紙帳燭光團白玉石爐香焰藹青絲紅塵馬首明朝別只恐山靈解勒移

秋日靈巖道中

路入山門景便幽高風不斷石林秋照人霜葉紅如染拂袖嵐光翠欲流

幾過野橋橫絕澗逢從古刹見高樓
北峯直與天相接更擬攀蘿到上頭

王士性宿靈巖寺 偶隨麋鹿度河橋欲上丹梯石徑
遥一柱撼空盤地軸四山排闥别
霞標嵐煙半作前溪雨曙色平分大海
潮幾向巖阿栽薜荔好憑玉女自吹簫

楊郡靈巖積雪 巨靈高處擁寒威三白奇觀滿翠微
草樹六花番點綴峯巒萬玉競崔嵬
眩生銀海呈佳瑞淸逼瑶天展素輝
寄與灞橋驢背客好移幽卜近山隈

許安靈巖雪 朝如翡翠暮瓊瑶積素凝華凍不消黯
淡雲烟迷嶺岫依稀溪徑絕漁樵遊僧
問寺扶青杖歸鶴尋巢唳碧霄我
忽聞鐘聊駐馬半山風度梵音遥

畢成濂咏靈巖石子 君不見女媧補天幾千秋猶有
遺石存山丘神禹採入揚州貢
瑶琨之美齊琛球寥寥此石少人知剷采埋光代屢
移後有蘇公供怪石指上螺文何足奇米顛好石非
知己靈巖猶闕在江壯于今太平三百年獻異爭奇
物華侈幽人韻士搜靈珍無翼飛來芸閣裏白定盤

中貯惠泉五色流光更燦然瑪瑙浮來山水趣琉璃映出錦雲鮮閒情對此覺清虛冷冷烟霧染圖書韻借雨痕新沭後光迎旭彩乍臨初世人賞名不識眞金膏玉水拭愈新非聲非色非香味别有幽芬來襲人十襲藏之達者笑烟雲聚散難自料試問蘇米石何在人間猶憶說清妙

楊愼赤岸山送别效謝靈運體 兹山亘長江合沓氣象分成壤凝炎德光暉灼頳雯陽景有先曉陰霞遲餘曛朝暮多奇態草木含靈氳旣下鸞鶴侶亦來麋鹿羣石床閟古薜丹竈流烟濆游屐久蕪没仙跡空塵氛日予敦元尚偕子挹清芬東崖拾瑶草西嵒采香芸行泚青木水坐睇崒峩眉雲躑躅守鼯徑謦欬何當聞

楊郡龍池 清波玉藻麗龍窟雲影天光一畫圖蓬島移來閒境界花封幻出小江湖錦鱗觸網偏成趣素繪傳鮮可待沽却笑季鷹歸棹晚秋風纔說有蓴鱸

李東陽舟過瓜步 秋風江口聽鳴榔楚客歸心正渺茫萬里乾坤此山水百年風物幾

重陽烟中樹色浮瓜步城上山形遶建康直下眞州又東顧夜深燈火宿維揚

王世貞風阻瓜步李季宣先輩破浪過訪 雲疊千層浪風橫一葉舟我慚羊叔子君似郭遐周久不逢泥飲翻令愛石尤欲將無賴意相與問揚州

孫國敉冬日宿烏石山寺看古桂 山繞寺無隣登山未見人庚星明代月午夜煖疑春佛法衰蘭若僧年老桂身晦堂無隱意金粟自紛綸

黃紹文登黃董山 秋淨乾坤萬象新寒泉一派出雲根雨餘遠近添山色水落高低見石痕牧豎獨穿松下徑老樵自閉竹間門歲餘豐稔家家樂禾黍離離又一村

吳邦夜坐龍池待月有感 龍池雲歛淨烟波野曠天空良夜何山吐蟾輝懸玉宇水涵桂影倒銀河浮生世路時時畏清夢家鄉夜夜過何日投閒謝塵鞅薜衣散髮聽漁歌

王廷美龍池看塔影 一塔稜層隱作峰誰移孤影墮寒淙波搖寶鐸驚浮鴈水隱明

珠動卧龍豈是馮夷藏舍利誤疑西竺寄行蹤臨池亦有蹻攀輿醉數魚遊第幾重

黃驊草塘 風暄草茁柳絲短嫩綠嬌黃色初染一泓映出青琉璃朝陽倒射光閃閃春深紅紫競芬芳呈艷爭妍媚韶光臨池翫生草茵軟落花水面成文章欲挽東君莫歸去爭奈風飄亂飛絮

長蘆晚鍾 折蘆渡江逞神蹤卓錫肇自梁普通傳燈警戒木魚響一百又八聲春容四郊薄暮羣動息常和鴻音振虛寂恍若鯨鳴九霄上達摩遺物良足惜客舟幾多泊江邊夢覺一聲霜滿天

郭襄晚過長蘆寺聞鍾聲 空山未終夕忽地聽鐘聲野館人初宿疎林鳥欲驚洞雲和樹暗漁火向江明馬上敲新句銀鈎已掛城

戴愬九日厲鶴江邀飲卧佛寺東阜 禪林東阜堪登望知已壺觴得盡歡九日幾從塵裏過六峰今向眼中寬風生滁水秋濤壯日下靈巖晚氣寒江鶴天邊搏翮健塞鴻雲表落聲酸黃花陶徑開猶少紫稻周田刈已殘石起孤城驚歲晏磬飄古剎報東闌舊醉細酌盃揺綠墮

葉時飛席點丹却愧菲才虛作賦還羞短髮懶歌冠衰年今節千愁集浮世艮朋一笑難共泛茱萸拚酩酊不須延首睇長安

國朝王鐸孫郎行贈石君阿滙

孫郎兄弟氣何豪腰間舟之雙寶刀讀書避讐金陵山眼看富貴如背毛慷慨無恪縮爲目欲爲腹不學鬬雞騁六博仰天睨柱時擊筑秋來遠探茱萸灣雪裏獨酌梅花谷才高未遇羊角風時好空存鱓篋中且喜篆隸史籀法倒薤屈銕拏雲虹肝膽過人小一身感憤悲歌遏流雲陽春四座爲起舞豈是鼓刀屠狗人今日相逢雀巷東趾問要離墓惟傍卞壼宮諸鱄吳門久寂寞其骨久已荆榛同孫君兄弟陸士龍大江盤礴未終窮丈夫當斬月支首千秋定勒燕然功請看蜂燧藏須急寇火甘泉紅勿使人謂我輩空雕蟲

山雲

雲低因壑轉雲懶近人屋謂雲豈無知依依向此宿

丁灦望冶山

酷愛探名勝嵯峨望裏收百峯天外落一水境中流冉冉雲成浦重重霧結樓

山靈應許我
未到已神遊

以上
六合

詩餘

宋王安石金陵懷古桂枝香　登臨送目正故國晚秋天氣初肅千里澄江似練翠峯如簇征帆去棹殘陽裏背西風酒旗斜矗綵舟雲淡星河鷺起圖畫難足　念自昔豪華競逐歎門外樓頭悲恨相續千古憑高對此謾嗟榮辱六朝舊事隨流水但寒烟衰草凝綠至今商女時時尚歌後庭遺曲

周邦彥金陵懷古西河　佳麗地南朝盛事誰記山圍故國遶清江髻鬟對起怒濤寂寞打空城風檣遙度天際　斷崖樹猶倒倚莫愁艇子曾繫空餘舊迹鬱蒼蒼霧沉半壘夜深月過女墻來傷心東畔淮水　酒旗戲鼓甚處市想依稀王謝隣里燕子不知何世入尋常巷陌人家相對如說興亡斜陽裏

夏日溧水無想山作滿庭芳　風老鶯雛雨肥梅子午陰嘉樹清圓地卑山近

衣潤費爐烟人靜烏鳶自樂小橋外新綠濺濺凭欄久黃蘆苦竹擬泛九江船　年年如社燕飄流瀚海來寄修椽且莫思身外長近樽前憔悴江南倦客不堪聽急管繁絃歌筵畔先安枕簟容我醉時眠

寇準作江南春　波渺渺柳依依孤村芳草遠斜日杏花飛江南春盡離腸斷蘋滿汀洲人未歸

杜旟石頭城酹江月　江山如此是天開萬古東南王氣一自髯孫橫短策坐使英雄鵲起玉樹聲銷金蓮影散多少傷心事千年遼鶴併疑城郭非是　當日萬駟雲屯潮生潮落處石頭孤峙人笑褚淵今齒冷只有袁公不死斜日荒烟神州何在欲墮新亭淚元龍老矣世間何限餘子

張孝祥題溧陽三塔寺西江月　問訊湖邊春色重來又是三年東風吹我過湖船楊柳絲絲拂面　世路如今已慣此心到處悠然寒光亭下水連天飛起沙鷗一片

程珌登石頭城滿江紅　頗恨登臨淚自作騷人愁語石城上何須苦說死袁生褚

當日臥龍商略處秦淮王氣眞何許與君來蕭瑟北風寒黃雲暮　枕鐘阜潮元武生此虎眞蹲踞看四山環合休臨江渚可笑唐人無意度却言此虎凌波去君且住明月爲人來潮生浦

王千秋石城弔古賀新郎

弔古城頭去正高秋霜晴木落路通洲渚欲問紫髯分鼎事只有荒祠烟樹巫覡去久無簫鼓霸業荒凉遺堞墜但蒼崖日閱征帆渡興與廢幾今古　夕陽細草空凝佇試追思當時子敬用心良誤要約劉郎銅雀醉底事遽爭荆楚遂但見蜀吳烽舉致使五官伸腳睡喚諸兒畫取長陵土遺此恨欲誰語

王琪望江南三首

江南柳烟穗拂人輕愁帶空長描不似舞腰雖瘦學難成天意與風情　攀折處離恨幾時平已縱柔條縈客棹更飛狂絮撲旗亭三月亂鶯聲

江南雨風送滿長川碧瓦烟昏沉柳岸紅綃香潤入梅天飄灑正瀟然　朝與暮長在碧峰前寒夜愁敧金帶枕春江深閉木蘭船烟清遠相連

江南岸雲樹半晴陰帆去帆來天亦老潮生潮落日空沉南北別離心　興廢事千古一

沽襟山下孤烟漁市遠柳邊
疎雨酒家深行客莫登臨

蘇軾白鷺亭贈王勝之龍圖漁家傲　千古龍盤並虎
踞從公一弔興
亡處渺渺斜風吹細雨芳草渡江南父老留公住
公駕飛車凌彩霧紅鸞驂乘青鸞馭却訝此洲名白
鷺非吾侶翩然
欲下還飛去

張揮建康訴衷情　鍾山影裏看樓臺江烟晚翠開六
朝舊時明月清夜滿秦淮　寂寞
處雨潮廻黯愁懷汀花雨
細水樹風間又是秋來

康與之金陵懷古菩薩蠻　龍盤虎踞金陵郡古來六
代豪華盛綵鳳不來遊臺
空江自流　下臨全楚地包舉中
原勢可惜草連天晴郊孤兎眠

張鎡舟泊秦淮柳梢青　天遠山圍龍蟠淡靄虎踞斜
暉幾度功名幾番成敗渾似
鷗飛　樓臺一望凄迷算到底空爭
是非今夜潮生明朝風順且送船歸

辛棄疾登賞心亭酹江月

我來弔古上危樓贏得閒愁千斛虎踞龍盤何處是只有興亡滿目柳外斜陽水邊歸鳥隴上吹喬木片帆西去一聲誰噴霜竹　却憶安石風流東山歲晚淚落哀箏曲兒輩功名都付與長日惟消棋局寶鏡難尋碧雲將暮誰勸杯中綠江頭風怒朝來波浪翻屋

前題水龍吟

楚天千里清秋水隨天去秋無際遙岑遠目獻愁供恨玉簪螺髻落日樓頭斷鴻聲裏江南遊子把吳鉤看了欄干拍遍無人會登臨意　休說鱸魚堪膾儘西風季鷹來未求田問舍怕應羞見劉郎才氣可惜流年憂愁風雨樹猶如此倩何人喚取紅巾翠袖揾英雄淚

吳潛金陵烏衣園滿江紅

柳帶榆錢又還過清明寒食天一笑滿園羅綺滿城簫笛花樹得晴紅欲染遠山過雨青如滴問江南池館有誰來江南客　烏衣巷今猶昔烏衣事今難覓但年年燕子晚烟斜日抖擻一春塵土債悲涼萬古英雄迹且芳樽隨分趁芳時休虛擲

明王世貞江南詞浣溪紗　一夜春波釀作藍曉桑柔葉
綠鬖鬖丫鬟十五太驕憨
織作雙魚成比目偷將百草
鬬宜男更無心緒餵春蠶

錢謙益金陵中秋十六夜作永遇樂　銀漢紅墻浮雲
隔斷玉簫吹裂
白玉堂前鴛鴦六六誰與王昌說今宵二八清輝香
霧還破瓜時節劇堪憐澄鏡清天獨照長門華髮
莫愁未老嫦娥孤另相向共嗟圓缺長歎凭欄低雲
擁髻墻與陰蛩切單棲海燕東流河水十二金釵敲
折向日裏並肩
攜手雙雙拜月

黃周星贈友人草堂作念奴嬌　當年謝傅有東山別
墅冷冷絲竹家在烏
衣朱雀桁楊柳白門垂綠思種芙蓉渡江而北又卜
東原築千秋遺蹟不殊輞水金谷　誰道後有文人
婆娑其地復構新書屋亭砌芙蓉還遍種醉把離騷
長讀昔日東山風流如在高臥經綸足蒼生想望佇
看徵起
皐陸

國朝龔鼎孳金陵渡江西江月 箭打亂潮柔櫓鴉翻古渡青旗春江玉雪鑒鬢眉俊眼相看似此 長劍錦驄香夢寶釵鈿瑟男兒人言無淚灑離時不稱英雄淚耳

梁清標金陵寒食蘇幙遮 杏花烟榆莢雨綠映平橋又見春如許油壁車輕寒食路細草芳樽邀取春光駐 囀鶯樓歸雁浦柳外梨梢愁煞長亭暮天意也知離别苦片片輕雲遮斷人行處

觀察金鎮江寧憶揚州紅橋次阮亭韻浣溪紗 依舊紅橋俯碧流荷花開遍十年秋江風江月好揚州 畫舫自憐歸路晚寒烟不鎖遠山愁來朝仍上酒家樓

錦作輕帆蘭作槳綠楊堆裏宛虹橋總憑歌吹恨難消 荒苑青螢光的的迷樓紅粉夢迢迢六朝前事問江潮

小閣垂帘賣酒家遊人愛駐碧油車鵝黃酒映綠窗紗 細徑蘼蕪新雨軟輕條楊柳薄風斜櫂歌聲滿藕塘花

王士禛楊子江上作水龍吟　岷峩萬里滔滔荆吳九
派來南紀潯陽東下秣
陵西望吳頭楚尾鐵甕風高海門鴈斷角聲初起歎
從來多少英雄幹畧都付與東流矣　盡道長江天
塹墻消磨幾番戰壘師兒年少寄奴老手正堪相對
北府風流子有孫權甥如無忌到而今洗馬臨江愁
絶一天
烟水

白門席上被酒賀新郎　把酒歌金縷正遲日和風小
院金衣梳羽緩拍紅牙青樽
畔蟬鬢美人相語更掩映花前白苧釵掛臣冠交翠
烏細腰身幾欲凌風去似燕燕掌中舞　花奴妙合
梨園部便何妨岑年犢鼻爲卿撾鼓數弄漁陽平生
氣不禁飛揚跋扈自昔道英雄誰主傳粉搔頭聊作
劇料思王而在應相
許君但醉酒如乳

朱彝尊雨花臺賣花聲　衰柳白門灣潮打城還小長
干接大長干歌板酒旗零落
盡剩有漁竿　秋草六朝寒花雨空壇更無
人處一憑欄燕子斜陽來又去如此江山

吳大帝廟滿江紅

王座苔衣，拜遺像紫髯如作。想周郎陸弟一時聲價，乞食肯從張子布，舉杯但屬甘興霸。看尋常談笑敵曹劉，分區夏。南北限長江，跨樓櫓動降旗詐。歎六朝割據，後來誰亞。原廟尚存龍虎地，春秋未輟雞豚社。剩山圍秋草女墻空，潮打。

石城懷古風蝶令

青蓋三杯酒，黃旗一片帆。空餘神讖斷碑鑱。借問橫江鐵鎖是誰監。花雨高臺冷，胭脂辱井緘。夕陽留與蔣山銜。猶戀風香閣畔舊松杉。

過友人村居望江南集句

三春暮，看竹到貧家。高樹夕陽連古巷，小橋流水接平沙。把酒話桑麻。

江南元夕憶王孫集句

今年春色勝常年。遙望笙歌隔水烟。何處風光不眼前。月如弦。從未團圓直到圓。

夜泊燕子磯聞鄰舟歌者浣溪紗集句

雲髩新梳薄似蟬。江頭暫

駐木蘭船水塞烟淡落花前五夜清歌敲玉樹一雙纖手語香絃坐來雖近遠于天

秋日度秣陵關釆桑子集句　秣陵關上秋雲起習習凉風于彼疎桐摵摵淒淒葉葉同　平沙渺渺行人度垂雨濛濛此去何從一路寒山萬木中

石城春日懷歸滿江紅集句　燕燕于巢卷翠幕花張錦織芳菲節光風轉蕙漏添遲日世事浮雲何足問簾前春色應須惜勸少年放意且狂歌陳瑤席　春向晚日西夕閒徙倚長思憶只將琴作伴東西南北鄉信漸稀人漸老流水易去歡難得早歸來已是十年遊江南客

彭孫遹除夕客金陵守歲菩薩蠻　節序驚心殘臘盡同雲襞雨寒猶緊小煖逼爐烟江春入舊年　芳柑傳綺席好事過除夕香雪動園梅春迴人未迴

重陽後一日石城別程村阮亭祝英臺近　遠峰青寒渚碧零落紅衣暮流雪迴風陣陣蘆花舞秋光欲斷人腸重陽過也猶做作滿城風雨　太匆遽乍可一曲驪歌便

上蘭舟去水雲無際何處尋前渡依稀認得歸程黃葉清江是昨夜夢中來路

汪懋麟答金陵友人作如夢令

又見客巢新燕軟語商量春院芍藥放豐臺深巷明朝賣遍相念相念心比千絲萬線

周銘和驛憲金公滿庭芳

越水雙奇義門獨步翩翩鳴鳳高岡邗關澤遍五馬快騰驤方賭平山堂搆新綸下繡簇鴛行迓旌節鶯遷已報正舉彩霞觴　一陽逢亞歲正氷桃初結雲靄呈祥玉芽珠顆羅薦蘭湯從此孫枝秀發開顏後承旨銀鐺憑酣飲慶看英物同祝滿庭芳

曹新里和驛憲金公榮遷日得孫滿庭芳

金粟前身三槐舊植斗山爭羨文章宦携琴鶴更治邁龔黃江左天中到處郇侯雨蔽芾甘棠新綸煥懸牙建節五馬快騰驤　恩榮方燕喜蘭孫恰報載弄之璋待啼聲試聽英物非常維岳生申及甫充閭慶萬石齊芳看他日雲呈五色濟美列鴛行

陸大寧燕子磯漁父詞酹江月　蒼茫極目，聽何處風颺空明橫笛獨縱扁舟來睥睨無數魚龍出沒歌咽奔流嘯排濁浪萬頃垂綸瀾一聲歸去長天鴻雁嘹嚦　我笑拂袖溪邊披裘磯畔未是桃源匹尚父嚴陵釣浮名還向王侯長揖秋水蒹葭天涯應自喜更無相識泛將烟雨江湖隨地蓑笠

鄭賜題赤石磯念奴嬌　畫船簫鼓震秦淮記得年年端午萬竹千絲凌亂處一水幾成塵土闗下斜陽渡邊新月此際教誰主小舟如葉一聲搖動柔櫓　却望赤石磯頭長干埨下榴火明江渚綠樹陰中門畫掩似有人如皇古碧水無窮紅塵難到應許儂爲伍城高風細落花輕點漁浦

姜垚金陵懷古百字令　放開青眼問垂垂楊柳何人攀折金粉六朝多少淚流作秦淮嗚咽高閣紅燈畫樓翠袖鏡裏還明滅鈿釵零亂至今遺老能說　怪底紫陌尋遊莫愁湖畔捲銀濤如雪聽得黃鸝聲最好依舊一輪春月帝王經臺貴妃玉樹往事空消歇雞鳴烟雨當時何處宮闕

戴常新柳望江南二首城西陌弱態正飄飄帶雨乍添西子黛迎風初舞小蠻腰臨水淡烟饒　高樓外一半罨窗紗嫩葉螺痕嘶寶馬短枝金縷拂油車故故趁風斜

曹霦白門僧舍喜晤友人惠詩玉女搖仙珮長干吊古虎踞龍盤六代江山如故玉樹歌殘金蓮花碎只有舊時塵土蕭寺同羈旅喜東原倦客高樓相晤訴新怨嵚欹嵜寥落消向南唐北宋詞譜貽我這詩箋揚柳樓臺青春鶗鴂　家在芙蓉別業秋水秋烟謝傅當時曾任腸斷楚腰十年魂夢顛領三生小杜此日平分取茶聲共簷外砧聲微雨愛好事奚囊收拾廣陵傾國天孫五色瓊花賦春明擬下雷塘路

魯瀾石頭渡江減字木蘭花柳風蕩漾吹得船兒平似掌浪打春波愛聽漁郎欸乃歌　江頭雙燕飛向沙堤渾不見惱亂梨花開謝東風第一家

吳漢登雨花巔望木末敬吊方景二先生酹江月爲貪

秋色上高臺縱目雲空天咫如此江山真爽豁合讓思雄棲止昔忍屠麟兮悲膾鳳血灑長干里澹烟衰草荒祠木末雙峙　誰念帝子于萍飄全軀反面又夔龍濟濟彈指功名今在否笑爾蜉蝣等死緋袖貂鋒麻衣雪涕不愧奇男子丹心浩氣稜稜猷亘終始

徐釚江寧早春聽報恩寺僧彈琴解珮令　東風吹鬢韶光暗去怕難支羈懷情緒自聽沙彌拂玉軫繚垣低處恍瀟湘淚啼姚女　灞亭秋老楓江雁叫入清商彈來如許颯颯凄凄小窗下渾疑烟雨問梅花此情難訴

丁灝江上阻風調渡江雲　揚舲初破浪石尤風急獵獵透重裘驚濤飛百尺捲黑雲沉霧慘澹觸雙眸雁避寒潮行陣斷叫遍汀洲且停橈典衣沽酒篷底學吳謳　休休當年已亥跋扈鮫人羨征東調遣殲百萬猖狂鱗介談笑功收石城山寺廉纖雨聽僧鐘幾度敲愁從傍覷輿亡頃刻江流

俞純滋張園春海棠調寄海棠春

東風著意催花早能幾日海棠開了嫩綠點柔紅朵朵垂枝嫋　恰似紅兒微暈好輕盈處春山淡小最愛養花天冷煖都無惱

丁彥讀畫樓調寄雨中花慢

簾捲匡雲障列蘇門放衙時對滄洲笑論交袨褐負氣純鈞人事銅臺吹裏宦情牙管銜頭向闕荊厮義屐齒無痕目盡天陬　彈棊載記寶繪成文原來寓意非留又何必鍾山雨洗天闕烟柔遊臥常憑百尺歗歌不廢層丘從今香案只談風月添却詩籌

趙琳莫愁湖調浪淘沙

堤柳放青眸春睡方休絲絲揉亂未梳頭盡是當年離別恨孰謂無愁　遥聽水邊樓笛韻悠悠落花點點逐漁舟況值傷心時候也欲去還留

江寧府志卷之三十八

藝文五 賦

晉左思吳都賦

東吳王孫囅然而咍曰夫上圖景宿辨於天文者也下料物土析於地理者也古先帝世曾覽八紘之洪緒一六合而光宅翔集遐宇鳥策篆素玉牒石記烏聞梁岷有陟方之館行宮之基歟而吾子言蜀都之富禺同之有偉其區域美其林藪矜巴漢之阻則以爲襲險之右徇蹲鴟之沃則以爲世濟陽九齷齪而筭固亦曲士之所歎也旁魄而論都邑抑非大人之所壯觀也何則土壤不足以攝生山川不足以周衛公孫國之而破諸葛家之而滅玆埏喪亂之丘墟顛覆之軌轍安可以儷王公而著風烈也翫其磧礫而不窺玉淵者未知驪龍之所蟠也習其敝邑而不覩上邦者未知英雄之所躔也子獨未聞大吳之巨麗乎且有吳之開國也造自太伯宣於延陵蓋端委之所彰高節之所興建至德以創洪業世無得而顯稱由克讓以立風輕脫躧於千乘若率土而論都則非列國之所觖望也故其經

畧上當星紀拓土畫疆卓犖兼并包括于越跨躡蠻荆婺女寄其曜翼軫寓其精指衡嶽以鎮野目龍川而帶坰爾其山澤則嵬嶷嶢屼嵔滇鬱岪潰渹泮汗滇澼淼漫或涌川而開瀆或吞江而納漢磈磈磈磈滮滮淅淅礉硿乎數州之間灌注乎天下之半百川泒别歸海而會控清引濁混濤并瀨濆薄沸騰寂寥長邁潩焉洶洶隱焉礚礚出乎大荒之中行乎東極之外經扶桑之中林包暘谷之滂沛潮波汩起廻復萬里歊霧滃浡雲蒸昏昧泓澄奫潫潁溶沆瀁莫測其深莫究其廣澶湉漠而無涯惣有流而爲長瓌異之所叢育鱗甲之所集往於是乎長鯨吞航修鯢吐浪躍龍騰蛇蛟鰽琵琶王鮪鯸鮐鮣龜鱕鯌烏賊擁劍黿鼉鯖鰐涵泳乎其中葺鱗鏤甲詭類舛錯沂洄順流噞喁沈浮鳥則鶡鷄鸀鳿鸘鵠鷺鴻鶤鷗避風候雁造江溪鷙鸍鸂鶒鶴鶖鶬鸛鷗鴛鸕泛濫乎其上湛淡羽儀隨波參差理翮整翰容與自玩彫琢蔓藻刷盪漪瀾魚鳥聱耴萬物蠢生芒芒黖黖慌罔奄欻神化翕忽函幽育明窮性極形盈虛自然蚌蛤珠胎與月虧全巨鼇贔屓首冠靈山大鵬繽翻翼若垂天振盪汪流雷抃重淵殷動宇宙胡可勝源島嶼緜

邈洲渚憑隆曠瞻迢遞迴眺冥蒙珍恠麗奇隙亢徑路絶風雲通洪桃屈盤丹桂灌叢瓊枝抗莖而敷蘂珊瑚幽茂而玲瓏增岡重阻列眞之宇玉堂對霤石室相距藹藹翠幄嫋嫋素女江妃於是往來海童於是宴語斯寔神妙之饗象嗟難得而覼縷爾迺地勢坱圠卉木䖘蔓遭藪爲圃値林爲苑異荂蓲蘛夏曄冬蒨方志所辨中州所羨草則藿蒳荳蔻薑彙非一江離之屬海苔之類綸組紫絳食葛香茅石帆水松東風扶留布護臯澤蟬聯陵丘夤緣山嶽之岊冪歷江海之流杭白蔕銜朱蘳鬱兮蒁茂曄兮菲菲光色炫晃芬馥肹蠁職貢納其包匭離騷詠其宿莽木則楓柙櫲章栟櫚枸櫞緜杭杶櫨文欀楨橿平仲君遷松梓古度楠榴之木相思之樹宗生高岡族茂幽阜擢本千尋垂蔭萬畝攢柯挐莖重葩掩葉輪菌虯蟠埤塿鱗接熒色雜糅綢繆縟繡宵露霮䨴旭日晻時與風颷颺颲瀏颼飀鳴條律暢飛音響亮蓋象琴筑并奏笙竽俱唱其上則有猿父哀吟⿰犭軍子長嘯狖鼯猓然騰趠飛超爭縣接垂競遊遠枝驚透沸亂窂落翬散其下則有梟羊麢狼猰貐貙象於菟之族犀兕之黨鉤爪鋸牙自成鋒穎精居矅星聲若雷霆名載

於山經形鏤於夏鼎其竹則篔簹林箊桂箭射筒柚梧有篁篻箉有叢苞筍抽節往往縈結綠葉翠莖冒霜停雪橚矗森萃蓊茸蕭瑟檀欒嬋娟玉潤碧鮮梢雲無以踰嶰谷弗能連鸑鷟食其實鵷鶵擾其間其果則丹橘餘甘荔枝之林檳榔無柯椰葉無蔭龍眼橄欖棎榴禦霜結根比景之陰列挺衡山之陽素花斐丹秀芳臨青壁係紫房鷓鴣南翥而中留孔雀綷羽而翱翔山鷄歸飛而來棲翡翠列巢以重行其琛賂則琨瑤之阜銅鍇之垠火齊之寶駭鷄之珍頳丹明璣金華銀樸紫貝流黃縹碧素玉隱賑崴裹雜插幽屏精曜潛穎硩陊山谷碕岸爲之不枯林木爲之潤黷隋侯於是鄙其夜光宋王於是陋其結綠其荒陬譎詭則有龍穴內蒸雲雨所儲陵鯉若獸浮石若桴雙則比目片則王餘窮陸飲木極沈水居泉室潛織而卷綃淵客慷慨而泣珠開北戶以向日齊南冥於幽都其四野則畛畷無數膏腴兼倍原隰殊品窊隆異等象耕鳥耘此之自與穱秀菰穗於是乎在煮海爲鹽採山鑄錢國稅再熟之稻鄉貢八蠶之緜徙觀其郊隧之內奧都邑之綱紀霸王之所根柢開國之所基址郛郭周匝重城結隅通門二八水道陸衢所以

經始用累千祀憲紫宮以營室廓廣庭之漫漫寒暑隔閡於邃宇虹蜺迴帶於雲館所以跨跱焕炳萬里也造姑蘇之高臺臨四遠而特建帶朝夕之濬池佩長洲之茂苑窺東山之府則瓌寶溢目覿海陵之倉則紅粟流衍起寢廟於武昌作離宮於建業闡閶閭之所營采夫差之遺法抗神龍之華殿施榮楯而捷獵崇臨海之崔嵬飾赤烏之暐曄東西膠葛南北峥嶸房櫳對榥連閣相經閽闥譎詭異出奇名左稱彎崎右號臨硎雕欒鏤楶青瑣丹楹圖以雲氣畫以仙靈雖兹宅之夸麗曾未足以少寧思比屋於傾宮畢結瑶而構瓊高闈有閌洞門方軌朱闕雙立馳道如砥樹以青槐亘以淥水元蔭耽耽清流亹亹列寺七里夾棟陽路屯營櫛比廨署棊布横塘查下邑屋隆夸長干延屬飛甍舛互其居則有高門鼎貴魁岸豪傑虞魏之昆顧陸之裔岐嶷繼體老成奕世躍馬疊跡朱輪累轍陳兵而歸蘭錡内設冠蓋雲蔭閭閻闐噎其隣則有任俠之靡輕訬之客締交翩翩儐從奕奕出躡珠履動以千百里讌巷飲飛觴舉白翹關扛鼎抃射壺博鄱陽暴虐中酒而作於是樂只衎而歡飫無匱都輦殷而四奥來暨水浮陸行方舟結駟唱

棹轉轂昧旦永日開市朝而普納橫闤闠而流溢混品物而同壥幷都鄙而爲一士女佇眙工賈駢坒紵衣絺服雜沓漎萃輕輿按轡以經隧樓船舉颿而過肆果布輻輳而常然致遠流離與珂珬纚賄紛紜器用萬端金鎰磊珂珠琲闌干桃笙象簟韜於筒中蕉葛升越弱於羅紈𣿅譶衆夥交貿相競諠譁喤呷芬葩蔭映揮袖風飄而紅塵晝昏流汗霢霂而中逵泥濘富中之甿貨殖之選乘時射利財豐巨萬競其區宇則幷疆兼巷矜其宴居則珠服玉饌趫材悍壯此焉比廬捷若慶忌勇若專諸危冠而出竦劍而趨扈帶鮫函扶揄屬鏤藏鍦於人去戲自閭家有鶴膝戶有犀渠軍容蓄用器械兼儲吳鉤越棘純鈞湛盧戎車盈於石城戈船掩於江湖露往霜來日月其除草木解節鳥獸腯膚觀鷹隼誡征夫坐組甲建祀姑命官帥而擁鐸將校𢧵乎具區烏滸狼䏶夫南西屠儋耳黑齒之酋金鄰象郡之渠驫駥飍矞靸雲驚捷先驅前途兪騎騁路指南司方出車轝轝被練鏘鏘在者吳王廼巾玉輅軺轎驪旗魚須常重光攝烏號佩干將羽毛揚蕤雄戟耀銛貝冑象弭織文鳥章六軍袀服四騏龍驤峭格周施罿罻普張罼罕瑣結罠蹄

連綱陸以九疑禦以沅湘輶軒蓼擾轂騎熠煌袒裼徒搏拔距投石之部猿臂駢脇狂趫獷猤鷹瞵鶚視参譚狔猑若離若合者相與騰躍乎莽罠之野干鹵殳鋋暘夷勃盧之旅長殺短兵直髮馳騁儇佻坌並銜枚無聲悠悠旆旌者相與聊浪乎昧莫之熛鉦鼓疊山火烈坰林飛爓浮烟載霞載陰拉擸雷硠崩巒陁岑鳥不擇木獸不擇音暴虤甗續麋麖蓦六駮追飛生彈鸞鵠射猭挻白雉落黑鳩零陵絕嶚嶕聿越巉嶮蹝蹴竹栢獮豫杞柟封狶蘢神螭掩剛鏃潤霜刃染於是弭節頓轡脅鑣駐蹕徘徊倘佯寓目幽蔚覽將帥之拳勇與士卒之抑揚羽旄以脅距爲刀鈹毛羣以齒角爲矛鋏皆體著而應卒所以挂抗而爲創痏衝踤而斷筋骨莫不衄銳挫鋩拉押摧蔵雖有石林之岸崿請攘臂而靡之雖有雄虺之九首將抗足以跐之顛覆巢居剖破窟宅仰攀鵽鷚俯蹴豺貘刲刳熊羆之室剽掠虎豹之落猩猩啼而就擒巂巂笑而被格屠巴虵出象骼斬鵬翼掩廣澤輕禽狡獸周章夷猶狼跋乎紭中忘其所以睽暘失其所以去就䰧䝞氣懾而自踢跌者應弦而飲羽形僨景僵者累積而增益雜襲錯繆傾藪薄倒岬岫巖穴無豜豵

翳薈無䨙鷚思假道於豐隆披重霄而高狩籠烏兎於日月窮飛走之棲宿嶰澗闃岡岵童罾罘滿效獲衆廻靶乎行睨觀漁乎三江汎舟航於彭蠡渾萬艘而既同弘舸連舳巨艦接艫飛雲蓋海制非常模疊華樓而島峙時髣髴於方壺比鷁首之有裕邁餘艎於往初張組幃搆流蘇開軒幌鏡水區篙工楫師選自閩禺習御長風狎翫靈胥責千里於寸陰聊先期而須臾櫂謳唱簫籟鳴洪流響渚禽驚弋磻放稽鷦鵬虞機發留鵁鶄鉤餌縱橫網罟接緒術兼詹公巧傾任父筌鰅鱅鱺鱨鯊罩兩魪罺鰝鰕乘鱟黿鼉同罛共羅沈虎潛鹿馬蘢僒束䲔鯨背中於羣犗攙搶暴出而相屬雖復臨河而釣鯉無異射鮒于井谷結輕舟而競逐迎潮水而振緡想萍實之復形訪靈夔於鮫人精衛銜石而遇繳文鰩夜飛而觸綸北山亡其翔翼西海失其游鱗雕題之士鏤身之卒比飾虬龍蛟螭與對簡其華質則亄費錦繢料其虓勇則雕悍狼戾相與昧潛險搜瓌奇摸蝳蝐扪觜蠵剖巨蚌於回淵濯明月於漣漪畢天下之至異訖無索而不臻谿壑爲之一罄川瀆爲之中貧哂澹臺之見謀聊襲海而徇珍載漢女於後舟追晋賈而同塵汨乘流

以砰宕翼颸風之飂飂直衝濤而上瀨常沛沛以悠悠汔可休而凱歸揖天吳與陽侯指包山而爲期集洞庭而淹留數軍實乎桂林之苑嚮戎旅乎落星之樓置酒若淮泗積肴若山丘飛輕軒而酌綠醽方雙轡而賦珍羞飲烽起釂鼓震士遺倦衆懷忻幸乎館娃之宮張女樂而娛羣臣羅金石與絲竹若鈞天之下陳登東歌捺南音應陽阿詠韎任荆豔楚舞吳歈越吟翕習容裔靡靡愔愔若此者與夫唱和之隆響動鍾磬之鏗鈜有殷坻頽於前曲度難勝皆與謡俗叶協律吕相應其奏樂也則木石潤色其吐哀也則淒風暴興或起延露而駕辨或踰淥水而採菱軍馬弭髦而仰秣淵魚踈鱗而上升酣湑半八音幷歡情留良辰征魯陽揮戈而高麾迴曜靈於太清將轉西日而再中齊既往之精誠昔日夏后氏朝群臣於兹土而執玉帛者以萬國蓋亦先王之所高會而四方之所軌則春秋之際要盟之主闔閭申其威夫差窮其武内果伍員之謀外騁孫子之奇勝彊楚於柏舉棲勁越於會稽闕溝乎商魯爭長於黄池徒以江湖嶮陂物産殷充繞霤未足言其固鄭白未足語其豐士有陷堅之鋭俗有節概之風睚眦則挺劍喑鳴則

彎弓擁之者龍騰據之者虎視麾城若振槁搴旗若顧指雖帶甲一朝而元功遠致雖累葉百疊而富疆相繼樂滑衍其方域列仙集其土地桂父練形而易色赤須蟬蛻而附麗中夏比焉畢世罕見丹青圖其象珍瑋貴其寶利也舜禹游焉沒齒而忘歸精靈留其山阿翫其奇麗陪判庶土商榷萬俗國有鬱鞅而顯敞邦有湫阨而踡跼伊兹都之函弘傾神州而韞櫝仰南斗以斟酌兼二儀之優渥由此而揆之西蜀之於東吳小大之相絕也亦猶踈林螢燿而與夫尋木龍燭也否泰之相背也亦猶帝之懸解而與夫桎梏疏屬也庸可共世而論巨細同年而議豐确乎暨其幽遐獨邃寥廓閑奧耳目之所不該足趾之所不蹈倜儻之極異崫詭之殊事藏理於終古而未寤於前覺也若吾子之所傳孟浪遺言略舉其梗概而未得其要妙也

郭璞江賦　咨五才之並用實水德之靈長惟岷山之導江初發源乎濫觴聿經始于落沫攏萬川乎巴梁衝巫峽以迅激躋江津而起漲極泓量而海運狀滔天以淼茫總括漢泗兼包淮湘并吞沅澧

汲引沮漳源二分於岷峽流九派乎潯陽鼓洪濤于赤岸淪餘波乎柴桑網絡群流商摧涓澮表神委于江都混流宗而東會注五湖以漫漭灌三江而漰沛滈汗六州之域經營炎景之外所以作限于華裔壯天地之嶮介呼吸萬里吐納靈潮自然往復或夕或朝激逸勢以前驅洒鼓怒而作濤峨嵋爲泉陽之揭玉壘作東別之標衡霍磊落以連鎮巫廬嵬崫而比嶠協靈通氣濆薄相陶流風蒸雷騰虹揚霄出信陽而長邁淙大壑與沃焦若廼巴東之峽夏后疏鑿絕岸萬丈壁立赮駮虎牙嵥豎以屹崒荊門闕竦而磐礴圓淵九迴以懸騰湓流雷呴而電激駭浪暴灑驚波飛薄迅澓增澆湧湍疊躍砯巖鼓作漰湱澩灂㵞㶁潰濩泧漷潏湟淴泱瀽瀷潤瀾淪漩澴滎瀯渨涺濆瀑溭淢濜溳龍鱗結絡碧沙瀢沲而往來巨石硉矹以前却潛演之所汩淈奔溜之所磢錯厓隒爲之泐嵃碕嶺爲之嵒崿幽澗積阻礐硌嶅確若廼曾潭之府靈湖之淵澄澹汪洸瀇滉囦泫泓汯泂潒涒㴼圖潾混瀚灦湞流映揚焆溟漭渺沔汗汗沺沺察之無象尋之無邊氣滃渤以霧杳時鬱律其如烟類胏渾之未凝象太極之構天長波浹渫峻湍崔嵬盤

渦谷轉淩濤山頹陽侯砐硪以岸起洪瀾涴演而雲迴沍淪流瀁乍浥乍堆𣿱如地裂豁若天開觸曲崖以縈繞駭崩浪而相礧鼓𠩄窟以㴔潡乃溢湧而駕隈魚則江豚海狶叔鮪王鱣鮥鰊鯵鮋鮻鰫鯩鰱或鹿䑏象鼻或虎狀龍顏鱗甲錯錯煥爛錦斑揚鬐掉尾噴浪飛㳄排流呼哈隨波遊延或㬥采以晃淵或赫鰓乎巖間介鯨乘濤以出入鯼鮆順時而往還爾其水物怪錯則有潛鵠魚牛虎蛟鉤蛇蜦蟳鱟蝞鰿鼋鼉鼊王珧海月土肉石華三蝬蚾江鸚螺蜁蝸璅蛣腹蟹水母目蝦紫蚢如渠洪蚶專車瓊蚌晞曜以瑩珠石蜐應節而揚葩蜛蝫森衰以垂翹玄蠣磈礧而碨硊或泛瀲於潮波或混淪乎泥沙若洒龍鯉一角奇鶬九頭有鼈三足有龜六眸頳蟞肺躍而吐璣文魮磬鳴以孕璆倏鱅拂翼而掣耀神蜧蝹蜦以沈遊騁馬騰波以噓蹀水兕雷咆乎陽侯淵客築室于巖底鮫人構館于懸流雹布餘糧星離沙鏡青綸競糾縟組爭映紫菜熒曄以叢被綠苔鬖髿乎研上石帆蒙蘢以蓋嶼萍實時出而漂泳其下則金礦丹礫雲精爥銀瑒珋璿瑰水碧潛琘鳴石列于陽渚浮磬肆乎陰濱或頒彩輕漣或焆曜涯隣林無不溽岸無

不津其羽族也則有晨鵠天鷄鴢鶩鷗䲹陽鳥爰翔于以佐月千類萬聲自相喧聒濯翮疏風鼓翅翻翽揮弄灑珠拊拂瀑沫集若霞布散如雲豁產毻積羽往來勃碣橉杞稹薄于潯涘栛槤森嶺而羅峯桃枝篔簹實繁有叢葭蒲雲蔓纕以蘭紅楊皜毦擢紫茸蔭潭隩被長江繁蔚芳蘺隱藹水松涯灌芊萰潛薈葱蘢鯪鯥跻踞於垠隒獱獺睒瞲乎廞空迅蜼臨虛以騁巧孤玃登危而雍容夔𧏥翹踛於夕陽鴛雛弄翮乎山東因岐成渚觸澗開渠漱壑生浦區別作湖磴之以瀿瀷渫之以尾閭標之以翠蘙泛之以遊菰播匪藝之芒種挺自然之嘉蔬鱗被菱荷攢布水蓏翹莖瀵蘂濯穎散裹隨風猗萎與波潭淹流光潛映景炎霞火其旁則有雲夢雷池彭蠡青草具區洮滆朱滻丹漅極望數百沆瀁皛溔爰有包山洞庭巴陵地道潛達旁通幽岫窈窕金精玉英瑱其裏瑤珠怪石琗其表驪虯摎其址梢雲冠其嶚海童之所巡遊琴高之所靈矯水兕倚浪以傲睨江妃含嚬而矊眇撫凌波而鳧躍吸翠霞而夭矯若乃宇宙澄寂八風不翔舟子於是搦棹涉人于是檥榜漂飛雲運艅艎舳艫相屬萬里連檣泝洄沿流或漁或商赴交益投幽

泿竭南極窮東荒爾廼緡雺祲于清旭覘五兩之動靜長風飀以增扇廣莫颸而氣整徐而不颾疾而不猛鼓帆迅越趨漲截洞凌波縱柂電往杳溟霧如晨霞孤征眇若雲翼絕嶺倏忽數百千里俄頃飛廉無以晞其蹤渠黃不能企其景於是蘆人漁子擯落江山衣則羽褐食惟蔬鱻栫澱爲涔夾潨羅筌筩灑連鋒罾罶比艐或揮輪於懸碕或中瀨而橫旋忽忘夕而宵歸詠採菱以叩舷傲自足于一軀尋風波以窮年爾廼域之以盤巖豁之以洞壑疏之以沲汜鼓之以潮汐川流之所歸湊雲霧之所蒸液珍怪之所化產瑰奇之所窟宅納隱淪之列眞挺異人乎精魄播靈潤于千里越岱宗之觸石及其譎變儵怳符祥非一動應無方感事而出經紀天地錯綜人術妙不可盡之於言事不可窮之於筆若廼岷精垂曜於東井陽侯遯形乎大波奇相得道而宅神廼協靈爽於湘娥駭黃龍之負舟識伯禹之仰嗟壯荆飛之擒蛟終成氣乎太阿悍要離之圖慶在中流而推戈悲靈均之任石歎漁父之櫂歌想周穆之濟師驅八駿於黿鼉感交甫之喪珮慜神使之嬰羅煥大塊之流形混萬盡於一科保不虧而永固禀元氣於靈和考川瀆

之妙觀實莫著於江河

庾信三月三日華林園馬射賦畧

兵革無會非有待於丹烏宮觀不移故無勞於白燕銀甕金船山車澤馬豈止竹葦兩屮共垂甘露青赤三氣同爲景星雕題鑿齒識海水而來王烏弋黃皮驗東風而受吏階無玉璧旣異河間之碑戶不金鋪殊非許昌之賦華蓋平飛風烏細轉路直城遥林長騎遠屮衡長帶桐垂細乳鳥囀歌來花濃雪聚雁失羣而行斷猿求林之路絕控玉勒而搖星跨金鞍而動月乃有六郡良家五陵豪選新迴馬邑之兵始罷龍城之戰將軍戎服來參武讌尚帶流星猶乘奔電始聽鼓而唱籌郎移竿而標箭馬噴沾衣塵驚灑面石堰水而澆園花乘風而繞殿

唐劉夢得珍珠泉賦

大江之濵東城之野有泉出焉直回峯負深谷分埒引源迤邐相屬晨夜有聲涵雲注玉薄爲虎鬚洑爲魚目鱗介莫潛遇者斯浴此何水也哉野老告余曰泓泓涓涓莫虞歲年不火而燠其名湯泉嗚呼豈非熒惑莅於上耶燭龍隱於中耶旁通咸池日御之所經耶幽精沉魄

陰償其負耶丹砂黃硫金石之氣酷悍之所激耶德有常仁惠公而浹寒凝海兮不氷旱焦山兮不竭其或燥濕外干精氣散越膚革瘡瘍僨筋滛血欣瀶汨之蹔游怳幽憂之汞脫以沐則髮澤以頮則膚悅其羨流冗浸捐棄於溝壑者猶能灌蔬稻之畦巳牛馬之暍此又何其然耶吾聞天下之水厥類實繁至於弱水儲陰投羽必沉大井萃陽爛石灼金祥標醴泉病飲而瘳異紀滋穴神瀵以流焦溪之骨蔓之飾沸潭謝聳取之游其餘酒墨所發膠鹽是滋啜懷千金飲狂一國袁玉乳以中涵横金絲而徑度詭品繆名紛莫爲數咸受命於元精亦各私其所遇若夫匡廬汝水之旁尉氏驪山之下烟霏掩𥙷王孫鳥準之所娛金熒椒房專寵靡曼之所占則湯泉之中又有顯晦者焉野老驩然而笑曰善乎齊結之士史杖而去行歌于塗曰歔沸滂沱奮此泉兮祓彼山阿吾惟灌沐兮不知其他

笪體仁游茅山賦

帝東眷茲福壤兮開伏龍之仙墟極神摹與鬼藝兮爲閬野之次都矗三峰如地肺兮巧搌陗而磫礭曠無日以嫛婣兮雲澹沖而封阤維癸亥之遒算兮東皇駕余以驪駒

出句曲之塵羿兮神怤悅而紆徐風遼紗乎四壙兮華迎吹而自藪歷畦陌之繡錯兮炊烟結而紫幗鷺啼聲而載好兮坐弱柳而容殊忽崩霧之纚纚兮若翬騫而鹿翼聳碧鄉而上蟠兮隔中潢之倒景迺危嶠之隱嵯兮紇羣岫以自屛霱靈祲之四輿兮間祥霞與瑞鸞位鶴矯其勁翮兮白鵠聯其素翼信眞栖之禁宦兮首寰中之隱墜歟八生之如漚霓兮胡歸來之多遲少遲回於林薄兮方結綦於蘭塘漸溪嚮之入聽兮姑發止於崇岡挹香澗之珍液兮進橐橐之杜粻鶴雛歸而溪蓀長兮乳管落而石髮香恍其移余志於崑維兮濯余魄於海荒歟良朋之糾簡兮方於紅塵兮須卬循幽林以放足兮沿曲陂而踰壠乍烟井之雜遝兮伊司命之下宮複閣道之岊曲兮巋殿牖之崇封虬獰獰而護棟兮雀不啄而棲甍碧璫燿而寶網靜兮檀烟交而證影重拜瑤圯而屛隸兮顧塵懷而自悰洞房秘夫紫素兮黃庭藏於朱宮瓊桂遭夫白皁兮五杏下於璇空願託瞻宇而泯名兮抱虛無而行功覿黃冠而攸墍兮度斗夜之鳴鐘惜曙霱而蹶與兮星戒駕而瑽瑢露猶炫於蔓草兮月餘光於東樓猿罷啼於陒嶠兮虎尚嘯夫深丘陵

大巔而俯瞰兮恍垓溢之可收神湖吐其朝彩兮衆木鬱陰而綢繆嶺東出而迤邐兮若龍尾之趣趨澗潺潺而不舍兮各去住之分流天池貯於危巘兮承銀漢而沃神洲石室嵬嵒而有容兮伊何人之所留詎帝鼎之龍文兮眇秦璧之難求停青童之飈輪兮將獨轝而重游遂携余以入東掖兮俾寄籍於神緱瞰猙龍於泚泉兮波瀺灂而騰上名喜客之佳汁兮洵雲鐺之淸況聯銀牀之墮華兮代椒漿與桂醴渦激湍而磯怪石兮逡觀覽而留連左蒲澤而右穫畝兮穿玉穴而過珠川披靈碭而莊誦兮知爲華陽之洞天暫齊心於司命兮茵繡蘚而禮石筵惟從覺之惛懞兮恒前聖之所憐鳴佩玖以叩閽兮抱菹贄而自遣道心微而響荅兮愚志堅而感佐羌命余歛趾而却蹕兮怖鸞龍之蘢蘢乃幽適之須臾兮乍晨光之破曖月懸璧於西馭兮日精凝而東在亙仙杏於交衢兮五雲紛其霴䨴鼎三府之嶙峋兮飾軒廊以蓊翠多瑶簪與珠觳兮克大君之外閎引余於客座之右兮啖火棗而益之以流瀣二季掖余以游兮從擬輪而同邁徧七塗而盡九源兮曠冥思之憒憒登金壇而仰佐窻兮望易遷之靚妹之羅浮而不果兮

恐人間之易代降仙鶴而游二宮兮乘步輦而言嬉
蕙畹侵夫芷砌兮垂晶簾而敞彤闈洵般匠之奇斤
兮組簷鬬粢盤銀螭轉曲榭而無盡兮碕礒聚塊扈
溶涯絳趺紫英不可識兮奇馨異色環水湄錦牕脩
翊翺於簷際兮班鯆文蛟扨塘西曲屋雕䟽貯女眞
兮黐風靡靡縩鉄衣青眉鬒翹盈珠箔兮貝齒靨輔
嫣然姿香粳爲餐霞爲飧兮清醽不醉延年期繁紘
促管調新聲兮激楚陽風邈難追願留茲以終兮乃
緣數之多違贈余以駐歲之芝樹兮曰萪玉與同草
曰熒火曰燕胎兮更夜光之皎皎小君私余赤砂兮
還穉顏而不槁作辭袂而掩泗兮悔投誠之不蚤旣
徜徉而獨出兮或要余乎上宮飯青饑之如土壤兮
聽嘈嘈其如飄風謂茲游之可廢兮勉駕余於積金
之墟天裂璧而如剖兮伊陶隱之舊居瀏寃泐而音
微兮石螺結而中虛擷金菌之遲暮兮持白雲之有
無緬三館之初搆兮侈四霤之翔軒亭孤懸於霜谷
兮漱迴注夫秔田內養谷神於仙牝兮閉摹金籙於
虛簷三元八會之文兮琳碧盧白之室鍊飛精於神
爐兮火四轉而輒失知冥期之兮定兮有不盡用之
秘術況乃名絕於靈識兮智更窘於客勿形同溘霞

之葭兮居類焚堂之鳦郎受夫上清之玉檢兮恐心鹿生而眞經逸接羅姑之西洞兮歎仙纂之眇然知不可乎驟遇凝幽思於前緣忽嬰孌而掩至兮垂鬟髻而便娟雙金玉之條脫兮隨麗雲以迴旋履北磴而匙夘兮爲中極之內屛洴朱色而流砂兮磈無人而自動澗名宜春而甘洌兮碑長辭而短頌倚陶公之醉石兮弄清雲之敠皺如行鼇背之蜿蜒兮聯三峯而鼎蹲萬木參差而含秀兮衆壑谽谺而吐吞覓危橋之架海兮收霞實之如屑跡桐華之源兮尋石徑之抄攙閃峻崒而徑隘兮遂登晉乎少君顧鍾山於半眉兮指江潭之涔澐古松臥於隕石兮左檜化爲香蓀拂崆峒之返影兮覽桐栢之游氛兮廣余衷於四天兮何彈丸之足云舞長袂之颯纚兮歌鬱嬪之奇文歌曰豎雲關兮聳瓊阿濯天池兮楫牛河漱雲瓶兮碧奈花整玉顔兮揚脩蛾荷虎籙兮囊紫羅年十四兮署九華攝三辰而俱升兮散八景以爲車李夫子之愛子兮將儔余兮良夜於是梯藤隕墒降乎峗嶠玩巧石之融膩想飛來之迢遙入紅源而問渡華殷殷而多桃徒窐崦之閴寂并鷄犬而蕭蕭望乎白雲之峪佇乎仙人之橋濯乎洗心之池臥乎青牛

之坳既緣情而任感欲寫慮而抽毫嵐既薄而暘彩散月半黑而天籟高展齒殘而行後訪乾元之耆舊雖鶴馭之久違猶木散而自壽談山靈之逸事有銀津與風竇帳茲游之難晝盱歲月之可又宿玉晨之古蹟汲長之暮泉撫角枕而無睡歎歸隱之何年忽黝室之夜自玉斧造廗而余覘云將標世外之辭以柘余之初念余避廗而勤請先慨然而發歎曰予亦既有感於茲游乎洵下士之奇觀别有輪囷之秘景兮隔世路之漫漫寧惟軌跡之所不至兮亦思慮之所難攀浮生望之若駕景眞人君之迯盤桓結元雲以爲宇兮連緋霧以爲居通一線於帝闕兮散九氣於八隅或屬於八渟之山或屬於羣玉之嶮連岱宗與林屋結小有之清虛映大洞七變之奇光兮凌虹橋之須臾紛六合之奇觀兮俱唯意之所如乃託根於中峰之微穴兮一氣旋結而無枝方之子之營營誠無異乎薪苴越隴負石胼手通[illegible]凡材圖變晝閣星連春晴雪壞秋肅花闌急駒如電奔序若環荒臺故沼来滄變遷見而心賞歸而自憐亦何當於璿空之嬉戲元卿之蹁躚哉况乃粉壤繡谷愛網情絲韓空鄭業陸賦江辭願留譽於身後思播德於中區

安能脩此儀璘瑨佩之法聽此廣韶曲素之詩乎笪子矍然起曰有是哉再拜而受銘之青瓊之板兼訂從游之志於其右

宋言漁父辭劒賦

彼子胥兮亡命江湄賴漁父兮停橈在茲既横流而濟矣因解劒以酧之厚意慇懃何惜千金之器高精特達竟陳三讓之辭稽其去國無途迷津獨立前臨積水之阻後有追兵之急躊躇而鶴髮相哀顧眄而漁舟可入憂心盡展憑刳木以何虞渡口雖遥挂輕帆而已及繇是拂拭青萍披陳素誠念險難以知我顧提携而賜卿拔三尺之熒熒波間電落横匕星之凛凛掌上風生叟乃莞爾與言稽顙詰志本期浩淼以排難詎可愴惶而徇利酧仁報惠承多公子之心害義傷廉異日老夫之竟況乎此楚令方急嚴刑具陳盡索奔亡之黨先誅隱匿之人若以爵禄爲念華榮是親則械爾躬而赴國特爾　以防身整棹西歸自受執珪之賞論功北面寧亡切玉之珍蓋由惻隱爲心艱危是濟方圖散髮之樂豈假吹毛之鋭情高而俗慮難量語罷而鳴榔忽逝連環吐月空臨玉匣之間一葉乘風

漸入寒烟之際豈不以識達精微言窮是非棄霜刃以長往弄雲濤而不歸寂寞巖烟沉東流之渺渺凄凉浦樹含落日以依依異乎義立一朝石超萬古决雲之異狀徒逞皎日之深誠不取則知美范蠡而述魯連信斯人之可伍

明余光南京賦

維渾淪之肇判乃柔液而剛凝伊嶽瀆之拱掖星與野其分蒸王氣神以周運堪輿茫而相乘聿旺朔方衍爲平陽雲中天脊擁霍南翔嵂中條而北固繚大河以若聲鍾爲唐虞夏商皇王之邦爾其西流澶潏靈礴雍岐三輔四塞河帶山披千里中沃一面東峙悏爲關内周秦漢唐之畿東溢中磅虎牢實鑰伊闕南藩肴澠西洛天室毋遠則日土中兆成周之營卜宅東漢以觧幪魏晉繼之鐵城丹宮巍巍金墉抑一代之稱雄數爲中原嵩歸河溯宋基大梁於焉中奠大牽朔冀關中伊洛中原則咸倚嶽爲柱用河爲垣河流碣石則抱冀若彀弓顧秦若之佐瀠邙而不瀉洄梁而罔奔是以冀爲皇闕雍爲帝閫洛爲中宅梁闢天門兹乃中州之環奇合西北而竝論夫惟天無頗覆地不偏堙旺無定囿

氣自流循如環如輪始惟洪鈞寰宇巨形首峙崑崙
華嶽爲主岱嶧爲賓常嶠北樞衡軸南峋大川中瀦
氣通若神五岳攸照四瀆洄紆乾旋坤握輪爲帝都
蓋自黃河南注淮汝內泓中甸器車載旺南盈巨浸
儲精鍾嶽效靈萬方王氣丕曜金陵豈其無因先實
後聲爰雲陽之遐邈滌水澤於南荒神孕王於鍾阜
氣兆望於秦皇爾乃法駕東巡舟濟天潢江乘駐驛
治理騰驤祖龍南狩莫能厭其勝朱衣鑿淮莫能洩
其王徒埋金而罔厭改秣陵而荒唐考厥沿革後先
不將吳始都爲建業晉肇改爲建康雖蜀相之遠識
彼吳主其奚當晉南渡而祚羸君不振而臣强廿江
左以偏守曷武弛而弗張宋齊莫匹於其始梁陳奚
救其自斃六朝罔一於人謀豈形勢戰士之靡長惟
皇聖祖膺籙奮兵龍蟠虎踞左據右并亶神護而地
藏啟輿區以奉迎遂即眞而定鼎當王氣之初洽於
是睿謀淵遠諏諮調踴普觀九輿掩覩萬區東際樂
浪西極佐蒐北越紅羅南盡滇濡中顧大梁關陝之
郛回鑾壽春臨濠之衢維斯之際關內丘墟中原騷
然燕則漕塞濠若隘綿獨惟南國泰和合轍萬輻共
於一轂列宿環以周躔優渥兼乎二儀符秘濬於歷

年氤氳胚於坱圠樞運應乎斗旋於是用圭測景盈縮如度審曲面勢雄翼翼䠒亙逈眺何曠內覽自寤列其大形則戚臯赤山岐阜鍾陽伊洛淮流天塹長江揭其巨勢則衡匡逖照海瀆會潮淮帶湖襟婺曜軫包論其控馭則東門三吳西關秦蜀北則燕晉代朔爲塞趙魏齊魯爲府南則荊洪兩越爲輔亡閩二廣爲庫淼淼滮滮吞江納海嵬嵬嶷嶷坯巘崚崥蕩蕩浩浩絡地綿天嗽嗽唫唫帶垌薄谷漪漪溶溶遠島近渚沸沸騰騰蒸雲吐霧於是宅中設以金輿列雉聯於石城郛郭周廣匝地千坪金湯鞏於百二京邑冠於八瀛門通十二列肆轟絣直道長廊通衢設楹結角鈎隅周墉屯營廊九市以開廛經九軌以來轊建賓館以周坊布闤闠而近閱會日中以化居貿刀布而劑平乃闢洪武遂岡輦路塡燕雀之湖背龍廣之阜據坤靈之正位配帝居之懸圃圓方傚乎太紫南端對乎午阼金闕峩峩應門將將建社稷於西序作清廟於東方樹中天之玉柱跨碧水之紅梁飛文英之華閣藏墳典與王章雲龍左拱神虎右藏憲天殿以朝玉帛築層宮而壯來王廣庭隔乎寒暑雲館萃乎貞良玉礩充於簷牙雕鏤餙乎朱堂鍾簴內鎮

金人露鉟崇臺并崔複道聯廂青鎖直闥黃閣朱墻
廣文華以經筵雄武庫於青霜玉戸千排金鋪遠颺
乘雲上下披翠徜徉旋室穹窿紫榭芬芳般倕棄劑
征橋若茫畢太初之峩峩陋赤烏之煌煌內則重軒
異闥玲瓏景彰別寢逼閨輦步鏘鏘掖庭永巷蘭戸
椒房朱樓齊乎井幹連閣凌乎滄浪雕桀若瓊素女
琳琅綸以珠簾懸以夜光璧銜釭翠檀散奇香增城
不夜炎景生涼畫以仙靈圖以丹黃殊形譎制莫可
殫詳端圭秉衡乾道方剛閨壺肅雍弈世永昌修容
婉儀左趨右蹌掖門之表禁垣縈遭局廂環拱百監
森羅雲騎充廐昆海充庖甲乙傍啟寶藏若阿佐墀
卸砌玉省凌霄引以青流環以玉河植以朱樹蔭以
赤象擁以翠鮀冬臨玉壑夏鬪龍舠望之若葢宮瓊
碧柯鳴以黃鳥潛以綿鮀游以彩羽浮以青螺護以
府仰之若天洞仙臯宿衛層守執戟崇戈府部夾峙
廊署峩峩院監分布公相鱗鱗司寺綦設乃宅俊豪
周以勾陳綴以虎落太學建於雞鳴圖板藏於元潮
郊壇築於正陽貫城違於朔隅因林作苑值藪爲圃
擇曠拓墟匪壘匪途圜廣北麓漆桐櫻櫚防倭備用
百千萬株部闥鳴驃飛熊射雕驍騎鷹揚龍驤豹韜

羽林如雲金吾寶刀虎帥干城禿頹難標朱甍憑於長干天竺隱於丹隈馳道砥於朱雀曇雲散於花臺離宮列於奇巘甲第應於上台蒼波瀠於萬橋彤戶臨於千街寶井應潮而湧綮星甘泉瑩頂而飲一士白乳試茶玉兎獻沚湯液含炎香源滌痞池鑒覆盃沸生客喜景陽起羞天淵湛巳乃若樓横貫觀稼殷擁重雲幽奇往蹟棄而罔論今則清江畫棟重譯來賓醉仙鳴鶴集賢樂民輕烟澹粉柳翠梅妍結騎臨春飄若飛仙昇天虛閣眇而弗傳今則憑虛戴肆俯湖畀巒尊經煥曜節照青丹賞心折柳空向勞勞新亭含涕佳節相高今則東麓近瞰木末凌巘蒼翠棲霞凌高撫練鳳集臺雄書聲臺旺觀天巍巍占星望象招隱弗來貢計罔敷會同丕建豪俠履珠關梁塞乎險隘橋渡通乎華彝祠宇照乎列節道院隱乎髦奇千刹輝煌百宮陸離後先舍利萬古宗禧載在瑱珉誌諸銘碑譎奇異出罔第崇卑其膏腴則鹽以煮海而積錢以採山而鑄稻盈再熟木棉成樹八蠶吐絲絺紵爲布百谷彌隰菰稗可哺菱實爲米豆蕎充飢島民織文海螺成貝錦綺縠紋越絲吳絢荊江之粟如雲吳浙之秔如霧艘艫載之蔽江而赴舸舫輸之

溯流而聚鮮集潮汐互市迷渡搗竹練楮紙幣塞務海陵之倉無事轉輪長洲之苑朝發夕鶩寶藏東山之府錦積姑蘇之庫其貢獻則鉛銅水銀膠漆丹青瑤琨砥礪瑪瑙水晶琉璃頳沙珊瑚熒熒火齊之寶辟寒之珍貝石琅玕素玉南金鮫人織綃淵客珠琛包匭菁茅尺龜獻頳流黃縹碧隱賑充庭羽毛齒革升越簞籐璹琄鶴頂玫瑰珣璒硨磲磊砢琥珀空青卞和顧之而駭隨侯歛其照乘其人物則環偉慷慨豪傑魁崖節槩風流趫捷勇悍慶忌逸奔專諸劒按徐魏任俠顧陸璀璨王謝沉識曹沈藻瀚拆射壺博扛鼎翹買吳鈎橫披鮫函毋憚奕奕儇從馳騎挾彈倚馬賦詩星輝斗爛方舟流觴縱豪達旦更有列女挈壺沉瀨血書矢心誓不醮再弔眼徒思投火自快哀哀袁女抱母如蓋抑有至人道匪隱怪三茅是居勾漏其𠂢杯渡匪幻華林仍戒機累則周瑜因風以火攻應變則謝元鶴唳而瓦解奮勇則明徹揮劒於齊疆定謀則允文奏功於江介更僕莫能以數姑且舉其大槩泛覽大荒超矚無極天空日晶則形泯景息風颷雲溥則山擁川激巃嵸漾漾滂浡翼翼蜿蜒北矗鍾山奠國變幻莫卽嶄爲空濛之特鷄鳴肱鬱

聚寶俯楫大壯崟以旋眞武崛其閩方印鎮於臨沂牛首矯於天闕雉亭雁門以翅張直瀆浙澤而延埴金焦砥於海門雲穴幽於滃滃絳巖流霞而難攀龍洞飛而可褭疊玉積金崒嵂之峯落星畟石岡巒之樺玉柱華陽天洞之虛華蓋碧玉雲巖之逼逼嶠嶈杳窱蟺逶蠖繹迢遰躡躍熊蹲猊拍左舞右廻鳳翥翥鸞翽聳青抹丹紆紫繚白虹霓廻帶横跨於江之南北而瀰漫乎數千里之圻於是蔚崇岡茂遐巒蔓幽阜薄雲關遠映近靄布濩皋岏挺以異木則楓樟桐梓榕柳古度君遷女貞白檀蘇木雲楸香柟羅柏椶竹烏櫨鐵楨雉班如縠平仲充栱連蹉丘壑幕蓋原谷虬蟠千尋菌蔭百麓晻日含丹颺風赫綠颼飀鳴條飈風應律細採爲器大用爲屋錯以修竹則金玉分嵌湘妃之斑篔簹玲瓏桂筒珊珊篻矛箣利篁笙梧竿鳳尾方幹嬋娟檀欒間以奇花則扶桑朝日百合夜香海棠春妍芙蓉秋芳朱槿爲籬紫薇爲墻緗梅玉李綉毬莓薔玫瑰茉莉芬馥殊當綴以異卉則赤芝紫房朱莛杜若江離石帆水松山葶辛夷揭車薜荔菖茝靈荃冬榮射干相錯垂以佳果則巴荆檎杷南粤龍支黄柑赤蔗霜柿雪梨紅梅紫蕉橄欖離離

縣以捷獸則依猿摶劒輕猱儇佻飛生穿雲蜩蛭抱蔦銜胡接垂髗鼠獻巧流以珍禽則青雀黃鸝朱禽碧雞白雉朝雊百舌春啼鶺鴒夏吟布谷以時啄木丁丁杜宇凄其走以怪獸則鼻象肉牖青犂黃麋白豹於菟㲋麐窮奇圖題赤首化人之貐貘𤝞怪族沈牛與兕爪牙鉤戟咆哮電馳材器羽皮國用咸籍若漢漭之所蓄萃臯陂之所容彌登嶢眺㳽凌虛觀象洫乎長江澎澎滮滮西下而東向合漢沔而洶湧宗濆海而潰蕩勢滔天潢氣吞樂浪或泒沱潛而殺流或瀘五湖而洋漾㳽演於天下之中而灌注於九紘之漭上下吐納南北相望爾乃信爲潮汐洄爲迷洲濚爲島渚洑爲洄流溢爲運瀆直港通溝湧爲巨濤震蕩不周兼天浴日鐵騎銀樓顯騰幻相莫可窮求於是鯨鯢駕海蛟龍騰空白黿鼓浪佐鼉嘯風雄鰐擁劒巨鰌吞穹鏤甲詭類喚喁格鬬於其中當是時也魏文嘆武騎於莫用兀朮驚飛艦於奔驟投鞭之妥竟沉淝水赤壁之戰萬炬奔紅滎溶湉瀁霧縐錦紋泓澄汪湛氷瑩鏡平淼乎若無涯泛乎若蓬瀛巨口如鱸細鱗如繩方者爲鯿長者爲鯖鱅露如蓋鰻流若籐琵琶無品烏賊無睛躍者如舞連者如鈴美

者鰣鱭膾者鮔鱘介者如竈如鱉殼者如蚌如蜃房者如蠣蜆者如鯪泝洄錯雜搖漾於其泓遠浦澶潏近汀衍漠淺瀨平沙中流回泊磯石分湍嶼烟浮都渺乎若滄浪淡乎若盧閣候者鴻雁避者鶏鶋浴者鸂瀨沉者鷁鸕游者鶬鷹鳴者鷀鶂窺者屬玉浮者鷗鳧捕者鶖鶬伺者鷺鷥刷瀾唼藻修翰容與盪波流鏡依蒲啄菰朝烟夕月遊泳於方壺佐湖半陽青溪横塘砂泓金瀨澗渚濛滄藪澤汙瀆幽育明張宛浥盧沫灝乎若太液濦乎若瀟湘蓋者綠荷蔭者垂楊華者菡萏菂者蓮房實者鷄頭菱米披者蘪蕪蓀蘋投者翠羽游者錦魴咏者關雎戲者鴛鴦赤螭潛形紫魼連行潦菁咀蒲縈帶荇穰振鱗破萍與波濤澹湯而倘佯夫江流而湖瀦澤蓄而膏騰欻奔怪族散渙川會靜則江妃唱棹而潛游變則海童馳逐而舞鐔帝典神天握乾符運鴻鈞登閬風而觀暘谷排閶闔而覽八紘覩南都之巨麗仰鍾巘而矚盈乃喟然嘆曰緬古帝王遐思往蹟以今觀古度其廣仄形偏北而不中民恒勞而不息相惟茲今際運丕恢疆域極於八表幅員遍於九垓金陵當南北之均氣運鍾佐黄之胎西南東北各疆七千有餘西北東南各疆五

千以上北陸車騎平達江壤萬艘雲趨千廩積穰貢琛浮舫既富斯強萬邦丕享洞覜俯仰猗歟都哉爾乃出震而設粉純嚮離而憑玉几雲旗拂霞於丹陛劒鍛吐茝於天起九賓列行百僚至止五瑞充庭六贊兼雉張庭燎以燭九天撞洪鍾以鎮八鄙鼓鏞紛彭虎牙相掎武威揚揚文化雍雍祲空禎霱元保亨濛穆穆九天澤流無疆浸及於昆蟲禮樂不沿而制備王霸不雜而渲濛儀不尚浮兵罔窮功詢朝政采民風順天時因地同神明紗於佐默保合均于穹窿起丘圜之逸德開直諫以省躬上淵下祗憲肅道隆君臣泰和安樂斯豐於是郊天報地殷祀百神山川望秩六宗有禋祈禠罔事禧祉咸臻抑抑之儀備淵淵之思凝然後精誠合一而貫洽幽明渾以天眞者也乃戒豐隆淸道招搖參乘太丙後殿攝提前迎蚩尤揭旄以左攙搶橫槊而右屛熊將秉矛而兩翼其鐵騎鳴劒而奔騰驚蹕既設先輅斯行乃嚴甲士乃召公卿披佐黃之法服垂璀璨之緄綋張翠羽之高蓋樹朱旗於上輣和鈴應鑾疏轂飛軨結飛雲之紫袷建太常之猋旌奔猿臂之武力擎九斿以縱橫驅赤汗之神駒導六龍之翻爐鳴鉦鼓以先馳嚴屬車

而并征乃趨盧龍之巔憑閱江之樓覿麾幟之發伏憶破敵之神謀眺風帆之上下俛舸艦之迷洲乃期萬姓之父老相與歡慶而歌謳進文學之卿士互紀運而更酬醑酒既錫舍駕乘舟黃龍接舳朱雀連艫擁蓋海之華雲比鷁首而向流召靈胥爲先驅約任父而竿投乃泛漾於江口渺天蕩之横睥鮫人迎棹而拜舞天吳運柁而悠悠覩陽侯之靜波聽漢女之吳歈陋萍實之小祥思大禹之訓科何精衞之自愚喜文鰩之翰修忽妝綸於夕照亟迴纜於石頭爾乃乘晡而鳴鑣經丘而停驂凌清涼之巔俯烏龍之潭延佇彿徨掖庭脫簪次日逢吉乃幸辟雍樂舞八佾駿奔百工釋菜先師坐於黌宮乃詢司成搜論道宗博士環聽經生雲從分堂飫養定程課功禮儀孔明俊傑欣逢延更老以奉觴親祖割以致恭普飲禮於州郡樂萬國之攸同文教廣衍盈區協衷皇猷既敷戎節是崇旣月乃良天降佐霜金風振肅甲士梟張乃乘青騅從的盧披赤甲執雕弧風后持節而陪乘冢公先轂而修除武夫韎韐而若林驍將戴鶡而投殳張歷天之青旃揚吐日之朱旗羽旗萬隊而鳴鐲金鼓四震而齊驅爾乃大閱神機之營徘徊滄波之

墟睨部曲之分合校將帥之雄渠飛羽落雕鳴鈎斷貙勝負既別犒罰攸殊於是振旅回鑾田於北麓先戒虞人斬荆塞瀆率聚禽獸鳩諸靈谷乃命甲卒結矛爲營乃麾驍士夾羽薄逐牙旗繽紛左張右伏樹表授鉦圍合有虔申令三驅斬熊射鹿魚麗鳥雲箕翼掎角四壯不窮輿徒不復矢罔斷羽刃不傷殪六禽既登解罘放鷴匪縱獵以傷仁少陳師以相鞠效弛罟以及物期大獲於渭濵允威允文不弛不黷陋岐陽之丕蒐傷上林之盡鏃爾乃星流歲移日月其馳維時仲春遲日祁祁天駟正晨膏脉遍畸鳴鳥相和百卉紛披駕蒼龍以乘輅端佐冕以布儀農正司耜介士鱗毗聖躬三推列卿捧犂青牛依於阡陌紫犢眠於臯岬親耕稼之勞供郊禘之粢田畯喜而時蜡黍稷實而離離觀者萬夫環者千師課其勤惰勸以廩庖賓旅眺觀於樓閣農夫鼓腹於田岐允萬天之洪濛配黃軒之雍熙廻太和之氤氳布條風於坰嵎啓諸蟄於春遊頒粟帛於髦耆減田租以勉稼賁九扈於平施規萬世之大型歷商周以爲期聊旋游乎歸息履福祉以自綏爾乃騶虞遊朱草生龍馬負鳳來鳴鸞玉葉茂金莖茲都燕以控四塞乃建業培

乎天根方洪武之建國西北困而民貧漕運塞而罔通材木遠而莫輸自非積賦而通運何以建今日之神京欲賦北都之宏遠合本乎南國之敷陳信奕陬之熒燭聊景附乎昇平惟蚓䪨以先唱嗣韶濩之嶶音

南京賦

盛時泰

夫金陵有盤踞之勢建都置邑昉於孫吳統於聖祖起濠梁發荊塗渡長江而一睇艱三克之勤劬始納馮陶之策繼紓劉錢之議輿情既同雖奠安萬世可也而又何遷乎不有仰窺儔測朗巍巍不有俯臨孰度廣深吾試爲子推究本始言之維南分野斗宿經次星紀神禹畫州乃維揚之域焉有周職方實要荒之地焉歲德在土篤生異人肆神代捐秦鹿吞藥之夢彰火雲之光燭紅羅之兆成紫衣之神伏遂乃荅幽錫明草昧亨屯鴻圖一大禮成定號紉制重育更生擴畿宇之離立奠方輿以作京順陰陽謹時日庸高就卑廓而四圍截接舊址樹以崇規秦謠梁讖信而靡侮塞燕雀洩佐武哭䰩魂愁鬼姥蛟蛇蟒蝮羣潛類處連龍廣覆舟以爲麓對天印石硊以爲屏東山若垤遜亘連迎羣峰

列障直右而橫秦淮長瀉中貫西縈維淮之流作我幘幅緣城及郊載瞻載矚內門十三雉堞千簇睥睨飛樓互承交績外列重闉厥數二八西北則據山帶江東南則阻險控扼江則發源於岷委波於蜀折流三峽迅濤四瀆作天之塹為地之軸吳越為經荆楚是屬山則鷄鳴四望盧龍石灰西塞虎踞矗矗巍巍牛首中背青龍左圍三山天外拱護依霏內外總鈐羽旋而守掎角魚鑰驚扆惕西橋梁街市繩直坻平樓館綺錯倉庫豐盈廐牧園圃列市闤經過迴稠雜燦若繁星間以崇宇佐宮梵屋亦為民與用昭祈祀予試仰睇鍾阜則盤迴崋崒五色朗輝地嶺雲狀朝開夕霏勢蟠一龍鰲立四維蘢葱霮霴布濩迷微昔配衡霍與崋嶺今作京輦之寢宮若改號為神烈是實始於世宗是為扆居前憑後倚外黃墻之四固內甄隍之中起洪武南闕佐武北峙左右二掖東西兩華錯峙互列迭直交加若夫大內則象內座效微垣列鈎陳護廵諠弘規巨構穹窿翺翔崱屴巃嵸旖旎輝煌衢宮合室上陋堯德基崇朴直茅茨失色神禹卑室遠而遁失嘗仰瞻其雲氣見蓊翳之威雄忽蚴蟉而艸泓又崛曲之逶迤地闔聳以繞護奉天褰以

高依華蓋中亘謹身聯起獨乾清之爲宮乃森邃而嚴理列左右之順門有文武之叢峙惟二樓之雙橫亦中門之再啓又有坤寧柔義春和時維椒房六宮攸過莫不金鋪雕題宸扆罘罳又見夫鬱紆逶邐上逼斗光崔巍岧嶤雲煜翕張欂櫨礎礩拱欂棟梁巃嵸藻彩煥燁輝煌丹堊赤黝粉櫟榱屬礔舲螭蚴鴟蹲獸伏金彩朱碧爛而炫目日月開豁風雨霖霔雲霞吞吐不可仰矚至於連橋環沼則渟潭澄瀝擁湖潮之外灌暢清澄之中出金河委其四週宮奝森而豢密或萍藻與芣荇間魚鳧之翔集時祥鳥與鳴禽每連味而接翼周旋婉轉旁穿委楫崇廊邃宇不可殫述者亦復迴旋曲濩於左右焉若夫週廬直舍朝夕儆衛廟社壇場祈禱致祟山川先農五祀旗纛遍舉明禋禮儀豐溽星臺羣廟鷄鳴之原酬功布算各峙其垠建官置署分布衆多左右遠近碁布星羅官則府部並置院寺聯碁藥以太醫列署曆以布算爲除因考牧而設僕爲傳唱而爲臚行人則適軒是御奉常則典祀攸儲環三司於湖址建太學於城隅獨應天之爲府乃京兆之攸司既置尹以副丞亦領赤而帶畿膠序之建多士是資五城防捕晨昏攸稽至

於諸衛散設錯列紛城內外遠聯江北營房倉儲亙與並協倉庫司局百務瑣屑鍾鼓之樓嵯峨雄峙銅符羽箭刻漏是理乃重民數遥貯北湖因堤築室環守勤劬候日升沉彗爆無虞獨光祿與尚寶設於禁中六科彈劾並掌亟封衆建既一臣上亮堪天子乃御萬國覲百官論皇圖講治安緬想大業始建親貫矢矛殪强漢殲僞吳平浙寇降魚梟泪取兩廣八閩是除肆伐中原席捲列郡下魯擊秦攻汴克晉僅戎一衣兵不血刃昆明涵波黠蒼飛雪金鷄碧馬崔巍巖業鑾象盡殲龍馬新駛控而後馭行絕繼埃史臣作歌用紀殊材惟昔民罹塗炭未置衽席攙搶未掃鬼神用慓或掣刀而示兆或書王以顯幟始躬冑乎風雨乃櫛沐而四征致兆發之現瑞亦旌旗之繞城蛇偶緣而龍變紛蜿蜒其上升忽雷聲之震驚候天日之晦明遂盡削乎僭亂用咸底於清寧創業實難守成匪易稼穡之艱小民攸繫守位以仁典則是程遂乃驅舊氛正風俗免田租定科目給儲胥恤窮獨躬行籍田親蚕肇舉歷聘儒紳講求治理建學崇文鷄籠之陽成賢名街彝倫建堂謂孔子之大成乃釋奠以致禮既祀之以太牢又遣祭於闕里憫民俗之

久湮新一代之綱紀立廟報功開局纂史集禮定樂禁浮止靡英風聿起奎壁運開廣察羣舉俊乂畢來詔諸王授冊寶爲藩屏設傳保製祖訓以示守稽古制以爲章編昭鑒以爲戒錄辨奸以致詳勳臣有劵恤應明功還鄉建第優渥豐隆逆黨列紀績彰樂熙皞永無疆於是丹露降醴泉出彩霞成鳳卿雲聚繡赤烏飛翔白兎俯伏瑞蓮並蔕嘉禾孕文祥瑞之事迭見繽紛户口增田賦一黍稷豐年麥熟絲繭成鈔課足牧芻饒畜產續愉愉怡怡鼓腹擊壤晨游夕嬉忻忻悅悅倘恍江皐平陸街衢巷党歌樓曲巷飛聲傳嚮載觀苑囿徙倚成隅棕漆桐園海船所須花果薑菜布列周除麥廠稻田供享致佇靛園花地實維染區冰窖魚廠用充庖厨琉璃土石寶船苜蓿或備工作或處馬牧乃有四方商賈肩背相摩萬貨輻輳五谷豐多闤澤覃流遠被萬國殊庭絶域遐方流俗聲教所訖咸貢以物鏤金表圖銀箋金珠丹碧珊瑚玳瑁水晶銀鉄白珠清玉檳榔桄榔羚羊犀角象兕翡翠猩猩狒狒下至紬苧之布白硾之紙狼尾之筆長尾之雉果下之馬貂豽之皮八稍之魚六足之龜若夫嘉樹異鱗奇香怪木薔薇猛火蘇合奇南龍涎樹脂

之類實繁品目莫不葫蘆爲器銅絲爲絃椰漿爲酒樹皮爲氈其翠髮卷葺綠睛轉赤左袒並臂文面穿鼻金齒斷斷環耳限咋帽樺負鏁載繒纏帛蓋多有之若夫鳥語鬼形賁海嚼米努身而裸體者又不可勝紀焉於是開會同之館設鳥蠻之馹飲食則光祿是供禮節則鴻臚是習錫以螭文給以鈿冊永爲外臣立我常極乃有膳宰炮羔擊鮮胃脯腊毒大胾重筵酒則葡萄檳榔茸蔗石榴罔不備焉食則山海水陸腥膻醢酪罔不有焉咽哺霑醉反卮啣杯沉湎酕醄雞氈徘徊文治既飭武備用藏遂乃順煞氣以作兵法文昌而罝將閱三軍之趫勇作萬方之景向於是卒長執鐃司馬建旗韋韝雜隊朱鬟健兒跣跔鬣髽雷掣風馳箭成雕羽鞍裁虎皮擁貔貅傳號禁集多士治鍪楯旌旗蔽天干戈山立材官驍將署屯部曲聯伍並騎鎧甲相摩鋒鍉鉤鉞濟濟峩峩又有飲飛戰艦叢集江河艅艎舳艫艑艑舺舸檣檣軏轉摶挑衝制艨艟桅柁股慄心悸走雄威馳盛勇推鋒合刃威殊遠凜金湯高深萬年無恐講武畢歡享洽稿賞隆衆人發神武奏泰階平虎幟協靨轄迎出國門殯孝陵至於茲蓋幾希彷彿如大庭氏之世矣于雖

生長閭巷未嘗學乎舊史氏然而歌堯德而擊壤忘帝力於康衢者久矣試以近而較遠孰茲地之能如哉蓋自太皞以來陳魯涿阜商丘平陽蒲坂之屬邈不可知下及夏之三徙商之五遷及周鎬洛乃獲久延秦則咸陽漢乃長安光武東京與西錯連自茲以往紛不足言然皆由西北放東南得河岳之靈毓焉唯我聖祖在淮之陰據河之陽曲淮泗而奠金陵亦以此爲足王也是故九州之内四瀆環繞今之畿土得其三焉河入於淮漢入於江皆東入海以爲勢雄干戈徂定之功則有濠潁舒和徐亳之雄武焉單國之儲費則有三吳之才賦焉魚鹽湖海之利取之於淮揚麻枲米穀水陸之產供之於上游時或經營四方此爲重地赤山長淮爲東南之咸臯伊落大江鍾山爲西北之黃河曲阜三吳爲門荊蜀爲戶閩廣蜀海又爲之府江漢二水之朝宗金焦兩山之雄峙高辛雲陽世代邈漠不可得而稱矣然而越城長干稱伯起圖楚始爲邑石城肇廓下追秦漢設縣置郡埋金鑿淮爲世所哂歷吳晋至梁陳建邦稱制隋繼以君終僻處於一偶致割據之糾紛若夫吳楊唐李宅中未幾趙宋南渡暫駐旋弭今求其太初永安嘉和

寒芳落星入漢之樓臨春結綺之閣莫不烟消灰歇
雲迷草掩矣况夫山河變移人物凋臧雖有航名朱
雀橋號烏衣渡稱桃葉臺紀鳳儀繁華靡麗爲世所
悲惟夫茅君以弃官而入道葛佐以白日而上仙雉
亭留子文之續寶誌著靈異之佐紫巖勒天璽之讖
左思著吳賦之編東山勝謝安之築西塞傳翠微之
韋史女以投金名瀨習母以樹橘爲賢何姬以養孤
爲義王婦以貞敬成姸雖淑婉之可述亦空取於垂
憐况夫方伎草木尤不足表風角以偶中爲占覆射
以一命爲巧夸天水之爲碧驚鬼目之作草縱人才
之衆多亦無取於揚表豈知夫俗以政移人惟化總
昔競四方今成一統人物繁盛衣冠萃止細民以盡
力爲安君子以勤禮爲紀士氣以淸邁成名士風以
敦美爲理恭儉勝乎狂肆質實顯乎浮靡舊都遺化
殊彼輕揚地廣人傑古今之光若夫山藪地土節序
民風以今較昔亦實豐崇覽民數於戶口窺國計於
田賦覺登耗之不殊豈盈縮之有負厥田厥賦無改
於常牧芻鹽筴麻布絲綿藥物畜產織貝羽革豈止
於方隅之叢萃而已哉蓋亦陸海之聚也已耕耘織
紡禮讓相將商賈輻輳並馳共行間指其至微細者

而言之亦足以大勝於他方矣江鰣以銀膏入貢圃韭以登廟成嘗頳棗以形梭勝窖茅玦以亞王爲光蒼术餌之跨鶴人蕿掘之致祥吾不能悉數而盡舉試語子以所見知者之祥云爾惟兹南紀涵泳已多万民適業式笑且歌孰華不靡汎掃則難孰禮非法陶鑄則難豐芑之澤深瞻依之懷理官寺設而益嚴邊防儆而匪遠却箪之儉猶存代金之制未淹江鮮擁魚之波塞無堆鞍之險谷屢熟而歲稔刑幾措而法減故萬世之鴻圖未可輕詆夫南甸也

張夢蟾金陵濬河賦

龍藏發源兮華廬隈二源滙流兮天印厓秦鑿鍾阜兮斷長壠爲瀆入江兮號秦淮舟山東際兮湧青溪孫吳建都兮鑿東渠塹洩湖水兮泒九曲西連運瀆兮向南瀰僞吳治府兮爲金陵南唐鑿濠兮城名昇東盡白下兮壯武勝南接長干兮西石城宋鑿護龍兮帶溪水周繞虹橋兮潮溝邐鷺洲西南兮徹大江復開新河兮貫漕艭我明定鼎兮今留都御河城濠兮廓規模沿革歷代兮崇剏建正支錙落兮景色殊龍光水關兮下上浮飲虹更新兮朱雀頭武定文德兮豪雋澹

通濟大中兮復城流佐津竹橋兮御溝通珍珠土橋兮湖水同板橋通賢兮集監胄直抵佐武兮正河終東縣淮青兮四象始天津大市兮太平喜斗門北向兮崇道連鼎新武衛兮柵寨止御河青龍兮右白虎會同大通兮冠蓋縷後有烏蠻兮控柏川支河入正兮引櫂艪遍城水遶兮滌江涘百折迂迴兮七十里轉輸糧餉兮倉廩實疏通地脈兮文運美二百餘年兮生齒繁架巢築室兮土木　河失故道兮多淤塞霪雨汜漲兮水墊昏幾欲議濬兮阻勢難隨即報罷兮無專官今選省臺兮奏嘉疏奉旨遵劄兮縱大觀正河議闊兮六丈多議闊四丈兮分支河重耗財用兮思國計量拆民居兮致人和荒度土功兮尠石畫民居拆除兮媿力掘躬持竿丈兮定方中沿河舊址兮依然別派置七厰兮亶經營文武叅任兮各鳩工悉力疏鑿兮兼挑運甃甓三月兮報工成帑金摽給兮萬餘千天假晴霽兮埉塿邊羣工爭奮兮効勞績恍如地織兮溘天鐫長波浹滯兮虹斯騰洪瀾蜿蜒兮雲斯蒸呼吸百川兮逸勢激吐納靈潮兮大内興舳艫利涉兮百貨起風氣壯觀兮多士舉

神臯四民兮盡歡稱皇澤衍溢兮億萬紀

呂光品溧水縣巖恩閣賦

厥惟溧邑古稱瀨邦星分斗埜地出帝鄉鍾神靈之赫奕表巍閣於廟陽剏於元祐之禩名以巖恩而揚[illegible]窱壯麗甲於一方歷歲序之綿邈值棟宇之摧傴佐功莫答衆緒彷徨邑有大夫厥姓惟陳洪都才子號曰懷雲炳炳文章之鳳振振信厚之麟哲懋朗鑑惠播洪鈞列氷壺之晶操盎玉臺之熙春烏雀馴於庭署桁楊臥於蒼茵案牘塵而圖牒飭夏楚息而絃誦殷年屢登而物阜道化洽而風淳慨神臺之莫葺將靈迹之遂淪捐已俸而偶義鼓民資而咸勤其來若子攻者如鱗鳥貴負石倕輸削輪取則紫府分模楓宸兩朝故制倏然而鼎新百尺華構不戒而告竣雖江山之有待亦氣化之當循曲是陳嘉殽置旨酒邀騷人延藝叟有客來至居席之右大夫曰惟茲巍閣瀨之茸棠匪輯弗固匪言弗彰攄子秘思抽迺綉腸標靈闡狀爲彼敷張客迺避席而起激昂而颺曰余聞四香華而流於侈結綺麗而溺於荒滕王縱情於芳渚蓬萊役志於荒唐孰若茲閣爲邑開祥旱祈則尌歎禱則穰使者釋而瘂者强遊者愿而居者昌固庇民之具闕迺濟衆之慈航閣之爲義大矣哉請

竟其說彼其虹修梁以翬飛鴛碧瓦之參差瞞霧晻翳於重楠朝陽炫射於丹扇侏儒列而星近掌柱矗而雲低啓罘罳而高睇排閶闔於霏微星辰熒煌乎壁鏡雌霓天矯乎棼楣元鳥巢而迷所自隺過而旋飛髣髴乎駁婆天祿依稀乎紫霄玉虛大夫曰此結構之勝也詎止於斯乎客曰律中仲呂二九斯逢厥神降旦咸秉肅恭五蘊燃兮烟裊九光爍兮星熒鐃歌鼓吹響振乎几席旌纛節斧輝映乎簾櫳演伶優之雜劇幻仙釋之奇蹤訝神女之出浦驚列子之御風翻閣中之飛燕驟街上之奔虹冠蓋集而如堵車輪過而飛蓬角勝呈彩爭奇效工樂氣凝凝於碧落歡聲靡乎晴空竭一時之娛玩賽四序之神功大夫曰此熙遊之盛也詎止於斯乎客曰巍巍夌烟山迴水旋憑高遠眺集翠中天東則峒峴岝崿落步趋躋西則石羊觸距棲鳳徊翔南則匯船曳櫓紫雲飄颺北則臥龍偃伏六姑靚妝五子之所伐削巨靈之所劬勳至若砂湖浮玉石臼舂璇蒼溪若繡丹井欲然秦淮瀆古胭脂血鮮雙眼流盼九女爭妍飛靈壑之瑶淙噴神瀵之珠涓固取之而不盡亦覽之而無邊大夫曰此閣中之大觀也詎止於斯乎客曰日出而窗

櫺曦雲歸而扃戶瞑遠吞乎曉烟之光近射乎夕陽之影鐘聲渺而宿鳥飛樵歌唱而遊人屏跳雙丸於兩間迅四時之一瞬爾其垂千條之綿柳遶百囀之金衣爐烟細而遊絲靜幙風輕而乳燕熙妝帝城之淑氣眺隴首之芳菲倏焉窻玲瓏而敍炎棟嵯峨而壓暑荷薰百和之香雷送千峯之雨握凉蛇於珠宮踏層冰於玉宇廼若金井落碧梧之葉瓊樓芬丹桂之英黃雲遥橫乎鴈陣綠楊忽度乎蟬聲湛水天之一色納風月之雙清既而詹連石城之雲窻當大山之雪眠鳧起水月之朝霞寒雞唱霜天之曉月鶩晝角之嚴聲聽梅花之弄徹既變態之無常實憑虛而奇絶大夫曰此閣中之朝暮而四時也詎止於斯乎

客曰閣不徒高有靈則標高不在形惟德斯馨茲閣也大德以爲地廣生以爲基以正直爲棟柱以覆庇爲壂茨以覺迷爲窻牖以愛護爲垣籬以保合爲門戶以引掖爲階梯雖形勝之顯設實神明之默持今大夫擴廼地厚廼基維廼棟柱加廼壂茨啓廼窻牖固廼垣籬闢乃門戶整廼階梯築之以人和搆之以天倪垂浩佑錫鴻禧登元圃納華胥徹再振思重濡無今無古不傾不歌德與神靈共耀功與天壤俱丕

大夫曰美哉至矣盡矣蔑以加矣於是客乃倒玉壺歛金露墨染瀨水之魚筆罄中山之兎引彼赫蹏遂書之而爲賦

國朝杜祝進邀遂步賦並引　昔聞清譚渡晉儒者所譏自稽阮以來王謝子弟倚家世習風華棄禮法士衡謂慕大名以胄道家所忌若嵇之於野土是也夫器人絲竹施於釣敵不可況老成耆舊乎唯桓公雅量爲之三弄不交語而去匪媿之迺敎之匪就之迺忘之因爲賦以告來者　嗟夫典午南渡英傑猶存瑯邪世胄建業高閣揮斥江左俯仰中原放蕩禮法嘯傲乾坤疇臙而仕疇困而乇疇辯嶰谷疇奏雲門覩六朝之僭竊哂五教爲未敦撫此秦淮山川映發感人物之代生想神明之肅括當晉元初來隋煬未掘蕭條一水僅連吳越白楊十字之街石頭三分之業元子未虎視處仲未狼藉冠軍無焚燒之慘司空有橫江之烈馬糞通檐烏衣閥閱王公大人學士騷客蓋簪而譚班荆而席所論皆老莊之書所賞惟伶倫之律風氣所沿亦和如昨所以桑梓剪爲丘莽陵寢委於河朔今過其地指曰

王子邀笛之步也嗟哉變遷珠樓綺閣朝爲雲霞暮爲溝壑此之所與彼之所奪巳之所貪人之所惜孰謂王謝而不嘆噫至於長橋炤水碧樹沉烟如聞笛聲琅琅人裹觀時事憶當年桓戾三弄胡不忤焉嗟夫我知之矣褊淺王郎矜誇流麗內史之兒大令之弟恃姻婭以宣驕逞佻宕爲鼓吹指之太嚴熳之必懟惟裂管如蛟龍使聲滿乎天地此不屑之教誨而折衝之神智也旣無足爲短長故登車而徑去

丁灝東巡賦應制

有序 伏稽虞制天子五載一巡狩羣各朝於方岳而敷奏明試之典行焉今

聖天子紹嗣曆服二十有三年於茲矣丕顯丕承埽妖氛而海外有截善繼善述大一統而萬國來同允矣平章協和快覩時雍風動迺

皇上不自暇逸每於近畿豐鎬之地省耕補助殆無虛歲茲復 巡幸東南用昭一眎同仁之治旣愧漢武之樂橫汾還陋唐宗之獵渭水臣灝伏處草莽躬逢

盛事祗遵

御題謹拜首稽首颺言以代康衢之謠云爾賦曰

維

皇清之御極兮追唐虞而邁三后光
祖宗於在
天兮統萬方而制九有殲盧循於海嶠兮翦三孽而殄羣
醜資神筭於　廟堂兮奠　國祚於磐石既安內以
攘外兮猶朝虔而夕惕念七閩之甫離湯火兮曁百
粤之昔遭蹂躪若滇黔之尤被逆焰兮悉除煩苛而
急蠲惟正既尚德以緩刑兮更仁漸而義摩知　中
國之有
聖人兮入　貢琉球與暹羅暢
皇威而東漸西被兮山無嘯聚而海不揚波戢干戈而
櫜弓矢兮求懿德而陳時夏平臺灣而設郡縣兮洋
聲靈而布
王化緊九州之盡歸版章兮康茀祿於
帝
天詔良工而繪輿圖兮矚萬里於目前遊卷阿而矢音
　兮惟中心之拳拳軫民瘼而降
睿藻兮將有事於
巡行先山左而後吳豫兮列拱衛而法勾陳禮岱宗而
申柴望兮凌絳霄而馭羲輪詣　闕里而修釋奠兮
　爰特祠以太牢鐫貞珉而掞
天章兮駕唐宗而軼漢高於是龍旂央央材官蹶張選

徒嚚嚚不話不揚
駕言以行狩兮覩麀鹿之麌麌
召佽飛而射熊羆兮遂没石而飲羽寓耀德於蒐苗兮
援北斗而酌桂漿騁汗血而若行空兮挽霹靂而殪
天狼率左
右而燕
天子兮又奚羨夫八駿之翱翔
御樓船而楫蘭橈兮縱舳艫之所如涉安瀾而允猶
翕河兮負黃龍而躍白魚抵淮泗而東吳寓目兮莅
雜揚而道岍 先登幸天寧而灑
宸翰兮扶雲漢而鳳騫騰順中流而乘長風兮嘆天塹
之浩淼矗金山之崔巍兮舍舟登陸而瞻眺葺梵宇
而宏壯麗兮爰 授任以大帥易焦蒜而爲聚寶兮
應聞山呼而稱
萬歲吾民胞而物與兮游藝網罟而雙鯉効順緊百神
之呵護兮 攬乾綱而獨振看競渡而人心競勸兮
狎洪波而奮迅歷雲陽而經虎丘兮爰
命駕夫會城過絳巖而睇青龍兮不崇朝而至金陵俛
江山而瞻名勝兮 陟雨花而協氣氤氳覩熙皞而
霽天顏兮伏馬首而羅拜

至尊升浮圖而躋九級兮
賜扁額而含利繽紛爰歷城市而　存神過化兮　鹵
薄前導而暫憩乎
行宮迨鷄鳴而
命倌人兮游鍾山而享祀勝國之丘隴若夫鳴鐃鼓吹
厰簨建鑾旗動警蹕細仗大角壯其容幰蓋雉尾儛
其餙集虎賁而演武聚貔貅以決拾張皮候而射鵠
兮列八陣之風雲　發四鏃而如樹兮控九逸之蘭
筋快萬騎之騰驤兮
一人環衛夫公卿慶昇平而樂民之樂兮賡燕喜而史
册流傳式序在位而中外欽仰兮庶幾光顯巖穴而
輔
景運於億萬斯年

曹守謙東巡賦　維青兖之名區實齊魯之沃壤日觀
天孫層巒列嶂泗水濟河驚濤怒浪
負梁父之巍峩滙溟渤之浩蕩曲阜堂高杏壇相望
信聖人之遺居歷千秋而彌壯若長江之天塹乃揚
州之遺封應斗牛之分野覩嶽瀆之稱雄包羅雲夢
并吞沅澧會稽環繞淮泗周通包以齊胥雲之攬枕以

黃海之峰鍾山迤邐虎丘巃嵸邗溝浩淼瓜步鴻濛金焦削立震澤泖融島嶼縣邈洲渚鬱葱洵天造地設之境蓋龍盤虎踞之都鍾山川之靈秀兼熙攘之通衢客跨廣陵之鶴宦思雲間之鱸物產旣豐田疇亦富黍苗蔽野桑麻盈路比櫛崇墉築塲納圃乃九州之上腴列禹貢之成賦於是車書雲集負販盈途市廛比列貨財委輸三條九陌輻輳五都丹青照耀金碧胥儲瑤琨篠簜商賈爭趨勁跨竹箭光照錕鋙四方繹絡載馳載驅風帆上下疾如飛晃又有廣厦雲連侯門碁布碧樹銀臺琁題繡柱北里連甍南隣結霧寶蓋遥臨金鞍成聚舞館星懸歌樓春住於是班香文士宋艷詞人慱綜丘索蒐羅典墳洵地靈而人傑乃錦繡之乾坤昔在夏后登三御六朝羣臣於此土執玉帛者萬國蓋先王之所高會而四方之所臣服我

皇上之繼統也廓區宇以立極振故府之弘綱景星耀而太階平虹蜺掃而日月張武功赫濯於有截仁聲洋溢於無疆越裳重譯車賜指南凡夏商之所不征漢唐之所未臣莫不陸讋水服奔走而來王應同符於栗陸正合德於軒黃恐一失之不獲洵視民以如

傷非親歷乎蔀屋曷由慰
睿慮之傍徨爰涣綸綍周覽東南時維孟冬候値農隙不周來風元冥掌雪露滴江皋霜凝木葉梅綻嶺頭楓飄洲澤乃　命鸞輿爰稱警蹕結飛雲之袷輅樹翠羽之高蓋建辰旒之太常燦繁纓之寶帶天馬争先期門于邁和鈴鉠鉠鸞聲噦噦玉輦繽紛金鞍組繪雲罕九斿通帛繡旆屬御方神山靈列隊稅駕
天孫明禋闕里振木鐸於中天慶萬方之同軌秩禮告成爰驂騄駬赤子懽呼黃耇衣被乃歷南武過昌平泉稱趵突湖號濯纓山高梁父嶺聳長春石閭萬仞歷下千尋觀明堂之壯勢發玉簡之奇文徘徊魯源之境翱翔漆園之城千官扈　蹕巡遊南鄙鵷鳥争飛龍舟輕舉石尤潛藏陽侯載止睇瓠子之波平知
天顔之有喜徵水族之效靈信維皇之錫祉歷淮陰之地泣鍾吾之國望九曲之汪洋嘆神禹之明德循黃河以飛渡覽廣陵以豈樂輿馬既釋舟楫載揚幸京口之鎮登浮玉之山瞻驚濤之洴流識大地之混茫浮天無岸迴風紫瀾乃百川之總括滙萬壑以來王
宸章燦爛寶翰輝煌儼然銀鈎之與鐵畫何殊鳳翥之

輿鸞翔駕蘭橈輿桂棹爰泊止於平江溪號浣花徑著採香鷄陂雜沓鶴市旁攘霞凝館娃之宅烟含響屧之廊馬鞍之巖石生色洞庭之橘柚增芳簫管競響遏雲繞梁盡聽依夫雲日咸願奏乎宮商賞心既畢乃廻

霓旌虎賁擁赴駐

蹕秣陵岡巒連乎牛首岧嶢覆乎鷄鳴洲分白鷺山蔚紫金西浦之蘭香已杳秦淮之歌舞猶存幕府澄乎虎跑山勢壯乎雁門賞莫愁之蘭渚玩東冶之蒸汀況夫步推邀笛苑紀樂游石頭城内凝藻繪雨花臺畔枕山丘塔勢矗雲漢梵宮耀瓊樓若乃宅住青溪家傳江總燕子磯高鳳凰臺聳洵江左之巨觀極寰區之佳麗我

皇上眺金湯瞻帶礪酌險易之殊形識戰守之異勢張

皇六師瑚弧風吹

聖主臨戎材官悉惴展拜故陵允恭克配榱桷生輝松楸滴翠黍稷維馨禮儀既備超軼千秋幽明感佩軫念民瘼蠲租免稅解澤自天巽風拂地吏絕追呼農歌樂利無煩剜肉而醫瘡咸幸遺秉而滯穗室家盈寧桁楊委棄貫索星移秋曹澤沛湯網弘仁禹車泣罪烏夜霜啼鷄竿日麗麒麟集於囹圄鸑鷟棲於犴狴

露冕所臨旄倪相屬喜望見乎山龍共承恩於

化育康衢作歌華封稱祝供億不煩無思不服輦轂
趋迎式如金玉
皇上乃停緹騎駐鑾旂問疾若省仳離訪民俗陳風詩
士安絃誦民樂雍熙如嬉遊黃農之代恍置身子姒
之時穆后之瑶池方斯下矣成王之卷阿何能擬兹
君王於是命大輅廻羽林發南服旋　神京遊乎禮樂
之圃息乎道德之城方將賡嘉祥臻神貺醴泉溢甘
露降銀甕陳階金莖奇狀兼戢轂之輿罄宜備守成
之輿開創海宇昇平仁恩遐暢被休助而望遊豫者
年歷億萬雖萃班馬之毫竭鄒枚之筆何能盡
王風之浩
蕩也

先賢堂讚

宋馬光祖建在府學之東明道書院之西青溪之上自周漢而下與祀者四十一人各有讚

至德遜王吳太伯

初逃句曲山中

讚曰太伯之遠啟吳宇也其周之盛德耶顯哉丕謨承哉丕烈維天有成命匪躬之責委而去之川逝河決孔子不云乎可謂至德也已矣虞仲隱居季札守節斯其流芳遺烈歟郡以吳隸禮遜維則

越相國范蠡

築越城在長干里

讚曰王降而覇覇降而彊於越入吳蠡謀用章有屹斯城身退地荒治國往矣治家斯肥三積三散之陶之齊唯殖貨是聞猗後人迷晉穀衛賜疇不並馳吁嗟乎通材而生不遇時

漢嚴先生子陵

光結廬溧水縣

讚曰子陵光武帝所共學也可與致四海之永康懷仁輔義駴謂其狂客星去之庻斯言之入於帝心也

不忘使朝夕之與居將奴耶之以爲常取秦苛而洗之亦略施行仁義不以勇力高皇帝曰非吾沛里中三老則言而莫予起也至忠血誠共學同里亦有仁義而已矣仁義不施秦所以亡仁義旣效唐所以昌後之學爲仁義者尚東廬之可望

漢丞相忠武侯諸葛孔明 亮往來說吳同伐曹操又勸孫權定都建鄴

讚曰戴天履地三綱五常孰闕漢鼎海內披猖草廬遠猶天下大義踞虎蟠龍匪吳都是議同力絕操巇巇信誓髦殲昭奪蜀不少延而已無魏矣蓋炎興咸熙曾不閱歲大星可隕漢賊忿不兩立烈哉武侯之志

吳輔吳將軍婁文侯張子布 昭宅在長干道北近宅有張侯橋

讚曰於昭婁侯颺其英風左右孫氏恩激義從身捴武文聲振北南策曰仲父匪齊斯今侃侃訏遺老臣之心忤不物避動不已爲塞門焚廬固知其不坐而斃也堅卧固拒固知其不可得而縶也人欲殺而超

然浩乎莫闚其際也長干之北淮水之東遺音琅琅張侯之宮

吳將軍南郡太守周公瑾

瑜周郎橋在句容縣

讚曰天壤之間何得生此瞞橫猒群雄狂挾至尊謀者如雨闘者如雲破荆州下江陵驕心盛氣盻一世而莫之京烈烈燄燒江蛟鼉鯨驚乃不得志而去裂寓縣而三分曾不識天之絶姦兇而扶命義猶朶頤而延自焚於戲昜於漢鼎難於赤壁公瑾之勳徒手而立人極虔秣陵下湖𤁱湯湯斯流千載芳躅

吳侍中尚書僕射是子羽

儀宅在西明門

讚曰賢者能變俗俗烏得而變之人之生也直於子羽乎見之姦雄用世便儇盈庭清恪貞素矢心而行能使其君信之望大宅而知其不爲衆掘發其交編獨長喙之無可施衆畏戰以誣人獨刀鋸在頸而不移羌一正以自守紛百邪而無疑彊爲善而已矣未嘗誘之於時

晉太保睢陵公王休徵

祥墓在江寧化城寺北

讚曰甚哉孝之大也巍巍元公望於魏朝晉廷所宗得天年之高極人爵之崇百世至行乃獨家傳而人誦之莫潛匪魚莫飛匪雀胡爲乎來哉於冰於幕因堅西芒示我有覺維齊朱年維梁阮孝緒維唐張常淯蔡芝異兎闕地致蕧鹿蓓其所洵美此都册無絕史孰移愛敬孰悖德禮樹之風聲大變秦贅

晉平西將軍孝侯周子隱處 子隱臺在鹿苑寺

讚曰遷善改過在易之益如雷其迅如風其疾當其未改塊礫瓦石及其既遷金錫圭璧烈烈孝侯折節詩書昔燕趙之靡今鄒魯之儒方寸既改群動皆新虎可搏是故竭力於其親蛟可僇是故死國而忘其身未見剛者

嗟時之人

晉太傅丞相始興文獻公王茂弘 導 宅在烏衣巷

讚曰江左權輿始興經營無晉而有晉挈三世於嗣興百尒倥偬鎮以一靜雖日不暇給而汔可庶定人亦有言今之夷吾九合一匡能志北方之圖力足以爲器足以施豈不翌宣囏哉惟時委一世而清談嗚

呼悕矣

晉太尉大司馬長沙桓公陶士行侃事見石頭城

讚曰堂堂陶公一代重臣作鎮於遠赫赫厥聲咸和階厲宸居震驚獨氛盪咒四海一人孰急而求盟哉太眞義戈所指磔梟尸鯨凡此戎公於躬取必孰揮匪麈而百斯麾孰惕匪時而分斯惜過乎淸高國爾何益凡百君子惟忠惟實

晉侍中驃騎將軍忠貞公卞望之壼忠烈廟在冶城南

讚曰望之巖巖立朝正色獨謝閑泰寧鄙吝之執以我斷裁納世軌則見危授命之死靡忒然後可以得此心之正而盡爲臣之職矣惟忠惟孝其本則一從者二子遺廟翼翼

晉太傅廬陵文靖公謝安石安宅在烏衣巷口

讚曰建元而後事畢敉謐海內之望孰先安石繄望所在舉國倚之其處也不翅伯夷其出也人以茂弘

比之是以從容宴衎悉就條理內杜窺窬之奸外挫吞噬之志雖晉室而旣卑矣抑亦差彊人意雅道崇崇清言娓娓其人甚遠其室則邇

晉車騎將軍獻武公謝幼度 元別墅在土山下

讚曰北方之彊讙謂莫當南方之彊輭曰非所長莫衆百萬莫劌一秦震蕩蜚揚氣無江濆奕奕芝玉矢擔是承婉婉衣冠猰狼是嬰乃一蹴而走之風鶴作氣草木爲兵維南有人北無勍

晉右將軍會稽內史王逸少 羲之事見冶城樓

讚曰逸少精蘊浮於盛名人曰出處時之重輕雖卽廟非心營綜攸敘悉置分表根立孰舉之付冶城遐想高世世競高大曰積小以致世尚輕薄曰重厚遜退決誓二尊叟絕郡碎可謂出其類拔其萃矣雲遊龍鶩聿冠古今倂爲一談知子心哉

晉中領軍光祿大夫吳處默 隱之茅屋故基在城東

讚曰處默其淸矣乎其在晉陵小君行薪其還番禺投薌海濱勺貪泉而不疑或謂余之矯情紡績以爲食而有不給布以爲衣而猶不完觀細故於平日亦足以驗其所安此非自致其心於親不有其躬於兄者耶至行之重外物之輕茅屋可朽名不可泯

宋徵君雷仲倫

次宗開館雞籠山號北學

讚曰自古有國建學立師雖時之搶攘胡能已之元嘉岌岌雞山業業儒館揭揭學徒業業西巖之下廸我貴游易術華林禮特數優聘幣何爲國有矜式與於文風可以觀德

齊貞簡先生劉子珪

巘居檀橋

讚曰人而無學訖顓蒙學而無師安適從舉舉下席衿佩同師誰敢名靑溪翁靑溪至行神明通靡指蹤足萃厥躬屋壁偶墜闐房空去來眡此鴝鵒蹤諠以方直徹主聰嘉爾惟孝移惟忠範橅不在言義中如其天道得所宗百世可起鄒魯風

齊諸王侍讀陶通明 弘景 居茅山

讚曰人生天地間乃爲天地心超然出人群人紀身所任況陞朱邸僚卿用方駸駸胡然薄神虎勇往投冠簪朝駕遠市朝暮影棲山林奈何天所令生意彌中襟磊落事瓠翰洪纖注魚禽要令舉世人不有微痾侵白雲自怡悅秉志非幽尋道術喟分裂儒佛紛浸淫徵陶撼句曲佞誌傾鐘岑皇皇周孔教萬古開黎黔

梁昭明太子蕭德施 統 書臺在定林寺後

讚曰粤若古初至昭人文降魏及晉辭華紛綸習尚流傳名譽著聞衆作漫漶獨擅選掄此其膏馥之餘沛然翰墨之動矣儲闈烝哉文士萃止仁孝至性寬惠濟美必也師式聖賢根本義理則其能事何止辭林文圃而已哉陟彼北峰高臺旣平草根木杪謌弦之聲

晉太師刑部尚書魯公顏淸臣 眞卿 昇州刺史

讚曰嗚呼魯公大節孤忠公不知小人小人實知公其直諫也決知其不朋我姦其出使也逆知其不生還公則曰人心無路見時事只天知唯義所在自處不疑於時相傳不死而僊豈曰茫昧理實昭然以秋霜烈日之氣不爲列星固當遊行乎人間彼小人者宇宙雖廣何所容其身未先朝露已爲遊塵嗚呼公雖不知天則知小人矣

唐翰林供奉李太白 白往來金陵具載本集

讚曰天地英靈之氣曠千載而幾人恍天僊之下墮驂雲霧而絕風塵以匹夫而動九重乃供奉乎翰林將國論其與聞之奚兒女子之足云蓋其抱負覇王之略或庶幾乎少伸手攜郭令公足蹋賀季眞至於奉珪印以贖之有以信志業之等倫豈爲其道骨之可悅詩思之不群耶鬱鬱北山悠悠大川公不來游今五百年

唐山南西道節度參謀孟東野 郊溧陽尉

讚曰攙攙今人中貞曜心獨古披搜三百篇頓挫五七語其中春草心浩蕩報慈母原道接聖傳當時一韓愈馳登互前後雲龍上下永懷絜其長疇若覗所與一尉何荒凉千年仰清苦

南唐司徒致仕李致堯建勳賜號鍾山公

讚曰嗚呼知時之不可為而不之為者其致堯乎身都顯榮年盛望高審時命之固然指鍾山而逍遥營臺度榭負杖曳履既信桃花亦訂流水豈如它人去而復來汔以自全其君子哉

南唐内史舍人潘佑見江南錄

讚曰嗚呼知時之不可為而猶為之者其滎陽乎斯時何時於理於畺衆假息於沸鼎獨憂深而謀長遇主於闇逼國若狂同舟覆矣叫號倉皇風雨如晦鷄鳴不已蹈死疾邪亢矣君子

宋樞密使濟陽武惠王曹國華彬開寶昇州行營統帥

讚曰天地之大德曰生聖人之守位曰仁定天下而一之曰不耆殺人龔惟藝祖肇造區夏斁我六師予

誓告女鼓我元氣入我胥斧爰處其宇以莫不按堵
願若江南奚獨後予同德惟臣不疾其驅衆志允諧
我病我蘇主窮既俘民誅用逋發我兵械完其體膚
功著不殺慶衍且餘設枑列戟騂旄鳩樞珽板榀具
金佗玉魚子孫孫子盛哉
猗歟貪殘之家視斯何如

尚書忠定公張復之詠 祥符知昇州再任

讚曰承平之盛好是正直剛大之氣鐘爲英特惟乖與崖自讚其德薦揚下逮於乘驛彈擊不避於貴溺不吸吸以規進寧皇皇乎外服拔茶植果崇本務而抑末術化賊爲民廣道德而息兵革惟姦是鋤愛也威之克如嬰之慕去也留之力江東父老至今誦公之績也賦人聲之唱應問公事之陰陽其得於希夷者深矣彼李畋
何能窺其豪芒

中丞恭惠公李幼幾及 淳化昇州觀察推官

讚曰謹繩度飭簠簋昔人以爲常今人以爲異志軒冕禮丘園昔人以爲易今人以爲難惟公立朝發軔

此府惟公姱節不間細故其清修貫表裏其謹厚亘終始作之斯與誰無是心導其所趨何古非今悔官下之買書可以愧貪夫屏輿輿從於林麓可以厚薄俗

樞密孝肅公包希仁

極　天聖　知江寧府

讚曰孔門四科尤重政事豈其冉季而曰俗吏惟孝肅所至民物吐氣直幹必棟精鋼詎鉤磊落平生斯言卒雖蜚英鄉書銳先推賢致養親闈寧不調官行通乎神明氣塞乎天淵朝端憚其嚴毅邦計伏其幹旋京師偉其彈壓牧伯赫其旬宣迅一時之剖決紛萬口之流傳民到於今姓而爵之今之從政者尚矩矱之

丞相忠宣公范堯夫

純仁　治平　江東運判

讚曰倬哉忠宣炳炳論奏旣獨異於熙寧不苟同於元祐務審處而緩圖庶志成而業就迹其踐行乎六經融液乎忠恕謂避好名之嫌則無爲善之路雖再相之弗及曾不改於厥度彼甚間之不已又奚掩其

終譽憧憧世道悠悠我思
肅肅瞻儀匪計臣是私

宗正寺丞純公程伯淳顥嘉祐上元主簿

讚曰天運有開宋德聿隆河洛之傳洙泗攸同天理之妙和氣之融不言而化益如春風惟此仕國旣興書堂式開我人欽于烝嘗

監安上門鄭介夫俠清凉寺有祠

讚曰昔神祖之在宥也思躋世乎五三槩時宰之責成陋漢唐而不談動色于一堂之上曰天下已治安矣倚一介臣不畀抱關流離之子携飢扶寒乃作繪以上之徹隱伏于天顏方附和而壅塞羌獨犯其至難皇心爲之始悟抑亦少障乎狂瀾葉飄風其一身日翌晝之一言游從之地故在官職之誘何居彼美人兮嗚呼噫

少師龍圖學士文靖公楊中立時家溧陽嘗

讃曰龜山先生德盛道尊一世之望靈光獨存卓乎本朝士日展季倡明斯學統則有繼衣冠之南公亦溧陽母薄溧陽君子之鄉

參政莊簡公李泰發光宣撫使　紹興

讃曰帝王所宅東南都會外連江淮內控湖海於焉作京忠憤義胤皇帝若曰疇順予釆光拜稽首見士不怠千乘萬騎是能處之百司庶府是能宇之巖巖帝闕秦淮檠之駢闐天邑鐘阜承之鑾輿來止嘉汝成之相此其都萬世之義不此其都權奸之計眞前激烈疾視附和亟其投艱無所逃竄能畀之遐荒不能使之心不王室能毒之何械不能使之口不讀易嗚呼忠矣百辟是式

太師丞相魏國忠獻公張德遠浚　紹興留守都督

讃曰思陵幸鄞魏公揔戎大勳未集大義已明表著天心扶持人紀人類得別於禽獸中國不淪於遐荒者惟公是恃臣之事君無所逃于天地成敗利鈍是不足計由今觀之地割矣而搏噬不能有兵解矣而

跳梁不能久則讒慝之夫徒能畏讐賣國以蠹壞人心使公不得遂其志志則未已凜凜生氣

秘閣忠襄公楊希稷 邦乂 建炎知溧陽縣遷通判

讚曰公長于縣賊至則戰進貳于郡我心不轉小土寡民力猶能兵兇氛壓城執則弗勝此趙氏之鬼也賊安得而生之褒忠表祠忠襄易名惟國之恩匪公之榮

太師丞相雍國忠肅公虞彬父 允文 紹興督府參謀

讚曰金石不可入而誠可使之開鬼神不可詰而人可使之泣偉哉雍公顯手釆石一呼而作三軍一瞬而摧大敵方時談兵者滿朝廷握兵者偏疆埸固嘗裨廟筭獻戎捷而江上之師莫適爲主畫一策發一矢猝無及也幕府非專征書生非健卒來謂斯何戰豈其職而乃片言禍福交手爵帛人百其勇齊心併力覆前至之舟掃先登之迹刑馬之歃徒腥投鞭之望頓失十萬之敵師如披渠魁之金甲如撻微此之役安得不踰年而亮就殛也既登家繪既大廟食功載不刊我祀事亡斁

太師徽國文公朱元晦 熹 淳熙除江東轉運

讚曰洙泗百年而孟子作濂伊百年而朱子生元氣之會應期而興筆削千古闡明六經精其知聞力其踐行玉振金聲集于大成在一郡必達在一道必達亦足以發在天下必達在後世必達必來取法

安撫殿撰宣公張敬夫 栻 督府機宜文字

讚曰宗于顯道泝于仁伊聞道甚早求仁甚勇知行互進義利剖分蛻人欲之蟬融天理之春得尚乎明君不少貸乎小人夙敎忠於家庭竟賫志于中原聖謨洋洋于郊如存

太師正肅公吳勝之 柔勝 生於金陵

讚曰正肅得師達于有政纖幭荆軺廩發饑振朝日汝擅畔日生我尸而祝之有永無墮可禁者學不可禁者心天監厥德及物也深何以報之在其後人

太師參政文中公眞希元 德秀 嘉定江東運使

贊曰孔孟之國家書戶詩先進風行後進景隨遠逮于漢班班諸儒豈無佗邦猶多魯鄒惟西山公鄒夫子墻有聞斯道悔其辭章著書滿家黜霸宗王非不逢辰既登四輔利用存身卷懷衆甫轡絲所經衢壅塗寒愛人之政後人之則

元張翥三烈贊

歸德趙雷澤二子棟之婦夏楷之婦劉與弟宗澤之婦衛也方金陵破雷澤之弟與楷家居見害三烈誓不辱偕沉於水時雷澤與棟出宗澤亦以他事幸免予太史也哀其事嘉其節輒倣古義號以三烈爲之贊曰漢有三貞居巴閬間日着義華羅禍黃巾確不受辱投軀江垠宋有三潔家汀泰寧山徭刼之義不顧生女暨二嫂沉於淸泠今趙三婦衛夏劉姓建業之蹈蹈節委命皆以水死風節相應時惟雷澤將棟督餉匯澤亦從宗則使杭其季惟楷在伯氏傍伯也旣陨楷亦見殺壯矜胥肥聞者動魄堂堂一門天淸月白彼從逆儔本我王臣膝一屈汚終古莫伸姝之弗如犬豕厥身我作是賛用揚高節後今千載正貞侔潔金石其文永稱三烈

江寧府志卷之三十九

擴佚上

山川之佳麗人物之瑰奇典制之美善志傳所載亦云備矣然而澤蘭江芷香輙盈裾斷璧零珠光皆可握亦有一夕之叢談或係百年之文獻爰加蒐輯以廣見聞匪曰守殘畧同識小云爾志擴佚

按宇内有兩石頭一在金陵一在豫章在金陵者所謂鍾山龍盤石頭虎踞王處仲蘇峻所據之地也在豫章者即韓退之次石頭驛詩也有兩石城一在金陵一在竟陵在金陵者即左思所謂戎車次於石城是也在竟陵者即莫愁所居之城也有三西塞一在金陵一在雩川一在武昌在金陵者乃石城西北之處在雩川者張志和所謂顧爲浮家泛宅往來苕霅間者也在武昌者乃曹武成王用師之城今黄州上有

西塞山是也

荊州府志載夷陵州有浣紗河其說云昔伍子胥奔吳道遇浣紗女即其地也其水色班白若浣紗之色後人立子胥廟於此按吳越春秋伍員初逃楚難聞太子建在宋奔往就之既而奔鄭會鄭人殺建乃與建子勝奔吳越昭關至江漁父渡之遂行入吳疾於中道乞食溧陽會女子繫綿於瀨水之上筥有飯女子長跪而與之子胥已餐而去顧謂女子曰掩夫人之壺漿無令其露女子嘆曰嗟呼妾獨與母居三十年自守貞明不願從適何宜饋飯與丈夫虧越禮儀妾不忍也乃自投於瀨水而死後員入郢而還過溧陽瀨水之上欲報女子以百金而不知其家乃投金水中而去又按張勃史記註子胥乞食在丹陽溧陽縣丹陽爲今應天府溧陽其屬邑也邑有投金瀨綠伍員投金而得名唐時立貞女祠其上李太白爲之記

江左今有莫愁湖在西城南按古樂府有莫愁樂石城樂唐書樂志曰石城有女子名莫愁善歌謡石城樂第二歌云陽春百花生摘插環髻前挽指蹋忘愁相與及盛年莫愁樂云莫愁在何處莫愁石城西艇子打兩槳催送莫愁來尚未詳也莫愁盧家女子善歌

唱嘗入楚宮李商隱詩如何四紀爲天子不及盧家有莫愁是也莫愁村今在承天府漢江西石城在州西北晉羊祜所建鄭谷詩石城昔爲莫愁鄉莫愁魂散石城荒江人依舊棹舴艋江岸還飛雙兕央王横詩村近莫愁連竹塢人歌楚些下蘋洲又沈佺期詩盧家少婦鬱金堂即此也按通考載梁武帝詩洛陽女兒名莫愁云莫愁盧家女洛陽人則莫愁又有兩人矣

顧文莊云金陵之山形家言爲南龍盡處精華之氣發露無餘故其山多妍媚而鬱紆烟容嵐氣杳翠霏青望之如古佛頂上之螺美人眉間之黛而特未有奇峯削壁拔地刺天如瑶簪玉劍突起雲霄之上者江水一瀉千里沙騰浪湧天日爲昏最爲怪偉至靜夜無風江聲隱起予嘗夜臥弘濟燕磯聽之洶洶如欲崩四壁也後湖泓渟坦迤堤揚洲葵綽約媚人山色四圍如靚粧窺鏡湖山之美何減虎林所少者瀑布寒泉耳鍾山之一人泉牛首之虎跑泉攝山之白鹿泉祈澤寺之龍王泉衡陽寺之龍女泉雖一泓未足稱奇然瀹茗濯纓固可褰裳提罌而臨試也

圖經云金陵者洞墟之膏腴句曲之地肺其土肥良故

日膏腴水至則浮故曰地肺

建康城北有雞籠山馬東麓有泉至清而甘水旱不增減道人令隱搆精廬于其傍酷愛此泉以爲靈液思作銘贊忽夢一人元巾素衣謂隱曰此泉已有銘矣即高吟云原發石中脉分塵外如醴之味與時而在吟罷不見因勒于石

茅山記曰秦始皇三十七年遊會稽還登句曲北垂山埋白璧一雙深七尺李斯篆刻文云始皇聖德平章江山巡狩蒼川勒名素璧

茅山蓬壺洞可匍匐人愈入愈無際人攜數炬入則寒風淅淅撲烟中有滴溜頗濘羽流謂會窮探三十里以小遺取譴病疿半載意此實通地肺噓吸傳言句曲東通林屋南接羅浮北根岱岳西達峩眉四維經絡豈虛也哉

攝山神相傳爲楚之靳尚昔法度禪師居攝山一日忽聞人馬鼓角聲俄一人持刺通靳尚名及至甚都雅言弟子主此山七百餘年法師道德所歸願受五戒度曰人神道殊無容相屈且擅越血食世祀此最五戒所禁神曰若備門徒輙先去殺乃辭去明旦復遣送錢及香燭刀子及度爲設會神復同衆行道受戒

而去廟巫夢神告曰吾已受戒於度法師矣祠祀勿得烹宰由是廟薦蔬食

江南岸有山孤秀從江中仰望壁立峻絶袁崧爲郡嘗登之矚望焉其記云今自山南上至其嶺嶺容十許人四面望諸山畧盡其勢俯臨大江如縈帶焉視舟如鳧鴈矣

袁崧嘗言江北多連山登之望江南諸山數十百重莫識其名高者干仭多奇形異勢自非烟褰雨霽不辨見此遠山矣余嘗往返十許過正可再見遠峯耳

綱目梁太平元年六月陳霸先及齊師戰敗之殺蕭軌及徐嗣徽追奔至於臨沂集覽解曰臨沂漢瑯琊郡今沂州是也福按是時高齊據有山東河南之地乘梁有内亂故遣軌等渡江來侵其上文曰方山曰青墩曰兒塘曰幕府曰白下皆金陵之内地而逐奔乃至山東深入其境不亦大可笑歟蓋臨沂山名在金陵城東北四十里西南有臨沂縣城址故追至此擒軌等皆殺之而齊軍縛荻筏以濟溺死者甚衆也

吳都賦横塘查下邑屋隆夸長干延屬飛甍舛互吳大帝時自江口沿淮築堤謂之横塘北接栅塘蓋其時夾淮立栅自石頭南上十里至查浦查浦上十里至

新亭新亭南上十里至孫林孫林南上十里至板橋查浦即查下也金陵鼎族聚居橫塘查浦閭樓閣壯麗天下莫比至趙宋猶然馬制使光祖詩如今何處是橫塘在府城南淮兩旁魏蜀兩都皆不似蓬萊三島足相方烏衣巷口排金屋朱雀橋邊立粉牆有底繁華難說似何妨把作畫圖張

劉禹錫詩朱雀橋邊野草花烏衣巷口夕陽斜按朱雀橋即朱雀桁也地在今聚寶門内鎮淮橋稍東烏衣巷當剪子巷至武定橋一帶是蓋桃葉渡在武定橋之東而太令有渡江迎接之歌知其家於此也今周子隱讀書臺下舊爲光宅寺乃梁武帝故居六朝士大夫故多家此其地又名南岡武帝許書語曰南岡士夫徒尚風軌不免寒乞正指是耳有謂烏衣巷在今報恩寺右西天寺前傍重譯橋者是不知西天寺在門所臨之河乃揚吳所鑿之城壕六代時未有此也晉人多阻淮淮水南北而居故郭璞爲始興公卜宅有淮水竭王氏滅之讖陳末淮涸而王氏之衣冠文物始盡據此諸書王謝故巷故不應遠淮而嚮長干也

貞白先生秣陵人今秣陵鎮西有陶吳鎮云先生所生之地又有吳姓與陶氏世居於此故以名其鄉葛仙

公亦生於此今鎮之東北鄉名葛仙塘名葛塘是其證也葛仙公與陶先生俱棲眞句曲而方山又別有葛公煉丹池自晉宋而後仙蹟彰顯惟二公爲最乃俱産自秣陵金陵地脉仙靈窟宅豈獨茅山也哉

宋文帝元嘉二十一年司空大司農京尹令尉度宮之辰地八里之外整制千畝中開阡陌立先農壇於中阡西陌南設御畊壇於中阡東陌北梁武帝普通二年又移籍田於建康北岸築兆城如南北郊別有望耕臺在壇東宋孝武帝大明四年始於臺城西白石里爲蠶所設兆域置大殿又立蠶觀今地皆不復可考

長干是秣陵縣東里巷名江東謂山壟之間曰干建康南五里有山岡其間平坦庶民雜居有大長干小長干東長干並是地名小長干在瓦官寺之南巷西頭出大江梁初起長干寺按是時瓦官寺在淮水南城外不與長干隔而今賽工橋西即是江水流處其後洲渚漸生江去長干遠而楊吳築城圍淮水於內瓦官遂在城中城之外別開今濠而長干隔遠不相屬矣

南都城中道院若朝天宮則枕冶城山靈應觀則俯烏

龍潭盧龍觀則倚獅子山佛寺若雞鳴寺則坐雞籠山永慶寺則傍謝公墩吉祥寺則負鳳皇山清涼寺則昇四望山金陵寺則辰馬鞍山上瓦官寺則峙鳳凰臺皆備登臨之美下瓦官寺在杏花村内林木幽深入其門令人生塵外想鷲峯寺地辟而無可眺然差與市遠封崇寺雜闤闠中荒涼頽廢致無足言惟承恩寺踞舊内之右最爲城南囂華之地游客販賈蜂屯蟻聚於其中而佛教之木乂刹竿蕩然盡矣

冶城北有謝公墩謝靈運賦視冶城而北屬懷文獻之悠揚李白有登金陵冶城西北謝安墩詩序云此墩即晉太傅謝安與右軍王羲之同登超然有高世之志於時營園其上故作是詩有曰冶城訪古蹟猶有謝安墩平覽周地險高標絶人喧想像東山姿緬懷右軍言白鷺映春洲青龍見朝暾地古雲物在臺傾禾黍繁我來酌清波於此樹名園城東半山寺後別有謝公墩按慶元志城東半山寺舊名康樂坊因謝元封康樂公至孫靈運猶襲封今以坊及謝公墩名觀之恐是元及其子孫所居余前正疑王荆公我屋公墩之説與冶城北相遠今據此志乃知金陵自有兩謝公墩在冶城北與永慶寺南者乃謝安石所眺

若荊公宅之半山寺所云謝公墩乃謝元所居在舊内東長安門外銅井菴傍所謂半山里者荊公或誤以爲太傅也

袁小修記金陵街石云洛陽石經蔡中郎所書後遷於長安唐天祐中韓建築新城委棄於野朱梁之變劉鄩守長安有幕吏尹玉羽者白鄩請輦入城鄩然之乃移遷城内所以不爲瓦礫而至今存者玉羽之力也宋天聖中詔營浮圖姜遵在永興軍毁漢唐碑之堅好者以代甎甓當時有一縣尉具言不可力懇不已至於叩頭流血此尉必佳士也寶愛舊蹟至於叩頭流血以請亦甚可哀至今逸其姓名不得與玉羽並傳則尤可哀矣予遊南都見其街多以青石爲砌瑩於鏡面故老云此皆先朝舊豐石也予謂不然昔魏文取兩漢碑爲九華殿樓基識者以卜當塗之德不長況在開國之初寧有斯事姑無論睿哲在上卽翊運諸公其識豈出玉羽縣尉下哉六朝舊地物力原饒自多佳石且臨江水采取不難故老所傳不足信也

南唐跨有江淮鳩集墳典特置學官濱秦淮開國子監舊志在鎮淮橋北御街東里人呼國子監巷擬其地

卽今縣學也

南省大市人貨所集不過數處而最夥爲行口自三山街西至斗門橋而已其名曰果子行宅若大中橋北門橋三牌樓等處亦稱大市集然不過魚肉蔬菜之類如銅鐵器則在鐵作坊皮市則在笪橋南鼓鋪則在水西門口履鞋則在轎夫營簾箔則在武定橋之東傘則在府街之西弓箭則在弓箭坊木器舊府南則鈔庫街北則木匠營近多在笪橋口蓋明初建立街巷百工貨物買賣各有區肆今沿舊名而居者僅此數處其他名在而實亡如織錦坊顏料坊氈匠坊等皆空名無復有居肆與貿易者矣城外惟上新橋龍江關二處爲商帆賈船所鱗湊上河尤號繁衍近年以人貧物滯客多止於鳩玆上河遂頗凋零人有不聊生者時之盛衰亦可歎也

金陵鼓樓上二十四鼓以應二十四氣中置大鼓若太極然西行爲鐘樓鐘有四一懸者一坐其傍一仰臥于鼓樓東一在江邊或曰飛鳴宿食也

張文潛云予自金陵月堂謁蔣帝祠初出北門始辨色行平野中時暮春人家桃李未謝西望城濠水或流或絶多鵁鶄白鷺迤邐傍山風物夭秀如行錦繡圖

畫中

闇學士安云金陵城南三舍地名同山有大族曰周氏由宋初卜築其地紹興以來同居者九世歷二百有餘年子孫蕃衍老幼千指功緦以降幾至親盡朝夕聚處雝雝怡怡出則同門食則共爨爲其長者類皆尊而能勤富而能儉用是家法嚴明人心齊一孝友慈愛毫無間言也按舊志明師渡江周氏九世孫裓糗糧以迎乃官裓武寧主簿正統間裓孫鏞又出粟賑饑旌爲義民南幾志云唐有周惟長居橫山與李白往來即裓先世也

盛仲交自大城山中有雜憶十詩與周吉甫步韻且約往遊其題云祈澤寺龍泉天寧寺流水王皇觀松林龍泉菴石壁雲居寺古松朝眞觀檜徑宮氏泉大竹虎洞菴奇石天印山龍池東山寺薔薇此十景皆衆人之所忽仲交所獨取者

吉祥寺雷從地奮遂成一井井泉味獨勝今謂之雷泉

茅山華陽宮有陶隱居井歲久湮沒政和初道士莊愼修索得之初去三尺許得甃井闌雖破合之而全環刻大字先生丹陽陶仕齊奉朝請壬申歲來山棲身高靜自號隱居同來弟子吳郡陸敬遊其次楊王吳

戴陳許諸生供奉階字湖熟潘邏及遠近宗禀不可具記悠悠歷代詎勿識焉梁天監三年八月十五日錢塘陳宣懋書又穿數丈獲一圓石硯徑九寸許列十一趾滌之朱色燦然又得銅爐有柄若今之手爐者今藏宮中

鑾駕庫迤東有銅井菴菴前井舊以銅爲底蓋下通大江井中水如鼎沸魚鱓隨水上下焉

秣陵蘆政官舍有荒地三十畝李升仲水部開池種蓮四岸列芙蓉楊柳稍前分畦蒔蔬間以桃李桑柘爲居民值利板橋朱楯虹霞掩映可爲遊觀之資梅花開日水部會勝集其間有花勝巧裁淮浦雪冷香歸夢洛陽春句都人士傳誦之

長干寺舊有阿育王塔梁大同三年高祖改造出舊塔下舍利及爪髮髮青紺色衆僧以手伸之隨手長短放之則屈爲蠡形始吳時有尼居此地爲小精舍孫綝尋毀除之塔亦同泯吳平後諸道人復於舊處建立爲梁簡文咸安中使沙門安法師造小塔未及成而亡弟子僧顯繼修之其後西河離石縣劉薩何者遇疾暴亡七日更蘇說云有兩吏見錄至十八地獄隨報重輕受諸苦毒見觀世音語云汝緣未盡若活

可作沙門洛下齊城丹陽會稽並有阿育王塔可往禮拜則不復入地獄因此出家遊行至丹陽未知塔處乃登越城望見長干里氣色有異因就禮拜果見阿育王塔所放光明由是定知有舍利乃集衆掘之入一丈得三石碑中一碑有鐵函函中有銀函銀函中有金函盛三舍利及爪髮各一枚長數尺卽遷舍利近北對簡文所造塔建一層塔十六年沙門僧尚加爲三層卽梁高祖所開者也至南唐時廢寺爲營廬人之舍利數見感應祥符中詔復爲寺卽其表見之地建塔賜號聖感舍利塔天禧元年改名天禧寺元至順初賜金修塔塔完之日天花如雨祥光如練滿空者數日明永樂中卽其地重建大報恩寺塔高九層純用琉璃爲之凡十六年始畢工其壯麗甲古今佛刹矣第不知塔中舍利仍是阿育王塔中所函否嘉靖中塔爲雷震頂少偏萬曆中雪浪大師重修之人謂斯塔有三篇名筆陳石亭記盛雲浦賦焦澹園募緣疏

雪浪修塔時所搆鷹架與塔頂埒有僧時居雪浪座下善升高値新雨後著釘鞋登塔之第九層從門出反身以手援簷距躍而上至承露盤中衆人自下望之

爲股栗而此僧往來旋轉捷若飛猿咸詫以爲神

唐李仁鈞建中末來京師調集時存福寺有僧神秀曉陰陽術得供奉禁中一日李同內兄崔昭共詣秀師師泛叙寒溫而已更不開一語別揖李於門扇後曰九郎能惠然獨賜一宿否小僧有情曲欲陳露左右李曰唯唯後李特赴宿約饌餚豐潔禮甚謹敬及夜半師曰九郎今合選得南江縣令甚稱意從此後更六年攝本府糾曹斯乃小僧就刑之日監刑官人即九郎耳小僧是吳兒酷好瓦官寺後松林中一段地最高敞處上元佳境盡在其間死後乞九郎作窣堵波於此爲藏骸所李曰不謬違之如皦日秀泣謝後李補南昌到官有能稱攝本府糾曹有驛遞流人至州坐洩宮內密事者遲明宣詔付府笞死流人解衣就刑李熟視即神秀也大呼曰瓦官松林之請子勿食言秀既死乃置瓦官寺林中地纍浮圖以葬之

瓦官寶意和尚宋孝武施以一唾壺高二尺許忽有人竊去意捲坐席咒之唾壺還在席中

會昌中有顏濬秀才遊瓦官寺遇陳宮人同遊語濬曰今日偶此登臨爲惜高閣不久毀除故來一別耳後數月其閣果因寺廢而毀

金陵藏書考○金陵士大夫藏書之家自元嘉中謝靈運造四部目凡六萬四千六百八十二卷元徽中王儉造目録一萬五千七百四卷儉又依劉氏七畧撰爲七志齊永明中王亮謝朏又造四部書目凡一萬八千一十卷梁初任昉集文德殿所藏二萬三千一百六卷普通中阮孝緒更爲七録從未有過十萬卷者惟沈約藏書至十二萬卷稱極盛焉後此歷代變遷或聚或散或兵燹或漂没若有數存乎其間近代南中藏書以焦澹園爲最司馬西虹侍御造各部目録頗多秘本亦有數萬餘卷其中淪軼殘缺亦難徵考至

國朝孝昌相國熊敬修先生僑寓江寧搜羅較輯列書十萬餘卷休文而後罕有與之頡頏者顏其堂曰下學取以博歸約之義蓋讀書論學之原也溫陵史館纂修黃俞部其先世海鶴先生移居白下修脯所餘市書數十年久而彌富俞部克承家學又增益之共六萬八千二百卷有奇錢虞山千頃齋藏書記詳言之今並附其目於下學堂之後以見好古者有嗜痂之癖云耳

下學堂藏書總目
經部　總經類　易類　書類　詩類　禮類　樂
類　春秋類　孝經類　四書類　論語類　孟子
類　大學類　中庸類　小學類　爾雅類　緯類
史部　正史類　編年類　實錄類　雜史類係記
載　雜史類係傳記　典故總類　典故類係職官
典故類係食貨　典故類係禮制　典故類係軍
政　典故類係律令　典故類係工作　譜牒類
史學類係史評　史學類係史鈔　書目類　地志
類
子部　道學類　子儒家　子名家　子法家　子
墨家　子雜家　子農家　子兵家　縱橫家　子
釋家　子道家　小說家　醫家　天文家　曆算
家　地理家　相法家　壬遁家　雜藝術類　譜
錄類　天主教　清真教
集部　總集類　別集類係帝王　別集類係臣僚
別集類係韋布　別集類係方外　別集類係閨
秀　騷賦類　表奏類　論策類　啟牘類　制舉
類　金石類　文說類　詩評類　類書類　彙書
類　贍言類　詩餘類

釋藏 大乘經係般若部 大乘經係寶積部 大乘經係大集部 大乘經係華嚴部 大乘經係涅槃部 大乘經係五大部 外重譯經 大乘經係單譯經 小乘經係阿含部 小乘經係單譯經 宋元入藏諸大小乘經 宋元入藏諸大小乘經之餘以上經 大乘律 小乘律 宋元入藏諸大小乘律以上律 大乘論 小乘論 宋元續入諸藏論以上律 西土撰集 此土著述以上撰述 明續入藏諸集以上著述

道藏 洞眞部係本文類 洞眞部係神符類 洞眞部係玉訣類 洞眞部係靈圖類 洞眞部係譜錄類 洞眞部係誡律類 洞眞部係威儀類 洞眞部係方法類 洞眞部係衆術類 洞眞部係記傳類 洞眞部係讃頌類 洞眞部係表奏類 洞元部十二類同 洞神部十二類同以上三洞 太元部 太平部 太清部 正一部以上四輔

孝昌熊敬修先生寓居秣陵築精舍於清溪之上顏日愚齋以爲講肄之所復構屋五間曰下學堂置一所積書籍其中先生繙閱之餘分别門類編次目錄一函計凡十萬卷有奇嗚乎可謂盛矣兹以目錄繁多志中不能悉載謹撮其總目以備稽考之萬一云後

學黃漢謹識

千頃齋藏書總目

經部類凡十五曰易曰書曰詩曰禮曰樂曰春秋曰孝經曰論語曰大學曰中庸曰孟子曰小學曰爾雅曰經解曰四書共六千九百四十六卷

史部類凡十三曰正史曰編年曰雜史曰近代紀錄曰傳記其別二爲歷代爲近代曰故事曰刑法曰譜牒曰史評曰史抄曰書目曰地志共一萬五千六百二十九卷

子部類凡十七曰理學曰儒曰雜曰農曰小說其別二爲前代爲近代曰兵書曰醫曰天文曰曆算曰地理曰五行曰星命曰卜筮曰相法曰壬遁曰雜藝術曰譜錄共七千二百五十九卷

集部類凡十二曰別集其別八爲漢魏六朝爲唐人文爲唐人詩爲李杜韓柳爲南宋爲北宋爲金元爲明明又各以類分爲睿制爲國初爲閣臣爲詞林爲列卿爲庶僚爲外吏爲武弁爲布衣爲方外爲閨秀曰文總集曰詩總集曰騷賦曰表奏曰論策曰啟牘曰制舉曰金石曰書畫曰文說曰詩評共二萬五千二百八卷

支部類凡八日稗日道日西洋日類書日彙書日詩
餘日傳奇日演義共一萬二千九百七卷
家集共三百三十二卷　共六萬八千二百八十卷

杜旟字伯高賦石頭城酹江月云江山如此是天開萬
古東南王氣一自髯孫橫短策坐使英雄鵲起玉樹
聲消金蓮影散多少傷心事千年遼鶴并疑城郭非
是　當日萬事雲屯潮生潮落處石頭孤峙人笑諸
淵今齒冷只有袁公不死斜日荒烟神州何在欲墮
新亭淚元龍老矣世間何限餘子

周晉仙名文璞宋淳熙間人題鍾山云往在秦淮問六
朝江頭只有女吹簫昭陽太極無行路歲歲鵝黃上
柳條

節使吳琚遊青溪有詞云岸柳可藏鴉路轉溪斜忘機
鷗鷺滿汀沙咫尺鍾山迷望眼一片雲遮　臨水整
烏紗鬢影蒼華酒闌却念在天涯幾日不來春便晚
開盡桃花

烏衣園有宋張杜柳稍辭云燕里花深鷺汀雲淡客夢
江臯日日言歸淮山笑我塵瑣征袍　幾回把酒憑
高欄干外魂飛暮濤只有南園一番風雨過了櫻桃

吳景伯登鳳皇臺沁園春詞再上高臺訪謫仙今仙何

所之但石城西踞潮平白鷺浮圖南峙雲淡烏衣鳳鳥不來長安何處唯有碧梧三四枝興亡事對江山休說誰是誰非 庭花飛盡胭脂算結綺繁華能幾時問何人重向新亭揮淚何人更到別墅圍碁笑拍欄杆功名未了寧肯綠簑尋釣磯深深飲任玉山醉倒明月扶歸

東橋先生寄王子新過秦樓辭云虎卧天門龍騰鳳閣書法王家原妙畫爛衣襟歷乾池水透得舊來關竅更往僧醉聖探 奇撥雋縱橫顛倒愛青年方盛高名欲起萬人稱好 嘆拙手勉强挑戈依稀撥鐙那識就中天巧欲取金丹并擕洛賦仔細從君論討只恐揮毫遲留迅疾肘腕不禁衰老判千金買紙如山倩渠長掃又䟦其所書蘭亭卷云王子新英年過起遂擅海內書名或者議其眞書稍肥余謂莊重沉着脫去佻巧獨得鍾王遺法賞愛爲極其爲之標譽如此

陳民情號春臺遼陽人起家進士初授武淸縣令調繁遵化爲京薊巖邑民情以廉靜治之報最權貴欲招致爲黨與啖以科道民情不可乃授兵備憲副未幾解任歸年八十餘卒

鄉飲酒禮　國朝以來上江二縣未及舉行康熙二十二年制府于公暨知府于成龍修葺學宫行朔望禮乃考諸會典講求鄉飲儀式檄下兩縣轉行三學命諸生博採輿論詢謀僉同務求得人以光盛典定於府學明倫堂歲凡兩舉正月十五日肇行大賓則鄉先生劉公思敬號覺岸介賓太學吳君一儁字慰先耆賓翁君之積十月初一日再行大賓鄉先生羅公德御號柘菴介賓太學汪君大賓字廷讓耆賓王君承科字樂庭江寧縣舉大賓吳公調元字雨蒼介賓馬君允襄字星昉耆賓楊君溥字敘明大典久湮舊章初復圜橋門而觀者千餘人皆忻慕嘆息謂諸公之不愧所舉云

李大夫名栖筠未達將赴選時揚州田山人頗有前知往問所得官荅曰宣州溧陽尉李曰某朝列之内亦有親故所望一官實不止此良久曰勝則不可某亦未審將一書與楚州白鶴觀張尊師當知矣李往見張張甚古異問田子云何曰宣州溧陽尉張曰否魏州館陶主簿然已後甚貴聲華烜赫無介意於此也後到京授溧陽尉李大驚異以爲張道士之言不中數日勅銓部改館陶主簿乃知兩人相爲發明也

溫湯寺金陵屬邑溧水溧陽舊多蠱毒丞相韓滉爲浙江觀察欲絶其源未得時有僧住竹林寺每絹一疋易藥一丸中蠱者多獲全濟值滉小女有惡疾浴於溫泉而愈乃捨女粧奩造浮屠於泉之右延竹林藥僧主之滉因求其方刊石於二縣之市以流布馬唐末喪亂石不復存而溫湯之寺不改鎮之夏氏世傳其法藥以溫湯爲名誌所自也

李雄南唐後主時淮西人當王師弔伐出守西偏不遇其敵雄以國城重圍不忍端坐遂東下以救之陣於溧陽與王師遇父子俱歿諸子不從行者亦死他所死者凡八人李氏託亡不露褒贈其事僅見吳唐拾遺錄項當有旨合九朝國史爲一書他日史官爲列之於李煜傳庶足以慰斯人于泉下耳

蕭楚材知溧陽縣時張乖崖作牧一日名食見公几案有一絶云獨憾太平無一事江南閒殺老尚書蕭改憾作幸字公出視藁曰誰改吾詩左右以蕭對楚材曰公功高位重姦人側目之秋且天下一統公獨憾太平何也公曰蕭一字之師也

三堡塢葉適三堡塢摘語云石跋則屏蔽采石定山則屏蔽靖安瓜則屏蔽東陽下蜀西護溧陽東連儀真

緩急應接首尾聯絡所築皆是故居磚石猶存

靈谷寺經回祿後尚有吳偉畫壁三堵嚴介溪詩回廊古壁留名畫墜葉冷風助梵音蓋指此後不存姚元白曾托友人臨之寺又有寶誌公所遺法被四面繡諸天神像中繡三十三天崑崙山香水海高一丈二尺濶如之眞齊梁時物

寶光寺有西域來貝多婆力叉經長可六七寸廣半之葉如細猫竹筍殼而柔膩如芭蕉梵典言貝多出摩伽陀國長六七丈經冬不彫其葉可寫字貝多婆力叉此翻葉樹也經字大如小赤豆旁行蠕蠕如蟲豸不識其爲何經外以二木片夾之其木如杉而文細緻可愛南都諸寺中僅有此經而已記言此貝葉經保護可六七百年

祖堂幽棲寺有歷代祖師像黃貞甫賸部命工臨摹載歸天竺供養復有布履一雙長尺四五寸云是懶祖所遺

牛首弘覺寺禪堂有丹竈投以薪火風自內生甚熾烈須臾爨熟如去薪火即止

天界寺西偏半峯僧舍有宋磁大士高可二尺許云農夫鋤地得之田間苐不損鋤鍬若有神呵護者北都

西山亦有宋磁大士身與天界等亦云得之田間豈神物有對耶

靜海寺有水陸羅漢像乃西域所畫太監鄭和等攜至每夏間張掛都人士女競往觀之

方山定林寺有乳鐘即所稱景陽鐘也鐘有一百八乳乳乳異聲故名乳鐘又有象皮鼓云是象皮所鞔

天界寺有佛牙潤寸長倍寸之五萬曆中僧人與淳獻之尚書五臺陸公公因具金函檀龕盛之迎供於寺之毘盧閣牙得之天台山中

金陵昔稱三絕者瓦官寺宋戴安道手製佛像五軀晉顧長康畫維摩詰像一軀晉義熙中師子國獻玉佛高四尺二寸玉色潔潤形制殊特殆非人工稱爲三絕清涼寺董羽畫龍李後主八分書董霄遠草書稱爲三絕靈谷寺晉張僧繇畫大士像李太白贊顏魯公清臣書稱爲三絕又考陸龜蒙古錦記言瓦官寺有陳後主羊車一輪唐則天皇后錦裙一幅又南唐時修講堂鴟吻竹筩中得王右軍告誓文如是則瓦官又當有三絕也若別論奇豔吳趙夫人之機絕針絕綵絕一人而兼之尤爲最勝金陵有五三絕矣

碧峯寺非幻庵有沉香羅漢一堂乃非幻禪師下西洋

取來者像最奇古香更異常萬曆中有人盜其一庵僧不得已以他木雕成補之後忽黑夜送回前像羅漢之靈異可推矣

南門外小市南去有善世橋與天界寺不遠橋邊有石碑一通上刻一絶云小澗何年躍馬蹄白沙翠竹淨無泥石橋流水行人過野路斜陽倦鳥啼王介甫題乃知橋之所跨者躍馬澗或以爲蘼蕪澗非也

杏花村在城中西南隅鳳凰臺下今爲驍騎營國初人惇朴不知有村也近日居人有丈尺之地必栽杏一二株日以漸多每春煖風和杏花爛熳時都人爭攜殽核盤遊其間如在錦雲之內日以千數荆公詩云故國時平見喬木荒域人少半爲邨邨書以志感姚世昌暇筆所載如此今民居雖稠喬木凋謝絶無所謂杏花但留邨名耳弔古之士感更何如

方正學靖難被害門人廖鏞廖銘私拾其骨葬之不封不樹無可認識萬曆初立方祠於永寧寺後山聚土非原葬處也上海徐鯨刻一聯云十族遺骸埋聚寶千年孤塚表長干今舊祠已廢洪公新建者移西南二十步許舊京午門前有數尺地不生草云方孝儒受刑處

嘉靖甲寅秋南總督糧儲公署中有蜂爲房於簷下不數日大如斗同日中堂忽聚蟻數升有頃四散時楊公宜爲總督甚怪之然竟無恙楊去而黃公懋官來以軍餉不時爲軍士捶死督署毁折一空劉誠意撫之乃定蜂屯蟻聚妖不虛作然不及於楊公而黃公當之者楊公寛厚仁愛厲不能及黃公嚴刻太過遂及於禍所謂以厲名厲者與君子爲國家當事固宜剛直亦貴和衷觀黃公可以鑒矣

十餘年來每春夏之交有小小疫氣即倡爲接觀音之説貪僧啟其端而地方游手之徒借以侵漁金錢復助其燄計口責錢無敢違者每一坊甲所歛不下數百千搭蓬懸燈延僧誦課夜則燈燭照天遊女如市使以此錢代貧民完國課所益不大乎惜無以語當事者

溧水州東南二十五里有烏鯉廟昔民有女感黑龍於田野歸而有娠產一鯉魚投於水中復能變化隨母出入後乘雲而去母亡每春時必來墳所鄉人因立廟記焉

溧水道上天生橋兩山壁立中一河如帶其橋乃開河時所留石棧故名天生乃明太祖時崇山侯李新所

開也土人傳侯虐人甚受剝膚之刑考之實錄侯以開河受賞殊無其說

先是秣陵科第稀相地者謂水聚於武定橋儒學前宜設橋以關水因設文德橋草創以木後以石易之暨極橋下得一鐔鐔中有錦鯉三又金銷甲一人以爲鼎甲之兆嗣是焦朱顧相接及第

孝陵衛觀音寺觀音座後壁一石方一丈六尺餘大士背石坐傍視之大士眉髮正映其中如對鏡然

丁司空賓濬河於珍珠橋竹橋之間得石山於河底高若干丈上有字云宋某年臧茂叔游此勒是必園林之物久而在河底高岸爲谷耶

顧文莊古蹟儷語曰　白石青溪　龍廣山雞鳴埭

蟠浦龍山　桐樹灣竹格渡　直瀆横塘　謝公墩杜姥宅　烏榜村青林苑　西州東府　三山二水

烏衣巷紅羅亭　一人泉五馬渡　商飈舘　甘露亭　蘼蕪澗茱萸塢　入漢樓　横江舘　三品石八卦泉　赤烏殿朱雀航　青溪祠白石廟南澗北山　珍珠河胭脂井　鼓吹山幕府寺

花林村竹篠港　夏矦山朱年壠　覆舟山投書渚

皂莢橋白楊路　赤闌橋烏衣巷　蒼龍堰　白

鷺洲　籬門五十六所　秦淮二十四航　梁五明殿
唐百尺樓　伏龜樓　躍馬磵　南磵樓　西州路
青溪宮　白石壘　宋玉燭殿　梁金華宮　落星樓　清
暑殿　鳳皇里　燕雀湖　又云蚵蚾蟣　疑城　辱井
覆杯池　麈扇渡　玉樹後庭金蓮帖地　慈姥山
道士塢　莫愁湖　桃葉渡　穿針樓　邀篴步　謝元
走馬路　盧絳翔鸞坊　橋名萬歲臺曰九日　棲霞
寺落星墩

晉梅將軍廟在聚寶門外雨花臺東祀晉豫章內史梅公賾也賾嘗屯營此地舊名東石子岡後因公名梅賾嶺岡賾在豫章以古文尚書奏上元帝初古文出孔子壁中皆蝌蚪書孔子十一世孫安國得其書定爲五十八篇并序一篇爲五十九篇獻之遭巫蠱事未列於學宮晉皇甫謐以授鄭冲冲授蘇愉愉授梁柳柳授臧曹曹授賾賾奏上其書亡舜典一篇至齊建武四年姚方興於大航頭得而獻之未及頒行隋開皇中募遺典始得其篇自是夏矦勝夏矦建歐陽和伯所傳皆廢賾之有功於書如此今世人第知爲梅將軍不知有傳古文尚書事

晉謝元拒苻堅以安江左功殊不小明初建都金陵凡

前朝有功德於民如蔣子文卞壼劉仁贍曹彬等皆載祀典而不及元殊爲缺畧姚千戸福云嘗遊杏花邨徘徊鳳臺下觀戒壇保寧之故基有古祠一所雜處軍營中因入謁題云晉將軍謝元之神像高尺許晉衣冠查金陵志有謝將軍廟在城西南隅戒壇院側唐咸通中建居人不知漫以爲土神耳後正德中重修名康樂祠羅公玘爲之記

晉興寧中瓦官寺初建僧衆設會請朝賢鳴刹注疏無有過十萬者顧愷之來直打刹注一百萬愷之素貧時以爲大言後寺成僧請勾疏凱之令閉戸往來一百餘日於壁上畫維摩一軀工畢將欲點眸子謂寺僧曰第一日開見者責施十萬第二日開可五萬等三日可任例責施及開戸光明照寺施者塡塞果得百萬

葛洪初求爲勾漏令曰非欲爲榮以有丹耳遂將子姪俱南至羅浮止焉居七年忽與廣州刺史鄧嶽疏云當遠行尋師尅期便發嶽得疏踉蹌往別洪坐赤日中兀然若寐而卒洪實未至勾漏云

戴顒逵之子也有巧思自漢世始有佛像形製未工顒特善其事宋世子鑄丈六銅像於瓦官寺既成時議

面恨瘦工人不能改顯曰非面瘦臂胛肥耳及減臂胛患即除無不歎服

宋吳郡婦人韓蘭英有文辭孝武時獻中興賦被賞入宮明帝用爲宮中職僚齊武帝以爲博士教六官書學呼爲韓公

郭文字文舉王茂弘築臺於冶城以處之今朝天宮後太乙殿即書臺遺址文嘗手探虎鯁茂弘問之對曰情由想生不想即無人無殺獸之心獸無傷人之意

周顒於鍾山西立隱舍雖有妻子獨處山舍王儉嘗問曰卿山中何所食顒曰赤米白鹽綠葵紫蓼文惠太子問菜食何味最勝曰春初早韭秋末晚菘

汝南灣當秦淮曲折處陸惠曉家於灣前張融自稱天地逸民牽船住岸卜以鄰居劉璡來吳謂人曰吾聞張融與惠曉并宅其水必有異味酌而飲之曰飲此則鄙吝之萌盡矣馬光祖詩當時只號汝南灣後有三人住此間自謂逸民須隱約並稱賢士想高閒秖緣水味都殊異且欲鄰居數往還好事有時相就飲不妨鐺脚對青山

崔造韓會盧東美張正則爲友皆僑居上元好談經濟之畧以王佐自許時人號爲四夔

唐永貞二年三月彩虹入潤州大將張於良宅初入漿甕水盡入井飲之後子良擒李錡拜金吾尋歷方鎮

李太白上裴長史書云白家居金陵世爲右族遭沮渠蒙遜之亂奔流咸秦因官寓家觀此白亦金陵人後爲供奉求還山乘舟至金陵有從子僧中孚止高座寺白依焉嘗著宮錦袍坐舟中浮江而下旁若無人又嘗脫紫綺裘換酒飲落星磯上

吳綽句容人素擅潔譽神龍初採藥於華陽洞口見一小兒手握三珠戲於松下方欲前詢兒奔入洞中化爲龍形以珠塡左耳中綽以藥斧劚之落左耳珠已失去龍亦不見明皇封爲素養先生

陸昭符昇州人宋伐江南南唐以昭符爲奏進使來乞緩師後以其善計度累加任使爲常州刺史有善政一日方視事忽雷電繞廳事中官吏震恐昭符叱之雷電頓止及舉案惟得大鐵索重數百斤人尤駭之昭符神色自若徐命舉納庫中

韓熙載家多妓樂後主客令顧閎中就其會客時寫之爲夜宴圖後爲宋齊丘所忌得罪南遷上表云無橫草之功可裨於國有滔天之過自累其身老妻伏枕以呻吟稚子環牀而坐泣三千里外送孤客以何之

一葉冊中汎病身而前去後主覽而悲之遂免南行尋卧疾終於城南戚家山賜衾裯以殮贈平章事所司謂無贈宰相例後主曰當自我始徐鉉祭文有云黔婁之衾賜從御府季子之印佩入泉扃指此墓在今聚寶門外雨花臺年久不知其處

唐主李昪受吳主禪奉吳主爲讓皇讓皇長子璉先納唐主第四女爲妃賢明溫淑容範絕世及禪代封永康公主聞人呼公主則嗚咽流涕辭不願稱宮中爲之慘戚璉卒後公主斥去容飾不茹葷血日誦佛書自稱未亡人朝夕焚香對佛自誓曰願兒生生世世莫爲有情之物居延和宮年二十四無疾坐逝凡五夕光如剪練長丈餘自口而出至殮溫軟如生先主悼痛詔李建勳建碑宮中紀其異焉

南唐元宗性友愛弟景遂景遏景達出處遊宴未嘗暫捨元日雪上召諸弟登樓展宴賦詩詩成賜李建勳建勳方會徐鉉張義方於溪亭即時和進元帝名三人同入夜分方散景遂集名公圖其事御容高冲古主之太弟以下侍臣法部絲竹周文矩主之樓閣宮殿朱澄主之雪竹寒林董元主之池沼禽魚徐崇嗣主之圖成無非絕筆侍臣屬詠徐鉉爲前後序文多

不載

徐鍇處集賢朱黄不去手非暮不出嘗指其家曰吾直寄此耳少精小學故所讐書尤審諦江南藏書之盛爲天下冠鍇力居多

南唐將亡數年前修昇元寺殿掘得石記其辭曰莫問江南事江南事可憑抱鷄昇寶位趁犬出金陵子建居南極安仁秉夜燈東隣嬌小女騎虎踏河氷宋師以甲戌渡江後主實以丁酉年生曹彬爲大將列栅城南爲子建也潘美爲副將城陷恐有伏兵命卒縱火郎安仁也錢俶以戊寅年入朝盡獻浙右之地

唐文濟金陵人性冲澹以琴爲娛宋太宗朝待詔上曰古琴五絃文武增爲七絃朕欲令蔡裔增琴爲九絃可乎文濟曰不可五絃爲遺音而益以二今無所闕上怒叱出遂增之文濟終守前說上嘉其有終令賜緋

幸思順金陵老儒也皇祐中沽酒江州人無賢愚皆喜之時江上劫賊方熾有一官人艤舟壚下偶與思順往來相善思順以酒十壺餉之已而被劫掠於蘄黄間羣盜飲此酒驚曰此幸秀才酒耶官人識其意郎紿曰僕與幸秀才親舊賊相顧歎曰吾儕何爲劫幸

老所親哉歛所劫還之且戒曰見幸慎勿言思順年七十二日行二百里盛夏暴日中不渴蓋嘗啖物而不飲水云

米芾有潔疾方擇婿聞建康段拂字去塵芾釋之曰旣拂矣又去塵眞吾婿也以女妻之

宋高宗酷嗜翰墨張孝祥廷對須宿酲猶未解濡毫答聖問立就萬言未嘗加點上訝一卷紙高軸大試取閱之讀其卷首大加稱獎而又字畫遒勁卓然顏魯上疑其爲謫仙親擢首選臚唱賦詩上尤雋永張正謝畢遂謁秦檜檜語之云上不惟喜狀元策又且喜狀元詩與字可謂三絕又扣以詩何所本字何所法張正色以對曰本杜詩法顏字檜笑曰天下好事君家都占斷蓋嫉之也

汪立信字誠甫唐忠烈王華之裔由六安移居建康淳祐六年進士荆湖制置趙葵辟充參議官嗣差知江陵府襄陽圍急上疏請益安陸屯兵移書賈似道謂宜盡出內郡兵於江干以禦外距百里而屯屯有守將十屯爲府府有總督其要害處輒三倍其兵首尾相應戰守並用似道得書大怒投之地咸淳十年元兵入復以信爲江淮招討使俾就建康募兵以援江

上諸郡信卽日上道與似道遇蕪湖似道哭曰不用公言以至於此公今何向信曰江南無一寸乾淨地某尋一片趙家地上死爾至建康守兵悉潰手爲表起居三宮悲歌失聲三日扼吭而卒其愛將金明扶櫬歸塟丹陽及伯顏入建康歎曰宋有是人使果用我安得至此

劉可教字子淳號洞一子原前明世襲留守都尉性眈林壑雅志筆墨當時事之非卽挂冠石隱著書於清凉臺下有洞一子全集考槃詩集行世

俞一鷺江寧人初遊國學例授江右建昌丞時有寧武賦嘯聚烏合攻掠州縣建邑守兵僅百餘人賊攻之三日不下乃僞退後復大至城陷一鷺死焉

王承祿明世襲揮同裔事孀母李氏極孝曾督運漕艘聞母偶病遂泣訴當事罷歸母茹素樂施承祿每齋田產毀衣物以應之嘗焚千金券且喜讀陶韋韓柳諸文集時作蒼松與花卉俱有生氣母終過於感傷致疾而卒子栻著聲黌序間

謝璣字在之上元人爲諸生有文名崇禎卯辰間大饑區畫賑粥育嬰諸事活人無算都憲張瑋以璣有濟世才薦於朝堅辭不就隱居龍溪二十年卒

新化寺去高淳縣南五十里唐時所建明萬曆十七年忽有二像載紫霄碧霞佛像至寺衆方聚觀僧隨滅跡鄉人因見行宮祀之

淨行寺去高淳縣北二十里唐中和年建時方草創規制未備忽寺前高家墩地湧大木數百株遂取以搆殿宇樓藏頗稱壯麗相傳至今以爲神異云

花山在高淳縣東南山土五色牡丹託根石罅中三月間花開色姣如雪邑人多載酒玩賞之有好事者鑿石移栽家檻輙枯死相傳以爲仙卉云

三家墳在聚寶門外養虎巷明隆慶間有夏晨者金陵望族也樂善好施尤敦婣睦與同里楊某何某相友善每出南郊遊輙約曰吾三人異姓兄弟死之日無相隔越也及年登九十餘同誡其子孫曰勿失生前約後三人俱卒子孫遵其言於各家祖塋外別購一地三老同塟焉次序以齒祭奠必設公所至今相沿有異姓同居牌額尚存

馬步橋云高淳縣南六十里有一橋舊構以木靖難兵起至金陵本兵齊泰奔赴闕廣倡義勤王至橋橋折棄馬步行追及遇難鄉人高其誼因名爲馬步橋以志之今梁以石

洪武中肇置三局一曰律局以定律令凡舊官之練於憲章者居之二曰禮局以究禮儀凡宿儒之通於古制者居之三曰誥局凡儁才之優於文詞者居之

鄧伯言遊王箭山題詩云洞天明月一雙鶴澗水碧桃千樹花宋潛溪極賞此句以詩人薦於朝明太祖召見令作鍾山晚寒詩有鼇足立四極鍾山盤一龍句覽之拍案大喜伯言伏丹墀訛疑怒已遂驚死扶出東華門始甦次日授翰林檢討

秦從龍洛陽人爲元江南行臺侍御史居鎮江高帝聘之時上初至金陵尚居富民王綵帛家因與從龍同處訪以時事盡言無隱既而上即元故御史臺爲府居之事無大小皆與之謀嘗稱爲先生而不名陳中行先生元之所薦也又有周良卿丘某皆素有德行高帝以禮延請詢以政事與秦號曰三老敬之甚厚

楊翮字文舉金陵人元末提舉江浙學校楊孟載有悼楊文舉博士詩云白髮蒼然老奉常亂離終喜得還鄉八分書古追東漢七字詩成到盛唐則其爲人之文采風流可以想見翮有題徐熙桃花鸚鵡圖詩海上紅雲日日新碧鸞無夢識芳塵金籠不鎖閑鸚鵡占得東風一段春

明初揭軌有宴南市樓云詔出金錢送酒壚綺樓勝會集文儒江頭魚藻新開宴苑外鶯花又賜酺趙女酒翻歌扇濕燕姬香襲舞裙紆繡筵莫道知音少司馬能琴絕代無蓉塘詩話曰國初於金陵聚寳門外建輕烟淡粉梅妍柳翠十四樓以聚四方賓客觀揭孟同詩可知國初縉紳宴集皆用官妓與唐宋不異後始有禁耳永樂中宴鐸金陵元夕詩花月春風十四樓今諸樓皆廢南市樓尚存

張文昱金陵人洪武五年知邵武廉介愛民善詩文尤精於畫號蒲塘散人後官刑部侍郎

黄瑛字良潤一字玉田句容人洪武初由明經及字學進授應天府學教授自以天下興文教之始應天又首善之地益苦於學書法造詣精妙瑛子銓字衡可一字金鼎洪武間亦以字學選入翰林

癸未科武狀元解元家藏其祖解道像年二十許烏紗矮冠服朱團領袞袍二軍士持刀侍立袍高帝所賜也又御書解道二字大不及一寸紙高四寸許長六七寸許元父曉新江營副總兵常言道之祖與高帝微時有舊帝卽位名其五子悉令從軍相繼歿於陣帝心憐之命抱其孫至賜今名襲留守衞指揮年甫

弱冠耳一日道入朝張眞人於班中與道揖爲御史所糾帝詰其故眞人對曰臣不敢言言則道死矣固問之曰道乃黑煞神降生故臣爲加禮耳道旋趨出至午門前立化高帝乃賜祭凡三易祭而屍不仆問之眞人眞人曰須上賜乃可帝乃解所服袞袍賜之袍始加身身即仆王丹丘嘗見其像與御書元子天性貢生孫學能戊辰武探花學虹庠生亦以孝義文行稱於時虹次子長治甲子鄉薦

建文中靖難兵起僧溥洽爲建文君設藥師燈懺詛長陵金川門開又爲建文君薙髮長陵聞其事因之十餘年永樂十六年姚少師卒輦車駕臨事問所欲言少師於榻上叩首曰溥洽繫獄久矣上即日釋之

劉理字彥明先世以開封徙江寧洪武中以善篆書爲中書舍人子素字太初謹厚寡言笑嗜學而攻書永樂中以正書選入翰林供奉久上聞京師四方之人流寓者往往無資業貧不能自振命素典賑濟或諸之上名問素素具以情對上嘉其忠實無他賜賜襲衣楮帛已命繼父爲中書舍人素子良亦能書薦典

修宣廟寔錄

趙嘉字景先句容縣人資性頴敏篤學能詩洪武中以

博學薦試授官力辭不授職嘗自贊云謂爾爲儒學不逮古而粗能讀書其文雖忝有司之薦而乃推而弗居謂爾爲農四體不勤而手不能把犁鋤然則何爲者閭閻偃蹇之士山澤之臞也夫

練瓊瓊者中丞子寧之女也靖難時中丞死最烈誅及九族獨瓊瓊在宣德改元赦瓊瓊歸令擇壻封以官而授之勅曰靖難懷忠全臣子之職分賞功問罪示人主之恩威茲朕嗣登宸極忝爲天吏統御萬方敢不以生物之心爲心茲當追謚忠貞以彰報賚咨爾練子寧爲國良臣隕身抗節罪及全家患連九族遺女練瓊瓊朕今念爾父忠爾宗祀絶赦爾大罪令爾還鄉賜爾招壻封之以官授爾以勅守爾父業報爾以忠慰爾父靈爾其欽哉當該官吏毋許剝虐軍不許役匠不許班業不許覇敢違宣命即以本犯本罪罪之後瓊瓊歸臨江嫁陳用昌至今子孫世守此勅萬曆中中丞孫綺自閩長樂歸始主中丞祀

朱銓字士選從兄孔陽學書得鍾王法文名甚著永樂中選寫金字經宣德初與修兩朝寔錄歷官刑部侍郎介性特操凛不可犯居官廉平無冤民與人交溫然可挹賢於己者折節下之銓沒後百年無人祭掃

有內侍造墳取其碑趺去至墳上石龜大吼數聲內侍不敢留送歸原處

蔣凡順德府別駕張惁僕也惁以蔭子居官勤愼偶馬蹶而墜亟扶歸已不能言矣相隨止凡一人泣告太守曰吾主飲順德一口水耳積貸未償今若此寥落行囊請封識以戒途知吾主之爲淸白吏也語畢引刀割股和藥以進籲天願代主死少間惁稍蘇太守義之爲作傳

黃老人庠生黃淸家隸也淸以文學名讀書寺中老人烹炊灑掃曲當主人意淸遘疾不起家徒壁立兩子弱不能庀終事老人辟踊悲號曰此老僕之責也夙夜拮据周身周棺皆盡誠敬黃氏貧不能育老人乃脫身外出爲傭每旬朔必謁主母問安否所得傭值悉以供饘粥值春秋伏臘則買豚蹄斗酒走墓上哭奠盡哀或以他故不得往則遙望哭酹見者傷心淸家有數喪未葬老人減削衣食踵告於淸之親友醵錢懸封而旋塟焉傭於王生禹昉家勤愼一如事淸病將革生慰之曰汝無憂吾將買棺以窆汝笑而謝曰無庸也一蘧篨足矣其達生又如此

增華瀨水劉氏僕也居恒朴野劉氏以常奴畜之崇禎

癸酉劉仲子道開補崖州幕偕其弟及二客二僕往海邦多瘴癘無何二客二僕相繼死道開懼遣其弟還而道開亦死獨增華濱死復生乃間關萬里扶五柩歸跪主母前且拜且泣出百金封識宛然曰此主人積俸也襆被蕭然衣骭不掩旁觀嘆服

郵亭題壁　建炎初有婦人題溧陽郵亭壁云妾鄱陽人也女工之外從事詩書不幸霜嚴下墜泰山其頽飄泊一身所適非偶薰蕕同器情何以堪非浮家洞庭怒帆一張良人吁馬兕錄吁臣不事二君女不事二夫其奈何哉偶攜稚子來登客亭感時傷心遂成小絶知我者其天乎詩云故里蕭條一望間此身飄泊嘆空還感時有憾無人說愁斂雙蛾對暮山

徐文英　洪武中由歲貢爲御史一日中貴應大辟從家請其父至京爲居間徐方侍朝僕報父至知必以中貴故候彈章上始歸寓見父云無及也次早以百錢草屨二兩送父歸送之數十里因失朝時法甚嚴逮徐至以實對追其父驗之百錢尚在腰間草屨一在足一在衣帶明太祖嗟敬之見徐袍兩肩破因命宮人繡窮御史三字於上時人榮之

鍾離權書　宋溧陽斗子坐盜米估籍得草書題云庚申

歲書其名權花押如一劍狀蓋鍾離翁仙筆也

明初南都有尤六十者以父六十歲日生因名六十力負萬斤途人或不識誤與競六十不怒更好謂若且來吾與若語遂持其襟袖捽至廊簷下以一手援柱起引其人之裾壓柱下人始知而懇之乃舉柱出衣其力有時發不可忍急走山中遇大樹拔之連什數株力稍稍殺矣長日不出則取徑寸大蔴繩十許丈以指掐之寸寸斷以是爲嬉以勇名遠近而性不好競悛悛衆人中頫首徐步若無儋石力者亦一奇人也

仁宗監國南京出獵寶香山逐二虎至一岩下有老僧龐眉趺坐以衣覆而撫之如馴犬上怒曰妖人也親御弧矢射之僧笑不顧上擲弓下馬問何人曰吾暈頭陀也公相福薄何不早出家上不應命延人山中興善寺居之不久辭去

宋生者金陵市人也母弟好勇專與人角力生勸之曰勿爲此他日犯人命必爲汝累弟不聽與人力契相搏負而死者無罪及交手其人果死弟不以爲意死者親屬欲訟於官始大懼兄告之曰吾向令汝勿爲今若此何以處之弟涕泣無計兄曰汝家財若干悉

以與我我我爲汝理之可免弟盡其所有畀兄凡二百金兄受而封記於家別以巳資周死者親戚事巳語弟曰汝今貧矣當如何曰乞丐耳生曰予誠改乎曰焉得不改既數日又以爲問弟誓言至死不復與人鬬乃出其封還之曰向所與皆吾資也不失一物弟感泣爲勵行致富兄卒喪之三年每遇節輒奠哭

胡淪初名浚善卜明永樂中有薦之者胡將應名其中表袁祀山爲卜得乾之五爻袁曰五屬君升陽在四子命又午也其有錫名之慶乎胡曰五直壬午壬爲水午者子之衝果錫名必不離水袁曰非徒然也四爲淵又值升陽而五居淵上淵而大乎以草莽之臣踐五位終非吉兆五爲火丁者壬之合也遇火則危矣後聞賜名淪袁大笑曰驗矣死不遠矣旋而新作殿命胡卜市算訖曰某月某日某時當燬上怒囚之以驗後至期胡倩獄卒往覘反報曰午過矣無火胡遂服毒午時正三刻殿果焚上急召胡巳死矣因賜馳驛歸塟

蔣忠字主忠恭靖用父子與兄主孝皆有詩名景泰時有十才子之目而金陵則湯應勣與主忠兄弟戚里王貞慶善甫也主忠嘗有芙蓉絶句云清露下林塘

波光淨如洗中有弄珠人盈盈隔秋水
金都憲公澤能知人王襄敏爲諸生時公即器重之贈以所服金帶且語之曰子異日名位當似我也後王公貴果如公言顧東橋先生撫楚時江陵張文忠公居正年甫十二三有雋才公大爲賞器因試對句解所服金帶贈之且曰子異日何但繫此帶聊以見予期子意耳且出少子峻與結世好曰異日貴幸勿相忘後文忠公官政府感先生知因公在日被讒特從部議予祭塋官峻爲上林苑監事李遠菴先生官浙時海鹽鄭公曉爲諸生遠菴大奇之許爲國士曰子必得元已鄉試果第一赴公車往辭先生曰此行仍當第一若第二人勿予見也已舉第二人歸逡巡不敢見三公知人之明如此

梅梁明初建天地壇徵梁木於淳時以唐昌千墩岡梅木應詔與次石臼湖濟渡處有詔罷之木遂置水濱漸沒入砂磧初歲正二月間有梅花漂浮波面甚蕃後稍稀然亦常有數片今其地名梅塘而尚有梅梁名渡云

固城湖有聲起自水中如大爆遠近皆聞之然不知在何所近有漁者繫舟於葦邊至中夜忽然聲振蓋自

水底起馬今歷十餘年皆然亦無他故不審何謂

朱文謙字六吉原籍新安移居江寧天性誠朴事母范母疾殆割股療之疾頓痊以孝聞邑令旌其門又葺紫陽書院贍恤同族樂善好施事兄友愛尤至齒登大耋時稱爲盛德君子子書表章策孫繡組綺咸爲士林所推

楊伯玉瑛登進士退求教職自桐廬教諭轉杭州府教授啟廸士類有知人鑒時有役于公者年稚而秀楊異之命除其役教育如己子後其人登第顯宦造廬致謝而楊已卒悲奠宿墓樹碑而去

李遠菴名重嘗授經溧陽史氏歲俸八十金史念先生貧私爲之置子錢歲暮進之李但受如約餘揮之弗顧後舉正德辛未進士官至副使歸老後仍授經於高淳溧陽間以貧無以自給也

肉芝南鄉有宋姓者治圃爲業忽一日鋤韭畦叢草中得物如嬰兒掌當腕截斷鋤口尚有血痕宋駭異持歸以爲不祥家漸凌替俗傳爲祟不知此物霏雪錄所云肉芝也食之延年洪武初山陰人曾掘得之宋以疑而不振亦當時無識者解之耳

路伯鏜字元振年十七考入武庠以有文名遴改郡學

中嘉靖辛丑進士觀政刑部大司寇某公重之武定侯郭勛坐事逮繫以千金求爲一言鎧拒之出使楚藩以勞瘁疾卒

謝與槐公督學廣西喜臨桂儒童張鳴鳳文筆奇古因進而訓之曰子不患不成名患胸中無全書耳乃取兩漢書親爲之句讀令五日進院一背雖出巡亦攜之行與槐公轉官兩漢書已完矣其造就後學如此鳴鳳字羽王後來南都拜於墓下立碑而去

金鑾字在衡本隴西人隨父官金陵因家焉鑾幼從天水胡中丞纘宗學長習爲歌詩風流宛轉有江左淸華之致性俊朗好游任俠交友四方豪士往來維揚兩浙所至倒屣迎之洞解音律嘗取古詞辨其字句淸濁爲一書塡詞家祖之卒年九十

李言恭字惟寅岐陽武靖王裔孫也自岐陽父子好文墨親近文士言恭沿襲風流招邀名彥兩都騷人墨客望走如騖以勳臣留守陪京位元戎列師保累年而卒子宗城字維藩亦有文好士東封之役奉使不終家於金陵賦詩結社有承平王孫之風

嚴賓字子寅一字鶴丘字法米帖粗能詩及畫蘭竹所蓄古法書名畫頗多有藤床藤椅皆藤所成不加寸

木又有棗根香几天然爲之不凡鑿削最稱奇品精於煑茶茶具皆佳妙文人墨客多與之游往來東橋衡山諸公之門

陳横厓避暑焦山寓寶蓮閣僧舍外有石臺俯臨大江而象山每日高睡足必聞漁歌欸乃或禽喧鶴唳方覺披帷而坐則烟渚雲山來舟去楫歷歷挑簾之下晝坐則飛鷗入窓夜寢則海月窺幙山巔有觀音菴孤逈無僧有灑掃道人亦可與語又其上可觀日月出海爲別館焉於時外絶往來内寡思慮惟見月知其爲弦望而已

萬曆甲辰中秋諸王孫承彩開大社於金陵胥會海内名士張幼于輩分賦授簡百二十人秦淮伎女馬湘蘭以下四十餘人咸相與緝文墨理弦歌修容拂拭以酒宴集若舉子之望走鎻院焉承平盛事白下人至今艷稱之

金陵佳麗仕宦者誇爲仙都游談者指爲樂土弘正之間顧華玉王欽佩以文章立墠陳大聲徐子仁以詞曲擅場江山妍淑士女淸華才俊歙集風流弘長嘉靖中年朱子价何元朗爲寓公金在衡盛仲交爲地主皇甫子循黄淳父之流爲旅人相與授簡分題徵

歌選勝秦淮一曲烟水競其風華桃葉諸姬梅柳滋其妍翠此金陵之初盛也萬曆初年陳寧鄉芹解組石城卜居笛步置驛邀賓復修淸溪之社於是重交在衛以舊老而蒞盟㓜於百穀以勝流而至止厥後軒車紛遝唱和頻煩雖詞章未嫺大雅而盤游無已太康此金陵之再盛也其後二十餘年閩人曹學佺能始廻翔棘寺游晏冶城賓朋過從名勝延眺縉紳則臧晉叔陳德遠爲眉目布衣則吳非熊吳允兆柳陳父盛太古爲領袖臺城懷古爰爲憑弔之篇新亭送客亦有傷離之作筆墨横飛篇帙騰湧此金陵之續盛也啟禎之際李宗伯本寧焦修撰弱侯倡率於前黃監丞明立俞少卿仲茅遒揚於後一時詞人若韓孟郁范仲闇林茂之薛千仞輩前後倡和分題刻燭不數八叉之奇選伎徵歌時聽六么之奏茅止生秦淮五日之會賦得投詩弔汨羅作者凡三百餘人遊舫河亭坐客皆滿蓋盛自此而極矣

金陵羅肅字元溥以歲貢授光澤縣主簿與邢雉山許石城結社有淵泉集四卷玉泉陳鳳落花唱和詩序云吾鄉羅淵泉氏自髫年即好聲律旁畜羣籍牙籤滿架偶得石田翁落花詩憑几酬和得二十首玉岑

王子懷荃楊子江東文士也亦次韻屬和馬元溥晚過東山寺云聞鐘知寺近逢鹿覺山深宿高座寺云月來半榻寒松影風送滿山秋葉聲爲集中名句

向釁字序伯嘉靖癸卯鄉薦任興國知州積案有寃獄久不能白釁至立雪之是夜夢閻應天試錄有向德彖名後生子名辰彥久不得入泮因憶昔夢改名德彖遂中萬曆辛卯舉人

黃甲字首卿嘉靖庚戌進士文章名世岸然獨異每一操管百鍊乃成自稱蟄南山人著編年稿不以示人嘗自叙云皮相之士不足與求人才夜羅之人不足與論國是僞鳳悅楚眞龍驚葉盍自昔鑑裁之難焉陳廷尉文燭稱其奇肆車祠部大任稱其雄渾詩句偶出人爭傳之

胡秋字汝嘉在翰林日以言忤政府出爲藩參先生文雅風流不操常律所著小說書數種多奇艷隸書師鍾元常草書師張伯英崔子玉常取三人書之在閣帖者從宋榻本手摹刻之較今所傳閣帖神檢殊勝

嘉靖末年陪京皇城守門宦官高剛堂中春帖云海無波濤海瑞之功不淺林有梁棟林潤之澤居多蓋重二公之能諫耳宦官知敬正人亦自不羣

喬白岩參贊南京機務時值寧藩謀逆聲言取南京兵已至安慶而白岩日引一老僧與一醫士所至游讌兼以校奕實以觀形勢之險要而外若不以爲意者人以爲一時矯情鎮物有費禕謝安之風

湛甘泉先生爲南大司馬令民毋得餐大魚酒肆中沽市致衆叢飲有大禁馬除歲庶民毋得焚楮祀天麋財犯禮可謂導民以儉矣然是時居民大擾咸稱不便歐陽文忠嘗語人曰治民如治病彼富醫之至人家也僕馬鮮明進退有禮爲人診脉按醫書述病證口辨如傾聽之可愛然病兒服藥云無効則不如貧醫貧醫無僕馬舉止生踈爲人診脉不能對病兒服藥云病已愈矣便是良醫凡治人者不問吏材能否設施何如但民稱便即是良吏觀湛公此舉可知矣

吳國賢字一所上元人學行淵雅邃於易嘗四中式皆被乙例得貢不就以爲命既不違何故違之乃盡舉生產付三子一老僕自隨讀書城南之吉祥寺授徒四十餘人所得束修盡以市書貯大樓中任弟子取讀更以餘錢付主僧以給弟子之不繼膏火者如是八年歲讀五經一過人稱其篤行

吳公龜菴自贊其小像云入道德之門而不談道德處

功名之地而不競功名探仙佛之源而不宗仙佛傳詩文之趣而不習詩文世方赫赫我獨冥冥世方矯矯我獨平平寓形軒冕寄興烟雲閒中風月靜裏乾坤斯柴桑處士所稱無懷氏而安樂先生所記無名公者與

張江陵喪過南京府縣搭一蓆舍與科道府部諸官祭奠魏國徐邦瑞隨例往祭江陵之子令家奴荅拜魏國怒將祭物給軍役寫牌一面遣官逐之謂軍營非停喪地即令開船此舉殊有大臣風

神廟己丑南京司獄官孫一謙恩惠獄囚備考轉靈山吏目王鳳洲贈以詩曰青山白馬帝城西祖道無人日欲低循有若盧方畝地赭衣能作數行啼其後繼爲司獄者直陳繼源蘇暘皆有惠政皆閩人陳司空勳爲作三司獄傳

韓國藩字襄宇萬曆戊戌進士初授慈谿令有惠政陞南戶部歷任通政使左通政天啟六年丙寅削奪崇禎元年戊辰特旨起用有律詩千首行世先是漕艘過關以順帶土宜貨物爲榷關者抑勒留滯國藩憫其苦差板閘時疏請革弊運軍稱便又精於九章算法筦節慎庫查出積歲羨金九萬有奇盡以上聞朝

廷嘉其廉明優詔褒之

胡宗仁字彭舉上元人偉狀美髯高蹈絕俗晚年衲衣拄杖反手徐走修髯從風見者目爲仙人喜談論工詩畫本富家子老而食貧不謁時貴有詩二千餘首

惟知載齋集

海忠介公爲南右都御史風猷凛然與李敏肅公管察事秉公持正郎權貴關白畧不少徇留都淸議因之愈重一日因送表向三山門內一孝廉家借坐孝廉家屋極壯麗憚公淸嚴聞其來盡撤屛事什物索舊敝持數張待之人謂有楊綰令人減騶撤樂之風公每出行所至人必擁輿左右聚視之婦人童孺咸懽呼鼓舞即司馬溫公之入洛不過是也其初來莅任止携二竹笥舟泊上河人猶不知嘗病延醫入視室中所御衾幬皆白布蕭然不啻寒生後薨於位以如是人品乃一給事中從史一督學御史以杜后惠文彈之嗟呼坐烏臺中呵佛駡祖者豈獨一張商英哉

丁淸惠公爲操江都御史兼掌刑部大理寺萬曆丙午長至有妖人劉天叙將乘百官上陵時爲變事泄被擒黨凡四十餘人大抵皆萊傭踏麯人也叅贊守備等將攘爲奇功盛氣與丁公言謀逆大夥不可縱丁

素和煦衆恐其爲叅贊守備所怵不能堅持而丁更以婉行之曰某不才事既在我輕重禍福獨當之不以累諸公也時軍士乘機脅詐誣者近千人丁公悉械其詞致之叅贊儗磔一人斬一人餘悉充戍而故事戍者必立枷時方霉雨枷大中橋不一夕已有死者丁聞之亟名錦衣官並兵馬官語曰如此十日則盡死朝廷開以生而我輩死之必殃及子孫亟搭蓆蓋坐以蒲團湯沐飲食之四十七人皆得免

王鳳洲爲朱仲望傳畧云朱慶斯字仲望生貴介孳孳向學又篤好稱詩詩能自寫胸臆又工書凡篆隸行草心慕手追無不習也其人温厚爾雅如其詩於他無所好幾不知樗蒲幾齒時卜覽陟諸勝倦則時而卧游據案讀書非客至不輟讀罷命酒自勞酒畢復誦諸縉紳多喜與游或因酒次問仲望得無有賓客故人欲爲居間者乎仲望辟席謝幸得託籍疏屬不至溝壑何至越樽俎而希寵靈乎由是人益重之子睿燧字冷菴生而恬淡亦嗜讀書中年頗好道搆草堂於石頭城之陽榜曰招隱從衛淇竹焦漪園諸先生遊既而一意奉佛偕憨山雪浪諸禪師講究宗乘會樂愚自匡廬來爲築棲賢菴引余集生茨蒼野諸

公續蓮社修東林故事崇禎中命工置棺印九品蓮花於上乞唐宜之書冷菴二字於棺前遂却穀但食瓜瓤參汁七日猶與樂和尚問答了了少焉沐浴端坐而逝

趙俊字雪巖弘治癸丑進士任南京河南道御史按治屯田巡江巡倉釐革宿弊薦林俊楊一清才堪大用太監汪直以罪置孝陵奏求茂陵司香火以圖復用公力疏其奸事遂寢正德中劉瑾肆虐遂致仕歸子兌字鷺洲正德辛巳進士歷官侍御解綬歸雪巖在堂戒之曰汝閒居毋曠蕩可日課詩文各一篇鷺洲恪遵父訓不敢違焉

王雯東字坦窩爲人方正和介能詩工行草有絕句云清如浴碧閱人眼肅若澄秋律已心何事難隨時調人自修音韻一張琴

海門柳陳父名應芳僑居金陵之杏花村爲人和睦美鬚髯修容止衙門兩版非力不食往還惟曹能始林茂之三四人他無所詣作詩不輕出語每行街市低頭沉吟悠悠忽忽觸人眉面不自覺也嘗語人作一律詩必冥䰟數十番方爲意愜其矜慎如此無子一女適程君愼先於歸日以所刻詩板爲奩具時謂愈

於昔人繫羊牽犬也

李務成字兼之性至孝好禮佛十三爲舉子業時有僞語二十而病與僧覺圓同習靜期年而愈謂覺圓曰吾兩人所學者爲形骸計耳性命之學不在是從此專意西方之教壬寅九月忽歸家告母曰兒前身是僧因修未徹墮落到此兒於此月二十三日竟往西方矣母聞之驚泣臨期復强之寫數字曰見字如見兒也遂援筆作書别母趺坐而化其辭世偈云有滅還非滅無生卽是生生生滅滅滅生生一燈常照琉璃瓶

張元度名振英爲諸生有聲家徒四壁而左圖右史焚香掃地秩秩如也研床筆格楚楚有致窗下雜植花卉杞菊興至豪飲高歌詩多谿刻字法雲麾碑嘗於隙地種竹數十竿因號苦竹君顧文莊亟稱之

葛如龍名雲蒸爲郡諸生屢試不利乃謝去隱於鳳皇臺畔初至居曰竹護齋有竹數百竿又建閣於中甚窈窕從徙於上瓦官之北山麓甫構架掘地得一巨石數人舁起之而泉泓然出其下詩有佳語沈生予亟稱其鶯聲嬾出村之句

張正棠隱居詩文豪逸潔修自愛世居通濟門外之晉

灣年九十步履如飛日行數十里不倦詩法盛唐饒王孟韋柳之趣臨河結廬柴門晝閉帶索拾穗未嘗俯仰于人詩近萬首顧文莊爲之序

江寧庠生徐應坤善讀書記輙不忘涵蓄經史有叩卽應無間隱僻人目爲書厨

魏國徐公弘基常以午日飲河亭有一伍生乘醉突入索飲且大罵忽嘔吐狼籍臥地不醒公罷酒令數僕守之曰俟其醒口渴奉之茶頮面奉之水索食奉之食不可有違乃歸生醒後問何緣在此徐僕告之故生慚愧掩面而去徐公此舉可謂有量而善處矣

朱可演字巨源在宗牒中居然名士幼喜讀書涉獵墳典長從李如眞焦澹園兩先生游爲人容止詳緩音吐和暢每捉麈對客娓娓可聽所居室宇整潔經笥薰爐位置靜好時張廣筵集衆賓講經論道演與酬應往往破的由是名噪四方凡士大夫官南中者必以得交演爲快詩文投贈常盈笥既別而以郵筒致相思者歲時不絕也年七十五卒顧少宰爲之傳亟其贊服云

陳元蔭字叔嗣江寧人性溫雅行止如孤雲野鶴見人有驚異之狀久之坐談甚洽家貧庭中種扁豆豆花

盛開坐起其中烹茗焚香孤吟不輟即以豆花名其齋

文毅夫人盧氏名允貞字德恒白描工妙嘗自寫九歌圖璇璣圖二卷藏於家曾孫民悅每出以示客周吉甫見之

矩菴陳公鎬爲山東提學副使時夜至濟陽公館庖人供膳而無箸恐公怒責而公畧不爲意或請啟門外索弗許庖人乃削柳條爲箸公曰禮與食孰重竟不食啖果數枚而已善飲酒父與竹翁慮其廢事寓書戒之乃出俸金命工製一酒器鐫八字於上云父命戒酒止飲三盞

劉公璽以江西運糧把總擢江西都指揮使巡撫盛應期知其廉明每屬以疑獄多所平反一日某御史按部南昌謁文廟諸生進講中庸至白刃可蹈中庸不可能御史問若鄉人先輩誰可當此諸生對以文公天祥公在座聞之縮項曰奈何以專聶之行加諸仁至義盡之賢乎且仁至義盡之外豈更有所謂中庸耶諸生嘆服而退

顧華玉晚歲家居文譽籍甚又居都會之地希風問業者戶屨恒滿構息園治幸舍數十間以待四方之客

客至如歸命觴染翰留連浹歲無倦色即寸長曲技必與周旋欵曲意盡而後去喜設客每張讌必用教坊樂工以絃索佐觴最喜小樂工楊彬常詫客曰蔣南泠詩所謂消得楊郎一曲歌者也正奏樂時每發一談則樂聲中闋談竟樂復作議論英發音吐如鐘每一發端聽者傾座咸以爲一代之偉人處承平全盛之世享園林鐘鼓之樂江左風流迄今猶推爲領袖也

吳交石尚書有姊老而寡居尚書之家能詩文一時卿大夫多與之酬咏或來詣尚書者値其他出輒請媪見與論議問近日有何篇什供茗而去當時士大夫風俗樸質如此曾不以爲異也尚書友愛甚篤摯爲南御史大夫所居在北門橋南嘗於橋上遇其兄踽踽步行即下輿扶携而歸里中老成人至今談之以爲盛德事

梁尚書材爲廣東左轄旦夕皆飯堂上侑以青菜或冬瓜蘿蔔惟一味比擢副都御史巡撫江右薦紳皆餞諸大觀橋解衣盡歡痛飲大嚼始知其節嗇乃習慣成自然爾視所服圓領用浙蕉極下者褻服布素澣補惟兩襦鮮潔罷官後門庭蕭然如寒士同時管簡

枝子山亦罷官歸同在武定橋南北相向而居子山造樓居廣田產會親友其門如市人稱之曰管尚書

梁簡枝

唐詩字古風應天庠生素以孝聞遇老叟稱其有仙骨約於天地壇三更時授以內外丹有道流勸之入山詩曰家有老母世無不孝神仙及母卒遍別親友遂去

楊水田名成舉進士官至四川叅政工詩有佳句云燈影細搖窓外月雞聲忽報屋頭霜楚楚有致歸田後一夕病中賦得白石清江一酒樓黃花無語對人愁之句自知不起遂敎折家政而殉水田與劉南坦同受業於趙千戶經之門

謚法非三品以上兩京大臣不得與留都大臣之有謚者惟倪文僖謙文毅岳周襄敏金劉清惠麟梁端肅材王襄敏以旂六公皆尚書也張學士益五品而得謚文僖以扈從死難之故太醫院判蔣用文以六品小臣而得謚恭靖尤爲曠典武臣死難而得謚者三百年中張莊節可大一人而已

李忠文時勉本上元人而籍於江右之安福以其爲名臣故人多知之其他自秣陵徙他處者若寶坻之芮

中丞釗咸寧之胡尚書汝礪晉安之蔣中丞宗魯皆溧陽人金齒之張侍郎志淳則江寧人人不盡知也侍郎字南園著有南園漫錄二字曰舍曰合皆以風雅著聲舍字禺光與楊升菴善尚書一子曰侍亦官鴻臚卿傳雅多著述其行世者有墅談諸書至若許院使紳以御醫而寄籍於燕爲明世宗所眷顧加官至工部尚書歿賜祭葬尤異數矣

姚福曰湯文振先生名鐸自以形傴僂不揚號樗散道人閒居好著書嘗謂洪武初金陵既定鼎有圖書紀其官衙街道市里謂之都城志今已模糊不可看乃增新爲帝里書作一巨冊以示福某初亦喜其志之勤既而厭其輒改舊名爲不宜且帝里自是鳳陽而金陵則王業之本基何爲帝里閲十餘年讀晉史見王導曰建康古之金陵舊爲帝里孫仲謀劉昭烈俱言王者之宅乃歎湯之書名本此帝里書已不傳所謂都城志者想即洪武京城啚志今亦不可得見矣

史癡翁嘗預出生殯已襯賓客中步送出南門一時傳爲奇事萬曆中齊府一宗人倣而爲之治喪七日賓客往弔命其婢妾號哭慟者賞之以金不則詈而撻之曰我在爾尚不哭矧異日身後耶殯日極儀物之

盛已自乘筍輿隨其後而觀之雖事出不經要之達生玩世異乎世之老病而諱言死亡者矣

武宗至金陵嘗午夜幸徐子仁家夫婦倉皇出拜上俞置酒家無供具以蔬筍鮭菜進御上大喜爲之引滿酣暢而去已而數幸其家御晚靜閣垂釣得一金魚宦官爭買之上大笑失足落池中衣沾溼快園中有宸幸堂浴龍池紀其遇也

武宗在南京時有一倉官上疏請回駕且言小人姦邪蠱惑朝廷當爲屏斥太后高年當爲侍養聖嗣未舉宜取榮與二府世子於十王府住以培國本疏出一時遠近驚服後不知將倉官作何處治

周約菴尚書金父衛軍也家於交石吳尚書之側開小酒肆尚書十許歲時赴塾師常過吳公門吳公目而器之許妻以女一日名飲座上果有藕杏吳公出句云緣荷方得藕周公應聲云有杏不須梅作客盡驚吳公常語其夫人曰此子名位後當勝我復爲次女擇婿見金公淸童年器宇不凡歸與夫人言之夫人出對試之云汗血名駒起足已存千里志淸對云員吭仙鶴擡頭便徹九皐聲夫人喜甚許字馬周公官至尚書金公至御史

雲浦盛時泰字仲交高才博學有聲文塲旣舉失意將老矣居常仰屋而嘆孺人沈氏曰君見里中得意人乎不過治第舍買膏腴榮耀閭里耳以妾觀之有三殆馬屈志徇人一也踰憲黷貨二也生子不肖之心三也孰與君家居著書之爲高乎從君隱處山中可免三殆之憂奈何長嘆哉仲交笑曰爾能是吾今可爲大城山樵矣

仲交先生家多藏書書前後副葉上必有字或記書所從來或記他事往往滿幅印鈐惟謹後多散在人間其家舉所書者悉扯去殊爲可惜因見前輩趙定宇少宰閱舊唐書每一卷畢必有硃字數行或評史中所載或閱之日所有某人某事一一書之而憑具區先生交刊監本諸史卷後亦然竟以入梓古人讀書游泳賞味處於此可以想見遠勝於鬻及借人爲不孝矣

鄭御史濂事母極孝進香三茅山以祈母壽拈香出殿從地上拾得一串念珠一百零八粒遂喜曰吾母之壽當同此歸藏盦中供於佛前數月後視之爲鼠殘其十七粒母九十一而終實符其數

馬上圖字文先少孤貧孑然自異讀書不事文藝獨求

聖賢要旨勵行立品安貧樂業養孀母撫諸弟姪資筆耕夙通淨業非道不交庇蓆爲斗室龕燈却掃高朋匡坐蕭然野僧也余中丞大成喜其踽凉延以教子諸子貴介修聰辨圖嚴厲不少徇中丞益敬禮之執友之妹陋而跛年踰四十圖取之爲母尸饔一時士習相觀而善身殁無後人多思之

傅汝舟字遠度籍京衞奇崛好古修眉長髯見者以爲神仙中人天啟中河西之役守將羅一桂監軍高廷佐及其僕高永皆死之汝舟與平湖馬文治武康茅元儀爲位於青溪黃侍中祠各爲文以薦爵酒哀慟感動路人爲詩豪放奇肆不受繩墨岸然自是人非之不顧也同時有艾容字子魏者太學生治春秋有聲工詩歌古文詞尤留心經史每抵掌而談當世之務娓娓可聽以貢未授官卒

房宏中字子潤一字箴淵善古文詩詞貌頎皙而癯嗜酒能書好遊嘗過洞庭有題岳陽樓詩尋桃花源記崇禎丁丑遺詩六章棄妻子飄然長往後有清涼寺僧西度於匡山見之云將往峩嵋不知所終李虛雲虛舟二先生嘗賦詩招之

休寧諸生胡正行流寓金陵究心理學私淑近溪羅夫

子以道脉爲己任躬行實踐掃除窠臼天王何公折節與交延置家塾繼主明德書院所著四書正說貫爲錢嘉善孔建德兩相國所賞

鄒典字滿字本吳縣人客遊金陵遂家焉貧苦有志節嘗以除夕視缾粟餘升許復覓榾柮數枝爲二親一日費凌晨出郭外登雨花臺高歌竟日逮暮而返居平客至脫冠自汲以供茗椀所居東園水濱友人胡念約爲構小樓自署青谿一曲賦白日掩荆扉以見志屬和者數百人喜讀禹貢考工離騷南華諸書夜坐燒雙燭子女環侍各習其業恒至夜分善繪事子喆能世其業

張風字大風上元人家貧惟容膝地每天雨湫隘跼卧書案上常累日嚴冬氷雪與鄰舍生談裸脛立或移漏刻妻亡不再娶每寄居友人家少時爲諸生甲申後遂焚帖括衣短後佩蒯緱走北都出盧龍上谷覽昌平天壽諸山風故善畫至是乃益工公卿爭拂席相迎大風沸酒應之有中貴子招飲邀舘幕中風起立蹬日不荅酒罷引去一日興盡即治裝衣舊衣騎驢而歸抵金陵多寓僧寮道院不一省其家所爲詩若詞皆秀警可誦與人處渾渾不露圭角畫尾署眞

香佛堂四字或稱昇州道士疾作自題墓石小像諭其子慶書勿讀宜農圃以世其家云

慈姥山以有孝子丁蘭祠故名蘭郎刻木肖親之容者不知何以廟於此近時江寧宰應文家貧九歲喪父母亦隨逝應文寥寥糊口念二親不置刻木爲父母像冬夏更衣衣之晨夕進食出入必稟命庶幾事死如生事亡如存者大京兆姚公縣令劉公皆旌其門

婺源人俞塞字吾體少孤客遊金陵不能歸自更其姓爲獨孤稱獨孤塞總角時喜李温陵諸書及壯讀盱江餘姚語錄乃自悔盡取舊書焚之而求所爲濂洛之學由是精究易理學日進嘗之邑攜數銖爲旅食計出門遇餓夫即捐予之就泉掬水得遺金適如所捐歸復自訟出友人所贈如數置泉側其獨行如此有巨猾操書弊延以教子塞拒之衣蔽屨穿不問也工楷書善醫自謂不研易理不能精醫以貧死友人醵金葬之所著易寤詩起理學資深錄軼不傳

周剛字南强一字草窓句容人幼多讀書工於詩文隱跡山水間足不入城郭有貴家邀賞元宵答以詩曰句容郭裏元宵夜兒女燈前語笑譁老子山中招不出坐邀明月看梅花有草窓稿藏於家

溧陽吳遇明以文學教授里中嚴峻有氣志嘗赴某令季試薦牘屬至遇明題詩卷端而退詩曰百里淹留天下才春風時雨育羣材滿城桃李吹噓盡可到芙蓉江上來令韙之

孫謀字燕貽一字五城性質朴好學任禮隱居金陵十廟山下善書能詩文客金閶申文定與講均禮嘗贈以詩云白下曾傳幼婦詩神交千里重相思到門不惜挐舟遠傾蓋翻憐握手遲茂苑鶯聲堪共聽濠梁魚樂許誰知悠悠明月秦淮夜可是孫登獨嘯時與王百穀陳古白友善謝去諸生爲枕流漱石閉戶映雪長嘯作賦酒樓七咏以見志文定爲之序厭時俗衣冠澆薄著高冠重履短袖如杜鄴之大冠間出即以老婢持蓋市人笑之不顧也每賣字得錢即付酒家有瘠田數畝時歸溧省耕主城南陳躍之宅以躍之爲尉而有品也邑中多孫五城書

武光輔性至孝少失父每事奉母命不敢專習學有悟母令援監以母老不忍仕居常好遊山水意若有所尋覓忽得神力以千百斤巨石試之若弄丸嘗在國學值修造羣匠舁一石不起光輔一手提之走大司成見詫曰吾門有扛鼎耶善畫竹每以自娛不爲人

所強讀書隨卷輒盡但點頭微笑而已母卒遂學道服方外衣持竹杖出人飄然一日命肩輿曰吾欲有所往行數里叱歸喚家人具湯浴罷焚香端坐而逝越月餘里人自廣陵歸曰某日在廣陵道上與語良久持杖如平時叩家人卒之日乃相遇之日也異哉

邢昉字孟貞高淳人少負遠志年十九爲諸生試輒高等一日爲衡文者署其卷曰太狂閱末藝曰更狂不之錄昉曰士爲文得其狂名足矣何問其他遂謝去一意於古文辭詩歌遊於四方與海內名流相頡頏詩愈工家益貧築室獨居好學彌篤遠近聞聲思慕以得親炙爲快學釀取石臼水爲淳酒以市人取人醉我醒意不徒利也著詩數種有石臼前後兩集爲計部范印心梓行於世范初不識昉從邑令崔掄奇聞其名即捐金梓之時人高其誼

百歲稱爲人瑞自古難之而金陵數十年中得數人焉上元民鄧漣百歲盧妃巷住人蔡一寧百歲馬應圖妻馮氏百有三歲孝陵衛吳仁妻馬氏一百有二歲貢生伍之乂母李氏百歲住府前嘉靖時有劫空和尚住長干寺窓前萬年青忽結實百粒後和尚坐化年正百歲高淳訓導夏寧百歲江浦楊鳳百有一歲

曾封服救母沈廷臣年九十五歲江寧人平生好善樂施蒙　前按院衛　旌扁齒德並隆四字上元庠生許守巽九十五歲廿七失偶鰥居嗜學子之翰入太學六孫三人文庠一登武榜後代繁盛鄉里推服

南都正嘉間醫多名敎乃其技各顓一門無相奪者如楊守吉之爲傷寒醫李氏姚氏之爲產醫周氏之爲婦人醫曾氏之爲雜症醫白騾李氏刁氏范氏之爲瘍醫孟氏之爲小兒醫鍾氏之爲口齒醫袁氏之爲眼醫梁氏樊氏之爲接骨醫自名其家其人多篤實純謹有士君子之行近日梁天祥字瑞生者尤爲專精

周謙字貞吉工畫山水人物家雖貧不輕售其技有古隱士風

杜大成字允修閒靜自適有超世之志嗜聲詩工音律善繪事掃除一室焚香酌醴以待四方之士自號山任大成先世有名安道者以擲工侍明太祖爲太常卿宅第在冶城大成世世家焉冶城林木幽邃家其下者多勝士有方登者字嘯門高自期許慕孫登之爲人故以爲名及字亦愛冶城之勝家於其麓號樵城子隱於韋布一生不喜見貴人晚以目眚并謝親戚

年七十餘卒登之書畫與大成並傳

朱廷彩篤義好施江寧長干鎮淮諸橋多倡修葺募贖難民賑饑全活多人當事屢題奬焉奉有得見有恒尚義可風之譽後病篤子元文嘗糞祈代獲愈時稱孝義萃於一門云

祝以德性謹慤好義樂善如施棺賑粥除道等舉俱竭資以應生平排難解紛扶危濟困不可殫述年九十六卒閭黨中稱爲長者

阮鳴韶邑庠生潛心理學講學於鳳臺尼官社受業者戶外屨常滿父母壽俱九十餘卒時鳴韶年已過七十躃踊哀號聞於閭巷廬墓三年時有老孝子之稱云

梅茂春好善樂施捐資創建停停亭於燕子磯右夏飲冬湯往來均濟長子先登已酉舉人有詩綠水滔滔晝夜流得停舟處且停舟世人不識風波險直到風波險處休因以名亭遂題額勸石

江寧府志卷之三十九終

江寧府志卷之四十

摭佚下

顧文莊曰金陵六代文獻之淵藪自唐歷五季宋元名人魁士代不乏賢金石之章固當不可勝記乃今余所目見僅吳天璽碑重刻嶧山碑攝山江總持碑唐高正臣書碑祈澤寺宋紹興碑耳改革之際爲人焚毀橋基柱礎何但魏經礪角磨刀寧唯漢寢以不刊之遐貫與寒烟野草共銷滅於三山二水之間固有識者之深悲而無名公所竊笑也暇日尋檢舊志擇其文字之尤宜存者志之爲慕古者動遐想焉

南岳碑七十七字湛尚書門人重勒在臨淮侯園中太常楊時喬再刻於攝山

秦始皇帝東遊頌德碑重摹小字在舊府學

秦泰山碑與前碑爲一篇又名二世東行詔書碑

秦嶧山碑重摹小字在府學攷金陵新志乃元李學契刻

吳後主紀功三段石碑一曰天發神讖碑一曰天璽碑華覈文皇象書瓆事又定爲蘇建書非篆非隸最爲

奇古原刻在巖山今在府學尊經閣下
攝山棲霞寺碑梁元帝文
鍾山飛流寺碑銘梁元帝文
晉元帝廟碑宋葉適文
開善寺碑銘梁王筠文
卞公忠烈廟碑宋胡銓撰
長干寺衆食碑陳徐陵撰
晉竺使君銘又竺使君頌二碑在金陵鄉張陣湖碑石
損斷
宋謝濤夫人王氏墓記六朝事跡云在土山淨名寺後
移在上元縣
維摩居士像碑晉顧長康畫在元戒壇寺宋蘇頌重刻
有像記見金陵新志
瓦官寺維摩詰畫像碑唐元黃之文
王羲之蘭亭記留守晁謙之以家本刻於紬書閣三段
石後壁間
宋江夏王義恭湯泉銘銘四句似五言詩諸志不載獨
見於金陵世紀
齊海陵王墓誌宋謝朓撰并書
棲霞寺新路記新志誤作徐陵據本文爲徐鉉作

梁開善寺智藏法師碑蕭挹書
梁侍中司徒始興忠武王碑徐勉文貝義淵書在上元縣黃城村有石麒麟四又梁巴東獻武公碑亦在黃城村
梁散騎常侍司空安成康王碑劉孝綽文貝義淵書上元清風鄉甘家巷
梁永陽王墓志徐勉文在清風鄉居人井側今在上元縣
陳景陽宮井闌刻銘一隋開皇中八分書或云煬帝所作一唐開元中江寧丞王震八分書一太和中篆書
攝山棲霞寺碑文并銘江總持撰京兆韋霈書今重刻存
大莊嚴寺碑梁江總撰見梵刹志
顏魯公放生池碑
顏氏大宗碑
顏府君碑二碑顏真卿書在上元金陵鄉乾道中移入府學其碑座尚存故地循名顏碑衝
唐明徵君碑高宗御製高正臣書王知敬篆額今存
莊嚴寺僧旻法師碑梁元帝作
草堂寺法師碑梁王筠作

佛窟寺碑孫邑撰在牛首

蔣莊武帝廟碑徐鉉文

方山上定林寺碑元虞集文

李太白讚寶公畫像吳道子畫李太白贊顏真卿書趙

子昂又書十二時歌

福興寺碑尚書許某文張從申書

南唐五龍堂老子像記徐鍇文在石城

南唐祈澤寺斷碑明盛時泰得之令砌佛殿後壁間又

有宋劉次莊所撰仁壽縣君墓志

李順公碑高越書在西門外石子岡下

南唐追封慶王碑在城南婁湖橋韓熈載文徐鉉篆額

德慶堂題榜李後主書宋僧曇月刻石在清凉寺

寶華宮碑南唐行書人品方山

宋仁宗飛白書乾道八年留守洪遵刻之華藏寺

高宗孝經晁謙之刻石郡學

祈澤寺朱紹興祈雨碑在祈澤祠壁間

高座寺雨花臺記宋馬光祖文并書

南唐宋齊丘鳳皇臺詩石在臺上

明道先生祠記三宋朱熹游九言真德秀文馬光祖跋

忠襄楊公祠堂記宋魏了翁作

八功德水記宋梅摯作
本業寺記南唐僧契撫作東山任德筠書
定林寺記朱舜庸文秦鑄書
道光泉記王安國作
王介甫平甫此君亭竹詩在今府學中石已斷碎
張文潛書太白鳳皇臺詩馬光祖書跋倪垕刻石臺上
蘇子瞻書送王勝之漁家傲詞在白鷺亭
江寧府涼館記宋呂升卿建元時敏記米芾書
金陵雜咏黄履詩溧水尉周沔書刻江寧府治
子隱堂記梅摯作
東冶亭記梅摯作
高齋記胡宿作
二水亭記史正志作
新亭記史正志作
開善寺修誌公堂石柱記唐李顧行作
義井記李廸作
太平興國寺碑元虞集作
崇禧萬壽寺碑元趙世延作
龍翔集慶寺碑虞集文
梁永陽王太妃墓誌徐勉文在淸風鄉路旁

梁建安敏侯神道碑在鳳城鄉淳化鎮西

宋修昇州文宣王廟記江賓王文在府學

攝山棲霞寺碑陳韋霈在西廡下

茅山乾元觀有幽光顯揚之碑朱陳輔爲朱觀妙先生立閣中蔡仍書隆慶間土人取石爲灰碎此碑忽雷雨一夕自合初裂縫可容指今漸濇大奇

江南牛跡山去陸郎橋五里許山傳爲茅君別院有西漢永光五年碑父老見者云碑係麻石碑陰久經損折可摩挲者不過數十字此山越在村墅故宋歐陽公趙明誠集古諸錄遺而不載迄千百年鮮有過而問之者及閱金陵前輩顧鄰初陳橫厓皆有題識近日鄭汝器登山搜考乃得其蹟但以玆山道流懼人摹搨藏之密室必大索乃得不則古跡湮沒無聞矣

漢溧陽長潘乾元卓校官碑靈帝光和四年所立時歲在辛酉杜少陵所謂骨立通神者蓋此類也石淪於固城湖中紹興十三年溧水縣尉喻中遠得之聳置廳事之側蓋相距九百六十二年矣時時見光采弓兵宿直或以褻衣頓於趺上必夢大龜逐而齧之乾道戊子有官告院吏出職爲尉顧碑字多闕蝕以爲無用且厭人之來呼隸史曹彥輿謀將沉之宅後廢

沼內一寓客素好古聞其說往詰止之邑宰陳容之爲從諸縣圖作屋覆焉至辛卯歲金陵守唐琢作文一篇欲識石陰遣匠來甫鐫兩字遭碎屑激入目旋易他匠皆然竟不能施工出洪邁夷堅志

梅岡晉太傅謝安石墓碑有石而無其辭人呼爲無字碑前記以安功德難爲稱述故立白碑程史言牧牛亭秦氏之丘隴在焉有移忠旌忠二寺相去五里檜墓前隧碑岌嵳在焉有其額而無辭臥一石草間曰當時將以求文而莫之肯爲今已矣按此則金陵有二無字碑

太平門北中山王墓之左有內使雲奇墓奇南海人洪武初以內使守西華門去胡惟庸居第甚邇庸謀逆詭稱所居井湧醴泉邀上幸而伏甲以待奇偵得之走當蹕道勒上馬言狀氣鬱舌鴂不能宣上恚甚左右撾箠亂下奇臂折猶奮指逆臣第上悟登西皇城樓瞰逆臣第中皆伏中因亟發禁兵捕之而後召奇則死矣詔贈內官監少監賜葬祭嘉靖中守備高隆王萱等復請於朝特贈司禮監大監加諭登少司空何孟春爲文紀於墓

胡恢金陵人博物彊記善篆隸臧否人物坐法失官十

餘年潦倒貧困赴選集於京師是時韓魏公當國俶儻詩自達有聯云建業關山千里遠長安風雪一人寒魏公深憐之令篆太學石經因得復官任華州推官而卒篆石經是一大典故而前記多不書

舊南雍所藏官書鋟板最多嘉靖中學正梅鷟曾編彙書目一卷除廿一史十三經外尚多秘本隆萬以降典守無人板多缺畧鼎革以來國子監廢將所有存板送入縣學尊經閣中視向日目中所存今恐無百一矣惟廿一史近經修補然較讐不精脫簡重篇不一而足此外如鄭樵通志王應麟玉海諸書宇内并無刻本今板本雖復不全然因其舊而補之使作者苦心不至泯沒亦作興文教者之責也此外他書尚多今不知存否姑列南雍舊目以爲好古者訪求之據其當日板不存者不復贅

十三經註疏　二十一史順治十八年重修　復齋易說六卷宋趙彥肅　周易本說六卷元齋履謙　書傳會選六卷　尚書表註二卷元金履祥　讀書叢說六卷元許謙　春秋諸國統紀六卷元齋履謙　春秋綱領一卷　春秋本義三十卷　三傳辯疑二十卷　春秋或問十卷俱元程端學　儀禮經傳通

解二十三卷　續通解二十九卷　儀禮集說十七卷元敖繼公　六經正誤六卷宋毛居正　論語集註考証二十卷元金履祥　學庸叢說二卷元許謙　孟子節文二卷　四書集編十卷眞西山　資治通鑑　通鑑紀事本末四十二卷　通鑑前編十八卷　子由古史六十卷萬曆末黄監丞居中校刊　西漢會要七十卷　東漢會要四十卷宋徐天麟　蜀漢本末三卷元趙居信　諸史會編一百十二卷嘉定金濂　集註太元經十二卷胡次和　近思錄十四卷　論衡三十卷　女教四卷元許熙載　樂府詩集一百卷　朱子大全集一百卷　宋文鑑一百五十卷　文章正宗二十四卷　元文類七十卷　順齋集二十六卷元蒲道源　羅圭峯集二十卷　懷麓堂集一百二十卷　陽明文錄八卷　戴石屏詩集十卷　白沙詩教　杜氏通典　通志畧二百卷板一萬三千七百二十四面宋鄭樵　文獻通考　禮書宋陳祥道　樂書宋陳暘　玉海二百四卷宋王應麟　宋名臣奏議一百五十卷　西山讀書記六十卷　說文十五卷　韻府羣玉　廣韻　書學正韻二十卷　六書統二十卷楊桓　困學紀聞

二十卷王應麟　伯顔平宋錄二卷元學士劉敏中
景定建康志五十卷存者七百九十五面宋周應
合　金陵新志十五卷　子彙　何大復集　戴剡
源集

留都舊日六部刻書亦多如東坡易解歐陽公毛詩本義呂成公讀詩記楊慈湖易傳吳澄易纂言宋人六經圖之類爲先儒流通經學有益後人徐公必達爲吏部郎時刻周張二程及邵子全書今藏板皆不可問矣

顧文莊曰地方文獻士大夫宜留意搜訪至前代圖籍尤當甄錄即斷編缺簡亦當以殘珪碎璧視之金陵古稱都輦乃自國朝以上紀載何寥寥也僅有金陵新志一書南雍舊板尚在然訛闕過半亦復無他本可備校補者景定建康志禮部舊有藏本司馬西虹留得此書後歸焦太史家亦不復可見今取往記有關金陵者輙紀載其名爲搜訪之地如齊山謙之丹陽記陶季直京都記元廣之金陵地記唐許嵩建康實錄六朝宮苑記宋沈立金陵記史正志乾道建康志吳琚慶元建康志溪園先生周應合景定志元戚光集慶續志奉元路學古書院山長張鉉金陵新志

又宋張敦頤六朝事蹟吳彥夔六朝事類別集王瀏六朝進取事類張參江左記葉石林上元古跡洪遵金陵圖朱舜庸建康事十卷又不知作者姓名江乘記丹陽尹錄苑城記金陵六朝記秣陵記建康宮闕簿金陵故事宋江寧府圖經又續攷得數種周處風土記三卷梁元帝丹陽尹傳十卷應詹江南故事三卷徐鉉等吳錄二十卷不知名南唐書十五卷不知名江南志二十卷十五卷者疑是陸務觀書王顯南唐烈祖開基志十卷徐鉉湯悅江南錄十卷陳彭年江南別錄四卷龍袞江南野史二十卷不知名江南餘載二卷錢惟演金陵遺事三卷不知名金陵叛盟記十卷王豹金陵樞要一卷曾洵句曲山記七卷張情茅山記一卷不知名茅山新記一卷張隱龍三茅山記一卷恐卽張情朱存金陵覽古詩二卷袁陟金陵訪古詩一卷吳操蔣子文傳一卷不知名南朝宮苑記一卷元劉大彬茅山志三十三卷其鄭文寶南唐近事江表志近已有板行者

建康六朝故都葉石林少蘊居留日嘗命諸邑官能文者捜訪古跡製圖經時石橋林敏若子邁主上元簿考最詳多以荆公詩引證號上元古跡宋周煇嘗得

其書史志道修建康志多取裁於此

陳魯南應京兆白公聘修志東橋先生與之書曰嚴惟中袁州府志都元敬黄山圖經李懋卿東莞志邵國賢許州志各自起意例須取參訂璘收有長安舊志一本惜不得到家檢奉子仁收天下志甚多想不乏此作志不難正唯發凡起例爲難耳又本府若上元之明道書院溧陽之水堰皆厚生正德大事須檢尋遺跡就請白公興復蓋百五六十年方遇明公一舉若又空言無施不獲實惠賢者難遇幸勿失此機會也又稅糧後當具供億一目查内府及諸司供億近年與國初多寡之目庶仁者有憫惻之意此不爲徒作也

前輩著述多湮滅不恒遘見謹識其名以待搜訪

張閣老益文僖公集

倪文僖謙玉堂稿　上谷稿　歸田稿　南宮稿　遼海編

倪文毅岳清溪漫稿

童尚書軒清風亭稿　枕肱集　海岳涓埃　諭蜀稿　籌邊錄　夢徵錄

劉尚書麟清惠公集

顧尚書璘國寶新編　近言　顧氏七記　浮湘稿
山中集　息園集　憑几集　登衡小記
王尚書敞王氏家乘
周襄敏金上谷稿　榆楊稿
梁尚書材端肅公奏議
景司業暘前溪集
余祭酒孟麟余學士集
焦太史竑養正圖解　老莊翼　澹園先生全集　焦
氏筆乘　焦氏類林　國史經籍志
朱太史之蕃奉使朝鮮集　南還雜著　落花詩
王太僕韋南原集
黃驗封甲鳳巖山房全集
陳太僕沂遂初齋集　拘墟館集　翰林志　誨似錄
晤言詩談　畜德錄　維楨錄　存疾錄　金陵圖
考　金陵世紀　詢芻錄　語怯錄　善謔錄　游
名山錄

李儀部逢陽
楊太學希淳李楊二子遺稿
余侍御光古峯集　兩京賦
顧文莊起元說畧　遯園集　嬾真堂集　雪堂隨筆

客座贅語　金陵古金石考目　顧氏小史
許太常穀二臺稿　外臺稿　武林稿　省中稿　歸
田稿
司馬憲副泰皇明文獻類編　覜履百錄　古今類說
續石川學海　蔭白堂雜識　廣說郛　知次錄
南都英華　南都野記
謝布政少南河垣稿　謫台稿　粵臺稿
王叅議嶶辣齋稿　史疑　引笑集
陳都憲鎬矩菴漫稿　金陵人物志
陳學憲欽自菴集　海山聯句集
顧副使璵寒松齋稿
李副使熈尚友集　明農稿　飲虹遺稿
伊僉憲秉味淡集
張侍郎志淳南園集　南園漫錄
王襄敏以旂漕河撮稿　督府奏議
沈御史越春秋分國便覽　春秋經傳集解　宋史詳
節　諸史撮要　三黨編　籓鎮傳　韓峯隨筆
麓村詩草　西巡紀行　澶淵雜著　新亭漫稿
聞見錄　詞譜
張副使鐸秋渠詩

胡副使汝嘉沁南稿
吳尚書文度交石稿
何參議汝健竹素園稿　歸田草
何參議湛之疎園集
何侍御淳之足園集
沈僉事琮休齋稿
陳僉事鳳大事記　冊談感遇篇　淸華堂稿摘存
欣慕編　宛地梓
余巡撫大成龍湫殘夢　揺夢　雜夢　腐夢
宋僉事存德鴻雪稿
姚太守灊休齋稿
姚太守汝循錦石齋稿　耕餘集　浪游集
金太守潤靜虛稿　南山十秀集　心學探微
金司寇紳雪心稿　青鎖獻納稿　江西巡視稿
朱參議貞息軒稿
金都憲澤容菴集
蔣侍御誼經緯文衡　續宋論　紀行錄　石星閒鈔
吹映餘音　憨翁新錄
吳侍郎自新大受錄
姚學憲履素適楚紀勝　市隱園詩文紀

任僉憲彥常克齋稿　思古齋文集

沈副憲鍾休翁詩集　閒雲館野語　逍遥訣　懲忿
編　窒慾編

殷宗伯邁山窓漫錄

盧苑馬璧治漳備忘錄　關中集　雨山墨談　客窓
閒話　東籬品彙錄

廖工部文光萬曆統天賦　元彝集

路行人伯鎧侑閒齋集

何太守鉞東谿集

俞少卿彥俞少卿集　印譜　治篇

陳京兆時伸百篇詩

羅太守鳳延休堂漫錄

賈戶部必選金剛解　松蔭堂學易　春秋纂註

陳大理舜仁樗亭集

倪給諫嘉慶計樞草　銓諫草　棘邇草　棲霞語錄
青原語錄

丁太守鏞石崖集

王太守可大三山彙編　國憲家猷　白雲稿

王吏部鑾西冶遺稿

徐叅政琟石林稿

張秀才藩渡江集　蘇田集　桐君集
朱僉憲潤身海峯遺稿
金太守賢春秋紀愚　春秋或問
鄭太守宣化三華館集　瞻紫堂漫稿　灌月亭漫稿
卜長史鏜三華館稿
黃監丞居中千頃齋初集次集三集　文廟禮樂志
　明文徵論世錄
何太僕棟如攝園稿　出山疏牘　初續商音
殷同知康雲樓稿
高知州遠飲虹稿
劉尚寶旋四書標鮮　迎曦閣社草
向州守釁二淮稿
管檢校景西浦稿
李知府昊坦拙稿　謫居集
張太守文暉應閒齋詩集　霞起閣文集
黃長史琮宗說　求志稿　行義稿　楚征日錄　青
　田稿　謫湘稿　郯城稿　嶺南日課　續課　東
　歸稿　乞養堂稿
梅明府純損齋稿　損齋備忘錄　續百川學海
陳明府芹子野集　鳳全堂稿　忠孝說義

周明府元長卿集

姚明府履旋湖海游記　杳雪集

李明府登治城眞寓稿　撫古遺文

倪明府民悅江上編

李經歷曉賓柳堂稿

唐長史時頻伽音　巾馭乘

張徵君一儒張徵君集　陸文學芬之東山集

孫明府自修與然堂全集

陶進士元素萬竹山房稿　史雋華山雜著　松雲集

李臨淮言恭貝葉齋稿　青蓮閣稿　游燕稿

湯叅將應勳東谷集

張莊節可大駛雪齋詩集　北海游紀　狀游發白下初集　二集　牟子集　駛雪齋文集

吳進士珵石居遺稿

董學博宣青田雜錄

陳揮使鐸雪秀亭稿　秋碧軒稿　秋碧樂府

張揮使維青藜閣稿　淇澳稿

歐陽通判廩逸園集

丁訓導璽希山吟

羅主簿燾淵泉集

金訓導丹赤倰稿
周監正相曆法書
焦舉人周焦氏說楛
金孝廉大車子有集
金文學大輿子坤集
沈文學乾陽金庭稿
子開雲著雲岫集　延壽室稿
盛貢士時泰大城山全集　元牘記　游吳雜記　游
燕雜記
劉學博仕義新知錄
王太學元貞孟起集
黃太學祖儒虋覺稿
黃教授應登謝山文草　謝山詩草　謝山暇錄　偶
然語
孫太學起龍意在亭詩
徐王孫諒居雲稿
張孝廉翊元名臣言行錄　宋臨奠錄
沈封君琪雪崖詩
盛太學敏耕軒軒居集
崔文學士元拘虛集　偶然集

黃文學戍儒競辰齋稿

黃文學復儒挹秀閣稿

方山人登蒼半軒稿

宋夢駿青齋子稿

李文學佺竹浪齋稿

葛文學如龍竹護齋稿　遂園稿

王隱君可立詩集　小桯史　引睡稿　建業風俗記

陳文學弘世延立詩集

孫文學謀長嘯集

李臨淮宗城汝藩稿

王指揮元坤雅娛閣稿

齊王孫慶槧篺冠稿

徐王孫邦寧習靜齋稿

顧居士源玉露堂稿

蔣山人主忠慎齋稿　金陵紀勝　續貂小稿　詩法鉤佺

蔣山人主孝務本齋詩　樵林摘稿

賀友菊確友菊詩集

王公濬嘉遁子集

徐公遠居學齋集

金公鋹竹溪集
金山人鸞徙倚軒稿　蕭爽閣詞稿
杜山人大成晞眞集
許山人隚嘉會齋
史廷直忠
金元玉璿二南二稿
徐山人霖端居咏　遠游紀　北行稿　皖湘錄　古
杭淸游稿　麗藻堂文集　快園詩文類選　中原
音韻注釋　續書史會要
王山人希阜北山詩
謝山人承舉采毫錄　東村稿　西游稿　在客稿
日得錄　廣陵雜錄　湘中漫錄
吳山人擴長吟閣稿
景山人霽登涉紀吟　避暑吟
張子明正蒙蓬蒿集
胡山人宗仁知載齋集
馬山人電入蜀稿
陳山人元應霞舉集　豆花園草
王雲池杞越臺小稿
沈鳳崗朝陽薄游荅贈稿

李惺菴向陽 樵居集
謝天聘窽蚓集
王孝廉亦臨虎鼠菴稿 牛欄集
紀竹遠青樺冠集
張揮使翹廻文詩
艾子魏容微塵閣集
龍克溫瑄燕居集 泥鴻集
楊文學一洲東中集 東中餘集
常照磨信同文集 撫游集 北上集 振藻集
程儒文漢栅堂集
李僉事旻客菴稿
丁太守明登淑清錄 陰德登科錄 日有篇 醫方
集宜
丁貢士雄飛書饞漫筆五十卷 蓉灣雜著 霈郊欵
日錄 燧人遺意
姚千戶福風樹亭稿 明文苑通編 青溪暇筆二十
卷
王別駕天憑別駕夢談
邵貢士之楨臥石齋集
汪鐘英侯潭生擬言

徐文學開呂起渭詩草

于文學徵有柿葉菴稿　孤山遊草

崔季龝槃秋潭集

何文學如充開遠東晉人物畧　清涼山草

傅太學汝舟啞心集　步天集　七幅菴稿

馮化之化香醉集

徐王孫時雨一榻軒稿

王壽父萬齡咏物詩

張太學文峙編年稿　落葉哀蟬集　願不願集　擊磬集　選宋元詩十卷　明布衣詩三十卷

張太學可度鴻雪草　墨莊羼道人詩集

馮闓風嘯香烟集

陳訓滇嘉謀夢醒紀牕北游集

倪文毅夫人盧氏有詩一卷

陳石亭夫人馬氏芷居集

張羽王妟周潔雲巢集

齊衡陽王鈞常手細字書五經一部爲一卷置之巾箱中侍讀賀玠問曰殿下家有墳素何須此蠅頭細書別藏巾箱答曰巾箱五經繙閲且易一更手寫則永不忘諸王聞而爭效之爲巾箱五經自此始

南都前輩多藏書之富者司馬侍御秦羅太守鳳胡太史汝嘉尤號充棟其後人不能守遂多散逸司馬家書目尤多秘牒有東坡先生論語解鈔本四卷其家數有鬱攸之變此書忘矣胡氏牙籤錦軸最爲珍異而子孫式微彫落市肆尤爲人所惋惜嗣是沈生子天啟焦澹園竑收藏亦多近皆散失士夫家集書多者今稱黃海鶴雍丞之子虞稷錢牧齋宗伯常爲撰千頃齋藏書記

唐時詩人有庾抱江寧人開皇中爲延州參軍後補元德太子學士禮賜甚優皇孫載誕於　上獻頌被賞有集十卷　王昌齡開元中進士補秘書郎又中宏詞科詩四卷人稱爲王江寧　徐延壽江寧人開元間處士　孫處立江寧人長安中爲左拾遺善屬文常恨天下無書以廣新聞　冷朝陽江寧人李嘉祐送朝陽登第歸江寧詩有云長安帶酒別建業候潮歸　詩恩江寧人開元進士岑參有送許子擢第歸江寧拜親兼寄王昌齡詩　孫華江寧人韓翃有送孫華及第後歸江寧詩　陳羽陸贄下第二人登科歷官樂宮尉佐　項斯左僕射王起下進士及第始未爲聞人因以卷謁楊敬之楊苦愛之贈詩云幾度

見詩詩盡好及觀標格過於詩平生不解藏人善到處逢人說項斯　康洽江寧人周賀有送洽歸建業詩　中孚高座寺僧李太白之族侄有太白答贈詩

王鳳洲嘗言金陵唐時無詩人故周吉甫暉舉此數人

江南李後主嘗於黃羅扇上書賜宫人慶奴云風情漸老見春羞到處銷魂感舊游多謝長條似相識强隨烟態拂人頭此扇宋時猶存

後主在圍城中猶作長短句未就而城破其詞云櫻桃落盡春歸去蝶翻金粉雙飛子規啼月小樓西曲欄珠箔惆悵卷金泥門巷寂寥人去後望殘烟柳低迷蓋臨江仙未成也西清詩話謂曾見其稿點染晦昧心方危窘意不在書耳

後主造澄心堂紙甚爲貴重宋初紙猶有存者歐公曾以二軸贈梅聖俞梅以詩謝曰江南李氏有國日百金不許市一枚當時國破何所有帑藏空竭生莓苔但存圖書及此紙棄置大屋墻角堆幅狹不堪作詔命聊備粗使供鸞臺相傳淳化閣帖皆此紙所搨歐公五代史亦用此屬草

王介甫投老金陵依鍾山卜居後復捨宅爲寺所題絶

句關金陵山水者往往多遠情幽景摘而錄之如曰南蕩東陂水漸多陌頭車馬斷經過鍾山未放朝雲散奈此黃梅細雨何　誰將石黛染春潮復撚黃金作柳條西崦東溝從此好筍輿追我莫辭遙　雪乾雲淨見遙岑南陌芳菲復可尋換得千羣爲一笑春風吹柳萬黃金　南浦東岡二月時物華撩我未參差含風鴨綠粼粼碧弄日鵝黃裊裊垂　竹裏編茆倚石根竹莖疎處見前村閒眠盡日無人到自有春風爲掃門　春風過柳綠如繰晴日蒸紅出小池池暖水香無出處一環清浪澷亭皐　水未北山雲冉冉草根南澗水泠泠繰成白雪桑重綠割盡黃雲稻正青　石梁茅屋有灣碕流水濺濺度兩陂晴日暖風生麥氣綠陰幽草勝花時　菴雲作頂峭無鄰衣月爲衿靜稱身木落岡巒因自獻水歸洲渚得橫陳　稻畦藏水綠秧齊松鬣初乾尚有泥縱蹇尋岡歸獨臥東菴殘夢午時雞　荷葉初開筍漸抽東陂南蕩正堪游無端隴上儵儵麥橫起寒風占作秋　北山輸綠漲橫陂直塹回塘灔灔時細數落花因坐久緩尋芳草得歸遲　野水縱橫漱屋除午窗殘夢鳥相呼春風日日吹香草山北山南路欲無　小雨輕

風落楝花細紅如雪點平沙槿籬竹屋江村路時見宜城賣酒家　青青千里亂春袍宿雨催紅出小桃廻首北山無限思日酣川淨野雲高　午枕花前簟欲流日催紅影上簾鉤窺人鳥喚春如夢隔水山供宛轉愁　斜徑偶通南埭路數家遥對北山岑草頭蛺蝶黄花晚菱角蜻蜓翠蔓深　江北秋陰一半開晚雲含雨却低回青山繚繞疑無路忽見千帆隱映來　茅屋滄洲一酒旗午烟孤起隔林炊江清日煖蘆花轉祇似春風柳絮時　蕭蕭出屋千竿玉靄靄當窓一炷雲心力長年人事外種花移石尚殷勤　兩山松櫟暗朱藤一水中間勝武陵午梵隔雲知有寺夕陽歸去不逢僧

東坡先生在金陵爲詩凡十有五篇小子遯病亡於金陵作二詩哭之又次金公韻四絶句又同王勝之游蔣山又次葉致遠韻時致遠正從介甫於金陵又次裴維甫韻裴時解石於秣陵又次段縫韻縫家居金陵者也又紹聖元年至金陵得鍾山泉公書寄詩爲謝并贈和老詩又建中靖國元年公還自海南至金陵又次韻清涼老詩又題長短句於賞心亭又著觀音頌於崇因寺

元末馬琬字文璧秦淮人自少有志節詩工古歌行尤
工諸畫皆其天姿之所出也其竹枝詞曰湖頭女兒
二十多春山兩點明秋波自從湖上送郎去至今不
唱江南歌頗見婉麗此亦金陵詞人之一也惜宅作
不多得錢虞山曰琬學春秋於楊鐵崖洪武初爲撫
州知州

趙南仲丞相賜第溧陽嘗避暑水亭有詩云水亭四面
朱闌繞簇簇遊魚戲萍藻六龍畏熱不敢行海水煎
徹蓬萊島身眠七尺白蝦鬚頭枕一枚紅瑪瑙六句
既成忽驅去時有侍婢梅姐杏姐戲續云公子猶嫌
扇力微行人尚在紅塵道南仲見而存之頗得風人
之旨也

弇州明詩評於孫左司炎曰左司俠氣鷙發辯詞虹橋
疆宇之寄援分以没所作歌詩存者十不一二然頗
跌宕雄逸青鳳吉光之裘片語千金藏龍如意之珠
一照累乘奚啻多哉湯叅將應勳曰應勳雄才蓋世
與劉生雁行氣所壓正由小巫見大巫耳王大僕韋
云太僕宛曲穠新頗類温李風人之致可挹而言若
乃妙舞霓裳逸主猶憎其肉靚粧妖輩見人更羞舉
止斯爲所短頗號難藥劉司空麟曰司空朗爽登朝

榮躋八座急流勇退用諧素心烟霞之癖更多泉石之身難老其詩如癡女兒能織兜央未爲藝絶更繡鳳凰並無此鳥可發一笑顧尚書璘曰尚書器並瑚璉材懸綺綉束髮班行遂屈群公之左珥管江表首馳三傑之目如春園盡花靡邁錯雜又如過雨殘荷雖復衰落尚有微情此弇州初許也其後許又曰湯公讓如淮陽少年斗健作啾人狀王欽佩如小女兒帶花學作軟麗顧華玉如春園盡花苞靡不少劉元瑞如閩人多作齊語多不辨陳羽伯如東市倡慕青樓價微傳粉澤强工顰笑語涉太苛噫千載而下其當自有定論

顧文莊許近代詩人云周吉甫暉博物洽聞恢奇與雅詩句之美冠絶當時黄伯子祖儒才藻溢發世擅雕龍所著囈覺稿出入古今故非恒士黄徵甫應登古文辭詩賦流奕清舉編有謝山暇錄辨難考據尤爲博雅顧孝直端辭賦稟英多矢口而成籠蓋人上分其才藝足了數人姚允吉履旋詩文典則可誦可傳與弟允初觀察有金友玉昆之目黄叔遁復儒雕文琢章鏗鏘有韻追蹤家學志氣罕倫爲貧所羈不副其意張彥先一儒博洽英雋詩古文取法漢魏六朝

鬱然古色非復時流傳遠度汝舟奇思灝氣高出一世所行七幅菴集噽心集步天集總之皆不經人道語眞是奇人孫幼如起都少而稱詩長習經義雅麗弘肆鑠古切今極才人之致孫燕詒謀稱詩南國多四方之遊所行詩草申文定序之推許甚至李象先佺雅意標舉所著詩集余嘗爲之序頗極推挽而君心似不肯予言知其志大宇宙也此皆垂纓戴縱青青子衿以其餘力肆力於兹具足千秋可名一代予皆得時與往還間伸唱和其他干將之氣斗牛相望汗血之駒蹴踨欲騁者尚多不能悉記也金陵多材豈不盛哉

又云張子明正蒙詩法盛唐饒王孟韋柳之趣胡彭舉宗仁詩奇峻多新致周吉甫稱其句中有畫類王右丞葉循甫遵家本素封而好韻事所居水石花木皆有佳致詩與柳陳甫陳延之輩相唱和翩翩適上且學多所通近焦弱侯先生升菴外集校讐編次皆循甫筆也歐陽惟禮名序以太學生官府幕投紱歸惟禮兄弟多翰墨交所自運清拔有韻又善書法頗有銀鈎蠆尾之意信是白眉

司馬西虹三餘雅會錄後序云吾鄉雖稱都下去輦轂

達宦於此者率事簡多暇得遂觴咏之樂天順中翰林學士吉水石溪周公叙始結詩社擇吾鄉能詩士人若賀公確王公麟羽流郡以誠凡十八人與游題曰南都吟社成化年間翰林學士西蜀簀齋周公弘謨繼之復與士人沈公庠任公彥常金公冕十二人游題曰清恬雅會正德初戶部侍郎海陵紫墟儲公巏復繼之乃與揮使劉公黙士人施公懋謝公承舉凡十八人游題曰秣陵吟社夫三公者皆海內文宗其人品詩格俱高乃能下交諸士人諸士人亦不少屈諂觴咏適情容若昆季每一會時都人輒拭目傾耳稱爲勝事自柴墟去後此會遂廢前輩風流不可復見予歸田來二稔咸寧盧書菴紳來爲大司徒而西平王崇谿詰亞馬通州馬石渚紳來爲大司空而餘姚楊東橋大章亞馬四公德器無愧石溪諸公而同年之情殆若過之未朞而會者七人冬四會俱有唱和得詩四十八首彙爲一編題曰三餘雅會錄蓋以四公經理有暇仕之餘也予與石村力穡就閑耕之餘也又入冬爲會歲之餘也三餘列而年情友誼藹藹具見之矣觀斯編者其聞風興起踵石溪諸公之跡而復我南都之勝事乎書於末簡以致望焉

王欽佩嘗論詩云唐詩自成一格不與雅頌同趣漢魏降於雅頌唐體沿於國風雅言多盡風體則微今以雅文爲近詩未嘗不流於宋也未第時夢中聞句云起來小步傍閑堦花霧襲衣寒氣重乙丑閣試春陰詩遂入此聯李長沙批云二語如有神助儲靜夫讀其詩至珠樓十二畫沉沉畫棟泥融燕初乳擊節曰絶似溫李陸子淵笑曰本是王韋時謂善謔

陳羽伯評青溪子四子詩云高汝舟近思雄壯奇拔馬國學子道博雅典則金文學子坤清新秀朗金孝廉子有則兼總諸長詞意雙美周吉甫曰金氏昆玉尚有詩集若高馬二公人且不知其姓名矣况於詩乎

城北嘉善寺有奇石景最幽文衡山嘗與許攝泉同遊題詩竹上云蕭蕭落木帶江干巑巑幽花過雨班豈意旅遊逢九日共來把酒看三山後書丁亥九月九日徵明同子嘉彥明同子穀來休承郎刻書大竹上好事者取詩竹製筆筒在王丹立家

嘉靖年間修三山街牌樓取土得一石塊高可八寸闊可一尺三寸上刻一詩云青衫白髮老參軍旋糶黃糧買酒樽但得有錢留客醉也勝騎馬傍人門下書子昂二字字與刻皆精工詩乃宋尚書盧秉之作

金陵諸舊扁額　清涼廣慧寺德慶堂牓南唐後主撮襟書　攝山額因寺額南唐徐鉉書　幕山樓臺牓闕蔚宗書　王荆公定林昭文齋米芾書　鍾山第一山亭額米芾書　棲霞寺扁宋仁宗賜額　雨花臺總秀堂扁宋王埜書　府學泮宮字朱文公書駙縣學鳳臺攬輝亭牓朱希眞隸書　景定淸化諸橋牓皆馬光祖書　博雅堂扁宋張卽之書　多福寺額元趙孟頫書　寧壽堂扁趙松雪書　余村玉皇觀松菴二隸字大德間狀元王龍澤書　明初宫殿諸榜詹希元正書何元朗議說云朱孔陽書　府部列寺諸牌坊皆詹希源書　太學明德堂榜詹希源書　大報恩寺榜朱孔暘正書　碧峯禪寺榜乃紫芝黄謙書　天界萬松菴扁仲山王問書　許奉常家會元坊三字徐霖書　詒穀堂扁金琮書　報恩三藏殿娑羅館扁濟寧于若瀛書　顧東橋載酒亭扁俞和紫芝書　永慶寺松隱堂扁李登鍾鼎書

茅元儀武備志成曾經神宗乙夜之覽天語稱其該博元儀卽顏其堂曰該博宋比玉擘窠作八分書廣三尺許爲比玉生平得意筆堂在秣陵武定橋東今其室數易主額不知所在矣

舊內後堂扁曰忠實不欺之堂字畫清勁奇古疑爲朱文公書及考金陵志乃是宋理宗書賜郡守馬光祖者至元二年重建正廳仍用忠寔不欺舊扁張起巖作記

露書云天下學宮皆書明倫堂獨應天府學明德堂云文天祥手書存其跡

王鳳洲遊金陵諸園記畧云李文叔記洛陽名園十有九洛陽雖稱故都然當五季兵燹之後生聚未盡復而所置官司自留守一二要勢外往往爲倦宦之所寄秩其居第亦多寓公之所托息顧能以其完力置爲園池皆極瑰麗宏博之觀金陵自高皇帝定鼎二百年來江山之雄秀人物之妍雅豈弱宋故都可同日而園池不盡稱於通人何也予以召陪留樞職務稀簡得侍諸公燕游於棲霞獻花燕磯靈谷之勝約畧盡之旣而欒指名園若中山王諸邸所見大小十餘處必遠勝洛中蓋洛中有水有竹有花有檜栢而無石文叔記中不稱有壘石爲峯嶺者可推也予幸得游安可以無記自中山諸邸之外獨同春園可稱附庸而武定諸園在萬竹園上因併志之

東園一曰太傅園壯麗爲諸園甲初入門雜植榆柳餘

皆麥壠轉而右爲心遠堂爲月臺爲小蓬山有峯巒洞壑亭榭之屬兩栢異榦合抄竹樹峭蒨於蔭宜從左方竇而進有一鑑堂枕大池丹橋迤邐凡五六折於小飲宜橋盡有亭甚整潔宛宛水中央一水之外皆平疇老樹盡而萬雉層出水盡得石砌危樓縹緲畫船載酒由左爲溪達於橫塘則窮園之衡袤幾半里時時得佳木武廟南幸嘗於此設釣樂之移日不返即此亭也園在武定橋東城下西與舊院鄰今廢

西園一曰鳳臺園在郡城南稍西去聚寶門二里而近折徑以入爲鳳游堂前爲月臺有奇峯古樹右方栝子松高可三丈徑十之一相傳宋仁宗手植以賜陶道士者且四百年矣婆娑掩映可愛下覆二古石一曰紫烟最高垂三仞色蒼白喬太宰繖爲平泉甲品一曰雞冠宋梅摯與諸賢刻詩當其時已賞貴之有建康留守馬光祖銘左曰擘秀閣特爲整麗閣前一古榆大合抱不甚高而垂枝下飲芙蕖沼有潛虬渴猊之狀沼廣袤十餘丈清瑩可鑒毛髮南岸爲臺可望遠高樹羅植畏景不來北岸皆修竹蜿蜒起伏奇卉名果錯雜繁茂考周公瑕所撰舊志堂閣亭榭以百十計多不復存矣顧文莊曰園在城南新橋驍騎

倉南記稱鳳臺閣誤其隅弄者乃鳳臺閣也

魏公南園當賜第之對街堂五楹頗壯前爲坐月臺有峯石雜卉之屬右復爲堂三楹四周皆廊廊後一樓朱甍畫棟綺疏雕題相接也前滙一池三方皆壘石中畜朱魚百許頭有長至二尺者拊欄而食之悉聚若績錦從左逶迤而下甲館修亭複閣累榭與奇石恠樹繡錯牙互左折而下新治一軒其麗殊甚而枕水西南二方峯巒百疊蜿攫猊飮得月助之頃刻變幻勢態殊絶

魏國第中西圃蓋出中門之外西穿二門有堂翼然又復爲堂堂後復爲門而圃見右折而上逶迤曲折疊磴危巒古木奇卉使人足無餘力而目恒有餘觀當賜第初皆織室馬厩久不治悉爲瓦礫場太保公除去之徵石於洞庭武康玉山徵材於蜀徵卉木於吳會而後有此觀後一堂極宏麗前疊石爲山高可以頫羣嶺頂有亭尤麗所植梅桃海棠之類甚多聞春時爛熳若百丈宮錦幄也

盡大功坊之東爲四錦衣東園入門折而東南向有堂甚麗前爲月榭堂後一室垂朱簾左右小庭耳堂翼之折而西得一門則廣庭廓落前亦有月榭以安羣

峯中一峯可比到公石而嵌空玲瓏莫可名狀云故吳郡物也北有危樓二十餘級而登前眺報恩寺塔當窓而聳得日而金光漾目大司寇陸公絕吽以爲奇北有華軒三楹北嚮以承諸山躡石級而上登頓委伏紆餘窈窕上若躡空而下若沉淵者不知其幾亭軒以十數皆整麗明潔向背得所橋梁稱之所尤驚絕者十洞凡三轉窈冥沉深不可窺測雖盛晝亦張兩角燈導之乃成步罅處煌煌僅若明星數點吾游眞山洞多矣未有大喻勝之者水洞則清流泠泠旁穿遶一亭瑩澈見底諸鱗數百頭以餅餌投之駢聚躍唼波光溶溶若冶金之露鋩頳茲山周幅不過五十丈而舉足殆里許乃知維摩丈室容千世界不妄也

唐陳融廣陵棠邑人游不出鄉年七十二卒貞元初呂溫寓居是邑見鄉人父子長幼各有倫序嘆曰芳蘭所生其草皆香美玉所積其山有光必有賢者生於世矣遂停車累周訪故老果曰嘗有陳融孝慈仁信鄉人化之今也則亡淸風猶在溫慨然曰先生以純德至行沉落光輝乃披典校德謚曰貞晦先生云

張讚字宗器六合人由鄉貢知餘姚縣爲政平易簡靜

務爲惠愛正德壬申秋海溢溺民浮屍蔽江讚流涕躬率人瘞之其免於溺者皆凍餓不勝讚力請賑恤當路猶督稅如故讚俟其行縣率饑民路號請貸無異家事稅乃獲免然卒以此忤當路得調去

唐張延賞蒲州人爲淮南節度使歲旱民他遷吏禁之延賞曰食者人恃以活拘此而斃不如適彼而生乃具舟遣之勅吏爲修室廬以通逃歸者更增於舊瓜步舟艫津湊而遂係江南延賞請改屬揚州於是行無稽壅會毋喪免

張文瑞眞定人時方用武文瑞在軍中日以文史自隨至元初授棠邑尹淸介自律及代耆老借留適京師始立總管府名爲經歷政聲益聞歷遷同知濬州事子淵亦知濬州事

貴州道御史涂必泓原任長州縣知縣崇禎十一年七月疏陳五款皆江南利弊其末有云如應天屬縣六合江浦隸於江北而與淮陽接壤故以江南防之則鞭長不及若屬江北防之比於附庸力可竝應此則所當責成淮撫互爲防禦者也

莊定山先生墨蹟行於世者多晩年老筆耳獨其書六合學碑縱軼美秀有翩翩自賞之意邑巳數經兵燹絶

無舊人碑石存者遂令人不得不推轂近爲中古矣
王小山者太原人隨宋南渡僑寓高淳見其傍土阜峻
廣因手植木樨數本於上復搆臺榭以護之數載間
花呈五色芬香異常洪武間聞於朝歲遣中使採花
以獻尚書齊泰王出也嘗爲詩紀其勝後以中使暴
横泰奏請停止不踰年木樨亦枯死今遺跡尚存子
孫皆居其處人猶稱爲木樨王云

高淳縣建自弘治六年其議始於應天府丞寶應龔公
綺維時一村落耳綺得請則躬往相度經營數載首
卜凖宫規制悉具指授工就迺列植貞松於垣後曰
松出墻丈淳其有興乎後十餘年松踰墻隨有領鄉
薦者自是人文不絶今松日茂繞如列障龔公寔大
有功於淳民云

江寧縣有紙官署齊高帝造紙所也嘗造凝光紙賜王
僧虔一云銀光

李後主留意筆札所用澄心堂紙李廷珪墨龍尾硯三
物爲天下之冠澄心堂即今内橋中兵馬司遺址乃
徐知誥爲昇州節度時府治也

李時勉正統中爲祭酒太師英國公及侯伯二十餘人
早朝畢奏曰臣等皆武夫不諳經典願賜一日假詣

國子監聽講上命以三月三日往是日太師率諸侯伯到監始擕茶湯果餅之屬甚豐李祭酒命諸生立講五經各一章講罷設饌諸侯伯讓曰教授之地皆就列坐歌鹿鳴以徹時稱太平盛事

蘇峻反祈鍾山神許畫朱鬣紫蹄馬碧蓋朱絡車後郗鑒入授亦祈鍾山山神謂鑒曰蘇峻爲逆人神所憤當與蔣子文共誅鋤之峻亦祈我豈可助之爲虐今以一疏相示及案收而疏見

欽天監官梁方字省愚次子名津皆知天文曆數不由師傳悟出射字法隔窓或隔壁一內一外隨人寫文句與在外者一看或耳邊道一詩句卽拍掌數下在內者應聲云此某字某句也周吉甫嘗寫自作移居詩鶯聲催小飲鶴步伴閑行兩句未曾示人者與之射一字不差乃大服其妙

晉元帝渡江隨帝有王離妻李氏者洛陽人將洛陽舊火南渡自言受道於祖母王氏傳此火并有遺書二十七卷火色甚赤異於餘火四方病者將此火煮藥及灸諸病皆愈轉相妖惑官司禁不能止及李氏卒火亦經時而滅人號其所居爲聖火巷在今縣東南三里禪衆寺直南出御街齊武帝末年謠言云赤火

南流喪南國帝憂之是歲果有沙門從北來齎此火至火色赤於常火而微云可治疾貴賤爭取之先齋戒以火炙桃板七炷而疾愈吳興丘國賓竊還鄉邑邑人楊道慶虛疾二十年形容骨立依法炙板一炷即痊是月武帝崩

金陵書品　杜大常環字叔循宋景濂稱其正書入能品　陳中復工楷書　陳孟顒工楷書　朱孔陽洪武中以楷書名楊書更玅　朱銓字士選廼孔陽弟太宗文皇帝選寫金經入翰林習書　姜濬字子澄仁廟居潛邸召寫金泥字經最眷注之　顧謙以楷書薦舉官主事　蔣主孝工小楷　翟太常瑛字廷光作字運筆如飛結體流麗可愛　李太僕應禎善楷書成化時有旨命寫佛經上疏言臣聞天下國家有九經未聞佛經楊君謙外集中載應禎全疏　枕肱童士昂楷書遒勁有法　辣齋王尚文小楷工馬郎中瓛字公信法趙孟頫　紫芝黃謙字撝之行草遒勁古雅而楊書更玅　景前溪伯時初工真行後師周伯琦小篆頗得風骨　南原王欽佩真草清雅有法　東橋顧華玉真草皆清徹可愛　劉南坦元瑞法羲獻片紙隻字人得之爲至寶　顧英玉真

草皆有晉人風味　徐子仁九歲作大書操筆成體
正書出入歐顔大書　初法朱晦翁幾亂其眞後喜趙
松雪筆力遒勁布構端飭成一家書至於篆字得法
於異客更造閫奥西淮李相國白巖橋太宰時號篆
聖見則吐舌下之以爲不及　周約菴子庚有王右
軍風骨　王吉山子新學聖教序最擅書名但恨其
過於圓熟耳　山農金元玉初法趙子昂晚年學張
伯雨精工可愛　落筆人便持去元玉家有極高明樓
每夜學書然燭一枝月然三十枝寒暑無間　石亭
陳魯南法蘇眉山評者謂不減吳匏菴篆隸亦佳
玉泉陳羽伯行書筆筆晉人　馬南江呈道嘉靖二
年貢士四體俱工極有書學　邢太常一鳳字伯羽
嘉靖辛丑進士及第工篆書　顧寶幢靑父法孫過
庭筆力遒勁　馬鷺汀誠望刻意聖教序最佳　橫
崖陳子野法鍾王俊逸可愛　秋宇胡懋禮得意之
筆酷似祝枝山　雲浦盛仲交小楷法倪元鎮行書
出入於蘇米兩家古拙中有枝俗之韻隸字更優有
元牘記一冊品題古今名帖　姚秋澗元白行書出
入於黄山谷趙松雪兩派而得於趙者爲多　許石
城仲貽工行書　楊虛游道南眞草自成一家　金

慕楨名魚乃赤松山農家學筆力稍軟　謝髯九子象出於蘇黃兩家筆力淸硬　金蓉峯名元初字元予行書有法有趣　何太吳仲雅工行書以上見金陵瑣事而顧文莊云瑣事載金陵書法亦有遺者國初劉中翰理子素孫良三世能書皆官中書舍人俞公綱上元人以生員善書官至南禮部侍郎　羅叅議麟明敏善書　劉千戶蒼能爲趙松雪書　沈休齋鍾書遒勁盈尺徑璧無傾邪　朱叅議貞幼工楷法晚變爲行益妙　陳自菴欽字工人多珍愛之

黃珍書學徐九峯能亂眞　陳別駕鋼號遲宜子書法褚河南所摹蘭亭奕奕有致又嘗書小詩於牡丹花玉蘭花瓣于太史沂手裝而爲冊至今存　王太守可大行書法趙松雪大數寸者尤佳余有所書陶詩一幅風神遒勁上逼古人今世不多見也　朱太守音行書師鐵門限圓媚流麗翩翩動人　李明府登行書學聖教序結構不失小篆學嶧山碑於鍾鼎文尤妙說者以爲豐南禺之後一人

又云金陵士大夫多留意墨池者焦弱侯先生眞行結法眉山散朗多姿而古貌古骨有長劍倚天孤峯刺日之象　卜中立行書師章草簡勁無媚骨望之肅

然類其爲人　朱元介眞行師趙魏公間出入顏魯公與文徵仲日可萬字運筆若飛小則蠅頭大則徑尺咄嗟而辦從來書家之神速恐未有若此者　許伯倫行書師孫過庭勁媚錯出圓熟溫茂如王謝兒郎皆有體韻　沈生予眞書師晉諸王而波拂點畫具有拔山之力　姚允吉眞行法率更稍益以已意簡峭中微帶風貌故自彬彬　余世奕眞行師閣帖筆勢遒美行列古雅較乃祖司成當有出藍之譽　孫幼如眞書如王環豐艷而有致行草師米元章燕湖學記碑幾如優孟之視叔敖　歐陽惟禮眞師率更篆八分師二李與梁鵠結構不踈古雅有意　胡彭舉八分書師魏之受禪碑簡勁方正中雅氣逼人如陶貞白坐聽松樓上語語烟霞無一點塵氣　黃叔適行書法章草而清勁特甚余嘗戲謂君舉體充悅拖沓當號笨伯而作字秀嬴故是一反　許無念爲伯倫長子眞行似乃父而秀逸過之眞如趙合德初進御時以輔屬體無所不靡　魏考叔眞書師黃庭經結構緻密神采流麗團扇三尺嫣然動人　近時洪仲韋名寬家金陵工書法能詩刻有鶴遊堂帖蝶菴集溧陽宋如圃劼亟稱之　劉令度名象先書

法稱名家尤善章草天性淳厚與人接如坐春風爲魏國徐公六岳所重　林古度亦善正書并工行草唐長史時行書有逸致　顧貢士夢游初學聖教後自成家一時重之屛幛多出其手　于秀才徵善行書　鄧彰甫耀能蠅頭楷于便面上寫詩經一部

顧愷之字長康圖寫特妙常畫裴叔則頰上益三毛人問其故顧曰裴楷俊朗有識具正此是其識具看畫者尋之定覺益三毛神明殊勝又畫謝幼輿在巖石中人問所以顧曰此子宜置丘壑中又欲圖殷荊州殷曰我形惡不煩爾顧曰明府正爲眼爾但明點瞳子飛白拂其上使如輕雲之蔽月常畫人不點睛人問之顧曰四體姸媸本無關於妙處傳神寫照正在阿堵中宅在瓦官寺東北所著有文集及啟蒙記傳于世

南北朝張僧繇常於金陵安樂寺畫四龍而不點睛每云點之則飛去矣人以爲妄因請點之須臾雷電破壁見二龍飛去未點睛者如故初吳曹不興圖青谿龍僧繇見而鄙之乃廣其象于龍泉亭太淸中雷震龍泉亭遂失其壁乃知疑于神也晉瓦官寺梁開善寺俱有僧繇畫

前代金陵畫手如南唐徐熙江南名族也善畫花竹林木蟬蝶草蟲多游園圃以求情狀寫意出古今之外自造于妙尤長設色生意爛然劉道醇畫評列爲神品王齊翰工畫羅漢屬昭慶工佛像尤長於觀音句容郝澄以丹青自樂周文矩能畫鬼神冕服車器人物昇元中命圖南莊最爲精絕江寧沙門巨然畫炬嵐晚景當時稱絕蔡潤善畫舟船及江湖水勢曹仲元工畫佛道鬼神竺夢松工畫人物女子宮殿樓閣顧德謙工畫人物劉道士工畫佛道鬼神

江南北苑使董源善畫尤工秋嵐遠景多寫江南眞山不爲奇峭之筆巨然祖述源法皆臻妙理大體源及巨然畫其用筆甚草草近視之幾不類物象遠觀則景物粲然幽情遠思如覩異境如源畫落照圖村落杳然深遠悉是晚景遠峯之頂宛有返照之色此妙處也

宋艾宣工畫花竹翎毛孤標雅致別是風規敗草荒榛尤長野趣東坡跋其畫云宣畫花竹翎毛爲近代之冠既老筆尤奇

李士雲金陵人善山水尤長於寫照王介甫鎮金陵爲傳神介甫贈以詩曰衰容一見便疑眞李氏揮毫妙

人神欲去鍾山終不忍謝渠分我死前身

黃蘊眞名琳字美之家有富文堂收藏書畫古玩冠于東南吳中都元敬自負賞鑒一日同顧華玉騁騎過美之看畫元敬謂之曰姑置宋元其亦有唐人筆乎美之出王維著色山水一卷王維伏生授書圖一卷久出數軸皆唐畫也元敬驚嘆以爲生平未見云

周吉甫云庬官寺有厲道元羅漢一軸神光射人見者起敬是汪子寧所捨寺更有宋人羅漢四軸給諫徐警弦公送寺內青蓮閣中供奉此皆奇物也

高文祿國學生幼有至性母病癱文祿吮之畧無苦色又刺血寫金剛經一部祈母愈母夢神謂曰以汝子孝延汝年痛遂霍然文祿初秘其事不使人知母踪跡其寫經處乃得焉嘗于路拾遺珠一包值百餘金納之袖鵠立以俟頃之一人急遽而前文祿詢知爲遺珠者出諸袖還之其人感泣而去至施棺掩骼成梁放生諸事見則必行而不欲以名傳惟稱淡泊道人尤好集古秘書子有基甘泉令有政聲

袁承祖字蔭山年三十喪偶不再娶每倡施棺掩骼放生惜字數十年不倦明京兆徐公石麟以勤修善果旌其門年八十有五無疾而卒子時偕亦能勸募施

濟力行善事克繼其父一月前先知逝期是日沐浴而逝

賑荒紀畧康熙壬子年自春徂秋不雨歲則大飢江北之民渡江而南者日數千人咸覔食會城制府麻公勅吉與藩臬郡邑定議開廠煑糜以救流殍設廠凡四一在城內西門關帝廟一在聚寶門外報恩寺一在孝陵衛觀音閣一在下關靜海寺聘善士黃掟龔位等司其事所活饑民數十餘萬事竣各賜以扁于掟曰孝義可風于位曰尚義以示勸馬康熙十八年歲復大歉秋冬之間饑民載道督院阿公席熙撫院徐公國柱臬憲金公鎮糧道章公欽文提督王公永譽織造曹公璽鹽道黃公桂同倡捐賑及知府陳龍巖知縣于述統於十九年春建設六廠自正月初三日開賑始至三月十三日止共賑過米六千石有奇所活大小飢民共二百二十七萬一十名禮延本地鄉紳分董其事捐助各有差

林時敬字止卿由明經任北鴻臚序班力請歸養改南寺鳴贊出令郿邑攝扶風武功篆釋枉鋤暴邑人至今懷之內遷光祿流氛發難大司馬范公景文題授本兵贊畫督理五營軍務丁內艱起復陞右寺丞

國朝定鼎大學士洪題留候補自是逃禪鄉里以壽終
承恩寺大殿日久傾圮時歲歉募修莫應寺僧勝因有田若干畝盡鬻之得三百餘金以爲倡首于是感而助之者衆殿工以成香火不墜胥其力也其徒妙雨繪事特妙
金陵諸寺俱擅山川之勝而承恩獨近市廛雖係勅賜而自明迄今從未提宗癸亥春延師獨任入院陞座可稱禪刹矣

高文玉生母方氏早逝事繼母金氏極孝母病文玉晝夜祓髮跣足泣訴神祠求以身代母夢神撫其頂驚汗而愈爲人慷慨好義棄産捐貲完親族婚嫁數十人至借字焚券掩骼施藥家雖貧乏必勉爲之工畫竹石翎毛所得筆資除饔飧外悉聽母周戚里後母終廬墓不歸竟以感傷而卒

朱文盛江寧人年十六母疾篤刲臂肉進母疾頓痊後父忽攖疾且劇乃默禱納刃于左脇割肝羹以進之父復瘳其篤孝如此

吳偉字次翁江夏人少遊金陵遂居焉山水人物入神品性戇直有氣岸一言不合輒投硯去成化中成國朱公延至幕下以小仙呼之因以爲號憲皇召至闕

下授錦衣鎮撫待詔仁智殿有時大醉被名蓬首垢面曳破皂履踉蹌行中官扶掖以見上大笑命作松風圖偉詭翻墨汁信手塗抹而風雲慘慘生屏幛間上嘆曰眞仙人筆也偉出入掖庭奴視權貴人求畫又多不與於是權貴人數短之居無何放歸南都偉好劇飲或經旬不飯在南都諸豪客日招偉酣飲顧又好妓飲無妓則罔懽而豪客競集妓餌之孝宗登極復名見便殿命畫稱旨授百戶賜畫狀元印章逾數年稱疾歸居秦淮之東涯武宗卽位名之使者至未就道中酒死子山從遺命葬于金陵

金陵瑣事載前賢畫品云靜誠陳先生遇善山水曾寫太祖御容妙絕當時　陳中復靜誠先生弟繪事精雅幼年在靜誠先生側戲弄筆墨靜誠叱曰吾豈他無一長汝乃習其下者乎亦工寫照　史謹太倉人工繪事流寓金陵自號吳門野樵長於寒林雪景自題其畫云雨餘山色翠如苔樹杪寒烟濕未開童子無端掃紅葉隔林知有故人來　張文僖益別號惷菴喜寫松竹與同榜夏㫤同邸舍㫤曰予當以文名世墨竹小技宜讓我矣故惷菴之畫最少有畫法一卷藏于家　沈誠字文實別號味菜居士喜繪事與

到落筆自成一家　金太守潤工山水神會天出傳世者絕少　殷善字從善花木翎毛自呂廷振林以善兩派中來殊有清致從善之子名偕能專其業　傳禮字公緒與同時鄭春鄭堂皆善禽鳥花木布景染色三人如出一手　馬俊字惟秀號訥軒山水倣唐宋人最古雅獨以鬼神馳名　吳珵字元玉號石居成化己丑進士官至郎中山水法戴文進　李葵字誠伯見人繪畫輒能模倣雖百物像貌無不曲盡　蔣子誠幼工山水中年悔其習遂畫佛像觀音大士為有明第一手　許昂字世顒梅花清楚不俗　胡隆字必興蔣子誠門人工於神鬼陳魯南贈之詩云生此南都住北都十年蹤跡遍江湖歸來為憶當時事醉裏淋漓入畫圖　史大方工山水謝子象題其畫云朱牆畫舸繫神都翠篠黃茅覆酒壚好似石頭城外景隔溪歌舞莫愁湖　史癡山水人物自寫胸中逸氣不可以畫之常格求之　江質字孟文浙人流寓南京山水專師戴靜庵但用墨太濃耳　山農金元玉畫梅花有逃禪老人筆意自題絕句云一別西湖未得歸孤山風月近何如春來賸有看花興又向君家寫折枝　金瓊字元善號松居精於醫

旁及繪事曾寫袁安臥雪圖兄元玉題云一片堅貞天地知甘貧豈但雪中饑平生恥作干人態縱使天睛也不宜　嚴賓字子寅精於賞鑒與文徵仲交好得徵仲畫百餘幅畫小景酷似徵仲　蔣嵩號三松善山水人物多以焦墨爲之　九峯徐子仁雖不以丹青馳譽所畫松竹花草蕉石皆精雅可愛　許縉字尚文工山水　馬稷字舜舉號醉狂善山水人物花木竹石　薛仁字子良山水人物花草專學吳小仙之筆故又號半仁　李著字潛夫號墨湖童年學畫於沈啟南學成歸家每做吳次翁之筆以售謝子象題其畫云銀河無路泛仙槎一舸空江此是家殘月照人秋睡穩不知清夢在蘆花　秋碧陳大聲山水做沈啟南余藏送史廷臣一小幀自題絕句云情深此日難爲别相送元方又季方萬里楚江孤棹迴穩吟秋色到維揚　景卿字夢弼善小景花草常寫杏花自題絕句云睛團紅粉護春煙彷彿江村二月天記得踏青回首處一枝斜拂酒樓前　王子新畫法趙松雪得其神俊　黄珍字懐季花草有黄荃筆意　許通善畫牛可亂戴松之筆晚年自悔用心之悞恐墮畜生道中　專工佛像　林旭字景初少聰

斂善畫山水品格甚高尤精於傳眞年未三十而卒　陳子野墨竹花草絕無一點俗氣文徵中稱其竹校淸氣逼人且戒門下士到南京不可畫竹彼處有人蓋指子野　陳石亭六七歲便搦筆模倣古人之畫後入翰林與文徵仲講論其畫更進凡宦游所歷覽之名山大川皆圖成卷軸最得馬河中夏禹玉之妙相傳金陵古今圖攷舊鈌乃其手繪也　鄒鵬字遠之號筠居工山水　盛安字行之號雪蓬居聚寶門外五聖巷爲人梗介淸約以梅花馳名詹景鳳云盛行之畫梅豪縱而爽趣勝陳憲章王謙皆不及　王孟仁字元甫山水淸潤有法文徵仲極喜之謝應午題其畫云無愛王摩詰從來老畫師鉛華渾欲洗墨韻自生姿踈樹秋雲合孤舟晩鏡移煙江曾獨泛相對正堪疑　胡懋禮山水脫去塵俗但所畫者不多耳　謝賔舉字子隱山水人物步驟戴靜菴具體而微　顧淸甫究心禪理而畫自成一家谿徑廻絕人不能學　雲浦盛仲交畫有逸才有妙賞　秋澗姚元白晩年工畫梅枝　楊秀才一洲字伯海山水小幅可觀　王秀才建極字用五工山水　何侍御仲雅工山水戲寫蘭竹最有淸趣　胡宗信字可復

山水最秀潤　史元昭工山水　沈碩字宜謙號龍江長洲人流寓南京曾學畫三年不下樓工於臨摹　姚太學衍字光虞工寫松枝　杜大成工草虫齊宗朱慶聚號似碧山水與枯木竹石清雅可觀　江潮宗字容夫天分甚高詩文可立就顧役志於繪事友人規之讀書則曰世寧有凍餒之江生乎中年家落寠甚嘗日晏未炊妻有慍色猶持筆伸紙作小景忽友人持錢米至乃付妻拏曰此豈徒得者耶急持去作午廚毋擾我爲其達如此　秋巖王允恭字謙父寫竹枝允恭爲和陽教督學熊廷弼索劣生允恭力言其無熊固索允恭自鋃鐺以見遂免時人稱其有守　謙居鄭道光字元韶寫梅花　曾鯨字波臣莆田人流寓寫照入神　齊王孫睿爚號渤海山水師倪元鎮睿箸字翰之下筆瀟遠迥無點塵子知鄭字思遠爲諸生後棄去隱溧水山中能畫爲詩數百首卓然不羣　盛事字不朽工山水　劉邁字種德工花草　姚履旋字允吉畫折枝梅　朱暉工花草　俞希允折枝梅學宋人　冶城道士沈禮山水亦清　冶城道士唐道時字子貞學畫於胡長白馬氏名閑卿號芷居陳魯南夫人善山水白描畫

畢多手裂之不以示人曰此豈婦人女子事乎 沈氏沈宜謙女楊伯海妻工折枝花吳中黃姬水題其杏花云燕飛修閣簾櫳靜紈扇新題春思長妙繪一經仙媛手海棠生豔復生香 僧可浩號月泉靈谷寺住持畫蒲桃有生意不減溫日觀之筆 廣禮號大鏡報恩寺僧陳子野授以畫竹之法

蔣康之金陵人知音善歌其音屬宮如玉磬之擊明堂溫潤可愛癸未春度南康夜泊彭蠡之南夜將半江風吞波山月啣岫四無人語水聲淙淙康之扣舷而歌江水澄澄江月明之詞湖上居民莫不擁衾而聽推窗出户見聽者匝岸少焉滿江如有長嘆之聲自是聲譽愈遠 太和正音譜

瑣事載金陵曲品云馬俊小令不減元人 史癡工小令 陳全秀才有樂府一卷行於世但工嘲笑而無詞家大學問 陳鐸字大聲世襲指揮豪爽多氣節經傳子史無不淹貫妙解音律有秋碧樂府梨雲寄傲公餘漫興行於世咏閨情三弄梅花一閱頗稱作家所爲散套穩協流麗被之絲竹審宮節羽不差毫末 徐霖少年數遊狹斜所鎮南北詞大有才情語語入律娼人皆崇奉之 陳魯南有善知識苦海回

頭記行於世人最膾炙者梅花序　羅子修雪詞絕妙　盛鸞有貽拙堂樂府二卷　邢太常一鳳字伯羽所塡南北詞最淸妥入絃索　鄭仕字子學工小令　胡懋禮有紅線雜劇最妙同時吳中梁辰魚亦有紅線傳奇膾炙人口較之懋禮當退三舍　杜大成工小令有詞評一卷名納涼遇筆　金鑾字在衡有蕭爽齋樂府最是作家　吉山王逢元最是詞曲當家　沈韓峰越工小令鐵面御史能作風流軟媚語賦梅花者豈獨宋廣平乎　盛壺軒敏耕工小令石樓高志學秀才工小令　段炳字虎臣秀才嘗和馬東籬百歲光陰一套金在衡見之極口贊賞曰押如此險韻迺得如此妥帖乎足以壓倒東籬　張四維字治卿號五山秀才有溪山閒情藏於家　黃方蔭有陌花軒小詞　沈思江寧人也字復之晚得一第官止深州學正馬　西虹稱其工樂府云　黃又元名開第馮海浮門人　汪肇命名宗姬有傳奇行於世　武陵仙史工小令　皮元素名光淳最是作家　徐惺宇名維敬工小令　孫幼如名起都黃疇鳳名戍儒趙獻之皆工小令

吳皓鑄一鼎於蔣山紀吳之曆數八分書晉懷帝永嘉

六年鑄一鼎沉於瓜步江中無文字鼎似龜形宋文帝得蝦魚遂作一鼎其文曰蝦魚四足齊高祖諱道成於齋中池内見龍鬭簫鼓音遂埋一鼎其文曰龍鼎眞書四足梁武帝大通元年於蔣山埋一鼎文曰大通眞書又鑄一鼎書老子五千言沉之九江中並蕭子雲書陳宣帝於太極殿中鑄一鼎文曰忠烈常侍丁初正書見梁虞荔鼎錄宋後廢帝昱以元徽二年於蔣山頂造一劍銘曰永昌篆書見陶弘景刀劍錄

吳桓王時金陵雨五穀於貧民家富者則不雨

江寧縣寺有晉長明燈歲久火色變青而不熱隋文帝平陳已訝其古至唐猶存

句曲山五芝求之者投金環二雙於石間勿顧念必得矣第一芝名龍仙食之爲太極仙第二芝名參成食之爲太極大夫第三芝名燕胎食之爲正一郎中第四芝名夜光洞鼻食之爲太清左御史第五芝名料玉食之爲三官眞御史

南唐元宗漂水桑樹中生一木人長六寸如僧狀右袒左跪衣襪皆備其色如純漆可鑑謂之須菩提孜前代漢成帝永始元年河南街郵樗樹生枝如人哀帝

建平三年汝南有樹生枝如人靈帝熹平中亦兩見

松窗雜錄衛公長慶中在浙右曾有漁人於秦淮垂機網下深處忽覺力舉異於常時及斂就水次卒不獲一鱗忽得古銅鏡可尺餘光浮於波際漁人驚取照之歷歷盡見五藏六府筋縈脉動竦駭神魄因腕戰而墜漁人偶話於舍旁遂乃聞之於公盡周歲萬計窮索水底終不復得

宋景濂學士有蟠桃核賦核長五寸廣四寸七分前刻西王母賜漢武桃及宣和殿十字塗以金舊藏大內庫中

相傳明初填燕雀湖爲宮殿中有大穴愈填愈深劉青田啟上親填之忽有一婦人抱子從穴中出至太平門外乃隱

僬僥三尺短之至也南京帑中藏有兩僬僥用樟腦函之萬曆戊戌間取入內觀焉函中記云嘉靖間鬚眉尚存今落已其物長尺餘耳百體宛然人也不知何時所存

明初沈萬三獻銅鍋三隻每隻可炊米五十石一留光祿寺一留天界寺一鎔爲三小鍋亦在天界中又戶部衙門有鐵梨木聯椅二可坐百人云亦籍沒萬三

家物也

隆慶乙巳秋日周吉甫同諸友人醵錢沽酒夜登雨花臺席地賞月有傈水韋操者覺一石炙手遂取歸次日將冷水一盂投石浸之水温而石之熱不減雨花臺出熟石前此未聞

嘉靖初年彭樓傍圍丁從枯井中得一松根研背鐫一名有開寶八年字嚴子寅以數百錢得之嚴世蕃門下客羅龍文見而愛之言於世蕃遂爲世蕃物嚴氏抄沒後不之更落何人手

嚴文靖公訥爲翰編時使楚藩歸舟行過燕子磯維而登焉雷大作遂入舟解維已而江波大滆噴沫蔽空一龍曳尾自江而上舟如箕蕩人皆股栗公神色不變與客縱目曰眞奇觀也龍徐徐而逝

陶隱居稱茅山龍池右有方池丈餘育龍子宋祥符間遣中使致祭使禱取一龍以獻因取其二緘閉器中中道風雨遂失其一語具御製觀龍歌中今禱雨皆驗閩黃孝翼遊茅山使道人導行披蒙翳中得小池有小黑龍遊藻間色如漆頭類蜥蜴腹下如丹砂五爪微白神物變化信自右有之人謂龍子非至虔莫覩孝翼獲觀甚以爲異

高淳李溪有虞媪者因驟雨以杯承簷間水水中浮經絲縷飲之遂孕及朞産一蛇身具五色媪怖異而投之溪每至溪浣洗蛇輒來就乳乳亦湧射蛇以咽承之既而厭之斫以刀正中其尾忽變頭角巨幹絳章風雨大作掉毋入溪壅土成墩而媪已瘞其中矣龍出溪去行輒回首顧凡回者二十有四而成二十四灣俗稱爲望娘灣由湖達江不知所往自後每歲寒食及冬首必有風雷遶塋處雨雹交下皆云龍祭掃至則河魚上擁居民持網以俟有一人而獲魚數石者至今猶然

浦口守禦門前一障壁原畫一犴云太祖所設以敵隔江儀鳳門內獅子山後一守禦每五鼓下操馬至壁前輒驚跳守禦怪之因撤此壁自是江水嚙地五里許詢之土人云先是渡江覔驢五里始上船今船直至浦口城墻下矣

欽天山有觀象臺上度銅渾儀四隅柱各一龍蟠繞拱之之而龍各以一銅銀鐺縶之相傳前幾年風雨中一龍曾飛去人伺而見之遂加鎖自是不復飛

萬曆丁未冬秦淮河儒學貢院之前氷成花卉其枝葉瓣朶無一不具時以爲創見之異然前記已多有之

紹興七年建康府寓旅家盆水結冰有紋如畫佳卉茂木華葉敷芳數日易以他水愈出愈奇又酉陽雜俎言開成末河陽黄魚池冰作花如纈夢溪筆談言慶曆中京師集禧觀渠中泳紋皆成花菓林木又元豐末秀州人家屋瓦上冰亦成花每瓦一枝正如畫家所爲折枝有大花似牡丹芍藥者細花如海棠萱草者皆有枝葉氣象生動雖巧筆不能爲之以紙搨之無異石刻又宋次道春明退朝録天聖中青州盛冬濃霜屋瓦皆成百花之狀

五穀樹有二株一在明皇城内一在報恩寺不但結子如五穀亦有似魚蟹之形者乃三寶太監西洋取來之物

白雲寺一名永寧寺在鳳臺門外與牛首山相近太監鄭強塋地壙旁多名花異卉有薝蔔花一叢乃三寶太監西洋取來者中國無其種花瓣似蓮而稍瘦外紫内淡黄色與佛經云薝蔔花金色者同花心嗅之辛辣觸鼻遠遠聞之微有一種清香楊用修胡元瑞皆云薝蔔花郎梔子花非也梔子花瓣極俗色極白香極濃品極賤處處有之若以爲郎薝蔔花恐梔子不敢當也楊胡二公特未見薝蔔花耳

樹之大而久者畱都所有無踰銀杏祈澤寺二株云是六朝人植牛首山一株云是懶融時植棲霞寺二株亦是六朝人植皆大可數人合抱而棲霞一株結乳如石筍下垂相傳樹千年始生乳爲尤奇乃知此木最壽宜名爲萬年枝俗傳銀杏開花以夜人自未有見者萬曆中大報恩寺鍾樓傍一株開花滿樹如椰絮人皆見之

論曰志猶史也史猶經也春秋之爲經也有書有不書傳則無不書有不書所以爲經無不書所以爲史也史亦有書有不書龍門傳人物書其功不及其過書其優不及其劣互見側出必有深意後人不知其法連書複書漫書而已志猶史也連書不可複書不可漫書不可故寧有佚焉雖然佚乎人有遺人矣佚

乎事有遺事矣連不可復不可漫不可遺焉可乎故

摭之摭之而不遺志體也佚之而後摭之志猶史也

其亦翼翼然兼乎經矣